DU MÊME AUTEUR

MATINÉE CHEZ
LA PRINCESSE DE GUERMANTES

MARCEL PROUST

MATINÉE CHEZ LA PRINCESSE DE GUERMANTES

Cahiers du *Temps retrouvé*

Édition critique
établie par Henri Bonnet
en collaboration
avec Bernard Brun
Chargé de recherche au C.N.R.S.

GALLIMARD

Il a été tiré de l'édition originale de cet ouvrage soixante-cinq exemplaires sur vergé blanc de Hollande van Gelder numérotés de 1 à 65 et soixante-dix exemplaires sur vélin d'Arches Arjomari-Prioux numérotés de 66 à 135.

Cet ouvrage a été publié avec le concours du Centre national des Lettres.

SIGLES

R⁰ : Recto (ou Folio avec F⁰).
V⁰ : Verso.
MR⁰ : Marge d'un Recto.
MV⁰ : Marge d'un Verso.
PR⁰ : Recto d'une paperole.
PV⁰ : Verso d'une paperole.
[ ] : entre crochets (pour les mots qui manquent ou pour les titres proposés).
* : astérisque (après le mot au-dessus de la ligne) : interprétation douteuse.
..... : Lacune ou interruption.
*** : Mot non déchiffré (les signes sont placés sur la ligne).
**** : Plusieurs mots non déchiffrés.
| : Point de départ d'un autre folio dans un texte continu.

L'italique est utilisé pour les indications données en tête des textes, notamment dans les « Notes pour *Le Temps retrouvé* ».

ABRÉVIATIONS

R.T.P. ou la Recherche pour *A la Recherche du Temps perdu*.
T.R. pour *Le Temps retrouvé*.
B.M.P. pour *Bulletin de la Société des Amis de Marcel Proust et des Amis de Combray*.
B.I.P. pour *Bulletin d'informations proustiennes*.
R.H.L.F. pour *Revue d'Histoire littéraire de la France*.

Page du manuscrit original. Dessin de Proust, V° 57.
Sont-ce les armes des Guermantes telles qu'il les imagine?
Bibliothèque nationale. Photos © Bibl. nat., *Paris.*

NOTE GÉNÉRALE
SUR LES TRANSCRIPTIONS

Nous avons été animés essentiellement dans nos transcriptions par le souci de présenter aux lecteurs un texte à la fois fidèle et intelligible. Nous avons visé une reconstitution intégrale et nous n'avons négligé en particulier aucun renvoi. Et ils sont non seulement nombreux mais compliqués du fait de renvois fréquents à l'intérieur ou la suite de ces renvois mêmes. Nous avons présenté les textes folio par folio en indiquant leur place par un trait vertical, en face de la signalisation marginale, où chacun d'eux prend naissance et en mentionnant de la même manière les marges et les versos lorsque ceux-ci sont utilisés. Comme l'ont fait MM. Clarac, Ferré et Sandre, dans leurs méritoires éditions de la Pléiade, nous avons donné les indications nécessaires sur les nombreuses difficultés du texte. Autant que possible nous avons respecté celles qui étaient données par Proust lui-même.

Un grand nombre de pages, de droite surtout pour la version primitive du Cahier 57, sont barrées principalement sous forme d'une grande croix. Elles l'ont été la plupart du temps après utilisation ou parce que Proust, les ayant relues, ne les a pas retenues pour sa version définitive. Elles n'en constituent pas moins avec les autres qui ne sont pas barrées la version de 1910-1911 que nous avons dû dégager sous l'amoncellement des notes ultérieures. Par contre les mots et les passages rayés ligne par ligne, ou barrés par de petits traits verticaux et qui ont été la plupart du temps remplacés par d'autres textes où les mêmes idées sont reprises immédiatement, nous les avons éliminés comme l'a fait l'auteur. Nous avons seulement signalé en note un mot, une expression, un passage qui pouvait présenter quelque intérêt ou même qui pouvait être retenu pour constituer une variante. Nous n'avons pas jugé utile par contre de retenir ce que nous appellerons les bévues ou les fautes d'inattention de l'auteur : par exemple les accents circonflexes de la troisième personne au singulier du subjonctif imparfait que celui-ci oublie constamment, telle virgule ou tel point d'exclamation qui manque manifestement, les fautes d'orthographe qui sont d'ailleurs rarissimes. Les mots difficiles à déchiffrer sont très nombreux et nous avons dû quelquefois, mais assez rarement tout de même, indiquer par un sigle soit que nous renoncions, soit que la version que nous proposions était discutable. Notons encore que Proust écrit toujours peut'être *avec une apostrophe. Nous avons respecté cette graphie de même que toutes celles qui lui sont propres, comme* 1ᵉʳ *pour* premier *ou* Pᶜᵉˢˢᵉ *pour* princesse, *ou encore les abréviations comme* q.q. *pour* quelque *ou* qᵈ *pour* quand, gʳᵈ *ou* gᵈ *pour* grand, *etc. Tout cela n'ajoute rien au texte mais rappellera du moins aux lecteurs qu'ils sont en présence d'un brouillon ou d'un premier jet qui leur permet de surprendre souvent l'auteur à l'un des premiers stades de son travail créateur, celui de l'inspiration.*

Nous avons enfin toujours essayé de retrouver partout la suite des idées. Un mot manque et la phrase tout entière devient inintelligible. Cela se produit quelquefois dans des textes de premier jet comme ceux que contiennent les Cahiers. Le travail de l'éditeur devient alors un travail de reconstitution. Il ne s'agit plus seulement de déchiffrer des mots, mais de retrouver le fil de la pensée. Les additions qui en résultent sont mises entre crochets de même que les titres qui sont de notre fait.

Nous tenons à remercier la Bibliothèque nationale de nous avoir autorisés à publier les textes de Proust qui lui appartiennent ainsi que les personnels du Cabinet des manuscrits, en particulier Mᵐᵉ Florence Callu, qui ont constamment facilité notre tâche.

I

Cahier 51 (1909)

(B.N. – N.A.F. 16 691)

INTRODUCTION [1]

*Le texte qui constitue le dernier chapitre d'*A la Recherche du Temps perdu *s'intitule, ou devrait s'intituler si les éditeurs avaient respecté la volonté de l'auteur,* Matinée chez la Princesse de Guermantes [2]. *Ce texte qui constitue à proprement parler* Le Temps retrouvé *comprend deux parties qui auraient dû, si la volonté de l'auteur avait été également respectée, avoir pour titres* L'Adoration perpétuelle *et* Le Bal de Têtes. *Il est le résultat d'une longue élaboration.*

C'est, semble-t-il, en 1909 que Proust conçoit Le Bal de Têtes, *récit d'un temps prosaïquement retrouvé dans un salon après quinze ou vingt ans d'absence, et qu'il en écrit sa première version dans le Cahier 51, du moins la plus ancienne que nous connaissions.*

Mais c'est en 1910-1911 que reprenant cette première version et la faisant précéder de L'Adoration perpétuelle, *chapitre nouveau [3], qui est l'exposé de son esthétique, il en donne une version très développée (dans le Cahier 57) qui constituera même avec le Cahier 58, ainsi que nous le verrons par la suite, la fin de la deuxième*

1. Cette introduction est une première introduction. Elle sera suivie d'une seconde introduction aux Cahiers 58 et 57 de 1910-1911 et d'une troisième introduction aux « Notes pour *Le Temps retrouvé* » (1913-1917).

2. Il faut faire remarquer que dans le Cahier 51, dont nous allons donner la transcription intégrale, il s'agit d'une « soirée ».

3. Pas entièrement, puisque le « Projet de Préface », ainsi dénommé et placé par les éditeurs en tête du *Contre Sainte-Beuve,* en contient une esquisse. Mais ce « projet » ne comporte que quelques pages et n'a pas l'ampleur du chapitre nouveau en question. Il n'en est pas moins précieux et nous allons en reparler plus loin.

partie du livre qu'il propose de montrer à Gallimard en 1912 lorsqu'il entreprend de chercher un éditeur.

Enfin, c'est pendant la guerre de 1914-1918 qu'il écrira les XX Cahiers contenant les manuscrits définitifs [1] *de* Sodome et Gomorrhe, *de* La Prisonnière, *d'*Albertine disparue *et la version dernière du* Temps retrouvé, *où une nouvelle version de la* Matinée chez la Princesse de Guermantes *est incluse* [2]. *Il écrit tout cela d'une traite, semble-t-il, car tout se suit sans interruption, pendant la guerre, vers 1914-1916. Son livre est achevé, au moins en brouillon.*

A la Recherche du Temps perdu, *comme nous l'avons montré, Claudine Quémar, Philip Kolb, Bernard Brun et moi-même, part du* Contre Sainte-Beuve. *Elle y plonge ses racines. Nous allons voir que c'est le cas pour la* Matinée chez la Princesse de Guermantes [3], *qui au stade de 1909 est d'ailleurs une soirée.*

Mais il nous faut, auparavant, dire que le Contre Sainte-Beuve *est cité très généralement et bien à tort comme une œuvre achevée de Proust. En fait nous ne possédons que des reconstitutions. La première et la plus complète est celle de Bernard de Fallois. Mais elle inclut des textes qui ne sont plus de l'époque où Proust travaillait à un* Contre Sainte-Beuve *et elle ne prend pas en compte d'autres textes qui appartiennent à cette période. Celle de Pierre Clarac, la seconde, élimine la plupart des textes de caractère romanesque, ce qui tend à exclure toute filiation avec la* Recherche.

Le Contre Sainte-Beuve *n'a jamais existé d'une manière complète ou cohérente que dans l'esprit de Proust. Ce que nous possédons à la Bibliothèque nationale, ce sont des traces constituées par quelques textes : un projet de préface, un texte que Bernard de Fallois a intitulé « Journées » et une belle étude, « La Méthode de Sainte-Beuve »,*

---

1. Il publiera lui-même *Sodome et Gomorrhe.* Pour *La Prisonnière,* il fera certaines retouches avant de mourir.

2. Il faut dire que *Le Temps retrouvé,* tel qu'il a été présenté au public en 1927, n'est vraiment *Le Temps retrouvé* que pour la seconde moitié du second volume, c'est-à-dire la *Matinée chez la Princesse de Guermantes.* La première moitié contient deux chapitres : *Tansonville,* qui n'est que la suite d'*Albertine disparue,* et *M. de Charlus pendant la guerre,* chapitre nouveau, qui, lui, pourrait très bien être rattaché au *Bal de Têtes.*

3. Comme c'est le cas pour *La Prisonnière* même, ainsi que l'a montré Kazuyoshi Yoshikawa dans une magnifique thèse, malheureusement restée inédite. Voir à ce sujet les *Bulletins Marcel Proust* de 1977 et 1978 qui contiennent nos comptes rendus de cette thèse dactylographiée.

et surtout des éléments extraits des sept premiers Cahiers que détient
également la Bibliothèque nationale. On peut y ajouter une partie du
Carnet I *(bizarrement publié sous le titre de* Carnet 1908 *alors*
qu'il contient des textes qui de l'aveu même du transcripteur, Philip
Kolb, ne sont pas de l'année de référence).

Bernard de Fallois, *dans la préface de son édition, nous signale*
encore l'existence de soixante-quinze feuillets grand format qui n'ont
pas été retrouvés [1].

Le moment précis où Proust a pensé qu'il pouvait passer à quelque
chose de plus vaste qu'un Contre Sainte-Beuve *nous est inconnu.*
Et nous ne le saurons peut-être jamais avec une absolue certitude.
Cela a pu être, cela a dû être, le résultat d'une idée qui a brusquement
surgi dans son esprit, qui l'a illuminé — comme cela arrive à tous les
inventeurs ou créateurs — et orienté dans une nouvelle direction.
Mais il n'y a pas eu de rupture complète; l'idée d'un grand roman
a dû venir à son esprit après qu'il eut rempli les Cahiers 5, 6 et 7,
Cahiers qui sont du même type, par leur style, que tous les Cahiers
qui précèdent, mais riches d'une matière psychologique ou romanesque
plus importante [2]. *C'est cette matière qui a dû lui révéler qu'il*
était sur le chemin d'un roman et qu'il fallait enfin concevoir
l'œuvre qui s'appellera A la Recherche du Temps perdu. *C'est*
là qu'apparaissent avec les Guermantes (c'est-à-dire le comte et la
comtesse déjà présents dans les Cahiers 1 et 4, et qui deviendront
duc et duchesse par la suite) le marquis de Guerchy ou de Guercy,
le curé (sous le nom de Chaperond), la tante Charles (future tante
Léonie), Swann, Combray et Françoise, mais encore Mme de Villeparisis
et surtout les Verdurin et leur cercle.

L'examen de la correspondance [3] *peut nous donner une indication*
sur le moment où Proust passe de l'idée d'un Contre Sainte-Beuve
un peu hybride à un roman authentique. Notons bien que ce moment
a pu être très bref car il ne s'agissait pour lui que d'un changement

1. A moins qu'ils ne se trouvent parmi les « Fragments » grand format
de *Swann* rassemblés sous la cote N.A.F. 16703 où nous en avons dénom-
bré plus de soixante-dix.
2. K. Yoshikawa a écrit à ce sujet une étude fort intéressante en 1973
dans la revue japonaise *Étude de Langue et Littérature françaises,* n° 22,
« Marcel Proust en 1908 — Comment a-t-il commencé à écrire *A la*
Recherche du Temps perdu ».
3. C'est à cet examen que j'ai procédé tout au long de mon livre, *Proust*
de 1907 à 1914 (Nizet, 2e édition, 1971). Voir notamment p. 79, 85, 86.

d'orientation que préparaient les fictions esquissées dans les Cahiers Sainte-Beuve.

Comme le montre Bernard Brun [1] dans son analyse des Cahiers 26 et 11, il est évident que Proust a d'abord conçu son ouvrage sous une forme achevée où le projet romanesque et le projet esthétique étaient liés sinon même confondus.

Mais aussi nous savons qu'à un moment donné de son élaboration, au début, il a existé une première version de la Recherche attestée par les déclarations mêmes de Proust à ses amis lorsqu'il leur dit qu'il a achevé, terminé un ouvrage de 400 à 500 pages. On est en juillet-août 1909. Mais la publication d'un tel ouvrage est refusée en août par Valette. C'est une première version de ce qui s'appellera la Recherche.

Par quoi était-elle constituée? Pour nous en faire une idée nous avons, croyons-nous, ce que Claudine Quémar appelait des cahiers de préparation ou des avant-textes. Le très beau texte qui a été intitulé Un premier État de Swann et publié incomplètement à la Table Ronde en 1945 [2] constitue, semble-t-il, une de ces préparations. Il se trouve sous sa forme plus complète au début du Cahier 26. Bernard Brun y distingue trois parties, ou comme il dit plus savamment, trois unités rédactionnelles qui se succèdent. La première est relative au côté de Méséglise, aux promenades faites après la mort de tante Léonie, tout un passage de réflexions sur ce qu'il appelle *une des lois vraiment immuables de sa vie spirituelle, à savoir que ce n'est jamais la valeur rationnelle d'une idée qui lui donne l'impression de la beauté mais quelque image ou quelque impression sensible sans valeur intellectuelle, telles qu'il en découvrait au cours de ses promenades aux alentours de Méséglise.* Il décrit aussi un souvenir involontaire, sur lequel il reviendra dans Le Temps retrouvé dès la première version de L'Adoration per-pétuelle en 1910-1911, celui du heurt de la fourchette contre une assiette [3]. Il analyse l'ivresse qui le gagne dans le souvenir dont il

---

1. B.I.P., n° 10, automne 1979 (p. 23-38) : « Une des lois vraiment immuables de ma vie spirituelle. Quelques éléments de la *démonstration* proustienne dans les brouillons de *Swann.* »
   2. Et ensuite dans les *Textes retrouvés* de Kolb (Gallimard, 1971).
   3. Et qui se trouve aussi sous une forme un peu différente dans le « Projet de Préface » du *Contre Sainte-Beuve*, dont nous avons parlé plus haut p. 15, note 3.

prend possession et qui remplit son âme. Son commentaire est plus développé qu'il ne sera jamais concernant ce seul souvenir : « La nature, le passé me paraissaient laids, écrit-il, parce que ce n'étaient ni la nature, ni le passé... », etc. Dans le souvenir il atteint la vraie réalité[1]. *Il touche donc au but qui est* Le Temps retrouvé *et cela dès cette première version de son œuvre. Il presse son institutrice de le ramener à la maison pour essayer de décrire ce qu'il ressent, avec le seul sentiment de la peur de mourir sans s'être exprimé. Mais le récit du heurt de la fourchette contre l'assiette sera finalement reporté à la fin de la* Recherche, *au* Temps retrouvé. *Il aura suffi à Proust d'avoir magistralement décrit dès le début de* Swann *le souvenir provoqué par la petite madeleine, et par la suite d'autres réminiscences et de nombreuses impressions, mais dont il s'abstient de tirer les conséquences*[2].

A ce texte principal du Cahier 26 Proust ajoute, deuxième unité textuelle, des réflexions générales dans les versos que Bernard Brun estime naturellement postérieures, comme tout ce qu'on ajoute, mais sans pouvoir dire si elles le sont de beaucoup, même si l'écriture est différente. Pour celles qui concernent Marguerite Audoux[3] *et* Marie-Claire, *on est évidemment en 1910 ainsi que nous le verrons quand nous étudierons le Cahier 58, lui-même de la fin 1910. Mais, troisième unité textuelle, la suite de la première partie, qui porte sur Querqueville et les chambres, est probablement de la même date que le commencement, c'est-à-dire de 1909.*

On peut souligner ici, avec Bernard Brun, l'insistance de Proust critiquant l'intelligence comme un signe que l'étape beuvienne n'est pas loin. Ce que Proust condamne en Sainte-Beuve, c'est en effet un excès d'intelligence, ou l'usage exclusif de celle-ci, non pas que Proust méprise l'intelligence, mais parce que l'intelligence n'est pas la faculté la meilleure pour atteindre le réel et porter des jugements valables sur la nature de l'inspiration poétique.

Ce que l'on sait de cette version que Valette a refusé d'examiner

---

1. Sur ce point on lira l'excellent ouvrage d'Alain de Lattre : *La doctrine de la Réalité chez Proust* (Corti, 1978).
2. A l'exception de l'audition du Septuor de Vinteuil qui le conduit très près de son esthétique de *L'Adoration perpétuelle*. Mais là encore l'artifice romanesque lui permet de différer sa conclusion.
3. Dont il rapproche la manière de celle de Charles-Louis Philippe et de Gérard d'Houville, en la jugeant supérieure à celle de George Sand.

*en août 1909, c'est que Sainte-Beuve y joue un rôle important.
La lettre de Proust à Valette le révèle :* « *Le livre qui a pour sous-
titre "Souvenir d'une Matinée", finit bien, lui écrit-il, par une
longue conversation sur Sainte-Beuve et l'esthétique.* » *Le texte
intégral de cette importante lettre est présenté par Florence Callu
dans le* Bulletin de la Bibliothèque nationale *(de mars 1980).
Elle est datée fin juillet-début août 1909 par Florence Callu. Proust
estime l'importance de la matière de son livre à 425 pages environ
dont 250 à 300 pages du* « *Mercure* » *pour la* « *partie roman* »*,
le reste (donc 125 à 150 pages) est constitué par* « *la longue causerie
sur Sainte-Beuve, la critique, etc.* »*. De la partie roman il dit :*
« *C'est un livre d'événements les uns sur les autres à des années d'intervalle...* » *L'expression est curieuse. Elle prouve que dès le départ,
ou presque, Proust a prévu de retrouver ses personnages beaucoup
plus tard, comme il semble bien que ce soit le cas pour le mariage de
Montargis-Saint Loup avec Gilberte, ou la déchéance de M. de
Guercy-Charlus.*

*Cette confidence à Valette est d'une grande importance. A ce
moment de l'an 1909, c'est-à-dire environ à la fin· du premier
semestre 1909, le livre ne se termine pas par* Le Bal de Têtes.

*Proust, après ce refus, se déclare mécontent de son travail. Sa
correspondance le prouve. Il est à présumer qu'à Cabourg où il s'est
rendu en août il remanie son livre. C'est une chose presque certaine.
Rentré à Paris, il va fournir un gros effort. Fin novembre, il lit ce qu'il
appelle* « *son début* » *à Reynaldo. Puis il envoie en décembre 1909
le premier paragraphe du premier chapitre à Georges de Lauris
(200 pages). Nous avons montré*[1] *qu'il s'agissait des Cahiers 9 et
10 (où il reprend le gros Cahier 8), peut-être complétés par un
troisième cahier auquel il a fait allusion mais qu'on n'a pas retrouvé.*
C'est, à peu près, le début de la *Recherche*, telle que nous la
connaissons.

*Ainsi deux choses sont possibles sinon certaines : en cette année 1909
Proust a écrit une première version de la* Recherche *à la fin du premier semestre. Il l'a annoncé à ses amis comme une délivrance. Mais
le refus de Valette l'a incité, semble-t-il, à modifier ses plans. Un
nouveau démarrage s'est produit, attesté aussi par la correspondance
à la fin de cette même année, avec un plan nouveau qui reléguera*

---

1. Dans *Proust de 1907 à 1914* (Nizet, 1971).

le temps retrouvé à la fin de l'œuvre. Mais il y travaillera aussitôt.
Il esquissera sa fin, vraisemblablement avec le texte du Cahier 51
sur Le Bal de Têtes *que constitue la réception chez la princesse de*
Guermantes, et que l'on peut donc situer à la fin de 1909.
Comme le fait remarquer Bernard Brun, des préoccupations esthé-
tiques ont été constamment présentes à son esprit depuis le début de
ses travaux. Et il est à présumer que la première version de la
Recherche, *celle qui a été refusée par Valette en août 1909, était,*
comme semble bien le prouver le Cahier 26, pleine de considérations
à ce sujet jusqu'à son aboutissement à la fameuse conversation avec
maman sur Sainte-Beuve.
Donnons un exemple. Dans son commentaire de l'impression du
heurt de la fourchette contre l'assiette, il s'exprime déjà comme il
le fera dans L'Adoration perpétuelle : *« Résidant au-dessus de*
moi-même, dans une vérité poétique qui née de l'accord d'une minute
présente et d'une minute passée était en quelque sorte hors du
temps. » La démonstration courait tout au long de son développe-
ment. Pour que fût éliminée la conversation finale sur Sainte-Beuve,
il fallait qu'il présentât ses expériences comme des échecs et tout au
moins qu'il en réservât l'explication pour un grand chapitre qu'il
intitulerait L'Adoration perpétuelle. *Et c'est ce qu'il fera plus tard.*
La nouvelle version, la deuxième, est donc conçue dans un esprit
différent de la première, la version Valette.
Il fallait aussi que se produisît, comme le remarque très bien Ber-
nard Brun, une rupture. L'accent porté sur la parenté de la « démons-
tration » théorique entre les brouillons beuviens et les brouillons
romanesques « ne doit pas, écrit celui-ci, faire oublier l'existence
d'une rupture essentielle : pour que le roman commence à s'écrire,
dans le courant de l'année 1909, sur les débris de l'essai abandonné,
Proust a dû inventer une forme nouvelle (le sujet insomniaque et la
remémoration). Ce changement dans la technique d'expression ne pou-
vait pas ne pas avoir d'incidence sur le message esthétique apparem-
ment commun aux deux projets successifs » (B.I.P. n° 10, p. 30, note 3).
Ajoutons à tout ce que nous venons de dire la découverte de
Volker Roloff[1]. Elle confirme de façon éclatante ce que nous venons
de prétendre sur le changement d'orientation de Proust qui, dans

---

1. Voir les *Études proustiennes III,* dans les *Cahiers Marcel Proust,*
Gallimard, 1979, p. 269-287 : *« François le Champi* et le Texte retrouvé. »

sa version nouvelle, enfin définitive, transfère tout ce qui est d'ordre trop théorique ou philosophique à la fin de son œuvre, interrompant ses expériences ou ne les poussant pas à fond, ajournant toute conclusion. On sait que dans **Du Côté de chez Swann** Proust a placé *un morceau sur la lecture que sa mère lui faisait de* François le Champi. *Ce morceau figure dans le fameux « commencement » constitué par les Cahiers 9 et 10, que Proust soumet, en décembre 1909, à l'attention et même aux bons soins, au cas où il mourrait, de son ami Georges de Lauris. Mais la fin de ce morceau (Cahier 10, f°s 18 à 20) qui est constitué par un commentaire esthétique a été transportée (à sa vraie place en somme) par Proust dans* L'Adoration perpétuelle, *c'est-à-dire la première partie de la* Matinée chez la Princesse de Guermantes. *Nous la retrouverons en partie dans le Cahier 57 en 1911 (première version développée de* L'Adoration perpétuelle) *que nous transcrivons plus loin pour la première fois, et plus tard elle apparaîtra de façon intégrale dans la version définitive, celle qui parut en 1927. On se rappelle comment le petit livre de George Sand déclenche chez le narrateur une série de réflexions des plus profondes sur les sources et la nature de l'art. On voit comment il y a continuité dans l'esprit de Proust de la fin de 1909 au manuscrit autographe des années d'après-guerre où ce manuscrit définitif a été constitué, en passant en 1910-1911 par la première version du Cahier 57. Et Volker Roloff*[1] *nous montre comment vers 1916 (date approximative du dernier manuscrit autographe) Proust est allé directement chercher son texte (trois pages et demie), en le découpant dans une dactylographie faite sur le Cahier 10 pour le placer sur une paperole à la fin de son livre, sept ans environ après!*

*

La première version connue de ce qui constitue à proprement parler Le Temps retrouvé, *tel qu'il est présenté dans la réception chez*

---

1. Dans son étude, Volker Roloff nous donne le texte corrigé des pages concernant *François le Champi*, corrigé en partie en se référant au Cahier 10 et en rétablissant aussi des passages, à tort supprimés selon lui, dans l'édition de la Pléiade qui comporte, d'ailleurs, un certain nombre d'autres fautes, de telle sorte qu'une nouvelle édition du *Temps retrouvé* devient selon lui souhaitable.

*la princesse de Guermantes, se trouve donc dans le Cahier 51 que
nous datons, car Proust a toujours dit que le dernier chapitre de
son livre avait été écrit immédiatement après le premier, celui des
Cahiers 9 et 10, de fin 1909. Elle est constituée par le seul* Bal de
Têtes. *C'est notre hypothèse* [1].

*Dans ce Cahier 51 il y a trois choses :
1° Un double récit concernant conjointement Mme de Villeparisis
et ses héritiers, le prince et la princesse de Guermantes; et le marquis
de Guercy dans sa rencontre et ses rapports avec Borniche. Le marquis de Guercy donne son nom au titre du morceau : « Le Marquis de
Guercy (Suite)* [2] *» qui va du Recto 1 au Recto 22. Les textes de ce
récit ont été repris : ceux de 1 à 17 dans* Sodome et Gomorrhe,
ceux de 17 à 22 dans le premier volume du Temps Retrouvé *de
1927. Ils sont consacrés principalement à la rencontre du marquis
de Guercy avec Borniche (qui deviendront le baron de Charlus et
Jupien). De 17 à 22 nous avons la rencontre du narrateur avec le
marquis de Guercy devenu vieux, sorte de roi Lear un peu tragique,
se promenant sous la surveillance de Borniche. Proust, on le voit, a
prévu très tôt ce qui arriverait à son héros. Il n'avait pas prévu,
bien entendu, qu'il devrait faire apparaître le baron de Charlus
pendant la guerre de 1914-1918 avec quelques épisodes nouveaux* [3].

---

1. Il se pourrait que ces Cahiers 9 et 10, ou à défaut le Cahier 8 qui en
constitue une première version, aient figuré dans ce que nous appelons la
version Valette et que Proust ait pensé à l'un d'eux quand il propose au
directeur du « Mercure » de lui envoyer la copie ou la dactylographie de
ses cent premières pages. C'est une autre hypothèse. Le Cahier 51, où
Proust a sûrement puisé tout ce qui est relatif au marquis de Guercy
pour la version Valette, serait alors de quelques mois antérieur, c'est-à-dire
approximativement de juin ou juillet 1909. Mais de toute façon notre
Bal de Têtes a été écrit *après* puisqu'il figure à la fin du Cahier et dans
l'ordre inverse des pages. Et la conclusion étant réservée à la discussion
sur Sainte-Beuve, on peut se demander à quoi il aurait servi dans la version Valette.

2. Il semble que cette « suite » soit une suite des Cahiers *Contre Sainte-
Beuve* 6 et 7, où le marquis de Guercy est présenté pour la première fois.
Mais cela pourrait être aussi une suite du récit de la première rencontre
du narrateur avec le marquis de Guercy à Balbec. Ce texte aurait pu aussi
s'intituler : « Comment le prince et la princesse de Guermantes héritèrent
de Mme de Villeparisis. »

3. On pourra nous faire observer que cette partie du Cahier 51 n'appartient pas à la réception chez la princesse de Guermantes et que nous

2° La soirée chez la princesse de Guermantes : Verso 68 au Verso 61 (le Cahier est repris à l'envers, ce qui explique que l'on aille à reculons de verso en verso), Verso 61-Verso 55, avec d'ailleurs quelques textes situés en face dans les rectos.

Cette « soirée », qui sera ensuite transformée en « matinée », est à ne pas confondre avec la soirée que l'on retrouvera plus tard dans Sodome et Gomorrhe *(2ᵉ partie, chap. I) et au cours de laquelle le narrateur éprouve quelque difficulté pour trouver quelqu'un qui veuille bien le présenter au prince de Guermantes.*

3° Une sorte de suite à cette soirée, mais au théâtre dans la baignoire d'une cousine de Mᵐᵉ de Guermantes. Ce texte qui montre, dans le même esprit que la soirée, comment les gens ont vieilli et comment les « prestiges » se sont effacés ne sera pas repris. Mais on peut considérer qu'il constitue une ébauche de suite à la soirée. Et pour cette raison nous le publions avec celle-ci.

*

Il est facile de montrer comme preuve nouvelle de la continuité de sa pensée qu'au cours de l'élaboration de la Recherche *les brouillons du* Contre Sainte-Beuve *restent présents à l'esprit de Proust. En voici deux exemples :*

1° Le texte que les éditeurs ont placé en tête du Contre Sainte-Beuve *en lui donnant le titre de « Projet de Préface » contient ce que l'on pourrait considérer comme la première esquisse de* L'Adoration perpétuelle *avec l'exemple, d'abord, de la petite madeleine trempée dans la tasse de thé. A vrai dire, il s'agit de pain grillé et c'est la « vieille cuisinière » qui propose, non la mère — et c'est le souvenir de son grand-père, non de la tante Léonie, qui est ainsi suscité. Ensuite, vient l'impression des pavés inégaux qui lui rap-*

aurions dû, en conséquence, la distraire de notre publication. Mais d'abord, il eût été regrettable de ne pas donner intégralement le Cahier 51. Ensuite, nous pouvons justifier sa présence en faisant remarquer que la mort et la succession de Mᵐᵉ de Villeparisis, sujet principal du morceau ou du moins sujet « unificateur », comme le tableau de la déchéance du baron de Charlus appartiennent bien à la fin de l'œuvre. Ils constituent une sorte d'anticipation du *Bal de Têtes* où nous voyons Proust introduire dans sa dernière version tout un chapitre sur la déchéance de la Berma.

*pelle Venise et « le pavage un peu inégal et lisse du baptistère de
Saint-Marc ».* Enfin, troisième souvenir involontaire, qui lui révèle,
comme les autres, l'essence intime de nous-même que l'intelligence
est impuissante à atteindre, celui d'une journée et d'un paysage
champêtre ou sylvestre que le bruit d'une cuiller tombée sur son
assiette, identique à celui du marteau des aiguilleurs [1] qui frappait
les roues de son train dans les arrêts, lui permet de retrouver. Il y
a une quatrième impression : celle qui est donnée par un morceau de
toile verte devant un vitrage cassé. Mais elle n'aboutit pas.

2° Le Contre Sainte-Beuve *ne contient pas de* Bal de Têtes.
Mais il y a tout de même des liens entre le premier Bal de Têtes,
*celui de 1909, et lui. Lorsque Proust en établit une première rédac-
tion, c'est, ainsi qu'il l'a déclaré à Paul Souday, immédiatement après
les premières rédactions de* Du côté de chez Swann, *qu'il commu-
nique fin 1909 à Reynaldo Hahn et à Georges de Lauris. Cette première rédaction sans titre constitue alors pour lui, nous l'avons
supposé,* Le Temps retrouvé, *tout au moins la fin de l'œuvre. Elle
se présente à ce moment-là sous la forme d'une soirée chez le prince
et la princesse de Guermantes, une soirée et non une matinée; mais
peu importe.*

Or, au Cahier 7, le dernier Cahier Contre Sainte-Beuve *selon
nous [2], se trouve le récit d'une invitation par le prince et la princesse de Guermantes. Cela se situe à un moment où le comte et la
comtesse de Guermantes [3], ses voisins, ont perdu par leur fréquentation une grande part de leur prestige à ses yeux, il dit même de
leur « poésie ». Il n'en est pas de même du prince et de la princesse
qui habitent un hôtel rue de Solférino. Car il ne les connaît pas
encore.*

*On verra plus loin, dans la version de 1909, où il ne s'agit plus
d'ailleurs d'une première invitation, que Proust parle de leur hôtel
comme d'un vrai palais de conte de fées « comme autrefois ». On se
demande pourquoi. Car il y a bien dans* A la Recherche du Temps
perdu *une autre réception chez le prince et la princesse de Guer-*

---

1. Ce n'est pas un travail d'aiguilleurs. Proust corrigera cette erreur.
Dans le Cahier 26, sur lequel nous ne revenons pas ici, il s'agit d'ouvriers
qui « tapaient sur les rails pour je ne sais quel travail ».

2. A moins que le dernier des sept ne soit le Cahier 6, comme le
suggèrent Bernard Brun et Claudine Quémar.

3. Ils deviendront le duc et la duchesse.

mantes dans la deuxième partie de Sodome et Gomorrhe *ainsi que nous l'avons déjà dit et c'est même aussi à la fois une soirée et le résultat d'une première invitation.* Mais il n'y est pas question de *féerie, d'Enchanteur ou de Fée.* On s'explique la chose quand au Recto 40 du Cahier 7 on trouve ceci dans le récit de l'invitation à *laquelle le narrateur hésite à donner suite :* « Mon père qui passait *tous les jours devant leur hôtel rue de Solférino disait : C'est un palais de contes de fées. De sorte que cela s'était amalgamé pour moi avec les féeries incluses dans le nom de Guermantes...* » *C'est donc au* Contre Sainte-Beuve *que* Le Bal de Têtes *de 1909 se réfère et emprunte cette idée* [1].

On verra aussi, dans la version 1909, qu'on lira ci-après, que *Proust insiste sur la politesse condescendante du prince. Or, c'est la même idée dans des termes équivalents qu'il a déjà exprimée dans le Cahier 7 au Recto 46 :* « M. de Guermantes recevait très bien, *trop bien car dans ces soirées où il recevait le ban et l'arrière-ban de la noblesse et où il y avait des nobles de second ordre de province pour qui il était un très grand seigneur, il se croyait obligé à force de rondeur et de familiarité, de mains sur l'épaule, et de ton bon garçon; de* " ce n'est pas mal chez moi " *ou de* " je suis très honoré que vous soyez venu ", *de dissiper chez tous la gêne, la terreur respectueuse qui n'existait pas au degré qu'il la supposait.* »

Proust est fort proche de ce Cahier 7, dont il se souvient certainement. *Mais à ce moment-là, dans le texte du Cahier 51 en 1909, l'idée de la* Recherche *est née en lui puisqu'il en a conçu l'aboutissement, sous les espèces d'un* Bal de Têtes *auquel il est sur le point d'adjoindre un grand chapitre qui sera* L'Adoration perpétuelle.

---

1. Proust ne lui emprunte pas l'idée d'une première réception, car ce texte de 1909 est pour lui celui de la fin, c'est-à-dire d'un narrateur blasé qui a beaucoup fréquenté le salon de la princesse de Guermantes. Nous verrons plus loin dans la version de 1910-1911 que le narrateur insiste beaucoup sur le fait qu'il est partout accueilli à bras ouverts comme peut l'être un vieil ami. L'idée d'une première réception et des doutes de l'intéressé sur l'authenticité de l'invitation est reprise dans *Sodome et Gomorrhe*.

*

Le Bal de Têtes *compte donc au total trois versions différentes :*
1° celle du Cahier 51 dont nous venons de parler et que nous situons
fin 1909; 2° la version de 1910-1911 beaucoup plus développée et
qui constitue la seconde partie de la Matinée chez la Princesse de
Guermantes, *la première partie étant constituée par* L'Adoration
perpétuelle *(nous avons déjà dit et nous verrons que cette seconde*
version a fait partie du manuscrit, tel que Proust l'offrait aux édi-
teurs en 1912 avec l'ensemble de son livre); 3° la version définitive
de ladite Matinée, *telle que Proust l'établit après 1914 et au cours*
de la guerre de 1914-1918. Cette dernière version du Bal *est la plus*
importante de toutes et c'est la seule qui ait été publiée [1].

Notons cependant que Bardèche a donné en appendice du tome 2
de Proust Romancier *une partie de la version 1909. A celle-ci,*
il ajoute un petit texte tiré du Cahier 11 qu'il croit être la suite d'un
autre Cahier que nous ne possédons pas ou d'une page arrachée, car
il commence au milieu d'une phrase. Mais nous verrons plus loin
qu'il s'agit d'une suite probable du Cahier 57 auquel il pouvait
servir de fin.

Une certaine continuité existe entre ces différentes versions, marquant les étapes du travail de l'auteur qui s'enrichit d'éléments nouveaux au fur et à mesure qu'il avance dans le temps mais n'oublie
jamais ce qu'il a déjà écrit. Pour Le Bal de Têtes *il s'agit essen-*
tiellement de donner une idée du vieillissement de ses personnages,
de leur évolution et de la réalité du Temps.

Cette continuité se manifeste aussi dans la reprise au cours des
trois versions de certains détails. Dans les trois versions, Proust nous
décrit longuement les efforts que font les femmes pour ne pas vieillir
(du moins en apparence). Dans la version de 1909, il y a celles qui
sacrifient, en mangeant peu et en faisant de l'exercice, comme Mme de
Guermantes, *la fraîcheur de la figure à « l'élancé de la taille ». Mais*

1. Elle est publiée d'ailleurs conjointement avec *L'Adoration perpétuelle*
comme dans la version 1910-1911. Malheureusement (nous ne saurions
trop le déplorer) on n'a pas repris les titres des différentes parties, parce
qu'ils ne sont pas indiqués dans les 20 Cahiers du manuscrit autographe.
Proust les avait pourtant prévus.

« la plupart concentraient tout leur effort dans leur visage, le ten-dant vers la beauté qui les quittait comme un tournesol vers le soleil ». C'est ce qu'écrit Proust. Et il ajoute que Mme de Serisaie « ne pouvant conserver son [air] mutin... avait élargi son visage... en [en] faisant une espèce d'ostensoir rond et monumental pour tâcher d'accaparer encore le plus de reflet si possible de la flamme disparue ».

Or, la comparaison avec le tournesol se retrouve dans la version de 1910-1911 (Recto 47 du Cahier 57, complété en marge). On retrouve aussi la comparaison avec l'ostensoir (dans la marge du Recto 47 au Cahier 57). Et ce sont presque les mêmes termes que dans la version 1909 (Cahier 51) qui sont employés. Qu'on en juge! « ...certaines... mangeaient à peine... pour conserver, au prix d'une mine tirée, d'yeux cernés la sveltesse de la taille qui avait fait leur gloire. Mais c'est dans leur visage au contraire que presque toutes s'efforçaient de lutter contre l'âge, le tendant vers la beauté qui les quittait comme un tournesol vers le soleil... » Si, dans la version de 1927, la version définitive, on ne retrouve pas ces comparaisons avec le tournesol, on en trouve une autre qui est équivalente et que voici : « Mais presque toutes les femmes n'avaient pas de trêve dans leur effort pour lutter contre l'âge et tendaient vers la beauté, qui s'éloignait comme un soleil couchant et dont elles voulaient passionnément conserver les derniers rayons, le miroir de leur visage. »

Il en est de même pour cette observation sur les vieilles femmes qui voulant sourire ont l'air de pleurer. Dans la version 1909, Proust écrit : « Quand elle voulait sourire, ses muscles mal coordonnés lui donnaient l'air de pleurer. » Dans la version 1910-1911 : « [Si elles] voulaient sourire leurs muscles décoordonnés ne leur obéis-saient plus, elles faisaient la grimace et elles avaient l'air de pleurer. »

Dans le premier texte il s'agit d'une personne qui pourrait être Mme de Mercœur (le nom est presque illisible). Dans le second, Proust généralise et emploie un pluriel impersonnel. Mais les textes sont si proches que l'on peut penser que Proust a eu, en 1910-1911, son texte de 1909 sous les yeux, ou que son admirable mémoire le lui a rappelé.

Nous retrouvons dans la version définitive cette même observa-tion du rire qui dégénère en pleurs (Pléiade, III, p. 947) : « Elles se raccrochaient... à un sourire qui, à cause de l'incoordination

des muscles qui n'obéissaient plus, leur donnait l'air de pleurer. »
Un autre fait de continuité, non moins important, consiste dans la
comparaison des acteurs du Bal de Têtes *avec des personnages*
montés sur des tours ou sur des échasses. Cette comparaison se retrouve
dans nos trois versions.

Il n'est pas moins intéressant de noter les différences. Par exemple
on voit par la note placée en face du Verso 62 de la version 1909 que
Proust avait pensé à donner comme attraction à la Matinée, *une*
pièce de théâtre, une comédie. Dans la version de 1910-1911 il
s'agit d'un concert et plus précisément du Parsifal *de* Wagner *qui*
est effectivement joué. Un peu plus tard, ainsi qu'en témoignent les
Notes pour le Temps retrouvé[1] *(1914-1916), il imagine un*
quatuor de Vinteuil dont il donne une description qui fait penser
à un brouillon du Septuor[2] *qu'il placera finalement dans* La
Prisonnière *(1923). Mais c'est un concert qui est produit dans*
la version définitive sans qu'on sache de quel musicien il s'agit et
aussi un récital de vers par Rachel.

Autre différence capitale entre les versions que nous venons d'exa-
miner et qui s'échelonnent sur une durée de près de dix années : mis
à part les hôtes du narrateur, les noms des personnages changent et
ces personnages eux-mêmes ne sont pas les mêmes. Nous établissons
un tableau comparatif[3] de ces différents acteurs dans les différentes
versions, en y ajoutant le fragment de texte qui figure au Cahier 11.

Bien entendu, la principale différence entre le texte de 1909 et les
deux autres, c'est que Proust laisse de côté le chapitre sur L'Adoration perpétuelle *et qu'il ne voit peut-être pas encore l'utilité ni l'im-*
portance même d'un tel déploiement de son esthétique à ce moment-là.
Aussi le narrateur pénètre-t-il tranquillement dans « le vrai palais de
contes de fées », au milieu des files de voitures et d'une « nombreuse
valetaille ». Il ne trébuche pas sur les pavés, Venise n'apparaît pas
dans sa mémoire, ni les autres souvenirs involontaires plus tard, et il ne

1. Que nous publions plus loin et qui sont presque toutes indépendantes
du texte suivi du Cahier 57.
2. Voir *Études proustiennes*, I, n° 6 (Gallimard, 1973) : « *Le Temps*
retrouvé dans les Cahiers ».
3. Page 75.

fait pas antichambre avec François le Champi *découvert sur les rayons de la bibliothèque du prince.*

Il est simplement accueilli par la princesse et son mari. Commencent alors ses étonnements devant ce qui lui apparaît, tellement le temps a passé, comme un vrai Bal de Têtes [1].

H. B.

1. Sur la structure propre du *Contre Sainte-Beuve*, voir l'étude de Claudine Quémar dans le B.I.P. n° 3, printemps 1976, ainsi que l'étude d'Hiroshi Kawanago, « Contre Sainte-Beuve et la réminiscence dans *Venise* » (*Bulletin Marcel Proust* de 1978).

[Soirée chez la Princesse de Guermantes[1]]
SUIVI DE
[Dans une Baignoire au Théâtre[1]]

[SOIRÉE CHEZ LA PRINCESSE DE GUERMANTES]

V° 68 | Il y a quelques années après être resté longtemps absent de Paris, je trouvai comme je venais de revenir une invitation du P^ce et de la P^cesse de Guermantes pour une soirée. Je n'avais revu personne depuis bien longtemps. Cela me sembla une occasion facile de trouver réunis beaucoup de gens que je mettrais beaucoup de temps à aller voir séparément. J'entrai au milieu des files de voitures comme autrefois dans le « vrai palais de contes de fées ». La nombreuse valetaille de l'Enchanteur et de la Fée s'empressait dans de beaux costumes de féerie. On m'annonça. La Princesse trop habillée ayant toujours l'air de dire « le Prince et moi nous recevons ce soir la bonne ville », causait dans un petit groupe, non loin du Prince à qui on s'étonnait de ne pas voir le costume du P^ce Fridolin et qui cherchait à dissiper par une rondeur excessive l'imaginaire timidité générale. Mais cette fois-ci il semblait bien qu'ils fussent tous sinon costumés du moins grimés, poudrés; je reconnaissais bien tout le monde mais

---

1. Le numérotage est dégressif, Proust ayant pris le Cahier à l'envers. Il redevient progressif pour le morceau qui suit.

comme dans un rêve, ou dans un bal « de têtes ».
Voilà bien le comte de Froidevaux qui m'avait rencontré quand j'étais sorti avec le comte de Guercy,
mais cet homme si essentiellement noir, il s'est poudré la moitié de sa barbiche et tous ses cheveux,
c'est à ne pas le reconnaître. Tiens et le marquis des
V° 67 Tains, l'homme à la longue barbe | blonde l'a finement enduite non pas de poudre, mais d'une
poudre grise, on dirait une barbe légèrement argentée, cela lui va assez bien, mais comme cela le change.
Et le petit Bétourné, lui s'est bien arrangé, ce n'est
plus un enfant ce soir, on dirait un homme! Je ne
vois pas ce qu'il s'est mis sur la figure mais elle a
perdu sa fraîcheur enfantine, il s'est fait des espèces
de rides le long de ses yeux, il a presque l'air de vieillir [1]! Tiens voici Montargis, mais qu'est-ce qu'il s'est
fait, sa figure a perdu toute sa grâce, elle s'est cuivrée, ses traits sont marqués, comme sculptés, il a
l'air grave, fatigué, bronzé, oh! il faudra que je lui
dise comme il est mal ainsi. Voilà une dame qui
s'approche de moi, elle veut me dire bonjour, mon
Dieu qui est-ce Mais ce visage, c'est celui de Mme de
Forcheville! Comme elle est forte, la pauvre, et des
cheveux gris on dirait, mais ce n'est pas elle pourtant : « Bonjour, vous ne me reconnaissez pas,
vous me prenez pour Maman », me dit Mlle de Forcheville avec sa franche et modeste simplicité. Je
balbutiai une excuse. Je ne comprends rien à ce
qu'ont tous ces gens que je ne reconnais que comme
dans un rêve. Mais [2], voici le maître de maison. Lui,
a blanchi ses cheveux et ses moustaches et cela change
tout à fait sa figure, son nez étroit a l'air plus large,
sa peau pâle a l'air rouge, et au lieu de son air sec
dans la plus grande amabilité, ce changement de
V° 66 couleur | lui donne un air doux au pauvre Enchan-

---

1. Rayé ensuite : « Tiens voici le Cte de Guermantes. »
2. Nous mettons le point et la majuscule qui s'imposent. (Voir notre
note générale au début de l'ouvrage.)

teur. Mais déjà mon cœur s'est serré j'ai compris [1],
celui qui a arrangé ce travestissement, c'est un autre
Enchanteur auquel je n'avais pas pensé : le Temps.
Depuis que j'ai quitté le monde, puis Paris, tous
ces gens-là ont vieilli et cette espèce de crépuscule
dont me donnent l'idée toutes ces figures où il
semble qu'on ait baissé la lumière intérieure, c'est
tout simplement les lumières de la fête de ma
vie qui ne sont plus si brillantes qu'au commencement. Tout commence à pâlir, à diminuer, un
jour tout s'éteindra. Certes j'avais déjà vu les
travaux visibles de l'ouvrier invisible et présent,
toute la mâle œuvre de l'Enchanteur quand je
regardais le marbre boursouflé et les tapisseries
fondues * dans l'église de Combray. Mais il avait fait
tout cela pendant que je n'existais pas encore. Tandis
que les fils blancs qu'il a mêlés dans la barbiche noire
de M. Froidevaux, la poudre de clair de lune dont
il a saupoudré la barbe de M. des Tains, l'imperceptible petit crayonnage autour des sourcils devenus
fournis dans le coin des yeux comme ridés, dans le
bas de la bouche devenue d'un homme dont il a
desséché la figure enfantine du petit Bétourné, tout
cela, toute cette végétation féerique qu'il a fait pousser sur les hôtes irréels du Palais de Contes de fées,
qui ont l'air de sortir d'un songe dont ils n'ont pas
V⁰ 65 conscience, et d'avoir le visage | [2] travesti de quelque
tissu immatériel et enchanté, quelque chose comme
une étoffe de clair de lune ou d'argent tout cela il
me semble que c'est à mes dépens que cela s'est fait,
et que c'est dans ma force et ma puissance de vie, que
l'Enchanteur est venu chercher ses poudres colorées
et son fil. Et pourtant elle est bien jolie son œuvre;

1. Et ici deux points de Proust.
2. En face de ce Verso 65 : « Tout le monde se réunit dans la grande salle
serrés les uns [sur les autres] pour écouter une comédie et là où toute cette
tapisserie humaine était tendue pour bien voir composée à peu près des
mêmes personnages que j'avais vus au théâtre le soir d'abonnement de
S.A. la Pcesse de ....., je sentis..... » Plus bas rayé : « Et la Mise des Tains. »

je n'aurais jamais pu croire qu'on aurait pu ajouter à la figure du petit Bétourné un charme de songe. Et pourtant il a l'air d'un chevalier de conte car ce sérieux, cette gravité, on sent qu'il les a rapportés d'une chevauchée dans l'immatériel, dans le Temps, pendant que l'Enchanteur avait d'autres jeux et cherchait à faire saillir une statue de Me de Forcheville dans le corps de sa fille qui déforme tout son corps, le rend énorme. Et elle aussi ses cheveux comme les fils de la tapisserie, comme le filigrane[1] du vitrail de Combray étincellent de l'argent de leur assise *, d'un argent poétique aussi et surnaturel. Mon Dieu voilà Me de Villeparisis[2], Je savais bien que la pauvre femme avait été à deux pas de la tombe, avait failli y tomber, mais je vois qu'elle n'a pu se relever tout à fait, elle reste projetée en avant, cassée en deux, prête à tomber, la tête fixe devant le trou aperçu, et ses yeux se tournent dans tous les sens, dans un remue-ménage d'épouvante sur une bouche grognonne[3] | qui semble à la fois grommeler et gémir,

V[o] 64

1. « fils » rayé.
2. Un point d'exclamation au lieu d'une virgule.
3. Au Recto 65, c'est-à-dire en face du Verso 64 et du Verso 63, Proust ajoute les observations suivantes :
(R[o] 65) « Me de Béthune qui avait gardé si longtemps dans ses bandeaux blonds son visage noble et sévère, était devenue une méchante vieille dont sous les cheveux blancs le même visage pâle avait pris quelque chose de presque rouge, le nez droit quelque chose de presque crochu, l'œil dur quelque chose de franchement mauvais. Et un petit signe qui jusqu'ici avait passé inaperçu prenait dans ses cheveux blancs une place prépondérante. Chacune faisait à l'âge le sacrifice nécessaire et qui lui paraissait le moins lourd pour tâcher de conserver la personnalité de son charme, non seulement par l'arrangement mais par le régime comme Me de Guermantes qui sacrifiait la fraîcheur de sa figure à l'élancé de sa taille, et qui mangeant à peine, faisant de l'exercice constant, se tenant * à Inelstad *, sacrifiait ses joues, sa figure qu'elle révoquait à la souplesse de son corps. Mais la plupart concentraient tout leur effort dans leur visage, le tendant vers la beauté qui les quittait comme un tournesol vers le soleil. Et pour en recueillir le dernier reflet, pour en prolonger aussi tard que possible l'(R[o] 64) (en face V[o] 63) éclat lumineux qui jadis brillait sans mesure, Me de Serisaie ne pouvant conserver son petit air mutin, son fier menton, avait élargi son visage que son poli, son lisse, sa blancheur brillante et cré-

avec cet air de mauvaise humeur et de chagrin qu'ont
les gens trop fatigués qui sentent que c'est l'heure
d'aller dormir et que cela fatigue trop de rester encore
avec nous. J'ose à peine m'approcher d'elle en
voyant les yeux qui me voient continuer à faire aller
dans tous les sens leurs prunelles d'un air terrifié,
anxieux et bougon; mais sans [se] redresser, sa vie
inconsciente restant penchée sur la fosse invisible,
elle m'a tendu la main. Et je vois qu'elle est la même,
que son âme n'est pas plus changée que si son cas-
sage était le résultat d'une foulure ou d'une sciatique,
elle-même en parle, y fait allusion. Et je la retrouve
elle-même, une fois traversé ce crépuscule sinistre et
angoissant qui l'entoure comme un halo et qui n'est
que l'ombre restée sur elle du danger qui a menacé
de l'emporter et qui la menace toujours. Et après
l'avoir quittée m'approchant de Montargis je lui
dis : « Je pense à la soirée [1] où je suis venu ici peu de
temps après que j'avais fait ta connaissance. Ce que

meuse * avait toujours distingué, en faisait une espèce d'ostensoir rond et
monumental pour tâcher d'accaparer encore le plus de reflet si possible de
la flamme disparue. Mᵉ de Mercœur * en avançant les lèvres, en plissant un
peu sa patte d'oie le long de son nez, en prenant à jamais un regard vague,
câlin * et désabusé tâchait de fixer à jamais le visage de sa jeunesse. Mais
quand elle voulait sourire, ses muscles mal coordonnés lui donnaient
l'air de pleurer. »

*(ce texte s'arrête ici, au Recto 64 en face du Verso 63. Proust avait écrit d'abord
au milieu et en travers de ce Recto 64 :)*

« Comme exemples des choses copiées d'après d'étranges *, une
personne vivante faite d'après un personnage de mémoires (d'Haussonville [a]). Peindre d'après des photographies est peut-être estimable. Printemps
par un haÿ fiévreux, voyage par maniaque * de l'impossibilité de voyager,
jour et matin par moi. »

a. Voir à ce sujet l'étude d'Annie Barnes dans le ẞ.M.P. 1979 : « Mᵐᵉ de Villeparisis et le comte
d'Haussonville. »
(plus bas mais appartenant à une rédaction antérieure :)
« Comme certains arbres (« *Sur certaines chevelures* », rayé) encore verts ont toute une traînée
de leurs feuilles rougie qui annonce le prochain automne, ainsi dans une chevelure blonde
encore, était blanche seulement [une mèche] à une place pour un premier assaut de la vieillesse
qui comme la foudre avait tracé son sillon sans toucher à ce qui était auprès. »

1. Une telle soirée existe dans le Cahier 31, Fᵒˢ 64 à 71 avec la suite
au Cahier 36, Fᵒ 1.

tout le monde me paraît changé. » « Dame, mon
vieux, me répond Montargis c'était en... Sais-tu qu'il
y a vingt-trois ans de cela » Il calculait mal, en
recomptant j'ai vu qu'il n'y en avait que quinze, mais,
en entendant ses paroles et | en me disant qu'entre
le moment présent et l'image que j'avais de cette
soirée si présente, si voisine, et d'une année où je
n'étais en somme déjà plus un adolescent, cette soirée qui dans mon souvenir me paraissait placée à
côté de celle-ci, sur un même plan, sans intervalle
bien précis de temps, qui figurait tout ce qui m'était
arrivé depuis que j'avais cessé d'être un enfant pendant ces quelques... années, mais cela devait bien
faire quelques années, je ne comptais pas, c'était sur
un même plan, trois, quatre ans peut-être, quand il
me dit qu'il y a vingt-trois ans, je sentis tout d'un
coup au-dessous de moi ces vingt-trois années
descendant l'une au-dessous des autres en profondeur à perte de vue, et tout cela c'était toujours moi,
vécu par moi, ce que j'apercevais à vingt-trois ans de
distance, c'était encore moi, déjà si loin, et je sentis
comme une peur de ne pas avoir la force de rester
longtemps sur une telle hauteur de vie déjà découlée
et qu'il me fallait maintenir au-dessous de moi, toujours liée à moi, moi ayant le sentiment de ma continuité jusque dans cette immense profondeur déjà
de vingt-trois années, toute une continuité de
chose vivante, de chose vécue qui descendait, s'en-
fonçait, se prolongeait jusqu'à une profondeur de
vingt-trois années après que j'avais cessé d'être
adolescent et tenait à moi, adhérait | à moi. Je pen-
sais à la fatigue que c'était pour moi d'avoir déjà à
commander à tant de vie écoulée, à me maintenir
au-dessus, en équilibre, à une pareille hauteur. Nous
ne voyons que nos corps parce que ce n'est pas dans
la catégorie du temps que nous nous voyons. Sans
cela nous nous verrions prolongés de tous ces jours
innombrables que nous avons vécus. Nous nous
verrions tous en champ *, montés sur des tours plus

V° 63

V° 62

ou moins hautes, remuantes avec nous comme des
échasses[1] inégales, les enfants presque sur le sol,
d'autres déjà très haut et les vieillards sur des tours
mouvantes si hautes qu'elles touchent presque le ciel
et qu'à tout moment nous croyons qu'ils vont tomber. Tours qui sont sorties d'eux-mêmes, qui restent
en rapport avec eux, dans la gélatine cristalline[2]
obscure et vivante desquelles ils voient tout ce qu'ils
ont vécu. Mais comme en mer, comme en l'air, ils
n'ont pas le sentiment de la hauteur, ils continuent
à marcher à courir, sans se rendre compte à quelle
hauteur vertigineuse la tour les porte, ce qu'ils voient
au fond d'elle leur semble tout près; et si tout d'un
coup on leur dit la hauteur quel effroi, quel vertige, quelle fatigue. Vingt-trois années, si hautes
chacune de l'accumulation de leurs milliers d'heures
étaient déjà sorties de moi et faisaient au-dessous de
moi une colonne oubliée de temps vivant vécu par
moi. Nous n'avons pas d'autre temps que celui que
V° 61   nous avons ainsi vécu et le | jour où il s'écroule,
nous nous écroulons avec lui[3].

1. Le « des échasses » auquel renvoie une croix est niché dans le haut de
la page.
2. « Cristal » rayé.
3. Deux textes au Recto 63 en face du Verso 62 :
« Ne pas oublier Koechlin[a] : Je vis tout d'un coup, debout au milieu de
la foule des gentils un Prophète. C'était l'ancien lévite à barbe blonde.
Il avait gardé sa figure rose, ses yeux clairs, son front pur *, son air jeune,
ses grands gestes, mais son immense barbe était extrêmement blanche. Le
jeune lévite était devenu un vieux prophète. »

(une ligne, puis :)

« En pensant à mon âge, je pensai avec plaisir que la belle jeune femme
si aimée qui était là avec ses cheveux comme lissés par le flux * et enfermés
dans des perles avait un an de plus que moi et sa sœur seulement un an
de moins. Cette chose immense qui était [mon âge][b] prenant pour moi tant
de réalité, qu'un âge voisin du mien, c'était en effet quelque chose qui dans
l'abîme des temps était près de moi, près de qui je me sentais, qui m'empêchait d'être tout seul. Aussi la pensée de leur beauté, de leur succès me

a. Koechlin, compositeur. Il écrivit sur Debussy et Fauré. On peut supposer qu'il portait la
barbe.
b. Rayé par l'auteur, mais pas remplacé.

[DANS UNE BAIGNOIRE AU THÉÂTRE]

*Ce texte a été écrit à la suite de la soirée chez la princesse de
Guermantes que nous venons de lire. C'est la même encre et la même
écriture que ce qui précède. On peut supposer que nous sommes à la
même époque. L'auteur nous dit comment ont changé pour lui les
personnages qu'il avait eu l'occasion de rencontrer au théâtre longtemps auparavant (de la duchesse à la princesse de Guermantes et
quelques autres), comment en particulier ils ont perdu leur prestige,
pour lui, et comment, lui, en a gagné un à leurs yeux. Il développera
la même idée dans la version 1910-1911 sous une autre forme, sans
faire intervenir une baignoire de théâtre. Revoyant son texte un
peu après (c'est notre hypothèse), il écrit en travers du haut de la
page de gauche : « Si je ne laisse pas cette scène je mettrai cela quand
je vais saluer la P^{cesse} le jour où je découvre ce qu'est Fleurus. » Finalement, Proust transportera cette scène dans* Le Côté de Guermantes *sous le titre de :* Une soirée d'abonnement chez la Princesse de Parme à l'Opéra. *Mais il lui assignera une autre
fin : celle de décrire la Berma et l'art de cette grande artiste.*

V° 61 | Me de Guermantes me dit[1] : Vous ne voudriez
pas venir jeudi au Théâtre dans la baignoire de ma
cousine. Elle m'a dit d'amener qui je voulais. Pour
S.A.[2] nous ne pouvons pas manquer ni elle ni moi
ce serait si gentil de votre part de venir. J'y allai.
Hélas! depuis le temps où je l'y avais vue la 1re fois
tous ces noms étaient morts en moi et ne reflétaient

fut-elle infiniment agréable. Je pensai avec plaisir aux folies que l'amant de
l'une faisait pour elle. Car cette puissance pouvait donc m'appartenir,
puisque j'étais encore à côté de cet âge, que c'était choses de mon âge et
de mon temps. »

1. Rayé : « La M^{ise} des Tours me dit : voulez-vous venir jeudi au
Théâtre. » Proust, dans tout ce morceau, ne semble pas avoir très bien
arrêté les noms de ses personnages.

2. Son Altesse.

plus que des personnes, pareilles les unes aux autres [1].
Je m'engageai rapidement en pensant seulement à
ne pas être en retard dans ce couloir bas et humide
où jadis [à côté d'] un homme dont je n'étais pas
sûr qu'il fût le Prince de ***[2] ni qu'il * allât * dans
la loge de la Princesse de Guermantes, j'avais vu
planer comme une Déesse la forme d'une vie inconnue. Pourtant en entrant dans la Baignoire de la M^{ise}
de Tours où j'avais jadis vu sur le fond d'ombre * de
la baignoire étinceler dans le demi-jour sa silhouette
merveilleuse qui comme un génie gardait ces lieux
sombres et les défendait aux vulgaires mortels et où
la liberté de ses mouvements, sa causerie, sa gaieté
prouvaient qu'elle était chez elle, j'eus plaisir à apercevoir, à peine vieilli, le visage délicieux qui signifiait
c'est elle, cette baignoire, qui me paraît une baignoire comme toutes les autres, c'est la sienne, c'est
l'antre mystérieux et maintenant c'est moi qui
accoudé sur des sombres rochers du fond parmi
ces néréides aux bras nus et aux cheveux mêlés de
perles, figure pour les gens de l'orchestre le favori
des déesses. Mais maintenant je savais que ce n'étaient
V° 60   pas des déesses | mais des femmes moins poétiques
qu'aucune autre, que leur vie n'avait ni délices ni
mystère, qu'il n'y avait rien là d'autre qu'ailleurs,
que cette vie délicieuse à laquelle j'imaginais qu'ils
participaient n'existait pas, qu'ils venaient là comme
moi ou d'autres, moins intelligents seulement et
s'ennuyant davantage, pour voir un nouveau spectacle, pour passer le temps, et qu'après avoir dit :
« C'est joli cette pièce » et avoir parlé des toilettes
des femmes en les trouvant jolies et non mystérieuses,

1. Un renvoi vers la page de gauche jusqu'à « inconnue ». Nous intégrons ce renvoi dans le texte. Sous ce texte, cinq lignes plus bas, Proust écrit :
« Mais hélas je ne pouvais plus contempler la Duchesse ét la Princesse
de Guermantes comme le jour où le couloir qui menait à la baignoire me
semblait plus merveilleux que celui des contes arabes qui conduit à des
trésors... » Le mot « baignoire » est substitué au mot « avant-scène » rayé.
2. On semble lire « Saxe ».

ils se retiraient parce qu'ils étaient fatigués, sans que
la vie mystérieuse eût commencé sans qu'elle dût
jamais commencer, pareille toujours à ce que j'avais
aperçu. De la baignoire je pouvais distinguer la
salle tendue comme une immense tapisserie humaine
cintrée vers le spectacle. C'étaient les mêmes personnages qu'autrefois ou presque. Mais leur âme affai-
blie semblait plus loin derrière leur apparence plus
éloignée, déjà se retirant * plus faible, ayant bien de
la peine à tenir ensemble ces traits qui disaient leur
nom. Mᵉ de Chemisey n'était plus là, elle était morte
sans connaître la Pᶜᵉˢˢᵉ de Beauvoir qui elle était dans
la loge voisine pouvant à peine soutenir son dia-
dème, écrasée, tenant son éventail et regardant la
V⁰ 59   scène. Tous ces personnages | faisaient toujours les
mêmes gestes, mais l'usure * de la matière * changeait
l'expression, comme ces figures de tapisserie ou la
détente d'un fil fait que le visage en souriant toujours a l'air de pleurer. Cet immense panorama cin-
tré autour de moi c'était de la génération qui finissait
et qui accomplissant toujours les petites occupations[1], ne se rendait pas plus compte du voyage
qu'il[2] accomplissait par rapport à l'immuable temps,
de même que nous nous rendons compte du mouvement de notre victoria ou de notre auto mais non du
mouvement que pendant ce temps-là la terre sur
laquelle nous sommes accomplit autour du soleil.
Et pourtant toute cette tapisserie avait pris quelque
chose à la fois de lointain, de crépusculaire, de
grêle *, et aussi de grave *, de tremblant, d'à demi
enfui * déjà, de tendu pour un effort * difficile. Je
ne savais pas qui était un homme à moustaches
blanches, à air grave et sombre dans la loge de la
Pᶜᵉˢˢᵉ de B. Il était assis derrière elle obliquement,
regardant la salle. Pour saluer une personne voisine,
il se leva à demi, en un gracieux salut précis. Je recon-

---

1. « ces mêmes choses » rayé.
2. Il faudrait « elle ».

nus alors le jeune St Preux[1] si gracieux, si fleuri, si poupin. A la sortie toutes ces personnes qui avaient l'air d'aller à quelque plaisir, avaient toutes l'air de s'enfuir, de vite rentrer dans leurs ténèbres. La D^{sse} de[2] passa, sombre, lasse, abandonnant sa main aux mains tendues et s'enfuit le buste cambré vers sa voiture, sans se ⁂, entre ses hauts valets de pied (Porgès *)[3]. Dites-moi, demandais-je à Me de Guermantes, vous ne pouvez vous rappeler un soir que vous étiez ici. Mais enfin qd | vous entriez dans la loge avec cet air assuré et que vous donniez la main avec un regard, attendez, regardez un peu plus sévèrement, voilà comme cela, ah! non mais si vous riez ce n'est plus cela au duc de Vauban[4], qu'est-ce que cela voulait dire, ce qu'il y avait dans votre âme à ce moment là, et que j'aurais voulu capter, aimer. Qu'était-ce, à quoi pensiez-vous à ce moment là? Elle se mit à rire. « Ah! ne riez pas! » « Que dit-il? dit avec curiosité la P^{cesse} de Guermantes[5] qui s'ennuyant partout, croyant comme elle ne me connaissait guère que j'étais peut'être un ennuyeux, quelqu'un d'intelligent. » « Il me fait rire, il me dit des choses stupides et il me défend de rire en même temps[6]. » Il faut que je lui dise à quoi je pensais un soir où l'on jouait P il y a dix ans en disant bonjour à Valbon * et à quoi je pensais quand j'avais l'air sérieux, est-ce que je peux me rappeler. » « Moi je vais vous le dire dit la P^{cesse} de Guermantes elle avait l'air ennuyé parce que cela l'assommait de passer une soirée avec Valbon *. C'était un beau parleur et un homme d'un certain mérite * mais l'homme le plus ennuyeux que nous ayons jamais connu avec ses

V^o 58

---

1. Ou Saint-Proux?
2. Il semble que le nom ait été oublié.
3. Un « Hélas » barré. Porgès, médecin de l'époque.
4. Lecture douteuse.
5. Ce n'est donc pas à la princesse que parle le narrateur, mais à sa cousine, la duchesse.
6. L'auteur ferme prématurément les guillemets.

phrases et ses calembours. » « Oh c'était certainement. ça. Jamais personne ne m'a tant ennuyée que
ce pontife grivois dit la Duchesse. Je la regardais
désolé en voyant que sous cette apparence mystérieuse que j'aimais se cachaient les mêmes sentiments
communs à tout le monde, les plus banales idées.
R⁰ 59 Alors vous | croyez que la Duchesse se plaît mieux
avec moi qu'avec d'Albon[1] dis-je à la P^cesse de Guermantes. » « Écoutez vous êtes un jeune serin de poser
une question pareille interrompit Me de Guermantes.
Je vous dis que je tenais Albon[1] tout ce qu'il y a de
plus ennuyeux et vous vous voyez bien que je vous
trouve... Demandez à[2] Giselle * ce que nous disions
hier? » La Princesse répéta un propos qui m'eût
touché quoique je sentisse * bien que ce que j'avais
de moins mauvais en moi resterait * inconnu et
incompréhensible à ces * deux dames. Je n'en
demande pas tant, dis-je. Mais enfin revenons à
d'Albon, car je suis ramené au souvenir de cette
soirée où je vous vis lui dire bonjour ; est-ce que vraiment vous auriez sacrifié une soirée que vous deviez
passer avec lui pour la passer avec moi. « Mais cela
lui est arrivé souvent me dit la P^cesse.[3] » Plus d'une
fois je l'invitai avec d'Albon et elle refusa pensant
que vous viendriez peut'être ce soir-là. » « En quoi
je me leurrais *, homme inconstant dit la Duchesse. »
Certes l'opinion qu'avait de moi la duchesse de[4]
Guermantes était à la fois exagérée et fausse. Mais
je me disais qu'on peut réunir la plus haute noblesse,
la plus grande richesse[5], la plus grande beauté, avoir
tous les avantages qui semblent vous mettre au dessus
de tout le monde, sur le fait que vous êtes un être

1. Hésitations de Proust quant au nom du personnage. Mais plus haut
nous lisions : Vallon, ou Vallonne, ou Vauban.
2. « la P^cesse » supprimé. Giselle doit être son prénom.
3. Des guillemets manquent ou sont en trop.
4. On lit : « de M^e », ce qui semble une erreur.
5. « Le plus grand esprit » rayé.

pensant il y a quelque chose qui est au-dessus de tous
les autres et qui vous fait faire bon marché d'eux,
R° 58   c'est une idée, | une opinion, une croyance, en l'in-
térêt ou la valeur de quelqu'un ou de quelque chose.
Et c'est peut'être pour cela hélas ! que tous les avantages qu'on cherche à avoir pour plaire à une femme
qu'on aime, sont immédiatement réduits à rien, par
l'idée que vous lui inculquez en même temps, qu'elle
V° 58   est supérieure à eux. | [1] Je regardais la P^cesse de Guer-
mantes qui écoutait la pièce et ne trouvant pas
g^d chose à dire aux autres, Mr de Berneux qui s'était
fait beau pour venir et fatigué ne tarderait pas à aller
se coucher, tous qui s'amusaient si peu qu'un mot
insignifiant dit par M. de Tretor * les faisait tous rire
V° 57   et | je compris que ce que j'avais pris pour les dehors,
les coulisses, les portants * de la vie mystérieuse que
ces gens devaient avoir et qu'on ne me laissait pas
voir, ce léger masque, cette chose au dessous d'eux où
ils condescendaient devant moi, c'était au contraire
cela leur vie, ce qu'eux-mêmes considéraient comme
leurs vies, leurs occupations, leurs plaisirs, leurs buts,
non pas comme un masque d'incognito * dédaigné,
mais comme ce vers quoi ils tendaient, ce à quoi ils
se sentaient inférieurs, par quoi ils remplissaient leur
temps sans se dire que le lendemain ils feraient
mieux [2], que c'était leur but, qu'il n'y avait pas de
secret de plus à apprendre, pas d'arrière plan. Ces
bons mots de la P^cesse de Guermantes [3] c'était tout ce
qu'elle avait [4], tout ce qu'elle trouvait à dire, elle
avait mis cette belle robe pour dîner au restaurant
où elle n'avait pas dit davantage et vers dix heures

---

1. On revient, après cette longue addition, au texte initial.
2. Au-dessus entre les lignes : « C'était sans exclure demain aujourd'hui comme cela. »
3. Proust substitue ce membre de phrase à celui-ci : « Ces silences de Me de Guermantes. » Correction intéressante qui marque la différence qu'il fait entre la duchesse et la princesse.
4. « à dire » supprimé, au-dessus quelques mots illisibles qui semblent d'ailleurs se rapporter à la suppression du mot « silence » au-dessus.

on s'était dit « si on allait au théâtre »[1] et là on ne
disait pas plus;[2] au bout d'une heure on s'en irait et
cela n'aurait pas été une heure en dehors de leur vie
consacrée à quelque chose qui ne faisait pas partie de
leur vie, c'était toujours comme cela. M. de Bernin qui
avait mis son monocle au lieu de son pince-nez dans
l'intimité et qui faisait quelques réflexions médiocres.
« C'est bien représenté, la troupe est assez bonne,
les fauteuils sont un peu durs », ne tuait pas le temps
ainsi en attendant d'être en scène pour sa vraie vie,
c'était cela [sa vraie vie], il commençait même à avoir

V⁰ 56 sommeil et allait bientôt aller dormir pour | pou-
voir recommencer le lendemain. Heureusement la
réflexion des fauteuils durs le conduisit à dire qu'il
faudrait dire à Valois[3] (qui connaissait beaucoup les
directeurs, les artistes organisant les fêtes théâtrales
du monde) de faire changer les fauteuils, le passé de
Valois qu'ils connaissaient tous les amusa extrêmement si bien que Mᵉ de Terriane eut le fou rire se
cacha derrière son éventail et dut aller au fond de la
loge pour ne pas faire scandale. « Oh! oui il faudra
dire cela à Valois, il sera fou, son cher théâtre, je pen-
serai à en parler demain à Lucie *. Je dirai que nous
étions tous très mal assis. Dans l'entracte on ne savait
que dire, on se passa des bonbons. La Pᶜᵉˢˢᵉ de Guermantes fit quelques réflexions sur la pièce. Comme
elle avait une réputation de femme intelligente et
que dans le milieu Guermantes la nouveauté était de
dire qu'elle était stupide, Mᵉ de Guermantes qui du
reste trouvait que tᵗᵉ chose dite sérieusement, tout
grand mot était bête, me regarda du coin de l'œil.
Ce fut un commencement pour elle et le lendemain
elle raconta la soirée dont je vis que non seulement
c'était une vraie soirée de leur vie mais une des meil-
leures. « Vous ne pouvez vous imaginer ce que nous

1. Nous ajoutons les guillemets et quelques virgules, ici et plus loin.
2. Une rature qui semble comporter une majuscule. Nous mettons un
point-virgule.
3. Valois ou peut-être encore Vallon?

nous sommes amusés. Floriane [1] a voulu lui faire de g^{des} phrases sur la pièce, je voyais qu'il ne pouvait pas tenir son sérieux. Il faudra recommencer, on la fera partir en guerre sur de grands sujets. » Pendant cet entracte j'avais eu l'impression que tous s'étaient penchés vers moi comme si, moi qui me croyais indigne d'accéder aux mystères de leur vie, | je contenais peut'être en moi quelque mystère que je pusse leur révéler. Mais à tout ce qu'ils me demandaient, dans le sentiment qu'ils ne comprendraient pas un mot si je répondais sérieusement, et ne comprenant même pas leurs questions, je m'étais senti paralysé comme à un examen sur des choses qu'on ne connaît pas et j'étais honteux des bêtises que j'avais dites, au milieu de trois ou quatre choses un peu moins sottes. Mais celles-là avaient passé inaperçues ou paru prétentieuses, tandis que on citait avec admiration certains mots idiots que j'avais dits, du moins on l'assurait car je ne pouvais pas me figurer avoir formulé ainsi des choses dépourvues de signification. Je cessai d'ailleurs de protester, car on disait que c'était de la modestie, chacun admirait ces mots, une vieille dame se les [2] fit répéter deux fois pour se les [2] rappeler, le Mis de P sur la porte * me dit : « Rappelez-moi donc ce que vous avez dit de si joli, comment était-ce [3] ? » parce qu'il ne voulait pas avoir l'air devant les autres de ne pas en rire *, deux duchesses qui me connaissaient à peine m'invitèrent à dîner en me disant : « Nous adorons les gens d'esprit et surtout les historiettes d'autrefois, les recueils de mots », enfin je sus qu'on en parla longtemps dans plusieurs de ces dîners, de ces ✳✳✳ dont j'essayais d'imaginer l'inaccessible mystère, et qui avaient eu pour régal vers lequel ils s'étaient haussés avec fer-

V° 55

---

1. Il semble bien que ce soit la duchesse qui parle. Floriane serait donc le prénom de la princesse. Et Giselle celui de la duchesse en dépit de ce que nous avons vu plus haut.
2. « les » ou « le » ?
3. Nous complétons la ponctuation.

veur un mot stupide que je n'avais même probablement pas dit.

R° 56[1] | Le prix extraordinaire[2] des toilettes, l'importance attachée à ce que les hommes fussent en habit, les femmes très habillées, la loi inexorable de ne pas manquer à moins d'être malade, intransportable, rendait plus frappant ce à quoi aboutissaient ces dépenses folles, ce risque de santé *, cette obligation qu'on se faisait, c'est-à-dire à ne savoir que se dire, à rire indéfiniment d'un mot bête et en partant à se remercier de l'excellente soirée. Il est vrai[3].....

1. Sur ce recto (qui est en réalité un verso, puisque le Cahier est pris à l'envers), on trouve cette longue phrase destinée à compléter ce qui est en face et à s'y insérer éventuellement.
2. Proust abandonne et raye partiellement : « L'extraordinaire élégance ».
3. Interruption du texte.

Le Marquis de Guercy *(Suite)*
OU
[L'Héritage de Madame de Villeparisis]

Le mot « Suite » (avec une majuscule) semble indiquer qu'un texte a précédé sur le même sujet. Il s'agit peut-être de la rencontre du narrateur avec ledit marquis de Guercy (nom donné à celui qui sera plus tard M. de Fleurus, et finalement le baron de Charlus) à Balbec dans A l'Ombre des Jeunes Filles en Fleurs. *Mais il se peut aussi que ce soit la suite du Cahier Sainte-Beuve n° 7.*

Proust écrit une première fois : « Un jour j'étais à la f », il raye, puis se ravise et il écrit : « Un jour j'étais à la fenêtre. » Mais il raye à nouveau. Manifestement il se propose de décrire la scène entre Guercy-Charlus et Borniche-Jupien, surprise à sa fenêtre. Mais il se décide à enrober cette scène scabreuse dans un récit, celui de Mme *de Villeparisis et ses héritiers, qui n'a avec elle que des rapports accidentels, mais qui a l'avantage de l'intégrer plus profondément dans la matière romanesque de son livre. C'est un procédé qui lui deviendra familier. Il l'emploiera pour le septuor de Vinteuil dans* La Prisonnière. *Il l'emploie pour toute la* Recherche, *laquelle peut être considérée comme une esthétique, voire une théorie du bonheur, intégrée dans un vaste développement romanesque.*

R° I | M. et Me de Guermantes étaient très liés avec leur tante de Villeparisis. Mais le plaisir de penser qu'ils étaient ses héritiers était altéré par la pensée qu'elle devait deviner ce plaisir et penser qu'ils étaient par intérêt prêts à toutes les gentillesses envers elle. Ils se rebiffaient devant les moindres difficultés de caractère qu'ils eussent probablement

supportées sans cela, pour ne pas avoir l'air de les
supporter à cause de l'héritage[1].

R⁰ 2 | Mᵉ de Villeparisis trop intime avec les Guermantes
pour ne pas être dans un petit salon écarté l'idole
antique près de laquelle les jeunes femmes passent
en faisant une génuflexion sans s'arrêter n'allait
jamais à leurs réceptions. Mais elle en était très fière.
Elle disait à un jeune homme de lettres d'un air
entendu : « Je sais qu'ils ont ce soir la Grande
Duchesse de Parme. Ce sera très beau. » Et le lendemain quand Mᵉ de Guermantes montait : « Hé
bien comment était la fête ? On ne s'est pas ennuyé
en tout cas, car j'ai entendu encore des roulements
de voiture à 2 heures du matin. » Mais elle avait de
petites manies que les Guermantes eussent sans
doute supportées avec patience si elle ne leur avait
pas laissé entendre autrefois qu'ils seraient ses héritiers. Ils trouvaient agréable d'y compter mais
insupportable de penser que Mᵉ de Villeparisis se
disait qu'ils y comptaient et chaque fois qu'elle était
de mauvaise humeur ils s'imaginaient qu'elle se
disait : « Je n'ai pas besoin de me gêner, ils n'oseront
jamais rien dire à cause du testament. » Et alors ils
se rebiffaient devant de petites tracasseries qu'ils
eussent probablement supporté avec patience s'ils
ne s'étaient pas sus les héritiers.

R⁰ 1 | « Ma tante a été insupportable ce soir, disait
Mᵉ de Guermantes à son mari. Si elle croit qu'à
cause du testament nous plierons devant tous ses
caprices elle a tort. Après tout nous n'avons absolu-
R⁰ 2   ment pas besoin de sa fortune. | Elle peut bien la
laisser à qui elle voudra. »

R⁰ 3 | Cette disposition fut fort aggravée par l'affection
où Mᵉ de Villeparisis commença à prendre la jeune
Baronne de Villeparisis. Les Guermantes supposèrent

---

1. Ici un renvoi sous la forme d'une sorte de petit poussin à un autre
sous forme de hochet dans le haut de la page 2. Proust remet de l'ordre
dans son développement. Mais ici il inverse les renvois.

que peut'être Me de Villeparisis mécontente de leur
résistance à tous ses caprices voulait laisser sa fortune à Me de Villeparisis[1], et dès lors [ils] furent
plus froids et plus cassants encore pour ne pas avoir
l'air de lutter de gentillesse avec la jeune baronne[2].
Enfin un beau jour une brouille véritable survint, les
Guermantes[3] déclarèrent qu'ils ne remettraient pas
les pieds chez leur tante et qu'ils laissaient la place à
Me de Villeparisis; si l'espérance de l'héritage les
avait[4], par une contradiction apparente mais assez
explicable, peu brouillés avec leur tante, la certitude
de ne plus l'avoir rendit la brouille définitive. A
quoi bon maintenant se donner l'humiliation de
revenir, et de rendre des devoirs à une vieille femme
qui les avait toujours ennuyés, qui ne fréquentait
pas la même société qu'eux, qui critiquait toujours
tout, qui avait il fallait bien le dire une liaison scan-
daleuse et affichée etc. A partir de ce moment jusqu'à
la mort de Me de Villepari | sis Me de Guermantes
se contenta de monter chez sa tante les deux ou trois
fois où elle fut prise des crises du mal qui devait l'emporter. Quant à M. de Guermantes il ne voulut même
pas monter. Me de Guermantes qui trouvait qu'il
l'aurait dû disait : Adolphe a été très ennuyé d'apprendre, Adolphe m'a chargé. Me de Villeparisis[5]
qui était indignée que M. de Guermantes affectât de
ne pas se déranger faisait semblant de ne pas entendre
et à la 4e insinuation de sa nièce : « Je vais sortir mais
avant je descendrai donner les nouvelles. Adolphe
qui... » Me de Villeparisis éclata : « Tu voudras bien
ne plus prononcer devant moi le nom d'Adolphe. »
Ce fut dit d'un tel ton que Me de Guermantes n'en

R^o 4

---

1. La jeune baronne.
2. Cette fois le mot est sans majuscule.
3. Rayé « reprirent tout l'hôtel et brouillés ». Rayé : « et pendant »,
puis : « comprenant qu'après un tel éclat ils n'avaient plus ».
4. Rayé : « empe » puis « rendus assez froids avec leur tante ».
5. Rayé ensuite : « faisait semblant de ne pas entendre et à la 4e fois
éclata " Tu voudras bien ne pas ". »

reparla jamais. Un de ces jours où Me de Villeparisis avait été plus souffrante, on était allé prévenir M. de Guercy qui lui était resté fort lié avec elle, mais ne venait jamais l'après-midi comme j'ai dit[1] et venait la voir le soir en allant voir les Guermantes. En général Me de Villeparisis n'aimait pas qu'on vînt ainsi par raccroc chez elle. Comme Monsieur qui n'aimait pas qu'on allât à Sceaux en allant à Versailles, | elle voulait qu'on vînt chez elle exprès. Pour le bien marquer elle avait choisi comme heures où on pouvait la voir celles précisément où sa nièce sortait et à celles où sa nièce recevait sa porte était habituellement fermée parce qu'elle travaillait aux Mémoires. Les cartes qu'on lui laissait à cette heure là ne comptaient pas. « Vous savez bien que je ne reçois pas à cette heure là. Demain il y a matinée chez ma nièce je ne recevrai pas. » Mais pour M. de Guercy dont l'assiduité la touchait beaucoup et dont elle savait la vie réglée avec la marche, les douches, le club, de façon que cela lui eût été difficile de venir à un autre moment elle l'admettait. Il restait d'ailleurs longtemps causait beaucoup avec elle, elle savait qu'il ne venait pas en passant. Mais ce jour là comme elle se sentit mal on le fit chercher. C'était un après-midi très chaud, il arriva en voiture qui entra dans la cour, puis renvoya sa voiture. Françoise aux fenêtres demanda comment allait Me de Villeparisis, Borniche qui venait de rentrer lui parla un moment, mais Maman entendant fit signe à Françoise de ne pas parler par la fenêtre. Je restais à regarder derrière les volets le grand sophora. Autour de ses fleurs rares des abeilles venaient chercher le pollen et en apportaient. | C'était la fin de l'après-midi, cette heure si belle où l'air a une sorte de brillant invisible *, si bien que chaque chose qui y est trempée prend quelque chose de velouté. On ressentait à regarder les moindres choses, la borne de la cour que le soleil

R^o 5 (left margin)

R^o 6 (left margin)

1. Cf. Cahier 7, F^{os} 39-40.

n'avait pas encore atteinte, les fleurs qui étaient dans
l'ombre et celles qui étaient dans la lumière une sorte
d'exaltation, parce que les moindres couleurs rendues plus intenses par l'heure arrivaient au regard
avec la sorte de justesse et d'harmonie infaillible des
notes d'une mélodie. On était émerveillé que les
fleurs roses * du sophora fussent roses, tant les tons
avaient l'air juste. En réalité je crois que cette impression de justesse était obtenue par un peu d'excès et
que la lumière trempait le rose des fleurs, le brun des
branches dans du rose et du brun plus clair. Et les
fleurs avaient l'air de se détacher de l'air ambiant
comme du velours invisible sur lequel elles auraient
été posées et sur lequel elles faisaient une douce pression. Par-dessus les toits le clocher du couvent voisin
semblait en velours pourpré et repoussait le ciel
qui refluait sur ses bords comme j'avais souvent vu
le clocher de Combray. Le soleil touchait encore le
haut de la tour qui semblait plus haute là d'être
vaguement * éclairée. C'était l' | heure où on s'assied
devant les portes en disant : il n'y a pas d'air. Et Borniche lui-même n'avait pas commencé à travailler et
prenait un peu l'air devant sa porte. J'avais envoyé
demander des nouvelles de Me de Villeparisis on
m'avait répondu qu'elle allait bien que ça n'avait
rien été. Et de fait levant les yeux à une porte qui bat-
tait * je vis M. de Guercy sortir de chez les Guermantes. Je le regardais traverser la cour. Il était arrivé
à la hauteur de la boutique de Borniche qu'il voyait
probablement ouverte pour la 1ere fois puisqu'il ne
venait jamais qu'aux heures [de fermeture [1]], qu'en
[passant], je le vis s'arrêter vivement, regarder du côté
de la boutique, continuer son chemin, revenir de l'air
de quelqu'un qui a oublié quelque chose, ou plutôt
de quelqu'un qui veut avoir [l'air] d'avoir oublié
quelque chose, et rester un moment dans la cour, en

R° 7

---

1. On devine qu'il s'agit des heures du soir où il faisait visite à
Mme de Villeparisis.

tirant sa montre, en regardant d'un air agité [1], négli-
gent, important, ridicule, dans tous les sens, et en
fredonnant [2] un air. Dans le silence de cette fin
d'après-midi je distinguai le refrain pourtant susurré,
c'était cette même « C'est l'étoile d'amour » que je
lui avais entendu chanter la 1ere fois que je l'avais
vu sur la plage. Je suis persuadé qu'il ne savait pas
qu'il la fredonnait mais que quand il était repris
d'une agitation pareille *, par une association invo-

R° 8 lontaire qui fait que tant d'airs sont les leit | motives
de certains états d'âme et reviennent toujours quand
nous les éprouvons, se trouvant dans une disposition pareille, une mimique identique et le geste de
la canne sur son pantalon qui m'avait frappé ce jour là
et de relever ses moustaches, de froisser sa rose *
avait ramené l'air de Delmet [3]. Mais quelle ne fut pas
ma stupeur en voyant au même moment passer sur
la figure et dans les manières de Borniche une expression que je ne lui avais [jamais] vue. Lui qui avait
toujours l'air si bon, commença à redresser la tête,
à prendre le même air affairé et insolent que M. de
Guercy, il mit les mains dans ses poches, il sifflota, il
fit une mimique qui voulait signifier que dans cette
cour il voyait tout sauf M. de Guercy, puis il rentra
dans sa boutique. M. de Guercy partit, au bout d'un
instant il revint, il avait dû jeter sa rose, car il ne
l'avait plus, retourna [4] chez Me de Guermantes, je
ne sais s'il demanda au maître d'hôtel de lui indiquer un fleuriste mais le maître d'hôtel lui indiqua

V° 8 la boutique de Borniche [5]. | Il fallait que je sorte,
je descendis, je voyais parfaitement M. de Guercy
et Borniche qui ne pouvaient * pas me voir et causaient d'ailleurs avec trop d'animation pour penser

---

1. « très » supprimé.
2. « chantonnant » supprimé.
3. Chansonnier français (1862-1904), élève de Massenet.
4. « rentra un instant » semble rayé et « retourna » n'est pas sûr.
5. Renvoi par un petit dessin au bas du verso.

V⁰ 9   aux[1] | autres. Sur les briques qu'astiquait si bien Mlle Borniche, le jour de cinq heures s'étendait comme une baie lumineuse et pure. Borniche était debout devant la porte de l'arrière-boutique plus obscure, toute veloutée de cette belle pénombre onctueuse des jours chauds où la batterie de cuisine

V⁰ 10   brillait dans une demi-obscurité qui était déjà la[2] | nuit. M. de Guercy qui avait mis [sa rose] à sa boutonnière remettait dans sa poche une pièce de monnaie que galamment Borniche n'avait pas voulu accepter. M. de Guercy s'avançait dans la cour mais il s'arrêta encore un instant pour demander à Borniche un renseignement que je [ne pus[3]] distinguer. J'entendis seulement le commencement de la phrase : « Vous qui devez bien connaître le quartier vous pourriez peut'être me dire » puis il baissa la voix et j'entendis seulement les mots pharmacie et marchand de marrons. Borniche que je voyais de face debout au milieu de la petite baie dorée, eut un air froissé, jaloux et digne. Il se redressa avec le dépit d'une grande coquette et d'un ton glacial, douloureux et maniéré il dit : « Je vois que vous avez un cœur d'artichaut. »[4] Au soleil qui frappait son visage, le cerne de ses yeux s'était agrandi tout d'un coup. Car une pensée heureuse ne voletait plus sur l'étang des regards dont la solitude était arrivée en un instant à un degré d'abandon [et] de dévastation inouïs. Mais bientôt l'ivresse du commérage [noya la déception de son cœur[5]].

R⁰ 8 | Depuis ce jour, M. de Guercy changea l'heure de

---

1. On passe ensuite au bas du Verso 9.

2. La suite au Verso de la page 10, entièrement écrite. Mais sur les pages de gauche (les Versos 7 et 8) se trouve un texte, ébauche ou variante que nous reproduisons plus loin. Le Verso 9 barré par Proust est sans grand intérêt puisqu'il est repris dans le texte.

3. « n'entendis » supprimé.

4. Supprimé : « Mais bientôt l'ivresse du commérage noya la déception de son cœur. »

5. Nous reprenons la fin de la phrase rayée quelques lignes plus haut que Proust ici ne reprend qu'en partie et qui manque.

sa visite à Me de Villeparisis, et il ne s'en allait jamais
sans acheter une rose à Borniche. Et d'après le bien
qu'il leur en dit, les Guermantes prirent désormais
leurs fleurs chez Borniche. Françoise m'apprit même
que [1] le Marquis avait trouvé du travail à Borniche
« pour bien des petites choses ». Et il allait plusieurs
R° 9 fois par semaine | lui ranger bien des petites affaires.
« Ah! c'est un si bon homme que le marquis disait
Françoise, si bien, si bien, et un homme si dévot,
si comme il faut. Ah! si j'avais une fille et si j'étais
riche, voilà un homme à qui je la donnerais les yeux
fermés. Mais Françoise elle serait bigame votre
fameuse fille. Rappelez-vous que vous l'avez déjà
promise à Borniche. Ah. dame c'est que lui aussi
c'est un homme qui rendrait une femme bien heureuse. Lui et le marquis c'est bien le même genre de
personne. »

*Ici se termine le morceau concernant la rencontre de M. de Guercy-
Charlus avec Borniche-Jupien. Il y manque un élément : c'est la
poétique comparaison entre cette rencontre et celle de la fécondation
de l'orchidée par le bourdon. Il ne s'agit pas encore d'orchidées dans
notre texte mais de sophoras. La comparaison en question n'est pas
dans le texte principal, mais Proust l'a ajoutée en note dans les
Versos 7 et 8. La voici : elle commence par les vers d'une chanson
qui sont peut-être ceux de* L'Étoile d'amour *de Delmet que fre-
donne Guercy :*

V° 7 | « Puisqu'ici-bas toute âme Donne à quelqu'un
Sa musique, sa flamme
Ou son parfum... »

Et comme les fleurs du sophora, dans cette cour,
ne devaient pas rester sans s'unir à d'autres fleurs
de sophora fleuries bien loin d'elle et qui sur les
ailes des abeilles, sur les ailes du vent les cherchaient
à travers Paris et les rencontreraient enfin contre le

---

1. En marge, au lieu de « m'apprit même », Proust propose : « avait
su par le valet de chambre des Guermantes que ».

V⁰ 8

vieux mur, le seul peut'être de tout ce quartier où s'appuyait un sophora et étaient entrées résolument dans la cour | ainsi un être existait aussi rare que notre sophora, pour qui la fleur rêvée était un Monsieur plus âgé que lui, gros, grisonnant, avec des moustaches noires. Il s'étiolait mélancoliquement dans notre cour [1]. M. de Guercy y venait chaque jour comme tant d'insectes rôdent autour des fleurs quand le calice* fermé ne peut les apercevoir, et il avait fallu pour qu'il rencontrât Borniche que se produisît ce jour-là dans la santé de Madame de Villeparisis cette crise douloureuse et nuptiale. A partir de ce jour Mr de Guercy changea l'heure de sa visite aux Guermantes [2].

Voici maintenant, qu'après un simple passage à la ligne, M. de Charlus rencontre les Verdurin. Ce sera une première version de « M. de Charlus chez les Verdurin ». Ensuite Proust nous montre Charlus en pleine décadence accompagné de Borniche qui le surveille. Ce morceau sera réutilisé par lui, sous une forme nouvelle et beaucoup plus loin, dans Le Temps retrouvé, *pendant la guerre. Mais ici il est lié à ce qui précède et la guerre n'a pas encore eu lieu.*

R⁰ 9

| L'amusement de revoir la tante de [3] Léonie me fit retourner cette année-là quelquefois chez les Verdurin. C'était l'année où ils avaient loué à [4] Chatou et [5] je prenais toujours le dernier train pour ne pas voya-

1. Rayé : « Et voici que comme les abeilles, M. de Guercy était entré dans la cour. »
2. A la suite, une ligne plus bas, Proust a écrit : « La digitale dans le vallon. » Une autre fleur possible pour la même comparaison?
3. « Celia » rayé. La tante de Léonie est la tante de la femme de chambre de la baronne Putbus, et tante aussi du pianiste des Verdurin (cf. Cahier 36, F^os 2 à 9).
4. « Chatou » rayé et remplacé par « Vésinet » puis « Vésinet » est rayé et l'auteur, qui se souvient peut-être que Le Vésinet est la résidence de Montesquiou, revient à Chatou.
5. Quelques lignes rayées qui ne seront pas reprises : « et ayant voulu [en] profiter pour revoir l'admirable église de Maurice Denis je partis par un train plus tôt que je ne prenais habituellement, etc. »

ger avec tout le monde. Mais quand c'était le samedi j'avais à éviter le pianiste car comme il faisait cette année-là son service militaire, dans la musique, il n'arrivait à Paris qu'assez tard et reprenait le dernier train pour venir dîner. La tante n'attendait pas jusque-là pour ne pas avoir à se presser et à risquer *R° 10* « d'être | rouge [»] en arrivant. Je venais de prendre mon tilleul et j'allais vers le train de Chatou quand j'aperçus dans la salle des pas perdus le Mis de Guercy qui parlait d'une façon animée à un militaire en qui je reconnus vite le pianiste. Je pris le train. On attendait le pianiste très tard ce soir-là, il ne vint pas, mais on reçut un télégramme de lui disant qu'il ne pouvait avoir de permission. Par une mauvaise chance la tante prit justement un train plus tard, le même que moi. Elle fut désolée de la dépêche et eut l'air de la croire vraie. Mais je crois bien qu'elle avait dû apercevoir son neveu, peut-être même penser que je l'avais aperçu car je fus frappé ce soir-là chez elle de remarquer au milieu de ses plis Watteau qu'elle n'arrêtait pas de draper et qui semblaient avoir subitement multiplié, un redoublement de majesté et presque un commencement d'aphasie. Quelques semaines plus tard elle demanda aux Verdurin d'amener un protecteur des arts et notamment de son neveu le Mis de Guercy. Et désormais deux fois par semaine on voyait maintenant gare St Lazare un gros homme grisonnant avec une rose à la boutonnière et des moustaches noires qui arrivait en se dandinant et à qui la chaleur de la gare faisait hideusement couler le rouge qu'il se mettait maintenant sans mesure sur les.. [1].

R° 11 | des manières gracieuses, dit au docteur, nous venions de nous mettre à table pour ne pas faire

---

1. Il semble qu'ici il manque une page. On s'attend à voir les mots « joue » (sur les joues) et on tombe sur une phrase commencée : « des manières gracieuses... » Il n'y a d'ailleurs que dix feuillets alors qu'il en faudrait douze.

attendre le Marquis[1]. « Le marquis? qui ça? cria
d'une voix terrible le Docteur Cottard, où il y a-t-il
un marquis. »[2] « Ça vous prend souvent dit le
peintre. » Madame Verdurin qui les trouva tous deux
plus communs que d'habitude dit d'une voix de
répertoire[3] : le Mis de Guercy (avec un geste de
main *, le Dr Cottard) qui nous fait le plaisir de venir
dîner ici sans façon. « Ah! bien, bien ça va bien
dit le Docteur avec conciliation, mais ne sachant
pas au juste comment il fallait lui dire, il tournait
ses phrases d'une façon compliquée et impolie pour
ne pas avoir à dire Monsieur, comme quand on ne
se rappelle pas si on tutoie ou non un ancien camarade qu'on a rencontré, ou quand au collège dans un
thème latin quand on n'est pas sûr de la conjugai-
son, on « tourne par l'infinitif ». A partir de ce jour
tous les samedis[4] on retrouvait au train M. de Guercy
qui devenu fort gros, arrivait en se dandinant avec
sa rose à la boutonnière, et dont le rouge qu'il se mettait maintenant sans discrétion aux lèvres fondait
dans la chaleur torride de la salle des [pas] perdus,
R[o] *12*   plus visible dans la lumière crue * du | hall de verre.
Il demandait à la tante d'une voix de fausset, ironi-
quement paternelle : « Est-ce que " l'enfant " vient
aujourd'hui » ce qui gênait un peu car on les avais
souvent vus arriver ensemble à la gare et se quitter
devant l'escalier pour ne pas avoir l'air d'arriver
ensemble. Il aimait répéter « l'enfant », lui disant
à lui à tout propos, sur un ton onctueux, suraigu
et plaisant, oui mon enfant. Et au bout d'un mois
ne se gênant plus chez les Verdurin, il lui arrangeait
sa cravate, lui enlevait des poussières sur la veste,
disant : « Ah! ces enfants, dire qu'ils ne sont pas

---

1. Fin de phrase peu intelligible avec des ratures. Voir la note précédente.
2. Supprimé : « Le marquis de Guercy à qui je vous présente et ». Auparavant le mot « cria » vient deux fois.
3. Cette expression est ajoutée en marge.
4. « mercredis » rayé.

capables de mettre leur cravate tout seuls. » Il faut dire que le prestige de M. de Guerchy[1], dès qu'on avait su qui il était, était instantanément tombé aux yeux des fidèles du petit noyau. Chose assez bizarre cet homme qui « dans son monde » avait conservé la haute situation mondaine que comportait son nom, qui avait même su la faire plus grande, par l'exclusivisme qu'il portait dans ses relations, sa sévérité dans les élections au club[2], son refus de fréquenter les roturiers, les israëlites, les américains, même ceux qui allaient chez les Guermantes et dont les habitudes étaient peu connues dans ce milieu ou mises en doute, cet homme | avait la plus mauvaise réputation dans un milieu bohême que connaissaient le peintre et le docteur. Là sa situation mondaine impossible à s'imaginer et à apprécier puisqu'il n'y avait pas de points de comparaison ne comptait pas. Et sa mauvaise réputation répandue on ne sait pourquoi et que ne tenait pas en échec l'impression des gens qui connaissaient son cœur, sa délicatesse, son esprit, avaient peine à la croire fondée et compatible avec tout cela, avait pris le caractère de certitude et d'infamie que ces réputations ont dans les milieux d'atelier, de coulisse, où on croit facilement et un peu à tort et à travers des choses infamantes sur les hommes et les femmes du monde. Pour Cottard, pour le peintre, c'était un homme taré. Ils ne pouvaient pas soupçonner sa situation vraie. Ainsi quand il arrivait à la gare Cottard hésitait-il à faire monter sa femme dans le wagon où était Guercy. Et[3] son œil s'arrondissait en regardant le peintre d'un sourire de doute. Mais le peintre et les quelques savants, professeurs, etc. qui venaient

R° 13

---

1. *Sic.*
2. Rayé : « son antisémitisme ». Rayé : « son antiroture ». Il oublie de rayer entre « son antisémitisme » et son « antiroture » : « (sauf pour Swann) ».
3. Un « il » non rayé avec la correction qui suit.

chez les Verdurin aimaient monter avec Guercy, parce qu'il était intelligent mais surtout parce que

R° 14 l'idée | [1] qu'ils se faisaient de son infamie donnait pour eux [2] une sorte de saveur d'étrangeté à tous ses propos [3]. Le préjugé qu'éprouvait contre lui leur sens moral [4] avait tout naturellement pour envers une sorte de parti pris dont ils faisaient, un peu partialement, bénéficier son intelligence. Les moindres lieux communs qu'il énonçait sur l'amour, sur la jalousie, en pensant à l'expérience singulière où il les avait puisés, leur paraissaient aussi travestis, et dépaysés, et en somme renouvelés que des maximes d'une vérité générale quand nous les entendons exprimées dans une pièce japonaise par des acteurs en robe rose et en souliers de papier (?) [5]. Il suffisait qu'il dise j'avais peur de manquer le train parce que j'avais quelqu'un chez moi, on [ne] pensait pas une femme bien sûr, et on aurait voulu l'interroger. De sorte que chacun finissait par monter dans le wagon où était installé un gros homme à lèvres peintes, avec le mélange d'inquiétude, de curiosité, de répugnance et presque de charme à voyager à côté d'une caisse mystérieuse de provenance exotique et suspecte et qui à travers sa forme redondante et ses couleurs

R° 15 crues laissait passer l'|odeur curieuse de fruits inconnus dont la pensée levait le cœur. Aussi le jour où les Verdurin eurent Forcheville pour qui M. de Guercy était.. [6] ce qu'il était dans le monde, aux yeux de quelqu'un qui n'en était guères mais qui en connaissait les nuances et les rangs, chacun fut si

---

1. Ici Proust a rayé environ trois lignes (reprises ensuite) et tourné la page. Comme d'habitude il a très bien raccordé.
2. Ce « pour eux » est dans l'interligne au-dessous.
3. Voir à ce sujet ce qu'il disait à son ami Maurice Duplay : *Mon ami Marcel Proust. (Cahiers Marcel Proust,* n° 5, Gallimard, 1972.)
4. Cette expression située en marge remplace tout un passage rayé.
5. Nous croyons qu'il s'agit d'un point d'interrogation, dans cette parenthèse qui est de Proust.
6. Ces deux points sont dans le texte.

étonné de la déférence qu'il lui témoigna qu'on crut s'être trompé, ou qu'il y avait à cela une raison particulière. Ainsi Guercy était debout, Forcheville qui était dans un fauteuil se leva, s'écarta du fauteuil et en s'inclinant le montre [1] à Guerchy [2], qui avec beaucoup de grâce mais comme une chose toute naturelle, n'accepte [pas] et le rassoit en faisant le geste de lui appuyer sur les épaules en disant : « Mais comment donc mon cher. » En allant à table Me Verdurin prit le bras de Forcheville qui protesta voulait laisser le bras à Guerchy [2], mais dut céder devant l'insistance de Me Verdurin qui pensait que c'était mieux ainsi. Néanmoins cette protestation de Forcheville éveilla dans son cœur une certaine inquiétude si bien qu'après le dîner elle laissa percer un certain doute auprès de son mari. M. Verdurin voyant le désir de sa femme alla rondement vers | M. de Guerchy et lui dit avec un certain plaisir et d'un air fin : « Je [3] l'ai mis à droite parce qu'il est marquis. Comme vous êtes comte... » « Mais je suis aussi Prince de Laon, Monsieur, répondit M. de Guercy. Mais cela n'a aucune importance... ici! J'ai bien vu que vous n'aviez pas l'habitude. » Quant à la Princesse, si elle avait écrit qu'elle était malade le jour où M. de Guercy était venu pour la 1ere fois, c'est qu'espérant qu'il ne reviendrait peut'être pas, et pensant qu'il savait aussi bien qui elle était [*] qu'elle savait qui il était, elle avait craint qu'il ne « causât [4] », et avait préféré ne pas se montrer. Mais maintenant que Guercy venait régulièrement elle était bien obligée se trouver avec lui. Elle resta dans le

R[o] *16*

---

1. Il semble qu'intervient là brusquement, mais naturellement, le présent de narration.

2. Évidemment mis pour Guercy.

3. « vous » rayé. Un peu plus haut, Proust attribue le titre de marquis à Guercy.

4. Une fois de plus Proust ne met pas l'accent circonflexe à l'imparfait du subjonctif. Mais qui est cette princesse? La princesse Scherbatoff sans doute. Cf. Cahier 6, F[os] 25-29.

coin qu'elle gardait d'habitude, mais à la cen-
tième[1] puissance. Elle arrivait maintenant vingt-cinq
minutes avant le départ du train et au journal habi-
tuel joignait un arsenal de revues. Quand Guercy la
saluait, elle répondait par une inclination dont la
profondeur signifiait qu'elle savait son rang et
qu'elle était décidée à abdiquer le sien pour qu'il
l'ignorât[2]. Elle se redressait aussitôt vivement avec
élégance et la plume de son chapeau venait trem-
R° 17 bler | légèrement contre le molleton du wagon,
là où il y a une guipure avec Ouest[3]. Au bout de
deux mois de Chatou ils en étaient encore là, elle
l'ignorait[4] tant qu'il n'était pas venu à elle, s'inclinait quand il s'inclinait, se redressait et de sa fine
antenne la plume de son chapeau semblait chercher
par un sens mystérieux de l'équilibre la position
exacte que la P^cesse occupait auparavant, geste que
complétait quelquefois celui de pousser encore dans
son gant son billet de première qui était déjà ainsi
enfoncé jusqu'aux doigts, ou à[5] mettre un sinet[6]
dans la revue qu'elle n'avait pas commencé à lire.
C'est comme un prêtre.

*Ici le développement est interrompu. La suite n'a pas dû être
écrite immédiatement. Elle concerne le Guercy de la fin, tel qu'on
le retrouve dans* Le Temps retrouvé *sous le nom de Charlus. De
même Borniche deviendra Jupien. Nous reportons cette suite plus
loin et nous plaçons dans l'intervalle la note du Verso 16 qui se
poursuit au Verso 17. Cette note sur le prince d'Agrigente constitue
un complément que Proust ne semble pas avoir utilisé. Elle est précédée de quelques lignes sur l'invitation des Verdurin par Guercy.*

V° 16 | Guercy invite chez lui les Verdurin etc, et q.q.
amis qui s'il ne les invite pas croit [*sic*] que c'est

1. « vingtième » rayé.
2. Une ligne et demie rayée : « Au bout de deux mois de Chatou ils
étaient au même point, elle s'inclinait... »
3. Il s'agit de la compagnie de chemins de fer de l'Ouest.
4. « s'inclinait » rayé.
5. Rayé : « replier le journal qu'elle n'avait pas ».
6. Rappelons que Littré cite « le sinet (pour signet) du roi Louis IX ».

plus élégant d'être invité avec eux et disent : moi je ne suis pas de ces petites fêtes.

Le fils du marquis de Guercy portait le joli titre de Prince d'Agrigente [1] qui donnait [2] toujours l'idée qu'il n'était que de passage et de retour dans ses états, que dans la verrerie transparente et close de son nom on voyait étager au dessus de la mer bleue [3] la citadelle de ses maisons roses frappées latéralement d'un soleil d'or. Mais l'homme connu qu'il était n'avait aucune espèce de rapport avec son nom. En un sens il était évidemment le Prince d'Agrigente; mais si pour l'être il fallait avoir une prise de possession intellectuelle de son nom tout le monde l'était plus que lui. Son nom de délicatesse, d'antiquité et de lumière était entièrement distinct de lui, placé sur une étagère lointaine, où certes ni l'œil ni sa grosse tête d'étourneau, ni sa main toujours levée devant lui très haut pour dire bonjour à toute la longueur de son bras qui se bombait* tandis qu'il pirouettait pour tendre cette main tout autour de lui, se croyant* divin* et élégant, [son nom] n'avait | jamais été aperçu par lui. On peut dire que son nom avait attiré, absorbé en lui, heureusement* cristallisé, disposé sous sa verrerie tout ce qui en lui comme en tout homme pouvait être prisonnier* [4], si bien qu'il n'en restait rien en lui. On pouvait dire en parlant de lui c'est le prince d'Agrigente pour qu'on sût ou qu'on voulût parler mais il était impossible d'établir sans cela le moindre rapprochement pas

V⁰ 17 (margin)

1. On le rencontre chez Odette dans *Du Côté de chez Swann*, puis dans *Le Temps retrouvé*.
2. Nous donnons le texte auquel Proust renvoie, par une ligne courte, afin de le substituer au texte primitif que voici : (qui donnait) « l'idée d'un souverain d'un état qu'on voyait de son nom étageant au dessus de la mer bleue la citadelle sous la transparente verrerie de ses maisons roses frappées latéralement d'un soleil d'or ».
3. Ici un « etc. » qui renvoie au texte primitif.
4. Ou « princier ». Deux mots au-dessus de la ligne : « architectural » et « ensoleillé ».

plus[1] qu'entre Venise et la rue infecte de Paris qui porte ce nom.

R°17 | Il y a quelque temps j'avais appris que Me de Villeparisis était morte, que M. de Guercy avait été très malade, je passais dans l'avenue du Bois quand je vis passer une voiture découverte. Un homme les yeux fixes, la taille voûtée, avec un effort pour se tenir droit, comme un enfant à qui on aurait dit[2] tiens-toi bien, était assis au fond, avec une forêt de cheveux blancs d'argent, une moustache grise, et une barbe blanche comme celle que la neige fait aux statues des fleuves dans les jardins publics avant le dégel. C'était M. de Guercy. Il avait eu deux attaques. Il semblait qu'une espèce de cataclysme à la fois shakespearien et chi | mique eût donné à son visage une majesté foudroyée de Roi Lear et eût fait de la substance de ses cheveux gris, de ses moustaches noires, de son menton glabre, une sorte de précipité métallique[3] analogue à celui qu'aurait répandu à flots sur sa tête et son visage un geyser saturé d'argent qui se serait brusquement[4] solidifié. Dans cette convulsion métallurgique[5] de sa face, ses yeux vifs et impertinents étaient devenus atones et surtout, chez lui le plus fier, le plus hautain des hommes[6], d'une timidité, d'une politesse, d'une bonne volonté d'enfant. Il vit que je voulais saluer et avec peine[7], mais il m'avait parfaitement reconnu[8] il me fit un salut encore élégant[9] d'une profondeur comme il n'eût pas fait au roi de

R°18

1. Ou « non plus ».
2. au-dessus de ce verbe : « sage ».
3. « argenté » rayé.
4. Proust de rayer un « brusquement ».
5. « géologique » rayé.
6. La virgule manque.
7. « une » et « infinie » supprimés.
8. Ici aussi une virgule est nécessaire; « avec peine » se rapporte à « il me fit ».
9. Ces deux mots sont placés au-dessus de la ligne.

France[1]. Sans doute il y avait dans ce salut du désir qu'ont les malades de montrer qu'ils peuvent encore faire acte de gens bien portants, d'y mettre une exagération destinée à toucher celui à qui il s'adresse; on fait avec application, avec prodigalité une chose qu'on sait[2] qui est devenue une chose importante, un effort difficile[3], méritoire, flatteur. Il y avait aussi un peu d'incoordination, d'exagération des mouve-

R⁰ 19 ments et aussi de cette douceur | envers le prochain qu'ont les malades si faibles, comme nous avons chez le dentiste quand nous pensons si nous sommes aimables qu'il nous fera moins mal. Mais il y avait surtout le signe[4] plus étonnant encore que la mise à nu du gisement métallurgique sur la face des profondes convulsions internes, un changement de plan du tout, une humilité mondaine qui intervertissait[5] les rapports sociaux et humiliant * sa propre situation, anéantissait du même coup tout snobisme possible! Quelle base en effet aurait pu conserver à son * snobisme une Américaine[6] qui aurait vu M. de Guercy, qui n'avait pas consenti[7] à dîner avec elle, la saluer jusqu'à terre, tout en ayant son titre. Lui être présenté, c'était son but, c'était cela son snobisme. Or cet idéal précieux, cette essence rare et inaccessible qu'il manifestait pour elle, il l'anéantissait du coup. Il disait cela est à vous, cela est au-dessous de vous. Ainsi dans la timidité appliquée et la déférence excessive avec laquelle il ôta son chapeau du meilleur faiseur d'où ruisselèrent les flots métallifiés de torrents argentifères, le salut majestueux du prince foudroyé descendit sur moi avec l'éloquence d'un mouvement

R⁰ 20 d'oraison funèbre. A côté de lui à sa gauche | dans

---

1. Un « où » ici, non supprimé.
2. Ou « On sent ».
3. Au-dessous de la ligne.
4. « effet » rayé.
5. « anéantissait » rayé, mais repris ensuite.
6. La majuscule semble oubliée.
7. L'auteur corrigeant oublie d'enlever le « t » final à « consentit ».

des vêtements de Hamond [1], des anciens vêtements du
marquis était Borniche devenu son secrétaire et son
garde malade. La voiture s'éloigna à grand trot [2]. Mais
une heure plus tard dans une allée ensablée j'apercevais le Comte [3] et Borniche qui étaient descendus
pour marcher un peu et que la voiture suivait de très
loin. Je saluai et le Comte sembla saluer sans désirer
que je m'arrête car son œil atone n'exprimait rien.
Mais en même temps d'une voix imperceptible il me
parla et penché sur lui je compris qu'il me demandait
de faire quelques pas avec eux. L'impassibilité de
son visage m'avait empêché de deviner qu'il voulait m'arrêter. Elle devait tenir à un peu de paralysie
du visage et mettait un curieux désaccord entre le
sens des paroles qui s'échappaient comme un souffle
de ses lèvres, et l'absence d'expression de sa figure, et
l'absence d'expression de son débit. Mais son intelligence était intacte, sa mémoire des plus précises. Il
mettait certainement une application ardue et une
apparence de naturel à s'accrocher à tout souvenir
qui montrât combien sa tête était intacte. Sans bouger la tête, ni les yeux, ni mettre une seule inflexion
dans sa voix : « Voici un poteau avec une affiche
pareil à celui qu'il y avait devant nous la 1ère fois que
je vous vis | avec Madame votre grand'mère à
Étilly [4]. Et en effet c'était exactement la même réclame
de Liebig [5] ! Il était un peu fatigué et demanda à
s'asseoir sur un fauteuil pendant que Borniche et
moi faisions quelques pas. Et il sortit avec mille mouvements difficiles un livre de messe et un chapelet de
sa poche. Nous fîmes quelques pas avec Borniche. Il

R⁰ 21

1. Ou : Hammond? Couturier à la mode.
2. « pas » rayé.
3. Ici M. de Guercy est *comte.* Plus haut, au moment de la rencontre avec
Borniche, il est *M. de Guercy,* puis chez les Verdurin à Chatou il devient *marquis de Guercy.*
4. Étilly est un nom inventé qu'on ne retrouvera pas dans la *Recherche.*
Mais qui est apparemment un des premiers noms de Balbec.
5. Les produits Liebig (de conserve et de poudres alimentaires) étaient
déjà connus.

me dit que toute la fortune de Me de Villeparisis était
allée aux Guermantes. Là encore elle avait montré
qu'elle tenait toujours ce qu'elle avait une fois dit, et
qu'elle faisait toujours ce qu'elle devait et ce qui
convenait à la grandeur de la famille. Elle n'avait
autrement jamais eu d'autre projet et les Guermantes
n'avaient pas su la comprendre [1]. Nous revînmes
mais plus de M. de Guercy, quand nous l'aper-
çûmes au bord de l'allée qui causait avec un jeune
voyou. Il le quitta en nous apercevant après avoir
tiré de sa poche une pièce blanche. Borniche parut
vivement contrarié. « Vous savez pourtant bien ce que
le médecin vous a dit Monsieur le Comte lui dit-il
sévèrement à voix basse quand nous l'eûmes rejoint,
pas assez bas cependant pour que je ne l'entendisse. »
Et me parlant plus tard de la santé de M. de Guercy
il me dit : Il y a des choses Monsieur que vous ne
savez pas et que vous ne pouvez comprendre [2]. Je
crois en effet qu'il est désolé que je devine sa vie [3].
Et pourtant il me dit [cela] avec un involontaire
sourire de mystère, d'orgueil, presque de fatuité [4],
fatuité tout intellectuelle comme d'un historien
qui est en possession de documents inconnus des
autres qui mettent sous leur vrai jour des événements
mal compris [5] et de pitié pour tous ceux qui ne
R° 22   sachant pas, ne peuvent | pas comprendre dans leur
vrai sens, certaines situations de la vie. Ses yeux tristes
avaient un désagréable éclat même l'air de dire je
suis * ce que je suis *, et que vous ne savez pas [6].

---

1. Et voilà qui nous renvoie aux premières pages de ce morceau intitulé :
« M. de Guercy (Suite). », mais qui aurait aussi pu avoir pour titre : « La
méprise des Guermantes », ou « Les héritiers de Madame de Villeparisis. » Cette histoire d'héritage ne sera pas reprise dans la *Recherche*.
2. C'est ainsi que nous démêlons ce qui est marqué au-dessus de la ligne.
3. Il faudrait mettre un tiret ici, car il nous semble que c'est alors le narrateur qui parle.
4. Un mot au-dessus qui nous échappe.
5. Tout ce membre de phrase introduit par une apposition (fatuité)
et contenant une comparaison (l'historien) est ajouté en marge.
6. Le cahier manuscrit s'arrête ici.

RÉSUMÉS
(Cahier 51)

SOIRÉE CHEZ LA PRINCESSE DE GUERMANTES

Vᵒ 68   Retour à Paris. Invitation du prince et la princesse de Guermantes (pour une soirée). Le narrateur retrouve dans « le palais de contes de fées » l'Enchanteur et la Fée. Attitude de la princesse et du prince. Rondeur excessive de ce dernier. Les personnages présents sont « sinon costumés, du moins grimés, poudrés », « comme dans un rêve ou dans un bal de têtes ». Le comte de Froidevaux, le marquis des Tains.

Vᵒ 67   Le petit Bétourné. Montargis bien changé comme les autres. Une grosse dame s'approche du narrateur qui a peine à reconnaître en elle Mᵐᵉ de Forcheville. Mais c'est Mˡˡᵉ de Forcheville qui lui dit : « Vous me prenez pour maman. » Description du maître de maison qui a blanchi ses cheveux et ses moustaches.

Vᵒ 66   Mais le cœur du narrateur s'est serré : il a compris. C'est le Temps qui a arrangé ce travestissement, le Temps dont il avait déjà perçu la présence dans l'église de Combray. Le Temps qui a mêlé de fils blancs la barbe de M. de Froidevaux et saupoudré de clair de lune celle de M. des Tains, desséché la figure du petit Bétourné.

Vᵒ 65   Il lui semble que tout cela s'est fait à ses dépens. Travail du temps, le véritable Enchanteur qui a fait saillir une statue de Mᵐᵉ de Forcheville dans le corps énorme de sa fille.

V° 64

Mme de Villeparisis « cassée en deux, prête à tomber ». Le narrateur ose à peine s'approcher d'elle. Mais celle-ci lui tend la main. Elle est la même malgré sa déchéance physique

Le narrateur rappelle à Montargis l'année de la soirée où il est venu ici. « Sais-tu qu'il y a vingt-trois ans de cela », répond celui-ci. Mais le narrateur croit qu'il n'y en a eu que quinze.

(*En face du V° 64 et du V° 63 aux R°ˢ 65 et 64, une longue note :* Proust décrit avec précision et de façon caricaturale — comme pour le visage de Mme de Villeparisis — le vieillissement d'un certain nombre de dames et les efforts qu'elles font pour ne pas paraître vieillir : Mme de Béthune, Mme de Guermantes, Mme de Serisaie, Mme de Mercœur *).

V° 63

Mais en entendant Montargis il réfléchit et il se voit toujours lui-même très loin, plus bas à vingt-trois ans de distance.

V° 62

Quelle fatigue que de se maintenir en équilibre à une telle hauteur ! Nous ne voyons que nos corps. Mais si nous nous voyions dans le temps, nous nous verrions montés sur des tours si hautes qu'elles touchent presque le ciel et comme sur des échasses. Les vieillards ne se rendent pas compte de cela. Mais quel vertige quand ils s'en aperçoivent. « Nous n'avons pas d'autre temps que celui que nous avons ainsi vécu et le jour où il s'écroule, nous nous écroulons avec lui. »

(*En face du V° 62, au R° 63 :* portrait de Koechlin devenu un vieux prophète.)

Puis le narrateur *(dans une note qui suit la précédente)* se réjouit de voir deux sœurs du même âge que lui qui sont belles et connaissent encore le succès. L'amant de l'une fait des folies pour elle.)

DANS UNE BAIGNOIRE AU THÉÂTRE

V° 61

Madame de Guermantes invite le narrateur à venir au théâtre dans la baignoire de sa cousine, une altesse [1] (une note indique que ce n'est pas la première fois qu'il se rend

---

1. Cette altesse semble être la princesse de Guermantes. Mais il y a ici quelque confusion puisqu'il est question ensuite de la marquise de Tours *.

dans cette baignoire pour y retrouver la duchesse et la princesse de Guermantes). En entrant dans la baignoire de la marquise de Tours * où sa silhouette merveilleuse étincelait, il a plaisir à apercevoir, à peine vieilli, son visage merveilleux tandis que, lui, dans le fond fait figure de favori des déesses.

V° 60 Mais il sait maintenant que ce ne sont pas des déesses et que leur vie n'a ni délices, ni mystère. Banalité de l'existence des êtres qui fréquentent la baignoire. Leur vieillissement. Mme de Chemisey morte sans connaître la princesse de Beauvoir qui dans la loge voisine peut à peine *V°* 59 soutenir son diadème. | Comparaison avec une tapisserie où la « détente » d'un fil fait qu'un visage en souriant a toujours l'air de pleurer. Le panorama cintré autour de lui est celui de la génération qui finissait sans se rendre plus compte du voyage accompli par rapport à l'immuable temps que dans notre victoria ou notre auto nous nous rendons compte du mouvement de la terre autour du soleil. Un homme à moustaches blanches se trouve dans la loge de la princesse de Beauvoir. Le narrateur finit par reconnaître le jeune St Preux *. A la sortie tout le monde a l'air de s'enfuir. Il interroge Mme de Guermantes sur la signification de son regard un jour ou entrant dans la loge elle serra la main du duc de Vallon. La princesse intervient dans la conversation. Mme de Guermantes déclare être dans l'impossibilité de se souvenir dix ans après. La princesse prétend que celle-ci avait l'air ennuyée de passer une soirée avec quelqu'un qui l'assommait. Le narrateur est déçu. La princesse lui révèle que la duchesse ne pouvait souffrir Vallon, beau parleur mais ennuyeux.

Il voudrait savoir si la duchesse se plaît mieux avec lui. La princesse lui révèle que la duchesse le préférait de beaucoup à d'Albu (Vallon) — ce que confirme la duchesse.

R° 58 Rôle de l'idée que nous nous faisons de quelqu'un ou de quelque chose.

V° 58 La princesse écoutant la pièce. M. de Berneux s'est fait beau mais il est fatigué. M. de Tretor ou de Treton.

V° 57 Les dehors de la vie des gens qui sont là, constituent contrairement à ce que pensait le narrateur, leur vraie vie, leur but. Les bons mots de la duchesse de Guermantes sont tout ce qu'elle trouvait à dire. M. de Berneux a mis son monocle au lieu du pince-nez de l'intimité. Ses réflexions médiocres. C'était cela sa vraie vie.

V° 56   Il se propose de dire à Valois qui connaît les directeurs de théâtre, de faire changer les fauteuils qui sont trop durs. Le passé de Valois amuse tout le monde. Mme de Terriane a le fou rire. Réflexion de la princesse. Mais la duchesse trouve que toute chose dite sérieusement, que tout grand mot est bête, blâme sa cousine. On se tourne vers le narrateur.

V° 55   Ce qu'il dit est l'objet d'une grande attention. On admire surtout les mots idiots qu'il a dits. Une vieille dame, le marquis de P..., deux duchesses l'invitent à dîner. Et on lui fait un mérite d'un mot stupide qu'il n'avait même probablement pas prononcé.

R° 55   Caractère superficiel du monde. Importance accordée aux toilettes, à la loi de ne pas manquer d'être présent, etc. Inanité des conversations.

LE MARQUIS DE GUERCY

R° 1   M. et Mme de Guermantes ne veulent pas avoir l'air d'attendre l'héritage de leur tante Mme de Villeparisis.

R° 2   En fait Mme de Villeparisis qui ne va pas à leurs réceptions est très fière d'eux. Mais les accès de mauvaise humeur de leur tante sont mal interprétés par eux.

R° 3   Affection naissante de Mme de Villeparisis pour la jeune baronne de Villeparisis. Brouille des Guermantes avec Mme de Villeparisis.

R° 4   Mme de Guermantes se contente de monter chez sa tante lorsque celle-ci a une crise. Elle cherche à excuser son mari qui ne veut pas monter — ce qui agace Mme de Villeparisis qui n'est pas dupe. Un jour quand elle avait été souffrante on avait prévenu son neveu M. de Guercy.

R° 5   Mme de Villeparisis aime qu'on vienne chez elle *exprès*. C'est pourquoi elle reçoit à un autre moment que sa nièce. Mais elle fait une exception pour son neveu, car elle sait que la vie réglée de celui-ci ne lui permet guère de faire autrement.

R° 6   Appelé par elle M. de Guercy vient à une heure inaccoutumée où chaque chose prend « une sorte de velouté » — Et on était émerveillé que les fleurs roses du sophora fussent roses, « tant les tons avaient l'air justes ».

R° 7	Borniche n'avait pas encore commencé à travailler. M. de Guercy sort de chez sa tante (qui va mieux). Il voit, à cette heure inaccoutumée pour lui, la boutique de Borniche ouverte. Manège de M. de Guercy. Il chantonne « C'est l'étoile d'amour! » sans s'en rendre compte, par association involontaire.
R° 8	Étrange expression de la figure de Borniche. Son air affairé et insolent semblable à celui de M. de Guercy qui s'en va puis revient sans sa rose vers le maître d'hôtel qui lui indique la boutique de Borniche.
V° 8	Le narrateur voit parfaitement les deux hommes qui, eux, ne peuvent pas le voir.
V° 9	Le jour de cinq heures sur les briques. Borniche debout devant la porte de l'arrière-boutique.
V° 10	M. de Guercy sa rose à la boutonnière s'avance et s'arrête pour demander un renseignement à Borniche qui se redresse « avec le dépit d'une grande coquette » etc. « Mais bientôt l'ivresse du commérage noya la déception de son cœur ».
R° 8	M. de Guercy change l'heure de sa visite à sa tante et il procure la clientèle des Guermantes à Borniche à qui il trouve aussi des occupations.
R° 8	Excellente opinion de Françoise sur le Marquis de Guercy. Elle lui donnerait volontiers sa fille, comme elle la donnerait à Borniche, lequel est « le même genre de personne ».
V° 7	Texte du chant que fredonne M. de Guercy. De même que les fleurs du sophora cherchaient à s'unir à d'autres fleurs de sophora,
V° 8	de même un être existait de qui la fleur rêvée était un Monsieur plus âgé que lui, « avec des moustaches noires ».
R° 9	Pour revoir la tante de Léonie (« Celia » rayé), le narrateur va quelquefois chez les Verdurin à Chatou. Le samedi le pianiste prend le train lui aussi, mais c'est le dernier et on ne l'attend pas pour dîner.
R° 10	Le narrateur aperçoit le Mis de Guercy, dans la salle des pas perdus, qui parle au pianiste d'une façon animée. Télégramme du pianiste prétendant ne pas avoir obtenu de permission. Gêne de la tante[1] qui avait dû apercevoir son

---

1. Qui est cette curieuse tante de Léonie? Ce n'est évidemment pas celle du narrateur.

neveu et même pensé que le narrateur l'avait vu. Quelques
semaines plus tard, elle demande aux Verdurin l'autorisation d'amener un protecteur des arts et de son neveu,
M. de Guercy.

R⁰ 11   Le docteur Cottard s'étonne que M. de Guercy soit
marquis. Mme Verdurin fait alors les présentations. Cottard se tait mais ne sait comment s'adresser au marquis.
Tous les samedis on retrouve le marquis au train à la
gare St Lazare la rose à la boutonnière etc.

R⁰ 12   En arrivant il demande si « l'enfant » est là ce qui gêne
un peu car on les a souvent vus arriver ensemble et se quitter. Au bout d'un mois, ses gestes familiers vis-à-vis du
jeune homme. Baisse de son prestige. Chose assez bizarre
cet homme qui dans son monde avait une haute situation
mondaine grâce à son nom et à son exclusivisme dans
ses relations

R⁰ 13   a la plus mauvaise réputation dans un milieu bohême
que fréquentent le peintre et le docteur. Dans ce milieu
malgré ses qualités morales et intellectuelles, sa mauvaise
réputation prend un caractère de certitude et d'infamie.
Cottard et le peintre ne peuvent soupçonner sa situation
vraie. Cottard hésite à faire monter sa femme dans
son wagon. Mais le peintre, quelques professeurs et
savants aiment au contraire sa compagnie car il est intelligent.

R⁰ 14   Aussi parce que l'idée de son infamie donne une saveur
d'étrangeté à ses propos. Les sujets de ces propos. Comment on les interprète quand il dit : j'avais quelqu'un
chez moi. On ne pensait pas à une femme etc.

R⁰ 15   Étonnement de chacun devant la déférence que Forcheville lui témoigne. Mme Verdurin prenant le bras à
Forcheville, celui-ci veut laisser cet honneur à Guercy.
Mme Verdurin laisse percer un certain doute à son
mari.

R⁰ 16   M. Verdurin essaie de réparer l'erreur de sa femme. Il
explique à Guercy que Forcheville étant marquis... « Mais
je suis aussi Prince de Laon, répond Guercy. Mais cela
n'a aucune importance ici! » Quant à la Princesse ¹ qui
n'était pas venue le jour où Guercy vint pour la première
fois, craignant qu'il ne « causât », elle a fini par venir.
Mais elle l'évite à la gare. Comment elle le salue.

---

1. Mais qui est cette princesse?

V⁰ 16   Guercy invite chez lui les Verdurin et quelques amis[1].

V⁰ 16   Portrait satirique du Prince d'Agrigente (fils de Guercy).
           Ce qu'évoque son joli nom. Pas plus de rapport entre
V⁰ 17   ce nom et le personnage ridicule qu'il est, qu'entre
           Venise et la rue infecte de Paris qui porte ce nom.

R⁰ 17   Il apprend que Mme de Villeparisis est morte et que
           M. de Guercy a été malade. Il aperçoit ce dernier au Bois,
           passant en voiture découverte. Portrait de M. de Guercy
           vieilli avec une barbe blanche etc.
R⁰ 18   Son visage d'une « majesté foudroyée de Roi Lear ». Il
           est devenu d'une timidité, d'une politesse et d'une bonne
           volonté d'enfant. Comment il veut saluer le narrateur et
           fait un effort pour cela. Description de ce salut encore
           élégant, et d'une profondeur « comme il n'eût pas fait
           au roi de France ».
R⁰ 19   Longue description de l'attitude nouvelle de M. de
           Guercy. Sa douceur, son humilité anéantissait toute base
           au snobisme. En saluant jusqu'à terre une Américaine il
           fait s'évanouir l'essence rare et inaccessible qu'il mani-
           festait pour elle. Aussi « le salut majestueux du prince
           foudroyé descendit sur moi avec l'éloquence d'un mou-
           vement d'oraison funèbre ».
R⁰ 20   Borniche, habillé dans les anciens vêtements du mar-
           quis et devenu son secrétaire et son garde-malade, est à
           côté de lui. Le narrateur les rencontre tous deux dans
           une allée. La voix de M. de Guercy est à peine perceptible,
           il semble souffrir d'une paralysie partielle, mais son intel-
           ligence et sa mémoire sont intactes.
R⁰ 21   Guercy rappelle un souvenir pour montrer l'excellence
           de sa mémoire : une affiche Liebig est semblable à celle
           vue à Étilly (Balbec?) lorsque le narrateur s'y trouvait
           avec sa grand-mère et qu'il les rencontra pour la première
           fois. Il demande à s'asseoir. Il sort un livre de messe et un
           chapelet de sa poche.
           Le narrateur fait quelques pas avec Borniche qui lui dit
           que toute la fortune de Mme de Villeparisis est allée aux
           Guermantes — ce que ceux-ci n'avaient pas prévu.

---

1. Trois lignes qui semblent l'indication d'un développement possible, de la
même encre que le développement interrompu sur « C'est comme un prêtre ».
Mais vient ensuite le développement, d'une autre encre, sur le prince d'Agrigente
(ici fils de Guercy) qui se poursuit au Verso 17.

Quand le narrateur et Borniche reviennent ils aperçoivent M. de Guercy causant avec un jeune voyou. Il le
quitte après lui avoir donné une pièce blanche. Il se fait
gronder à voix basse par Borniche qui dit au narrateur
qu'il y a des choses qu'il ne peut comprendre.

R° 22   Comment il dit cela. Comme un historien qui met au
jour des événements mal compris. | Ce que semblent
dire ses yeux tristes.

TABLEAU DES PERSONNAGES DU
Bal de Têtes (1909-1911-1927)
DANS LES VERSIONS
SUCCESSIVES

Les personnages du Bal de Têtes
dans les versions successives
(*1ere* partie pour les personnages principaux)

CAHIER 51 (1909) *Soirée chez la P^{cesse} de Guermantes*	CAHIER 57 (1911) *Matinée chez la P^{cesse} de Guermantes*
Prince et Princesse de Guermantes (l'Enchanteur ou Prince Fridolin et la Fée)	Prince et Princesse de Guermantes
Duchesse de Guermantes (Comte de Guermantes, rayé au V° 67)	Duc et Duchesse de Guermantes
Mme de Villeparisis	Mme de Villeparisis (et son neveu)
Montargis	Montargis
Mme de Forcheville (Odette)	Mme de Forcheville (Odette)
Mlle de Forcheville (Gilberte)	
	Mme de Montargis (Gilberte Swann)
	Forcheville (allusion)
	Swann (allusion)
	La tante du Narrateur
	Bloch : alias Jacques du Rozier (et sa sœur) ou Henri
	Mme de Chemisey (et le jeune Chemisey)
	Legrandin (et sa sœur)
	Maria (et son tuteur)
	M. de Norpois
Mme de Béthune	
Mme de Mercœur *	
Mme de Serisaie	
M. le Marquis et la Marquise des Tains *	
Koechlin (musicien et compositeur)	
	Cottard (ses enfants)
Prince d'Agrigente	Prince d'Agrigente (Cah. 58)
	Mlle de Stermaria
	Mme Putbus
	Mlle de Quimperlé

CAHIER 11 (1911)

Prince et Princesse de Guermantes
Duc et Duchesse de Guermantes

Charles (de Montargis)
Mme de Forcheville (Odette)
Mme de Montargis (Gilberte Swann)

Saint-Loup (nouvelle de sa mort)
Mme de Forcheville (Odette)
Mme de Saint-Loup (Gilberte Swann)
Mlle de Saint-Loup
Swann (allusion)
Bloch : alias Jacques du Rozier
Nissim Bernard
M. et Mme de Cambremer
Cambremer (le jeune comte de)
Legrandin
Albertine (allusions)
Mme Verdurin (Mme de Duras)
(Mme la Princesse de Guermantes)
M. de Norpois (allusion à)
Swann (allusions)
Bergotte (son souvenir)
Mme de Sainte Euverte
Rachel
La Berma (et sa fille, et son gendre)
Mme Leroi (allusion pour une erreur
d'une Américaine ignorante)
M. Bontemps (allusion)
Prince d'Agrigente

Morel (et sa sœur)

Les personnages du Bal de Têtes
dans les versions successives
(2ᵉ partie pour les personnages secondaires)

CAHIER 51 (1909)
Soirée chez la Pᶜᵉˢˢᵉ de G.

CAHIER 57 (1911)
Matinée chez la Pᶜᵉˢˢᵉ de G.

	la tante
	les parents (père et mère)
M. de Froidevaux	M. le comte de Froidevaux
	Duchesse de Montmorency
	Mᵐᵉ de Souvré
	Mᵐᵉ de Cannisy (et son frère)

Dans une baignoire, au théâtre
La P ᶜᵉˢˢᵉ et la Duchᵉˢˢᵉde Guerman-
tes (la Princesse appelée Giselle par
la Duchesse)
La Princesse de Beauvoir
S. A. (le prince de Saxe?)
Marquise des Tours
Albon ou Albu (?) ou Vallon ou
Valbon (?) (Duc de)
Le Duc de Vauban *
M. de Berneux
M. de Bernin
Le jeune Sᵗ Preux *
Porgès (entre parenthèses)
Floriane (?) (Duchesse de Guer-
mantes?)
Mᵐᵉ de Terriane (elle veut parler
à Lucie)
M. de Tretor *
Marquis de P...
Valois
Mᵐᵉ de Chemisey (allusion à sa
mort)

Le petit Bétourné
M. de Bernot
Mᵐᵉ de Montyon *
M. de Raymond
Baronne de Timoléon (née Carton)

les Colbert (allusion)
M. de Chatellerault
Duchesse de Mouchy
Général de Trinvères
M. de Grancamp *

CAHIER 11 (1911)

Marquise de Gérenton
Princesse de Talamon
Violante
Le prophète de Jérusalem

les parents
M. de Froidevaux
Duchesse de Montmorency (allusion)
Marquise de Souvré
Colombin (allusion)
Le vieux d'Albon
Duc de Chatellerault
Duchesse de Mouchy (all.)
Duchesse de Sagan (all.)
M. d'Argencourt
Mme de Létourville
M. de Courgivaux
Vicomtesse de St Fiacre
Ski
Mme d'Arpajon
P^cesse Hedwige
P^cesse de Parme
Comte de Farcy
Duchesse et Duc de Broglie
Marquis de Villemandois
Les La Trémoille
M. de Beaucerfeuil
Le fils Vaugoubert
Mme de Morienval
Léa (allusion)
La P^cesse de Nassau
Mme de Staël (allusion)
M. d'Haussonville (all.)
Colbert (all.)
Lebrun (all.) Ampère (all.)
La Rochefoucauld (all. au nom)
Françoise

II

Cahiers 58 et 57 (1910-1911) [1]

(B.N. - N.A.F. 16 698 et 16 697)

[MATINÉE CHEZ
LA PRINCESSE DE GUERMANTES]

1. Version 1910-1911 du *Temps retrouvé.*

INTRODUCTION

Proust écrivit A la Recherche du Temps perdu *sur des cahiers, de gros cahiers cartonnés de couleurs diverses ou recouverts de moleskine noire; pour des raisons de commodité, puisqu'il travaillait surtout dans son lit, sur ses genoux, dans une position à demi couchée qui paraissait fort inconfortable à Céleste, mais qui ne l'empêchait pas d'écrire à une vitesse étonnante* (Monsieur Proust, *320-321*). *Louis Gautier-Vignal voulut lui offrir une écritoire, mais il refusa* [1].

*En 1912 il avait écrit 32 cahiers, peut-être 34 — nous dirons plus loin pourquoi —, lesquels, vraisemblablement, se rapportaient à la première version d'*A la Recherche du Temps perdu, *qui ne portait, d'ailleurs, pas encore ce nom à cette époque, l'auteur opinant plutôt pour* Les Intermittences du Cœur, *titre général qui figurait sur les dactylographies qu'il fit faire et qu'il fit remettre à Fasquelle d'abord et à la* N.R.F. *ensuite.*

Proust avait fait faire une double dactylographie [2] *de la première moitié seulement des cahiers, du moins ceux qui correspondaient au* Du Côté de chez Swann *primitif. Fasquelle reçut la première dacty-*

---

1. Louis Gautier-Vignal (*Proust connu et inconnu*, Laffont, 1976) pense qu'il eût été plus pratique d'écrire sur des feuilles volantes. Mais, sans écritoire, les cahiers cartonnés étaient sûrement plus pratiques pour lui. Les feuilles volantes présentaient aussi le risque de la dispersion.

2. La Bibliothèque nationale possède deux dactylographies avec corrections autographes, qui lui correspondent exactement, notamment par le nombre de pages : 712, chiffres indiqués par le lecteur de Fasquelle, Jacques Normand (voir le rapport de celui-ci que nous avons publié dans *Le Figaro littéraire* du 8 déc. 1966).

lographie, Céleste dit : « Au début de 1912 » [1] (Monsieur Proust,
*p. 341). Cette copie, revue et corrigée, dit-elle, fut remise par Cal-
mette à Fasquelle. Le fait est confirmé par les* Lettres à la N.R.F.
*adressées plus tard à Gaston Gallimard (p. 101), et aussi par une
lettre à Georges de Lauris* (A un ami, *p. 230). Kolb date cette lettre
de fin mars 1912, Proust écrit : « Calmette par excès de gentillesse
doit prêter le livre à Fasquelle. » L'autre copie fut remise selon
Antoine Bibesco par lui-même et son frère Emmanuel en novembre
de la même année à André Gide au cours d'un repas auquel assis-
taient aussi Jacques Copeau et Jean Schlumberger. Mais nous savons
que cette seconde copie fut envoyée par Proust fin 1912 à Gaston
Gallimard (voir* Lettres à la N.R.F., *p. 99) et que celui-ci la
communiqua au triumvirat en question qui se réunissait avec lui tous
les jeudis chez Schlumberger. Les Bibesco étaient peut-être présents
et le manuscrit fut peut-être remis par eux à Gallimard puis confié
à Gide (voir l'interview de Gaston Gallimard par Madeleine Chap-
sal dans* L'Express *du 5-11 janvier 1976).*
   *Les cahiers qui constituaient le manuscrit autographe ont disparu.
Céleste nous a appris que Proust les lui fit brûler. Elle le dit dans*
Monsieur Proust. *Elle me le révéla à moi-même le 6 novembre
1957 au cours d'une visite que je lui fis au 14, rue des Canettes où
elle tenait un hôtel : 32 cahiers, me dit-elle, qu'elle brûla au fur et
à mesure que Proust les lui remettait après utilisation. La partie dactylographiée représentait la moitié de l'œuvre, donc la valeur de 16
à 17 cahiers* [2]. *Quant à l'autre moitié elle existait bien à l'époque
puisque, dans une lettre à Gaston Gallimard, datant sans doute de
novembre ou décembre 1912, c'est-à-dire du moment où la première
partie dactylographiée était « en lecture » et où Proust commençait
à s'inquiéter sur le sort que la N.R.F. lui réserverait, il écrivait :
« Le reste est en cahiers non dactylographiés qu'il me semble bien long
de vous faire lire, tout en le faisant volontiers si vous le désirez »*
(Lettres à la N.R.F., *p. 107).*
   *Ces cahiers dont Céleste nous dit qu'ils étaient écrits sur les pages
de droite (comme il en avait l'habitude), qu'ils étaient de grand for-*

---

1. Voir à ce sujet dans le B.M.P. de 1980 notre article : « A propos de la
correspondance de Proust à Fasquelle » où l'assertion de Céleste sur la
date est confirmée.

2. Si l'on tient compte du fait que Proust ne remplissait pas toujours
intégralement ses cahiers.

mat avec couverture de moleskine noire et que l'écriture de Proust était régulière et continue, furent donc tous brûlés ou presque[1]. *Ils furent brûlés, on peut le présumer, parce que l'auteur n'en avait plus besoin, les ayant publiés pour moitié sous le titre de* Du Côté de chez Swann, *et les ayant, au surplus, fait taper à la machine en double exemplaire comme nous l'avons déjà dit. Céleste pense que ce fut en 1916-1917. C'est une date fort vraisemblable. A cette époque* A l'Ombre des Jeunes Filles en Fleurs *et* Le Côté de Guermantes *devaient être prêts. Quant aux cahiers de* Sodome et Gomorrhe *(dans lesquels nous incluons comme Proust lui-même* La Prisonnière, Albertine disparue *et même le début du* Temps retrouvé*), ils devaient être fort avancés. Ils forment avec la totalité du* Temps retrouvé *un ensemble continu de 20 cahiers autographes que détient la Bibliothèque nationale sous les cotes 16 708-16 727*[2].

Il existe une autre série de cahiers que Proust n'a pas fait brûler non plus parce qu'il pensait qu'il pouvait en avoir encore besoin[3] : *ce sont des cahiers de notes ou de brouillons. Il y en aurait selon Céleste 75. La Nationale en détient 62 plus 4 carnets de notes; 13 autres cahiers dont on ignore le contenu sont la propriété d'un collectionneur. Ces cahiers sont de formats divers avec des couvertures de couleurs diverses. Mais nous en avons distingué deux qui sont du*

---

1. La Bibliothèque nationale possède des fragments de manuscrits autographes grand format de *Du Côté de chez Swann* (N.A.F. 16 703) composés de plusieurs écritures dont celle de Proust (209 pages) et une copie exécutée par Albert Nahmias sur le papier à lettres d'un hôtel de Mourmelon-le-Grand d'un fragment de 86 pages du même ouvrage (N.A.F. 16 704). D'autre part elle possède un manuscrit autographe incomplet du *Côté de Guermantes* (N.A.F. 16 705-16 707).
2. Il se peut qu'à la date indiquée par Céleste d'autres cahiers que ceux relatifs à *Swann* et à *Guermantes* aient été brûlés. Proust ni personne n'a fait d'inventaire. Pour le nombre, nous nous basons sur les dires de Céleste qu'on aurait, croyons-nous, tort de contester. Les 32 cahiers, s'ils avaient été pleins, eussent représenté 3 200 pages. Proust estimait que ses cahiers pleins faisaient 100 pages; 3 200 pages, c'est donc beaucoup. La première partie faisait 712 pages dactylographiées en 1912. La seconde à la même date n'en eût pas fait davantage, mais les cahiers brûlés n'étaient pas nécessairement pleins, parmi eux pouvaient se trouver des brouillons et finalement des manuscrits autographes de *Sodome et Gomorrhe* devenus inutiles du fait de l'achèvement de certaines parties de l'œuvre (vers 1915-1916).
3. C'est le cas du Cahier 51, en particulier, pour la scène Guercy-Borniche qui deviendra la scène Charlus-Jupien.

type de ceux qui ont été brûlés, tels que les décrit Céleste, recouverts de moleskine noire et de grand format. Ils sont numérotés 57 et 58[1] *et contiennent une seconde version, après celle de 1909, du* Temps retrouvé *proprement dit, c'est-à-dire de la* Matinée chez la Princesse de Guermantes, *avec ses deux chapitres dénommés par Proust lui-même :* L'Adoration perpétuelle *et* Le Bal de Têtes.

Maurice Bardèche *avait bien vu que le Cahier 57 contenait une version du* Temps retrouvé *précédant le montage du manuscrit définitif[2], mais personne ne s'est encore rendu compte que ce cahier n'était que la suite du Cahier 58. On peut même supposer que ces deux cahiers appartenaient au manuscrit de 1912 et que ce manuscrit figurait parmi ces 32 cahiers comme nous l'avons laissé entendre plus haut. Le Cahier 58 est facile à dater par l'allusion faite à l'article d'André Beaunier (dans le supplément littéraire du* Figaro *du 3 décembre 1910) sur une étude de Gustave Lanson intitulée* La Fonction du Poète *qui expose une thèse analogue à celle de Bloch sur la fin sociale de l'art, et par l'allusion à l'article du 4 décembre 1910 de Fernand Gregh (dans* L'Intransigeant*) sur le livre de Marguerite Audoux,* Marie-Claire[3]. *Le Cahier 58 est donc de décembre 1910 et le Cahier 57 a vraisemblablement été terminé en ce qui concerne les pages de droite en été 1911.*

Pourquoi Proust n'a-t-il pas fait brûler ces deux cahiers comme les autres? Pour deux raisons. D'abord et probablement parce que son manuscrit définitif n'a été prêt que plus tard. Certes, Proust avait très tôt imaginé comment il terminerait son livre. Il savait que ce serait par Le Bal de Têtes, *c'est-à-dire par le spectacle de ses héros vieillis, lors d'une matinée chez la princesse de Guermantes. C'est pourquoi dans la première édition d'*A l'Ombre des Jeunes Filles en Fleurs *et aussi la première édition N.R.F. de* Du Côté de chez Swann, *l'une et l'autre publiées en 1919, il annonçait ce dernier chapitre sous le titre de* Le Temps retrouvé[4]. *Il l'avait esquissé*

---

1. Et ils ont été répertoriés à l'inventaire définitif de la Nationale avec les numéros 16 697 et 16 698. En fait, d'ailleurs, nous le verrons, le 58 précède le 57.

2. *Marcel Proust romancier* (II, chap. **ix**).

3. Voir l'étude, « *Le Temps retrouvé* dans les Cahiers », que nous avons donnée aux *Études proustiennes* (*Cahiers Marcel Proust*, n° 6, Gallimard, 1973).

4. *Le Temps retrouvé*, c'est donc, pour lui, le temps tel qu'il apparaît au narrateur chez les personnages vieillis qui se présentent à sa vue, chez la

dès 1909 dans le Cahier de brouillon numéroté 51. Il tenait déjà sa fin. Mais il la tint bien mieux quand il eut écrit l'ample développement des Cahiers 58 et 57, qui outre ce dernier chapitre, contenaient L'Adoration perpétuelle, *formulation inspirée de toute son esthétique, l'ensemble formant la* Matinée chez la Princesse de Guermantes *que nous publions ici. Son ouvrage était complet, à quelques lignes près à la fin. Et en attendant de reprendre ces quelques lignes de la fin, il pouvait, dès 1911, travailler en somme à l'intérieur de sa construction et notamment il put dès 1914 composer tranquillement, fiévreusement aussi, la grande fresque de son amour pour Albertine, c'est-à-dire la suite de* Sodome et Gomorrhe, *et y ajouter l'hallucinant chapitre intitulé* M. de Charlus pendant la guerre.

Il avait une autre raison de conserver ces cahiers, en particulier le Cahier 57 [1], *de loin le plus important des deux et sans doute le plus important, le plus riche de tous les cahiers. Celui-ci, en effet, est constitué de plusieurs couches de textes, deux au moins. La plus ancienne est celle de 1911 que l'on trouve à partir de la page 4 sur*

princesse de Guermantes, à la fin de son œuvre. Mais il a quelquefois donné à cette expression un sens très large. Elle lui a servi en 1912 à désigner toute la seconde moitié de son œuvre : « temps retrouvé » s'opposait alors à « temps perdu » qui désignait la première moitié. Il a ensuite donné le nom de « Temps retrouvé » au dernier tome de son œuvre publié en deux volumes dans l'édition courante publiée en 1927 (le premier constitué de *Tansonville* et de *M. de Charlus pendant la guerre*). Mais il lui est arrivé de donner le nom de « Temps retrouvé » à l'ensemble de son esthétique. « Le Temps retrouvé, écrit-il dans le Cahier 57 F° 1, c'est-à-dire toute l'exposition de l'esthétique dans le buffet » — le buffet étant celui que la princesse avait fait dresser pour sa matinée et près duquel le narrateur se livre à sa méditation. *Le Temps retrouvé* correspond alors à la *Matinée chez la Princesse de Guermantes.*

1. Sur la couverture de moleskine noire une feuille de papier blanc servant à faire brûler la poudre à fumigation de Proust a été collée (comme sur certains autres cahiers) par Céleste, avec cette inscription de la main de Proust : « Cahier IX. » Dans le Carnet 3, référence est faite, F° 20, à ce Cahier IX.

On remarquera que si Proust a fait brûler par Céleste les trente-deux cahiers correspondant à son manuscrit dactylographié (parce qu'il n'en avait plus besoin), il en a conservé un certain nombre d'autres (notamment les sept premiers qui semblent bien correspondre à la période du *Contre Sainte-Beuve*), parce qu'il s'agissait de ses premières notes qui pouvaient encore lui servir. A ces cahiers antérieurs à la publication de *Swann* en 1913, sont venus s'en ajouter d'autres à partir de 1913 et presque jusqu'à sa mort. Et c'est ainsi que nous parvenons au total de 75 cahiers.

*les pages de droite ou rectos, mais aussi dans des renvois en marge
et même quelquefois des débordements sur les pages de gauche ou
versos. Tout l'espace disponible restant, même les marges des rectos,
le haut et le bas des pages, est bourré de notes et de développements,
souvent précédés d'un « capital » ou d'un « capitalissime » en gros
caractères — toutes et tous, ou presque, étant de dates plus récentes et
plus précisément de la période de la guerre de 1914-1918, ainsi qu'il
est prouvé par les allusions à cette dernière, une réflexion sur un
article de Pierre Mille du 19 mars 1915 paru dans* Le Temps *et
une référence à des articles de Barrès dans* L'Écho de Paris *de
juin 1916. A tous ces textes, toutes ces notes surabondantes, il faut
ajouter un certain nombre de paperoles dont l'une, à la note 56, quand
on la développe, fait environ un mètre soixante. Tout cela est plus ou
moins relatif aux pages de droite, c'est-à-dire au texte primitif de
1910-1911, et en tout cas au* Temps retrouvé. *Car, d'ailleurs,
nous allons le montrer, c'est en se servant de ce texte de 1910-1911,
enfoui plus tard sous les notes, et même, quelquefois, ce sera avec ces
notes elles-mêmes que Proust construira* Le Temps retrouvé *définitif, qu'il laissera à sa mort en 1922 dans les cahiers autographes,
les derniers de l'ensemble des vingt Cahiers recueillis par la Nationale
et terminés par le mot* FIN *écrit de sa main.*

*

*La structure de la version 1910-1911 est la même que celle de l'ou-
vrage qui parut en 1927 en deux volumes. Nous parlons de ce qui
constitue à proprement parler* Le Temps retrouvé, *c'est-à-dire de
ce qui correspond au deuxième volume de l'édition N.R.F. de 1927,
le premier volume étant constitué par les chapitres intitulés* Tansonville *et* M. de Charlus pendant la guerre, *continuation, en somme,
de* Sodome et Gomorrhe. *C'est le chapitre III intitulé* Matinée
chez la Princesse de Guermantes *qui est repris avec ses deux
volets :* L'Adoration perpétuelle *et* Le Bal de Têtes [1]. *Le fond
est le même et l'expression est quelquefois identique. Proust fait la
toilette de son premier texte et, comme il en a l'habitude, il l'enrichit*

---

1. Précisons que ces deux derniers titres n'ont pas été repris dans les éditions, ce qui est dommage. Ajoutons que le titre *Matinée chez la Princesse de
Guermantes* ne figure dans l'édition de la Pléiade qu'au résumé. L'édition
1927 (Robert Proust) donne le numéro de chapitre, III, et la mention
« suite ».

considérablement en y ajoutant des paragraphes nouveaux, ainsi que nous le verrons. La structure de la Recherche *est, en général, celle d'un texte qui se développe, comme les protozoaires, par voie de prolifération cellulaire. Il n'en est pas moins vrai qu'il y a entre notre texte et le définitif des différences nombreuses d'expression (qui raviront les stylistes), des abandons qu'on regrette et des modifications importantes dans* Le Bal de Têtes, *qui sont dues en particulier au fait que Proust entre 1911 et 1919 a en quelque sorte renouvelé son personnel et pas seulement supprimé certains personnages, mais modifié leur évolution et qu'il a même introduit de nouveaux personnages, celui d'Albertine n'étant pas le moins important de tous.*

Notre texte, comme le manuscrit de la version définitive, commence dans le Cahier 58[1] par l'histoire du retour du narrateur à Paris après un long temps. Il est précisé que c'est avec l'autorisation des médecins, tandis que, dans le manuscrit définitif, il est seulement question d'un séjour dans une maison de santé qui ne l'a pas guéri. On songe ici au séjour que Proust fit en 1906 chez le docteur Sollier. Rappelons que dans l'esquisse du Cahier 51, il est seulement question d'une longue absence.

Ici intervient un personnage qui disparaîtra dans la version définitive : la tante (en réalité la grand-tante puisqu'il la présentera comme la sœur de la grand-mère). La visite chez la princesse de Guermantes est motivée par le désir du narrateur de faire plaisir à cette tante qui voudrait assister à la première audition de Parsifal *chez ladite princesse. Ce personnage de la tante réapparaîtra à un moment où l'on ne s'y attendait plus au Cahier 57. Le personnage est insignifiant mais cette réapparition prouve du moins le lien étroit existant entre les deux cahiers[2].*

Ce qui vient ensuite dans ce Cahier 58 diffère aussi beaucoup de L'Adoration perpétuelle *définitive. Le narrateur se rendant à la réception rencontre Bloch dans la rue. Et ce dernier lui expose sa*

1. Désormais nous mettons des majuscules à ces mots qui deviennent pour nous des titres. Quant aux vingt Cahiers du manuscrit, il est tacitement convenu entre les chercheurs de les faire suivre pour les distinguer des autres de chiffres romains.
2. Ce lien sera d'ailleurs encore mieux prouvé par la réapparition de Bloch et les allusions dans le Cahier 57 à la conversation placée au début du Cahier 58.

conception de la littérature laquelle est une condamnation du style (donc de Bergotte) au profit d'un art à visées humanitaires ou sociales — c'est-à-dire de tout ce que Proust rejette sans rémission en littérature. On ne retrouvera pas cet aspect de Bloch dans Le Temps retrouvé. *Par contre on retrouve l'idée d'un Bloch amélioré et, en particulier, devenu discret. Il va jusqu'à cacher à son interlocuteur qu'il se rend à la matinée de la princesse de Guermantes, ce qu'il n'eût certes pas fait en d'autres temps!*

Mais tout ce début qui eût constitué un double emploi avec les propos de M. de Norpois sur Bergotte dans A l'Ombre des Jeunes Filles en Fleurs *sera éliminé du texte définitif de* L'Adoration perpétuelle *qui commence par le récit du voyage de retour du narrateur, en chemin de fer. Par contre, Proust reprend la version, que nous donnons ici, de l'apostrophe désabusée aux arbres qu'il aperçoit du wagon et qui, elle-même, semble reprise du plus important des carnets, le Carnet I. Les trois versions* [1] *de ce petit texte comportent de nombreuses différences de forme. La note du Carnet est certainement la plus ancienne. On peut la dater de 1909. Le texte que nous donnons ici est de la fin de 1910. Le texte définitif a paru en 1927 avec le volume intitulé* Le Temps retrouvé; *mais il est du moment où Proust reprend son manuscrit pour la publication. La date exacte doit être postérieure aux notes les plus anciennes du Cahier 57, c'est-à-dire qu'on peut la situer au plus tôt vers la fin de l'année 1916, au plus tard au début de 1922. Si ces trois textes diffèrent par la forme (le meilleur étant le dernier), l'idée ou plutôt les deux idées exprimées sont à peu près les mêmes : 1° le spectacle de la nature me laisse froid, je n'ai plus d'inspiration proprement poétique; 2° ma seule ressource est désormais de m'intéresser aux hommes, c'est-à-dire à un art de moraliste ou de romancier pur.*

Dans notre texte de 1910, Proust ne parle pas des « hommes » mais assez curieusement de « pensée humaine » et d'« esthétique ». Le moment de découragement du narrateur est peu fondé, puisque dans la cour, puis dans l'hôtel de Guermantes il va quelques instants plus tard avoir les révélations que l'on sait. Mais c'est une idée plusieurs fois produite par le narrateur, sans qu'on sache si l'auteur en

---

1. Il y en a même quatre puisque à celle des Folios 10-11 que nous donnons, il faut ajouter l'ébauche des Versos 9 et 10 que nous plaçons en note. Avec la version du Carnet (le Carnet I pour nous) et celle du manuscrit définitif, cela fait bien quatre (nous citons en note la version du Carnet).

est entièrement persuadé, qu'un temps vient où l'inspiration poétique décline et qu'il faut bien la remplacer par autre chose. Ici même il s'y résigne déjà en pensant à l'étude de l'homme (et même de la pensée humaine et de l'esthétique), c'est-à-dire des vérités que fournit la seule intelligence et qui se rapportent à l'homme, aux lois de la psychologie humaine. Il sait même que c'est à ces vérités qu'il devra finalement donner la place la plus importante dans son œuvre.

Dans la version définitive de 1927, on découvre ensuite la scène de la rencontre avec un Charlus en pleine décadence qu'assiste Jupien, scène qui est esquissée au Cahier 51 [1]*, mais qui ne figure pas dans la version du* Bal de Têtes *que nous avons donnée. Par contre, nous trouvons tout de suite après, comme dans la version de 1927, le récit qui contient la série étonnante* [2] *de ses souvenirs involontaires produits les uns et les autres par des sensations diverses : pavés inégaux (sensation kinésique), heurt de la cuiller contre une assiette (sensation auditive), serviette empesée avec laquelle il s'essuie (sensation tactile); cela lui rappelle la félicité éprouvée près de Querqueville dans une promenade avec Mme de Villeparisis et aussi une certaine impression produite à Rivebelle devant une toile verte. Il reviendra sur cette dernière plus loin, mais on ne saura jamais au juste de quoi il s'agit. Au moment où se produisirent ces deux impressions, le narrateur n'avait pas encore, dit-il, fait l'expérience de la madeleine « ce jour de l'hiver où (sa) mère lui apporta un peu de thé* [3] *». Cette remarque qu'on ne retrouvera pas dans la* Recherche *indiquerait qu'historiquement l'impression produite par la petite madeleine ne serait pas la plus ancienne de toutes. Vient ensuite, comme dans la version définitive, une tentative d'explication de ce qu'il appelle ici, à plusieurs reprises, cette « irrésistible joie ». Le texte est souvent très*

---

1. Rappelons que les personnages s'y nomment Guercy et Borniche. Ce n'est d'ailleurs pas dans *Le Bal de Têtes* de ce même Cahier 51, mais dans la première partie intitulée : *Le Marquis de Guercy (Suite).*

2. Tellement étonnante que Proust colle au bas du Verso 73 du Cahier 57 un rectangle de papier où il écrit : « Il faudra que je soie [*sic*] sorti *par exception le jour* pour aller à cette matinée ce qui expliquera peut-être *la vivacité* de mes sensations et le retrouvage du *Temps.* »

3. Et aussi, ajoute-t-il, devant les aubépines et plus tard quand M. de Guermantes lui avait parlé de *François le Champi* (remarquons que dans la suite de l'œuvre l'évocation due à *François le Champi* ne viendra pas d'une conversation avec M. de Guermantes, mais de la découverte du livre dans la bibliothèque).

*différent du définitif. Il a un caractère plus hésitant, moins souverain.
Les idées sont les mêmes, mais les formules employées souvent originales.*

*Les noms propres sont également différents. Ce sont ceux des pre-
mières versions de* Swann. *Celles-ci ne sont pas très éloignées dans
le temps* [1]. *Saint-Loup qui d'ailleurs disparaîtra dans la version définitive puisqu'il sera mort au front est appelé Montargis.
La Vivonne a nom la Gracieuse ou la Vivette. Il en sera ainsi jusqu'au bout. Les Cambremer s'appellent Chemisey, Charlus M. de
Guercy, Balbec Querqueville. Des noms disparaîtront comme celui
d'une certaine Maria qui dans un premier temps fait partie des jeunes
filles en fleurs et qui semble avoir donné à Proust l'idée d'un épisode
important où la Hollande jouerait un certain rôle* [2]. *Mais Maria sera
éliminée et la Hollande avec elle quand, après 1914, apparaît Albertine, laquelle donnera lieu à plus d'un épisode, un vaste tableau sur
la passion de l'amour, la jalousie et l'oubli. Mais les Guermantes
sont là, avec le souvenir de Swann, Mme de Forcheville (Odette) et
Mlle de Forcheville (Gilberte), Bergotte, Elstir.*

*Notons à propos de Montargis que Proust fait allusion plusieurs
fois à une impression ressentie le jour de son mariage (avec Gilberte),
produite par la lumière du soleil se reflétant sur la girouette d'une
maison. Il s'agit d'un souvenir involontaire puisque celle-ci lui resti-
tue Venise* [3]. *Proust l'a éliminé. Pour évoquer Venise le souvenir
rappelé par les pavés inégaux de l'hôtel de Guermantes lui suffisait
et lui parut vraisemblablement meilleur.*

*Le texte du Cahier 58 s'arrête au Folio 24. Il n'y a plus après que
des pages blanches. Mais la scène dans la-bibliothèque de l'hôtel de
Guermantes se poursuit au Cahier 57 tandis que dure dans le salon
voisin l'audition de* Parsifal. *Et voici que, comme dans la version*

1. Bardèche (*ibid.*, p. 275) pense, en s'appuyant sur les patronymes, que
notre texte est antérieur à la première version de la soirée Saint-Euverte
(à la fin d'*Un Amour de Swann*) dont les patronymes sont souvent différents
et plus proches de la version définitive. Cela confirme l'hypothèse que notre
texte serait de 1911 et que Proust n'aurait écrit la version définitive de
son premier volume qu'après.

2. Voir, dans le *Bulletin Marcel Proust* (n° 28, 1978), notre étude : « Maria
ou l'épisode hollandais ».

3. Notons cet exemple pour ceux qui prétendent que la vue ne peut pas
produire de souvenirs involontaires.

définitive, le narrateur découvre François le Champi *sur un rayon de la bibliothèque et se met à pleurer.*
Le style de l'auteur est plus ferme. On découvre des formulations originales qui ne seront pas reprises dans l'édition de 1927. On en découvre d'autres, plus nombreuses que dans le Cahier 58, qu'il a reprises presque textuellement. Ces textes repris sont souvent barrés d'un trait transversal ou par deux lignes en croix. On voit qu'il a suivi ici pas à pas cette version de 1911 pour établir la définitive. Il en a à peu près respecté l'ordre. Et lorsqu'il avait transcrit, généralement avec quelques variantes, son texte, il le barrait pour se souvenir qu'il l'avait utilisé. Il a fait mieux puisque, ainsi qu'on le verra, il a découpé les Folios 34 et 35, en laissant les marges, et il en a fait une paperole que nous avons retrouvée dans le manuscrit définitif[1]. Nous les avons réintroduits dans notre texte en conservant les numéros 34 et 35.
    Ensuite la découverte de François le Champi *provoque à nouveau chez le narrateur des réflexions sur la nature de l'art. Ce sont les plus profondes que l'on trouve chez Proust. Elles sont parfaitement cohérentes, quoi qu'on en ait dit. Elles prennent naissance dans cette version de 1911 où Proust puise largement, et même par-delà dans le Cahier 10 qu'il soumettait en septembre 1909 à l'appréciation de Georges de Lauris et auquel il empruntait même la fin du texte dactylographié en la découpant aux ciseaux pour l'ajouter à une longue paperole qui dans le manuscrit définitif du* Temps retrouvé *se rapporte à* François le Champi[2].
    Ce qu'on ne retrouvera pas dans la version d'après 1913, ce sont les réflexions, assez brèves mais intéressantes, qui se rapportent à l'audition de Wagner : Parsifal *et l'*Enchantement du Vendredi

---

1. Bien sûr, ce manuscrit est devenu définitif du fait de la mort de l'auteur. Il était prêt, certes! quand il mourut et la phrase finale avec au-dessous la mention Fin y figure. Mais il est certain que Proust n'a pas pu y mettre la dernière main et que ses éditeurs, le docteur Robert Proust, son frère, et Jacques Rivière d'abord, et ensuite Clarac et Ferré, ont été obligés d'éliminer les paperoles et les ajouts qui s'intégraient mal dans le texte. Mais il y en a peu qui soient dans ce cas pour la partie correspondant à la *Matinée chez la Princesse de Guermantes,* laquelle est, quant au style en particulier, du meilleur Proust.

2. Voir, dans *Études proustiennes III* (Gallimard, 1979), l'intéressante étude de Volker Roloff qui démontre au surplus que le texte du *Temps retrouvé* dans la Pléiade est parfois fautif.

saint *(Folios 29 et 30 du Cahier 57)*. *Mais on sait que Proust a transporté dans* La Prisonnière *ce qu'il avait à dire d'essentiel sur la musique et que l'idée lui est venue de substituer à Wagner le musicien qu'il appelle Vington puis Vinteuil, avec un quatuor puis un septuor qui seront l'un et l'autre la synthèse de ses impressions musicales et la plus profonde expression de ses idées sur l'art à partir de la musique*[1]. *D'autres textes ne sont pas repris dans la version définitive. Des textes concernant Sainte-Beuve (Folios 23 et 34), ce qui montre qu'il n'est pas loin encore du* Contre Sainte-Beuve, *ont finalement été réduits à quelques mots. Un passage sur Ruskin au Folio 11 et surtout un développement sur Bergotte aux Folios 36, 37 et 38 ne sont pas repris — pas plus d'ailleurs que la plupart des nombreux développements ou notes qui se trouvent dans les versos et les marges que nous publions à part.*

Par contre dans la version définitive — et nous parlons ici toujours du chapitre qu'il avait intitulé L'Adoration perpétuelle — *Proust se livrera à un développement beaucoup plus important que celui que l'on trouve au Folio 31 sur les vérités générales*[2]. *Il observera en particulier que celles-ci sont cueillies directement à partir des sensations et notamment à partir de la souffrance. Albertine est passée par là.*

L'idée, si importante, de l'identité de la joie que produisent les souvenirs involontaires et de la joie issue des impressions esthétiques est absente, à l'exception du court passage sur Wagner. Absente aussi la leçon d'idéalisme sur laquelle il insiste dans les dernières pages de L'Adoration perpétuelle *quand il dit que de sa vie passée les moindres épisodes avaient concouru à lui donner la leçon d'idéalisme dont il allait profiter — et notamment la germanophobie de M. de Charlus, la psychologie de l'amour et surtout celle de l'inversion.*

---

1. Voir notre étude : *Le Temps retrouvé dans les Cahiers* (*Cahiers Marcel Proust* 6, 1973). C'est à l'emplacement où nous sommes que Proust songeait sans doute à situer son morceau sur le Quatuor. La matinée, dit-il, serait consacrée aux œuvres de Vinteuil. Le début de la Note est très clair. Le Quatuor serait l'occasion pour lui de montrer « que l'essence commune révélée dans le souvenir involontaire le peut être aussi par l'art ».

2. Dont il avait pourtant signalé l'importance dès son « Projet de Préface » au *Contre Sainte-Beuve*. Mais il développera cette idée ultérieurement dans les notes des versos et des marges. Nous les retrouverons.

*

Nous en arrivons au Bal de Têtes *qui a fait l'objet de l'importante esquisse de 1909 (Cahier 51). On y trouve les mêmes personnages (le prince et sa femme, le comte de Gurcy ou de Guercy, Mme et Mlle de Forcheville, Montargis, M. de Froidevaux et d'autres qui ne réapparaîtront pas, du moins sous le même nom : le marquis de Tains et le petit Bétourné*[1]. *Mais, au Cahier 57, nous avons un vaste développement qui va du Folio 40 au Folio 75. C'est une grande fresque, moins importante que celle de la version finale, mais digne déjà de servir de fin à l'œuvre entier.*

Moins importante, mais en grande partie originale. Alors que pour L'Adoration perpétuelle *Proust dans sa version finale s'est presque constamment inspiré de la version de 1910-1911, ici il s'en écarte beaucoup. Il ne pouvait pas ne pas récrire ce morceau dans sa version finale. Trop de temps avait passé depuis sa rédaction. Trop de changements étaient intervenus, nous l'avons dit, dans une œuvre qui en l'espace de six ou sept ans avait* triplé de volume. *Et d'abord, trop de personnages vont changer de nom ou disparaîtront. Montargis va devenir Saint-Loup. Et d'ailleurs il disparaîtra, tué au combat. Mutation, plus considérable, Mme Verdurin, qui n'apparaît que dans la version de 1911, va devenir Mme de Duras, puis princesse de Guermantes. La grand-tante disparaîtra en même temps que* Parsifal *qu'elle venait entendre, avec tout ce qui se rattache à* Parsifal, *comme cette conversation si amusante entre le narrateur et Mme de Chemisey à propos de* Wagner *et la rencontre de cette dernière avec Mme de Montyon (qui fait penser à une scène analogue de la* Recherche *dont Mme de Gallardon est l'héroïne*[2]). *D'ailleurs Mme de Chemisey changera*

---

1. Auxquels on peut ajouter, tirés des notes de versos que Bardèche ne traduit pas, Mmes de Béthune, de Serisaie et de Mercieu. Mme de Villeparisis apparaît aussi très vieillie. Mais elle disparaîtra des deux versions ultérieures. Elle est seulement nommée une fois dans notre version de 1910-1911. Dans la version définitive publiée en 1927, elle est morte depuis longtemps. Il y est néanmoins quelquefois fait allusion. Notons que Bardèche, qui reproduit les textes dans *Marcel Proust Romancier*, commet une erreur quand il prétend qu'il existe une deuxième version du *Bal de Têtes* au milieu du Cahier 51.

2. La rencontre de Mme Gallardon avec Mme des Laumes (duchesse de

de nom pour devenir Mme de Cambremer. Et puis surtout apparaîtra le personnage d'Albertine ou plus précisément le souvenir d'Albertine puisqu'elle est morte, tandis que disparaîtra le personnage de Maria que Proust après 1913 abandonnera complètement [1].

Il faut remarquer ensuite que dans cette scène finale où Proust accumule les observations sur le vieillissement des individus, sa physiognomonie des visages masculins et féminins, d'un caractère fortement caricatural, porte en particulier sur des personnages de second plan. Or, dans notre version de 1911, ces personnages se nomment : le comte de Froidevaux, M. de Raimond, le frère de Mme de Cannisy, M. de Bernot, le général de Trinvères, la baronne de Timoléon née Carton, Mme de Montyon ※, sans compter Montargis qui est un personnage de premier plan mais dont le vieillissement fait l'objet d'une description à laquelle échappera son autre incarnation sous le nom de Saint-Loup, pour cause de décès. Aucun de ces personnages de second plan n'a figuré dans les développements de la Recherche *écrits après 1911. Ils sont remplacés par d'autres en grand nombre dans* Le Temps retrouvé *définitif, sous les noms suivants :* Le duc de Chatellerault [2], M. d'Argencourt [3] *dont le « déguisement », ou plutôt la déchéance, fait l'objet d'une très longue description, M. de Létourville, M. de Courgivaux, la vicomtesse de Saint-Fiacre, Ski (le sculpteur), Mme d'Arpajon, la princesse Hedwige, la princesse de Parme, les duchesses de Mouchy et de Montmorency, le comte de Farcy, la duchesse de Broglie, le marquis de Villemandois, les La Trémoille, M. de Beauserfeuil, le vieux d'Albon, le fils Vaugoubert, Mme de Morienval, Nissim Bernard, etc. Si le prince d'Agrigente figure dans la version de 1910-1911, c'est dans le premier chapitre de* L'Adoration perpétuelle *et non dans* Le Bal de Têtes *— et dans la version définitive il fait l'objet d'une*

Guermantes) se trouve dans la réception de Mme de Saint-Euverte (Pléiade I, p. 328-334). La disparition de la scène entre Mme de Chemisey et Mme de Montyon semble confirmer la thèse de Bardèche sur l'antériorité de notre texte par rapport à la réception Saint-Euverte dans du *Côté de chez Swann.*

1. Voir notre étude « Maria ou l'épisode hollandais » dans le B.M.P. de 1978.

2. Celui-ci figure dans une note du Verso 73. Mais cette note est sans doute postérieure à notre texte. Et d'ailleurs ce personnage apparaît tardivement. Il ne figure ni dans *Swann* ni dans les *Jeunes Filles en Fleurs.*

3. Qui figure pour la première fois.

longue description. Il est même de ceux, très rares, que la vieillesse a embellis.

Mais d'autre part Proust éprouva le besoin de faire encore dans sa version définitive (celle qui parut en 1927) des retouches à ses personnages et d'enrichir son livre d'épisodes nouveaux. Parmi les additions auxquelles il s'est finalement livré, il faut citer la déchéance du baron de Charlus [1], *l'extraordinaire tableau d'une Odette restée jeune, ou renouvelée par ses artifices, sa liaison avec un duc de Guermantes vieilli, le succès de Rachel, l'épisode de la lamentable déchéance de la Berma et de sa réception ratée. Et tout cela dans ce dernier chapitre!*

Le texte de 1911 du Bal de Têtes *est donc presque entièrement pour nous un texte nouveau, sur le même sujet, mais avec des observations sur le vieillissement qui ne sont pas exactement ou littéralement les mêmes. C'est une sorte de variante anticipée* [2]. *Mais Proust l'a eue (moins constamment que le précédent chapitre, mais assez souvent quand même) sous les yeux, car il y a des points de convergence, surtout à la fin, ainsi que nous allons le voir.*

On pourra s'amuser à comparer le passage du Folio 47 où Proust nous parle des femmes qui luttent pour conserver un visage jeune, « *tendant (celui-ci) vers la beauté qui les quitte comme un tournesol vers le soleil* » *et employant mille artifices pour conserver un charme, à celui de l'édition de la Pléiade (III, p. 946). Les deux textes traitent le même sujet et l'on peut penser que Proust s'est au moins souvenu de son premier texte. De la même manière, il s'est souvenu de l'épisode où il rencontre une grosse dame qui ressemble à* Mme *Swann (Folio 46) et qui lui dit :* « *Bonjour quelle surprise! Vous ne me reconnaissez pas, vous me prenez pour maman!* », « *avec,* remarque le narrateur, cette simplicité ouverte qu'elle tient de son père ». Car il s'agit de l'ex-Mlle Gilberte Swann devenue Mme de Montargis* [3]. *Dans la version Pléiade* [4], *le même incident donne naissance, non à des considérations sur la vieillesse des femmes comme ici, mais*

---

1. Déchéance, à vrai dire, déjà esquissée, nous l'avons dit (p. 23), dans le Cahier 51.
2. Comme la première version de *L'Éducation sentimentale* de Flaubert.
3. L'épisode figure déjà dans l'esquisse du Cahier 51. Il y est même déjà parlé de la « modeste » et « franche simplicité » de Gilberte.
4. III, p. 980.

sur Robert (de Saint-Loup) dont Gilberte parle « avec déférence »
et d'ailleurs très longuement.

Parmi les points de convergence qui ont subsisté entre les deux
textes, il faut encore citer aux Folios 54 et 55 le paragraphe consacré
à la relative déchéance des Guermantes où le faubourg Saint-Germain
lui-même est présenté « comme une vieille femme devenue gâteuse »
qui ne répond « que par des sourires faibles et timides à la hardiesse
de bonnes insolentes qui avaient envahi les salons, buvaient son orangeade et lui présentaient ses amants ». Ce paragraphe est repris avec
des phrases presque identiques. On le retrouve dans l'édition de la
Pléiade, p. 957, de même que la suite consacrée aux bévues que
commettent les jeunes générations sur les valeurs sociales du passé
et où l'on voit Swann considéré comme un aventurier tandis que Forcheville, qui n'était pas reçu dans le faubourg à l'époque, passe pour
un homme très coté (Folio 57).

Mais cette erreur, sur laquelle l'édition de la Pléiade s'étend beaucoup plus longuement, Proust note aux Folios 58 et 59 qui suivent
qu'elle a été commise à toutes les générations. Il en donne notamment
pour exemple le cas des Colbert, famille toute bourgeoise avec laquelle
les Guermantes s'étaient alliés et presque mésalliés autrefois, mais
qui aujourd'hui paraît très noble. Cet exemple est repris dans l'édition
définitive de la Pléiade, de même ce qui est dit au Folio 59 de Bloch
qui aurait, pense le narrateur, un jour une image du salon des
Guermantes « aussi ancienne, aussi modifiée, aussi déjà inexistante
que celle que j'en avais aujourd'hui » et qui d'autre part aurait
acquis une distinction tranchant avec sa vulgarité de jadis. Au Folio 61
se trouvent (toujours à propos de Bloch) des réflexions sur la bonté
« que par une illusion d'optique nous croyons appartenir en propre aux
natures en qui nous l'avons connue » et qui est en fait « une maturation de la plante humaine... qui viendrait sucrer à la saison voulue
d'autres natures aussi acides » (que celle de Bloch), réflexions qui
sont reprises et développées dans l'édition de la Pléiade (III, p. 969)
en même temps que l'idée que cette bonté est « un principe universel
comme la justice » qui fait que si notre cause est juste, un juge prévenu
qui ne serait pas de notre opinion, qui nous serait hostile, ne serait
« pas plus à craindre pour nous qu'un juge ami ».

Manifestement toute la suite de notre texte est restée sous les yeux
de Proust jusqu'au Folio 71. Aux Folios 61 et 62 il développe dans
des termes qui seront repris presque identiquement plus tard l'idée

que « *plus d'une des personnes que cette matinée réunissait ou dont
elle [lui] évoquait le souvenir [lui] donnait sur les aspects successifs
qu'elle [lui] avait présentés... les différences de perspective de cette
route qu'est la vie...* ». *Il en donne des exemples, les mêmes : celui
des premières apparitions de Gilberte, de M. de Guercy (qui deviendra Charlus), de la duchesse de Guermantes, etc., puis des autres
apparitions successives de ces personnages (Folio 63). Notons Legrandin qui a peur de donner une recommandation pour sa sœur en
Normandie. Cette sœur se nomme Mme de Chemisey dans la note de
notre texte* [1] *où la chose se passe et Mme de Cambremer dans l'édition
de la Pléiade (III, p. 791).*

*C'est à cet endroit que Proust place un peu avant dans notre texte,
mais un peu après dans la version définitive, ce que l'on peut
appeler l'idée du frontispice. Il s'agit de la première image laissée en
lui par ses héros. Voici le texte de 1911 : « En remontant de plus en
plus haut je finissais par trouver des premières vues de la personne
séparées des suivantes par un intervalle de temps si long qu'elles
avaient entièrement cessé d'être pour moi ce qu'elles étaient alors,
qu'en pensant à elles, en croyant embrasser le cours entier de mes
relations, je ne m'en souvenais jamais, n'y faisais jamais allusion
avec elle, et [elles] étaient si séparées de celles qui suivaient que ce
n'était plus pour moi maintenant que ce rêve, qu'un tableau, qu'une
sorte de frontispice posé au seuil de mes relations, mais si peu vivifié
par la continuité envers l'être visuel que cela me paraissait une pure
image représentant plutôt la personne, qu'ayant été déposée en moi
par la même personne comme Mlle Swann me regardant d'un air si
dur devant la barrière à claire-voie du parc de Combray», etc.*

*Cette idée, Proust y tient, il ne la lâche pas et voici ce qu'il écrit
finalement (version définitive, p. 971) dans un style d'ailleurs
plus clair, mais tourmenté : « Mlle Swann me jetait, de l'autre côté
de la haie d'épines roses, un regard dont j'avais dû d'ailleurs rétros-
pectivement retoucher la signification..., etc. Mais c'était M. de
Charlus..., etc., c'étaient ainsi que tant d'autres concernant Swann,
Saint-Loup, etc.* [2], *autant d'images que je m'amusais parfois, quand
je les retrouvais, à placer comme frontispice au seuil de mes relations
avec ces différentes personnes, mais qui ne me semblaient en effet*

---

1. Il reprendra d'ailleurs ce souvenir au Folio 16.
2. Ce *etc.* est de Proust.

qu'une image, et non déposée en moi par l'être lui-même, auquel rien ne les reliait[1] *plus.* »

Au Folio 64, un commencement de paragraphe qu'on retrouve dans l'édition définitive : « Et combien de fois ces personnes étaient revenues dans ma vie » (éd. déf. : « devant moi au cours de leur vie »). Et c'est l'idée ensuite des fils des vies qui s'entremêlent et qui sont en nombre limité « pour exécuter les dessins les plus différents ». Les exemples donnés dans l'une et l'autre édition ne sont pas tout à fait les mêmes. Néanmoins Proust copie presque littéralement la phrase suivante au Folio 65 : « Quoi de plus séparé dans mes divers passés que mes visites à mon oncle, que le neveu de Me de Villeparisis fille de Maréchal, que Legrandin et sa sœur, que le fleuriste ami de Françoise. Et aujourd'hui tous ces fils différents avaient servi à faire le couple Montargis et le couple Chemisey. »

Parmi les choses qui ont changé, notons « le fleuriste ami de Françoise » qui devient « l'ancien giletier ami de Françoise ». Mais les deux textes aboutissent (celui de la version définitive après quelques détours) à la même curieuse comparaison de la corde montant un seau le long d'un treuil et celle d'une conduite d'eau avec son fourreau d'émeraude. Citons cette fois-ci le texte de la version définitive de la Pléiade, p. 973. Le lecteur pourra la comparer à celle du Folio 65 : « Comme un seau montant le long d'un treuil vient toucher la corde à diverses reprises et sur des côtés opposés, il n'y avait pas de personnages, presque pas même de choses ayant eu place dans ma vie, qui n'y eût joué tour à tour des rôles différents. Une simple relation mondaine, même un objet matériel, si je le retrouvais au bout de quelques années dans mon souvenir, je voyais que la vie n'avait pas cessé de tisser autour de lui des fils différents qui finissaient par le feutrer de ce beau velours inimitable des années, pareil à celui qui dans les parcs enveloppe une simple conduite d'eau d'un fourreau d'émeraude. »

Proust reprendra aussi le Folio 68 et la phrase par laquelle il commence : « Parfois ce n'était pas en une seule image qu'apparaissait cet être si différent de celui que j'avais connu depuis. » Il poursuit avec les mêmes exemples (Bergotte, Swann et sa femme, la duchesse de Guermantes et Mme de Souvré). Cette fois-ci le texte de notre

---

1. Au pluriel dans la Pléiade (III, p. 971).

version, que nous avons restitué non sans difficulté, est supérieur,
surtout dans la fin de cette longue phrase (Folio 69) où est décrite
de façon savoureuse l'attitude presque naturelle de supériorité de la
duchesse de Guermantes sur tout ce qui l'entoure. Certes l'auteur se
répète beaucoup en cette fin du Bal de Têtes. *Et c'est ainsi qu'il*
reprend au Folio 69 la belle comparaison du Folio 66 où la duchesse
est assimilée à une Vénus émergeant du faubourg Saint-Germain,
ce qui lui fait écrire : « *Origines presque fabuleuses, chère mythologie*
de relations si banales ensuite », *qu'il prolonge la seconde fois (Folio 69)*
par une comparaison avec la queue brillante d'une comète en plein
ciel — expressions et comparaison qu'il reprend dans la version de la
Pléiade (III, p. 974).

On va trouver ensuite dans notre première version un certain
nombre de textes relatifs à Maria, mystérieuse Hollandaise, donnée
elle aussi comme exemple de relations d'abord contrariées, notam-
ment par un certain tuteur dont nous ne savons absolument rien, et
devenues banales ensuite comme toutes les autres. Tout cela a natu-
rellement été éliminé avec la suppression du personnage. Mais Proust
reprendra tout de même presque intégralement le paragraphe qui
commence au Folio 71 par : « *Sans doute la vie mettant à plusieurs*
reprises sur mon chemin ces personnes, par le jeu naturel de ses
hasards, me les avait présentées dans [des] circonstances particulières
qui, en les entourant de toutes parts, avaient rétréci la vue que j'avais
eue d'elles et m'avaient empêché de goûter la plénitude de leur
essence »; *et au Folio 72 l'idée que* « *pour d'autres êtres* » *dont le*
passé « *était gonflé de rêves plus ardents, formés sans espoir où*
s'épanouissait si richement [sa vie] d'alors, dédiée à eux tout
entière » *qu'il pouvait à peine comprendre* « ... *comment leur*
exaucement était ce mince, étroit et terne ruban d'une intimité indif-
férente et dédaignée » *où il ne pouvait* « ... *plus rien retrouver de ce*
qui avait [fait] leur mystère, leur fièvre et leur douceur ».

Au point où nous en sommes notre version est proche de sa fin.
La version définitive en est encore loin, car Proust va introduire
dans son texte des paragraphes supplémentaires dont nous avons
déjà mentionné les plus importants. Mais sa fin portera sur le même
sujet que le texte de 1911, sur la mort et sur le temps. Il s'inspirera
de toute cette fin aux pages 1037 à 1039 de l'édition de la Pléiade.
Il reprendra la substance des notes du Verso 73 sur la mort dont la
menace lui devient plus sensible depuis qu'il sait qu'il a une œuvre

à accomplir. Il copiera même presque textuellement le principal de cette note où pensant à son retour par les Champs-Élysées il évoque la mort de sa grand-mère en ce même lieu.

Mais le voilà arrivé à la fin de son Cahier. Il s'aperçoit qu'il manque de place. Il écrit sur le verso et la marge du Folio 74 un paragraphe plein de ratures sur le Temps. Il s'y reprend à deux fois. Puis il rédige une note en tête de ce verso et nous renvoie pour la suite au « cahier jaune glissant ». Ce cahier jaune glissant existe. On le retrouve parmi les cahiers de brouillon. C'est un cahier à couverture cartonnée jaunâtre. Il porte le numéro 13. Parlant du Temps, il venait de dire : « Il circule entre les différentes apparitions d'un être, en rend les aspects plus mystérieux et nous aide à nous retrouver, à goûter dans les caresses actuelles l'espérance qui nous animait quelques années auparavant. Mais son pouvoir comme celui de ces poisons qui à petite dose donne[nt] une... » Il en était resté à ce « une ». Mais au « cahier jaune glissant » la suite est là qu'on raccorde facilement à ce « donne une » avec ces mots : « Rêverie agréable et à plus forte tuent, à quelques années de distance il peut faire pour nous d'une même personne, une autre jeune fille où en reconnaissant... » Mais il s'interrompt à nouveau sur ce « reconnaissant ». La suite n'a pas été écrite.

Et c'est le dernier Folio, le 75! Proust va le reprendre dans la version définitive, quelquefois avec les mêmes mots, sur le même thème : celui du bruit de ses parents accompagnant Swann vers la porte du jardin, puis du son de la petite sonnette qu'il s'effraye d'entendre encore sonner en lui. Il s'effraye, car depuis il n'a cessé d'exister et il a été obligé de maintenir, d'assumer la possession de tout ce passé, de le tenir en équilibre derrière lui. Il compare (la comparaison ne sera pas reprise) ce passé qui adhère toujours à sa conscience actuelle à ce serpent mécanique « ... dont la tête et la queue comprimant tous les anneaux peuvent tenir entre deux doigts serrés et qui si on lui laisse reprendre sa longueur mesure des mètres ». Par contre celle qui fait des hommes, à cause des années accumulées, des sortes d'échassiers, ou du moins qui montre ceux-ci juchés, non sans péril, sur de hautes échasses est reprise et elle conduit ici et là au mot de la fin. Mais ce mot de la fin, Proust ne l'a pas encore trouvé en 1911. La question finale qu'il se pose est la suivante : aurai-je le temps et la force de maintenir plus longtemps en moi tout ce passé et de le mettre

à l'abri ? (Version de 1911.) Et sa phrase reste inachevée. Dans la ver-
sion définitive, s'il se pose implicitement la même question, plus habile
il la suppose résolue : « Du moins, si la vie m'était laissée assez
longtemps pour accomplir mon œuvre, ne manquerais-je pas d'abord
d'y décrire les hommes... comme occupant une place... prolongée
sans mesure — puisqu'ils touchent simultanément comme des géants
plongés dans les années, à des époques vécues par eux, si distantes,
entre lesquelles tant de jours sont venus se placer — dans le Temps. »

C'est cette dernière phrase qui manquait à Proust en 1911 pour
qu'il pût mettre le mot Fin. Il est possible qu'il ne l'ait trouvée qu'au
début de 1922, quand il annonça triomphalement à Céleste qu'il avait
terminé [1]. *Supposons qu'il fût mort après la publication de* Swann
en 1913, on eût trouvé dans le Cahier 58 et le Cahier 57 cette version
de la Matinée *chez la* Princesse de Guermantes *qui eût servi*
de fin. C'eût été regrettable. Ce n'eût pas été catastrophique puisqu'on
y eût recueilli l'essentiel de son esthétique qui est la clef, la véritable
clef, de son œuvre et on y eût trouvé aussi un tableau final de l'action
du Temps sur les individus fort différent mais tout de même fort
impressionnant déjà.

Le déchiffrement du texte eût été plus facile aussi car les pages de
gauche restaient vierges en grand nombre et les renvois soit en marge
soit même quelquefois sur les versos n'eussent pas été enfouis sous
l'avalanche de notes dont ce Cahier fait l'objet durant une période
que l'on peut situer approximativement entre 1910 et 1918.

Ces notes abondantes et les paperoles dont l'intérêt n'est pas
moindre, aussi bien lorsqu'il s'agit de textes que Proust a utilisés dans
la version définitive du Temps *retrouvé que de textes inédits qui*
sont en plus grand nombre, font l'objet d'une publication complémen-
taire complète. Ainsi aurons-nous restitué, nous l'espérons, le
Cahier 58 et le Cahier 57 d'une façon intégrale, claire et utile.

✦

Nous avons été animés, répétons-le, par le souci de présenter aux
lecteurs un texte à la fois fidèle et intelligible. Mais le problème
n'était pas tout à fait le même pour le Cahier 58 et le Cahier 57.

---

1. Cette fin, d'ailleurs, il semble bien que, dès 1911, il l'avait, pendant
un certain temps, conçue sous une autre forme. C'est ce que nous permet
de penser un texte du Cahier sur lequel nous revenons plus loin.

Au début du Cahier 58, en effet, Proust nous donne deux versions différentes, sans doute de dates différentes, de ce qui constituait alors son introduction, la rencontre de Bloch dans la rue et les propos de celui-ci sur l'art. Comme notre but était de produire un texte continu, et cohérent si possible, nous avons choisi le texte qui s'accordait le mieux avec la suite du Cahier 57. Et il n'y en avait qu'un, celui que nous avons adopté. Nous avons, d'ailleurs, reproduit en note le texte que nous n'avons pas retenu. Le lecteur y trouvera une possibilité de comparaison.

Il nous reste à essayer de préciser la date à laquelle le Cahier 57 a été écrit. Le grand vide que l'on trouve dans le Cahier 58 qui s'arrête au Folio 24, tout le reste, c'est-à-dire la majeure partie du Cahier, demeuré en blanc, tandis qu'il est visible qu'au Cahier 57, bourré à craquer, l'auteur a manqué de place, tout cela nous laisse à penser que celui-ci n'avait pas, au moment où il reprend la plume, ce Cahier 58 sous la main, qu'il l'avait égaré et qu'il ne le retrouva (s'il le retrouva) qu'au moment de rédiger son manuscrit définitif. Nous allons montrer qu'effectivement un long temps, plusieurs mois séparent la rédaction du Cahier 58, fin décembre 1910 (ou même janvier 1911), de celle du Cahier 57, que nous situerons en août 1911, c'est-à-dire pendant les vacances de Cabourg. Il ne s'agit bien entendu que des pages de droite, toutes celles de gauche, à de rares exceptions près, restant d'abord immaculées.

En 1911, année de grand labeur, Proust en est à essayer de donner le maximum de perfection à son Swann, *c'est-à-dire à ce qui constitue la majeure partie de son œuvre qui va bien au-delà de ce qui est le* Du Côté de chez Swann *actuel. Mais il est aussi très préoccupé par la fin de celle-ci. Et lorsqu'il conçoit plus nettement cette fin, principalement sous la forme de* L'Adoration perpétuelle, *il s'aperçoit qu'il a trop anticipé sur la révélation du temps retrouvé dans certaines pages de* Swann. *Il va alors opérer des transferts dont les traces révélées par les dactylographies nous permettront de préciser un peu la date de rédaction du Cahier 57.*

*Mais d'abord, un mot sur les dactylographies! Les plus anciennes qui nous soient signalées sont celles de 1910, dans une lettre à Reynaldo Hahn datée par Philip Kolb des 21-24 mai 1910, avec d'irréfutables arguments à l'appui (*Lettres à Reynaldo Hahn, *p. 180-181, Gallimard, 1956). Cette lettre nous apprend que les frères Bibesco,* *ses amis de plus d'une décade, qui commençaient à s'intéresser à son œuvre lui demandèrent, considérant ses cahiers manuscrits comme illisibles, de les faire sténographier. Proust, en l'occurrence, les qualifie de « brillants dioscures de la sténographie ». De cette lettre on peut déduire qu'une dactylographie de* Swann *a dû être faite à partir d'une sténographie dès le mois de juin 1910 environ. La présence parmi les documents de la Bibliothèque nationale d'un gros volume de reliquats dactylographiés de* Du Côté de chez Swann *semble le prouver (N.A.F. 16 752). Mais rien n'est absolument certain.*

Il y a ensuite les dactylographies de 1911. Elles durent être commencées à Cabourg où Marcel Proust arriva très tôt, le 11 juillet, et resta très longtemps, soit trois mois[1]*. Il embaucha, semble-t-il, à la fois Robert Nahmias et une sténodactylographe ou une simple dactylographe. On retrouve trace de ses tractations avec Robert Nahmias dans deux lettres publiées par les* Bulletins Marcel Proust *de 1954 et 1959. Il lui écrivait en 1911, avant de partir à Cabourg : « Je termine un roman ou livre d'essais qui est une œuvre extrêmement considérable, au moins par sa folle longueur. Et j'avais l'intention de dicter à la sténographie... La personne qui me servirait de secrétaire le noterait à la sténographie. En mon absence elle transcrirait à la machine à écrire... Peut-être ne savez-vous ni la sténographie, ni écrire à la machine. Dans ce cas... au lieu de vous dicter à la sténographie je vous dicterais à la plume », etc. (B.M.P. n° 9, p. 8). Mais à la mi-juillet il se rend brusquement à Cabourg et il écrit à nouveau, vraisemblablement au même interlocuteur; le remerciant de sa lettre qu'il qualifie de « charmante », le laissant libre de venir ou de ne pas venir le rejoindre et lui faisant des conditions très généreuses (B.M.P. n° 4, p. 9 à 11). Nous ne croyons pas nous tromper en affirmant que ces lettres sont adressées à Albert Nahmias qui n'est pas nommé. Mais c'est un fait avéré qu'à partir de cette date celui-ci sera son secrétaire, son homme de confiance même, et le restera pendant plusieurs années. Dans une autre lettre postérieure à son retour à Paris (B.M.P. n° 7, p. 280-281), il lui demande de conserver à Paris Miss Hayward, « celle de Cabourg », comme dactylographe de préférence à une autre. Dans cette lettre il parle de cahiers rouge et bleu et de feuilles détachées qui atteignent les chiffres de 561, 570 ou 580. Une chose est certaine, la dactylographie de son* Swann *est fort avancée. On est aux*

---

1. Si l'on en croit la lettre ccxvi à Montesquiou.

environs d'octobre et il déclare qu'il s'agit d'un « travail pressé ». Un fait est certain, la première partie de son œuvre touche à sa fin et la première partie des dactylographies doit dater de Cabourg, probablement du mois d'août 1911.

La Bibliothèque nationale possède deux très importants exemplaires dactylographiés de Swann *en trois volumes chacun avec des corrections autographes différentes (N.A.F., 16 730 à 16 732 et 16 733 à 16 735), de la main de Proust ou de celle de Robert Nahmias. Il y a aussi des pages manuscrites qui sont d'une tierce personne et à travers les pages généralement tapées ou reproduites en bleu tirant sur le violet on trouve des pages aux caractères presque verdâtres qui semblent issues d'une autre série (peut-être celle de 1910).*

Le premier transfert dont nous voulons parler et qui se fera d'après la première partie des deux dactylographies est celui que Volker Roloff a signalé dans sa très remarquable étude, traduite de l'allemand par Marc Muylaert sous le titre de : « François le Champi *et le texte retrouvé »* (Cahiers Marcel Proust *n° 9 —* Études proustiennes *n° 3, Gallimard, 1979). Volker Roloff s'est aperçu que la fin du texte consacré à* François le Champi *dans le Cahier 10 et qui se trouve toujours dans ce Cahier n'est pas reproduite dans* Du Côté de chez Swann, *mais figure dans* Le Temps retrouvé *publié en 1927.*

Si nous reprenons les dactylographies, nous nous apercevons que dans la première (16 730) le passage en question a été biffé (p. 85). Dans la seconde dactylographie (16 733), la seconde moitié de la première page de ce passage (p. 81) a été coupée d'un simple coup de ciseaux et les trois autres pages qui suivaient ont été enlevées. C'est cette seconde dactylographie qui a servi pour l'édition Grasset.

Chose curieuse, si l'on examine les deux versions de l'épisode François le Champi *dans le 16 752 intitulé « Reliquat des dactylos de la* Recherche *», on s'aperçoit que la première contient la version ancienne copiée dans le Cahier 10 avec des corrections manuscrites qui ont été prises en considération dans les dactylographies 16 730 et 16 733. Elles ont été également prises en considération dans la seconde version du 16 752 qui en outre contient les pages enlevées à la dactylographie 16 733 (pp. 227-230)[1].*

---

1. Il barre les deux tiers de la première page et il écrit en marge. « Peut' être mettre cela dans le dernier chapitre du livre *ou* bien quand je lis ✳✳✳... » Il semble qu'il ait hésité à transférer le texte entier dans *Le Temps retrouvé.*

Quel est ce morceau que Proust supprime ? *C'est celui qui commence
ainsi (après une correction pour éliminer un passage sur* La Mare au
Diable*) :* « *Cette nuit bénie dans la chambre de Combray, le titre
seul de* François le Champi *me le rend aussi bien.* » *Suivent des
considérations générales qui sont les mêmes dans le Cahier 10, le
Cahier 57 et la version définitive du* Temps retrouvé *de 1927 :*
« *Certains esprits qui aiment le mystère veulent croire que les choses* [1]
*conservent quelque chose des yeux qui les regardèrent... Cette chimère
deviendrait vraie s'ils le transposaient dans le domaine de la seule
réalité pour chacun, dans ce qui est le domaine de sa propre sensibilité* [2]. » *Le texte supprimé dans le Cahier 10 et les dactylographies
représente environ la valeur de trois pages dactylographiées. Dans
le Cahier 57 il est moins développé et d'ailleurs coupé au Folio 6.
Dans la version définitive de 1927, la reprise est intégrale et le développement de la scène et des idées beaucoup plus large.*

*Ce que nous retiendrons ici de cette opération à laquelle se livre
Proust, c'est le moment où elle se produit. Comme elle passe par les
premières dactylographies et que les dernières d'entre elles où la suppression est opérée par biffage ou coups de ciseaux sont vraisemblablement d'août 1911, on peut penser que le Cahier 57 a été écrit à
partir de la même date.*

*Mais Bernard Brun nous révèle à son tour dans une excellente
étude (B.I.P. n° 12, printemps 1981) que Proust a fait une seconde
suppression dans* Swann *suivie d'un report dans le Cahier 57. On
n'est pas très loin du texte concernant* François le Champi *puisqu'il s'agit du texte sur la petite madeleine qui vient aussitôt après.
L'examen des dactylographies 16730 et 16733 révèle qu'un long
passage qui précède immédiatement le fameux :* « *Et tout d'un coup
le souvenir m'est apparu* » *(il s'agit de celui du souvenir de la petite
madeleine) a été biffé d'une croix à l'encre rouge dans la première et
d'une croix à l'encre noire dans la seconde. Voici ce texte bien connu,
frémissant d'une sorte de jubilation* [3] :* « *Et pourtant déjà, si je n'ai pu*

1. Proust corrige par le mot « objet » dans *Le Temps retrouvé* pour éviter
une répétition.
2. Dans le Cahier 57, Proust avait d'abord écrit puis rayé : « Cette chimère-là est vraie si on la transpose dans le domaine de la seule réalité qui
soit, dans le domaine de sa sensibilité propre. »
3. Le mot est de Bernard Brun (ét. citée). Il s'applique d'ailleurs à toute
L'Adoration perpétuelle.

identifier le souvenir, je me suis élevé à la raison du plaisir qui le précédait et que sa " reconnaissance ", sa notion claire n'a pas suivi. Cette raison, c'est qu'en nous il y a un être qui ne peut vivre que de l'essence des choses[1], *laquelle ne peut être saisie qu'en dehors du temps. En elle seulement il trouve sa substance, ses délices, sa poésie. Il languit dans l'observation du présent, où les sens ne lui apportent pas cette essence des choses; il languit dans la considération du passé, que l'intelligence lui dessèche; il languit dans l'attente de l'avenir que la volonté construit avec des fragments du passé et du présent qu'elle rend moins réels encore en leur assignant une affectation*[2] *utilitaire, une distinction tout humaine. Mais qu'un bruit, qu'une odeur déjà perçus autrefois, soit pour ainsi dire entendu, respiré par nous à la fois dans le passé et le présent, réel sans être actuel, idéal sans être imaginé*[3], *il libère aussitôt cette essence permanente des choses, et notre vrai moi qui depuis si longtemps était comme mort, s'éveille, s'anime et se réjouit de la céleste nourriture qui lui est apportée. Une minute extratemporelle a recréé, pour la sentir, l'homme extratemporel. Et celui-là que pourrait-il craindre de l'avenir?*

« Ah! nous disons souvent que la vie présente est médiocre et notre passé ne nous semble pas plus beau. Mais c'est que ce que nous appelons ainsi n'est nullement notre passé. Que sous notre pied, dans une cour, une pierre réveille une seule des sensations que nous eûmes en foulant le pavage du baptistère de Saint-Marc, que le goût d'une madeleine trempée dans du thé approche de nous, sans même nous laisser le reconnaître encore, un peu du passé[4], *nous sentons à la joie, au charme irrésistible qui nous inonde, combien le passé réel*[5] *même le plus humble est différent de celui que nous présente la mémoire de l'intelligence sur la réquisition de notre volonté. Et c'est bien cette joie, ce charme qui nous donnent le courage de tenter un dernier*[6] *effort, de ramener à la lumière ces morts sup-*

---

1. Cet être qui ne vit que l'essence des choses est signalé dans le texte qui sert de préface aux deux *Contre Sainte-Beuve* (celui de Bernard de Fallois et celui de Pierre Clarac), mais sans qu'on sache d'où il vient ni quand il a été écrit.

2. « Destination » dans la deuxième dactylographie.

3. « Abstrait » (deuxième dactylographie).

4. Deuxième dactylographie : « une heure d'autrefois » (correction à l'encre noire).

5. Deuxième dactylographie : « et ressuscité ».

6. Deuxième dactylographie : « un tel ».

*pliants, dont notre fatigue, nos amis, nous conseillent d'écarter la
foule importune. Mais le plaisir est là qui, comme un amour, nous a
déliés des autres attraits que le sien » (F°ˢ 87-88).*

Or certaines des idées développées dans ce texte se retrouvent
dans le Cahier 58 au Folio 20 où l'auteur évoque Venise le matin
du mariage de Montargis dans un souvenir involontaire produit par
le soleil brillant sur une girouette. *Et il semble même s'affoler, si l'on
en juge par une reprise à propos de « cette irrésistible joie » de la
même idée au Verso 19, idée qui a auparavant été rayée dans un autre
passage du Recto 19 et aussi celle de cet être qui ne vit que de l'essence
des choses.* Seulement ces idées sont exprimées dans le manuscrit dactylographié de Swann avec beaucoup de perfection — ce qui nous
permet d'affirmer qu'il est postérieur (dans sa perfection) au
Cahier 58, c'est-à-dire à la fin de 1910.

*Il n'en est pas de même du Cahier 57. L'analyse de ce qu'il éprouve
(cette fois-ci à partir de la série de souvenirs involontaires que l'on
connaît : livre de* François le Champi, *le bruit de la cuiller, l'empois de la serviette et l'inégalité des dalles dans la cour de la princesse de Guermantes, etc. et sans qu'il soit plus question du souvenir
de Venise lié au mariage de Montargis) est beaucoup plus proche de
celle qu'il a biffée dans les dactylographies de* Swann. *On retrouve
l'expression sur les souvenirs imparfaits que la mémoire volontaire
présente « sur la réquisition de ma volonté ». Il revient toutefois sur
ce qu'il appelle cette « irrésistible joie » dont il est question dans le
Cahier 58, ce qui prouve qu'il s'en souvient. Mais par contre on
retrouve au Folio de ce Cahier 57 la fameuse phrase, commune à
notre texte de* Swann *que nous venons de citer et au* Temps *retrouvé
définitif (R.T.P. III, p. 873) et nous citerons ici ce Cahier 57 :
« Mais qu'un bruit, une odeur, qu'une saveur, déjà perçus autrefois
soit pour ainsi dire entendu, respiré par nous à la fois dans le présent
et dans le passé, réel sans être actuel, idéale sans être abstraite, aussitôt cette essence permanente des choses est libérée et notre vrai moi...
s'éveille, s'anime et se réjouit de la céleste nourriture qui lui est
apportée » (Folios 7 et 8). A quelques détails près c'est le même texte
et c'est celui qui sera repris dans le manuscrit définitif du* Temps
retrouvé *en 1927 (III, p. 872-873).*

Quel est, du texte dactylographié rayé de Swann *(postérieur avons-
nous dit au Cahier 58 de fin 1910) et du texte du Cahier 57 que*
Proust *reprendra en grande partie dans* Le Temps *retrouvé, quel*

est celui des deux qui est antérieur à l'autre ? On ne saurait dire qu'une chose, c'est qu'ils sont à peu près contemporains et que par voie de conséquence le Cahier 57 devrait être de l'époque des dactylographies du début de Swann, *c'est-à-dire approximativement du mois d'août 1911 que Proust passe à Cabourg durant son plus long séjour en bord de mer*[1].

Pourquoi Proust supprime-t-il ce texte à cet endroit de Swann ? *Parce qu'il nous donne par avance l'explication du phénomène qui va suivre, à savoir le souvenir involontaire de la petite madeleine. Double maladresse ! D'abord parce que l'explication ne peut être efficace et valable qu'après la reconnaissance (ici la petite madeleine, ou ailleurs un autre souvenir). Ensuite parce que dans le plan de son œuvre tel qu'il finit par le concevoir, son ultime chapitre sera sous le nom d'*Adoration perpétuelle *la clef de tout.*

De ces observations on peut tirer une conclusion et presque une moralité : Proust avait raison de dire, il ne mentait pas quand il disait : j'ai écrit Le Temps retrouvé *tout de suite après* Swann. *Nous voyons, en effet, combien les deux œuvres sont solidaires. Quand Proust écrit* Swann *et qu'il décrit des impressions aussi intenses que celle qu'il éprouve au souvenir de* François le Champi *ou au souvenir de la petite madeleine, il est tenté de tout dire et il se retient si mal qu'il est obligé en se relisant d'éliminer certaines pages qui vont trop loin dans l'explication et qui sont trop proches de la réflexion finale. Mais, brillant tacticien, il allège la somme de ses explications immédiates pour mieux ménager les effets ultimes.*

Mais on se souviendra qu'un critique aussi intelligent que Léon Pierre-Quint dans son livre écrit en 1925 avait prévu ce que Proust allait dire dans Le Temps retrouvé, *qui ne parut qu'en 1927 et pour la première fois en feuilleton dans* La Nouvelle Revue Française. *Ici nous ne pouvons faire mieux que de souscrire à la constatation que Volker Roloff a faite dans son excellente étude : « Les premiers et les derniers chapitres de la* Recherche *ont vu le jour presque en même temps et en étroite coordination » (Cahier Marcel Proust n° 9, p. 270). Nous ajouterons : « Dans un mouvement de constante progression »*[2].

---

1. Voir Henri Bonnet : *Proust de 1907 à 1914* (tome I, Nizet, 1971).
2. Bernard Brun dans son étude du B.I.P. n° 12 nous dit avoir retrouvé dans le « Reliquat manuscrit » différent des reliquats dactylographiés

*

Ainsi, de décembre 1910 à la fin de 1911 Proust s'est livré à un certain nombre d'opérations, dont nous venons de citer deux exemples éclatants. Mais il y en a d'autres. Ce n'est pas notre objet de les étudier ici. Ceux-ci nous suffisent pour nous permettre d'affirmer que l'année 1911 aura été pour Proust une période de prise de conscience très nette de la façon dont il peut réaliser son grand dessein. A la fin de 1910 et en 1911, il en est encore à penser qu'il pourra tout réaliser en un seul volume, un très gros volume. Il croit, et il a raison, qu'ainsi il se fera mieux comprendre. En fait, la publication isolée de Du Côté de chez Swann *a rencontré l'incompréhension de la plupart des lecteurs. Il a donc pu voir pendant quelque temps dans son roman « une suite d'essais ». Il le dit dans une de ses premières lettres à Albert Nahmias (B.M.P. n° 9). Mais il ne s'arrête pas à cette idée car le dynamisme poétique et la fécondité romanesque de son esprit sont plus forts. Et c'est alors qu'il se rend compte que* Le Bal de Têtes *ne lui suffira pas pour conclure et qu'il lui faudra rassembler les idées qui constituent ce qu'il appellera dans une note du Cahier 57 son « esthétique ». Et ce sera* L'Adoration perpétuelle *qu'il ébauche en 1910, puis qu'il mène à bonne fin vers août 1911. A ce moment-là l'œuvre éclate. Elle aura deux parties. A la fin de 1911, il se trouve en mesure d'offrir la première partie de son livre à un éditeur. Il croit qu'il va pouvoir réussir au début de 1912 avec Fasquelle*[1]*. Et dès le premier trimestre il publie des extraits de la* Recherche *dans* Le Figaro. *Les retards qu'on lui infligera ne lui serviront qu'à pousser plus loin sa création, qu'à dresser plus haut son monument*[2].

(N.A.F. 16 703) des pages contenant le récit de la petite madeleine dans une version sensiblement améliorée.

1. Voir notre étude.
2. Voir Philip Kolb : « La Genèse de la *Recherche* : une heureuse bévue » (R.H.L.F., sept.-déc. 1971).

[L'Adoration perpétuelle]

(Cahier 58[1])

Ce Cahier commence par un texte à l'intérieur de la couverture cartonnée marqué 1 au composteur. C'est un texte sur le nom de Guermantes qui se poursuit et se termine au Verso 2. Nous l'avons rejeté en appendice de « Notes sur Le Temps retrouvé *», dernière partie de ce travail, où il nous a paru avoir sa place avec d'autres notes sur le même thème.*

Les pages 2, 3 et 4 sont écrites ainsi que la moitié de la page 5. Elles constituent un texte sur les opinions littéraires de Bloch (qui sont aux antipodes de celles de Proust). Mais le commencement intitulé Fin *se trouve situé au Verso 5. C'est manifestement la fin de la* Recherche, *c'est-à-dire* Le Temps retrouvé *ou ce qui revient presque au même, la* Matinée chez la Princesse de Guermantes. *Proust avait commencé au Recto 6. Il avait écrit de la même manière « Fin ». Puis : « Je descendais (" venais de " rayé) l'avenue du Bois, où (" habitaient " rayé) maintenant le Prince et la* P^{cesse} *de Guermantes habitaient. » Il avait ensuite mis (reprenant le « Je » initial) : « Je tournais le », puis : « Je prenais. » Finalement il avait rayé le tout. Mais c'était pour reprendre sa première idée. « Je descendais l'avenue du Bois où habitait maintenant la* P^{cesse} *de Guermantes », etc. Seulement, il éprouve le besoin de modifier son commencement. Alors il raye le mot « Fin » placé en tête du Recto 6 et le reporte sur la page à côté, en tête du Verso 5, qui constitue son vrai commencement, tel que nous le donnons ici.*

1. L'ordre des deux Cahiers 58 et 57 a été interverti dans la numérotation de la Bibliothèque nationale.

V° 5 | J'étais arrivé depuis quelques jours à Paris dont les médecins venaient enfin de me permettre la résidence, interdite depuis longtemps. Ma mère me dit que ma tante la sœur de ma grand'mère, venue pour quelques jours seulement de sa province était venue la voir et lui avait dit que la 1re audition à Paris du second acte de Parsifal avait lieu le surlendemain chez la Princesse de Guermantes. Ma mère avait compris [que] ma tante aurait aimé y aller et me demandait s'il ne serait pas possible de l'y faire inviter. Le demander à la Princesse de Guermantes, c'était presque m'engager à aller chez elle à qui je ne pouvais guère infliger l'ennui de recevoir une personne qu'elle ne connaissait pas, sans lui [faire visite moi-même].

F° 6 | Je descendais l'avenue du Bois où habitait maintenant la P^cesse de Guermantes quand je rencontrai Bloch qui venait en sens inverse. « Tu ne vas pas dans ma direction me dit-il? Je regrette car tout à l'heure j'ai à revenir dans ce sens, mais il faut que je rentre chez moi pour des « contingences vestimentaires » dit-il en riant, un doigt levé et le sourcil froncé, ses deux signes d'ironie. « Il paraît que tu as fait un joli article ce matin dans le Figaro. Je ne l'ai pas encore lu [»] Et nous commençâmes à parler littérature. « Vois-tu me dit-il. Fondre dans son discours ce que disent Max Lazard[1], Bernstein, Gregh et Lanson (ces 2 derniers 3 décembre)[2].

---

1. Les écrits de Max Lazard (1876-1953) sont ceux d'un économiste qui s'intéresse aux problèmes sociaux, en particulier au problème du chômage dans le monde. Pionnier de l'action sociale, il fut professeur d'instruction civique.

2. Ici Proust a laissé deux pages en blanc ainsi que la majeure partie des pages 7 et 8, vraisemblablement pour y placer le texte des opinions de Bloch qu'il va exposer au Folio 2.

Après ce texte du Folio 2, que nous adoptons, il donne un développement qui commence au bas de ce Folio 2, après que l'auteur est allé à la ligne, par ces mots : « Or je n'adhérais nullement à ces opinions de Bloch... » Ce développement qui se poursuit aux Folios 3, 4 et 5 est une réfutation des idées de Bloch. Celle-ci anticipe sur la suite et ne s'accorde pas avec ce

F⁰ 2 | Je ne me laissais pas arrêter par les opinions que
je trouvais dans la conversation de Bloch, dans les

qui précède, ne serait-ce que parce qu'elle nous situe prématurément
dans la bibliothèque du prince de Guermantes. Aussi n'avons-nous pas
retenu ce développement.

Mais en voici le texte intégral que nous considérons donc comme un
simple premier jet d'une réfutation qu'il situera ensuite dans la bibliothèque du prince de Guermantes :

(F⁰ 2) « Or je n'adhérais nullement à ces opinions de Bloch, non pour
m'être enfermé égoïstement et paresseusement dans ce qu'il appelait un
mandarinat étroit, mais pour avoir me semblait-il dépassé depuis longtemps la hauteur fort moyenne d'esprit où se trouvent les opinions qu'il
émettait. Sans même m'arrêter à la double assertion, si démentie par les
faits, que pour intéresser *(F⁰ 3)* le peuple il faut lui parler de sa vie, comme
si depuis que le monde existe la peinture du genre de vie, du genre de
société, des époques, des continents, où notre condition sociale, notre
état de santé, le temps *ᵃ*, le pays où nous vivons, nous empêchent d'avoir
accès — et cette autre si méprisante pour le peuple qu'il admire tant, et si
fausse, qui semble considérer la subtilité de l'esprit la perfection de la
forme comme seulement accessible aux riches, aux gens du monde, aux
jouisseurs, alors que l'on sait combien ils sont plus simples, plus peuple,
plus incapables de goût littéraire et de raffinement que les ouvriers — en
évitant les mots et les théories, en me tenant à l'art tel qu'il s'était révélé *ᵇ*
à moi, non sous son nom, mais intérieurement, comme ces réalités non
nommées qui se présentent à nous, je sentais qu'il consistait en une sorte
d'extraction sous l'apparence des choses de quelque chose de plus éternel
qui est leur réalité et qu'on peut trouver certes tout aussi bien dans les
événements et la vie de l'usine, mais tout aussi bien aussi dans les épisodes
de la vie de salon, un esprit capable de s'approfondir jusque-là, ne
recueillant l'apparence des choses, vie ouvrière ou mondaine, qu'en
éprouvant plus vivement qu'elle la réaction spirituelle que sa perception
produit en lui. Quand un tel esprit, aussi solitaire et personnel à la ferme
que dans ce salon, trouvait une telle vérité, de même que ce qui lui avait
permis de dégager la vérité permanente c'était le rapprochement d'une
identité, de même inévitablement pour recomposer cette identité, cette
réalité — et non toute la succession insignifiante des phénomènes de la vie —
il fallait le rapprochement de deux termes différents ayant une base commune c'est-à-dire une métaphore. Je l'avais trouvé par ces sensations du
passé *ᶜ*, ces réminiscences qui m'enivraient, et sans doute ce serait là pour
moi l'instrument de l'art. Mais je me gardais de l'ériger *(F⁰ 4)* en système
et de croire qu'on ne pourrait y arriver autrement. Mais je *ᵈ* savais que

a. Ici Proust écrit d'abord : « le temps où nous vivons »; puis il ajoute : « le pays où » et
néglige le premier « où » que nous supprimons.
b. Proust intercale : « s'était » et oublie de mettre « révélait » au participe passé.
c. On peut lire aussi « visiteurs du sentir » ou « du passé ».
d. A partir de là une ligne rayée et confuse où il est question d'« ouvrier » et de « grand
seigneur ».

avis de Bloch, soit dans les revues. Des différents points de l'horizon littéraire, c'était une sorte

quand on s'écriait devant une de ces épithètes ou ces métaphores : « Ah ! c'est joli » c'était une manière de dire « c'est vrai » d'une vérité plus profonde que la vérité d'observation[e], la vérité de synthèse, d'approfondissement, de découverte intérieure. Aussi je riais de la peur que ces gens avaient de la littérature, de la beauté ; moi je l'aimais, j'avais confiance en elle parce que je savais son vrai nom c'était vérité, une vérité qu'on ne trouve pas rien qu'en ouvrant les yeux sur le chemin *, ou l'œil intérieur de l'intelligence, une vérité profonde, cachée, qu'on sent en soi-même, qu'on n'a pas toujours[f] la force de délivrer, qu'il faut recréer peu à peu. Et quand enfin on la trouve, qu'elle est libérée, que ce soit sous les traits * du grand seigneur lettré ou de l'ouvrière illettrée ah ! elle est bien toujours la même. Et quand la pauvre bergère dont on nous vante avec raison le roman s'écrie en parlant du Télémaque qu'elle allait lire en cachette au bout du grenier sous la solive[g] : « il me semblait que c'était un jeune prisonnier à qui j'allais rendre visite (vérifier)[h] » elle disait quelque chose d'aussi beau, et de beau de la même manière que quelque chose de Chateaubriand. Anatole France en la lisant aurait pu dire : « Ah ! c'est joli. » Cette vérité que nous ne pouvons trouver qu'en nous-même j'avais senti depuis longtemps que nous ne pouvions la trouver que si nous savions nous-mème dépouiller l'homme extérieur, développer en nous etc. voir (sur Sainte-Beuve). L'expression unique devait être écrite sous la dictée de cet esprit qui ne pensait qu'à lui-même, je l'avais bien senti, en écrivant cet article[i]. Or si on cessait d'être soi-même ****, si en écrivant on pensait à plaire aux yeux du monde, on le *(Fᵒ 5)* serait tout aussi bien en pensant au peuple. En cherchant à être simple pour être compris du peuple (à supposer que le peuple fût moins subtil que les gens du monde raffinés à propos desquels on joue sur les mots avec le mot raffiné, en supposant que le fait de se faire habiller chez Hammond et de soigner * ses livrées[j] ait quelque rapport avec celui de préférer la phrase de Flaubert ou le vers de Baudelaire à la phrase de Paul de Kock[k] ou au vers de Borelli) on faisait subir à la phrase sincère une altération aussi grande qu'en cherchant à plaire à tels autres. Écrire pour le peuple, mais c'est un effort absurde et stérile et la demander à un écrivain et il est infiniment plus utile de proposer au peuple l'effort de comprendre une œuvre obscure (mais ceci doit venir avant je finirai par le cœur de la question). Et resté seul dans la bibliothèque, je compris que..... »

e. Ici sous-entendu : « à savoir... »
f. Interversion de ces deux mots dans un texte dont l'écriture paraît très rapide.
g. On lit « solive ». Dans *Marie-Claire* il s'agit d'une lucarne. Mais le livre est caché sur une solive.
h. Voici le texte exact : « J'aimais ce livre, il était pour moi comme un jeune prisonnier que j'allais visiter en cachette » (*Marie-Claire,* éd. E. Fasquelle, Paris, 1910, préface d'Octave Mirbeau).
i. C'est peut-être une allusion à son article du *Contre Sainte-Beuve* qui à l'époque où ceci est écrit (fin 1910) est toujours présent à l'esprit de Proust.
j. Un « de » en trop ? En marge : « Mettre à sa place », qui semble concerner le passage plutôt qu'un mot.
k. Proust a barré « Feuillet » (allusion à Octave Feuillet).

d'assaut, à différents points de vue contre la littérature. Bloch me disait que depuis trop longtemps les poètes nous racontaient leurs petites amours, leurs tristesses, leurs lassitudes, qu'il était temps d'exprimer l'âme du peuple, les grandes réalités sociales (voir aussi Max Lazard, et samedi 3 décembre Beaunier sur Lanson et Gregh sur Marguerite Audoux [1]) la pensée qui anime le peuple au moment des grèves [2]. Mon Dieu je reconnais qu'il n'y a pas au monde que le prolétariat si l'on veut parler de la bourgeoisie (voir Hanotaux sur le Trust [3]). Enfin même la vie d'un écrivain, la genèse d'une œuvre, quelque grand

1. Ainsi par deux fois (Folio 6 et Folio 2) Proust nous donne et se donne à lui-même, pour un texte plus élaboré, sinon définitif, ces indications concernant l'économiste Max Lazard, les écrivains Gregh, Lanson, plus haut Bernstein et ici Beaunier et Marguerite Audoux. C'est la conception d'une littérature humanitaire et à visées sociales, indifférente aux préoccupations formelles, qui rapproche les uns des autres Max Lazard, Lanson, Bernstein et même Gregh. Sont ici plus particulièrement concernés : un article ironique de Beaunier sur Lanson le samedi 3 décembre 1910 dans le supplément littéraire du *Figaro* sous le titre : « La Fonction de Poète » et celui admiratif de Fernand Gregh le 4 décembre de la même année dans *L'Intransigeant* sur *Marie-Claire* de Marguerite Audoux qui vient de paraître sous le patronage d'Octave Mirbeau.

2. Allusion à un argument de Lanson dans l'article de la *Revue*, que raille d'ailleurs, discrètement, Beaunier : « N'y aura-t-il jamais dans nos lycées, écrit Lanson, quelque boursier qui, venu du peuple, saura rester peuple en s'affinant, pour couler en œuvre d'art l'idéal qui bout dans les faubourgs et les banlieues aux jours de grève? »

Au Cahier 26 (V⁰ˢ 17 et 18), Proust parle dans les mêmes termes qu'ici de Marguerite Audoux : « Qu'importe qu'elle ne soit qu'une ouvrière », dit-il. Il la situe dans la lignée d'autres écrivains, Chateaubriand et le Tolstoï d'*Anna Karénine*, et aussi Charles-Louis Philippe et Gérard d'Houville. Il note la différence d'époque qu'il y a entre ces deux derniers et ce qu'il appelle « le romantisme réaliste » de George Sand.

En même temps il développe une idée d'évolution des générations d'écrivains et aussi de leur solidarité que nous retrouverons plus loin au Cahier 57, p. 182.

3. Hanotaux traite de cette question dans un article de mars 1910, in *Revue hebdomadaire,* sur le livre de Paul Adam, *Le Trust,* paru en 1910. Dans le Cahier 13, Proust s'explique au sujet de cet article. Pour lui le plus grand sujet n'est pas, comme pour Hanotaux, « celui qui embrasse le plus de monde », mais « celui qui va le plus profond dans l'âme », etc.

conflit d'idées sont plus intéressants que les perpé-
tuels cheveux coupés en quatre de la littérature psychologique ou artiste. Mais ce que je te dis du fond,
je te le dis encore plus de la forme[1]. Il ne faut pas
seulement écrire des choses qui peuvent intéresser le
peuple, tirées de sa vie, et non d'une vie où il n'a
pas accès, mais encore ne plus se complaire à ces
jeux de la forme, à ces complications de mondains
qui empêchent ceux qui n'ont[2] vécu qu'à l'atelier
d'atteindre le fond de vos histoires. Vous écrivez
pour des lettrés. Pensez toujours à être compris du
peuple, à avoir une forme d'esprit accessible à l'ouvrier. D'ailleurs n'est-il pas navrant que nos meilleurs écrivains aient repris aux romantiques le goût
des « morceaux », des belles métaphores, des épithètes jolies. Inutile qu'elles soient jolies, suffit
qu'elles soient justes! La sincérité, la vie telle qu'elle
est, recomposée comme on l'a vu, voilà l'art suprême!
Plus de littérature, qu'on soit dans un livre comme
devant la vie. Qu'il n'y ait pas un seul détail d'art
devant lequel on puisse se récrier[3]!

F⁰ 8 | Mais nous étions arrivés devant sa porte. Nous y
restâmes. Il s'excusa d'avoir tenu un si long dis-
V⁰ 7   cours[4]. | Je n'y répondis rien. Car comme le jour où
M. de Guercy m'avait parlé contre la littérature[5],
je sentis que je n'étais pas d'accord avec lui, que ce
qu'il méprisait c'est tout ce que j'aurais désiré faire,
que l'art qu'il prônait ne m'inspirait que fatigue et

---

1. Ici un renvoi en marge.
2. Un « pas » en trop dans le texte.
3. Le récit reprend au bas du Folio 8, après des pages blanches. Voir
note 2, p. 114.
4. Ici un renvoi, mal fait d'ailleurs, au verso du Folio 7, en bas de page
et en face.
5. On voit que M. de Guercy ne s'identifie pas toujours à M. de Charlus.
Il y a un moment même où il joue (et c'est le cas ici) le rôle de M. de Norpois. Signalons au milieu de la page cette note de Proust : « Peut'être
dira-t-il aussi des choses comme M. de Guercy. » Entre parenthèses un
nom propre qui semble être Durzon ou Curzon dont il sera question plus
loin. Ce nom a les apparences d'une résurgence de *Jean Santeuil.*

qu'ennui, et un grand mépris pour moi-même de
ne pas le mieux goûter. Nous piétinâmes un instant.
Les questions dont il parlait m'intéressaient si peu et
me fatiguaient tant, qu'au lieu de tâcher de l'en faire
parler encore je lui demandai des nouvelles, de tel ou
tel de nos anciens amis, comme j'eusse pu le faire à
n'importe quel camarade moins intelligent que

F° 8   Bloch. | Sur ceux qu'il déchirait le plus cruellement
autrefois, il s'exprima avec gentillesse. Il corrigea
même, par une interprétation plus bienveillante une
remarque désobligeante que je faisais sur la conduite

F° 9   de l'un d'eux qui avait rompu avec sa famille. | Mais
quand je lui dis que j'aurais besoin de voir ce garçon
et lui proposai de l'inviter avec lui, il fit un geste de
réserve. Tout de même pas, écoute. Non! je ne le
blâme pas, la vie n'est pas chose facile. Mais enfin
tout de même il y a des choses. Pour rompre avec sa
propre mère. Enfin je ne dis pas qu'il ait eu tort.
Mais il y a tout de même des gens que j'aime mieux
ne pas fréquenter. « Mais tu sais que tout le monde
le voit. Montargis est très bien avec lui. » « Oh! je
sais très bien, je ne dis pas qu'il n'ait pas plus d'amis
que moi. Mais qu'est-ce que tu veux, je serre déjà
les mains à assez de muffles [*sic*] comme cela. C'est
toujours un de moins. » En revanche d'un autre
qui s'étant laissé nommer administrateur d'une
affaire véreuse qu'il ne connaissait pas venait de faire
un an de prison : « Tiens avec lui si tu veux m'inviter, ça me ferait plaisir. Pauvre garçon il doit être
si malheureux. Je crois qu'on est bien dur pour lui.
Et en somme qu'est-ce qu'il a fait? Je le plains beaucoup », « Tu ne voudrais pas tout de suite et seul,
lui dis-je, sans cela je t'attendrais. » « Non pardonne-
moi! je dois conduire mon frère et une de mes cousines pour les présenter dans un endroit assommant,
mais je leur[1] ai promis. » Je ne lui dis pas où j'allais

---

1. Nous substituons « leur » à « lui ». Proust a ajouté « une de mes
cousines » en oubliant de corriger « lui ».

car je savais qu'il ne fréquentait pas ce milieu. Nous échangeâmes encore quelques mots. Il avait eu une fois ou deux des nouvelles de mes parents et de moi, par certains de nos anciens amis qui lui avaient parlé de nous, propos qu'il me rapporta évidemment pour me faire plaisir tant ils étaient aimables et pour accroître mes bons sentiments pour ceux qui les avaient tenus [1].

[2] En quittant Bloch, je repensais à tout ce qu'il

1. On voit dans tout ce passage que Proust nous montre un Bloch « amélioré ». Dans *Le Temps retrouvé*, c'est une exception, mais ce n'est pas la seule. Remarquons aussi que le lieu « assommant » où Bloch déclare devoir se rendre et sur lequel il se montre très discret semble bien être celui même où se rend le narrateur, le salon de la princesse de Guermantes, ainsi que le prouve la suite du récit où Bloch paraîtra parmi les invités.

2. Bas du Folio 9. Aux Versos 9 et 10 se trouve un texte qui fait double emploi avec ce qui est dit aux Folios 10 et 11. Le voici : « Hélas ce n'était pas qu'en écoutant Bloch que je sentais combien ces discussions d'idées m'ennuyaient. Chaque fois que j'avais essayé de traiter de ces questions dans une étude, la plume me tombait des mains d'ennui, je sentais combien ce que j'écrivais était mauvais. Or c'était un découragement d'autant plus profond pour moi, qu'une remarque faite dernièrement en chemin de fer m'avait montré que, cette province purement intellectuelle était la seule où il me dusse espérer avoir du talent, si jamais j'avais assez de volonté pour me mettre enfin à écrire. C'était, il y avait un mois environ, le jour où je rentrais à Paris. Le train suivait à la fin de l'après-midi une des vallées qui passent avec raison pour les plus belles de France. Les arbres étaient frappés par la lumière du couchant ce qui en faisait une de ces scènes qui sont dites les plus belles. Et le ruisseau (« rivière » rayé) qui longeait la voie était par chance si pittoresque qu'il était rempli de ces fleurs, de ces mousses multicolores, mêlées aux reflets des nuages roses, qu'on ne croirait pouvoir exister que dans une belle description de poète. Pourtant je regardais tout cela d'un œil précis, qui remarquait exactement les bandes de lumière et d'ombre sur le tronc des arbres, qui notait pour moi-même d'une épithète juste la couleur des fleurs d'eau mais avec une indifférence et un ennui dont j'étais moi-même désolé. Le train s'était arrêté en pleine campagne, j'en avais profité pour sortir une feuille de papier et essayer de noter ce que je voyais. »

On peut penser que ce texte des Versos 9 et 10 sur la halte du train est postérieur à celui des Folios 10 et 11 que l'on va lire. Auquel cas il faudrait le substituer à une partie de celui de ces Folios 10 et 11. Mais outre que ce ne serait pas facile, il n'est pas sûr qu'il soit postérieur. Proust a pu s'essayer à rédiger un texte de préparation sur les Versos 9 et 10

F⁰ 10   m'avait dit sur la littérature, | sur son but élevé.
Et sentant combien sa conversation m'avait ennuyé,
et les livres qu'il prônait, que j'eusse tout aussi volontiers passé cette heure à causer questions militaires
avec Montargis ou cuisine avec Françoise, je pensais
avec amertume combien m'avaient trop bien jugé
ceux qui m'avaient cru jadis doué pour les lettres,
enflammé d'amour pour elles. « Même malade je ne
vous plains pas m'avait dit Elstir [1]. Vous avez les joies
de l'intelligence; les joies spirituelles, ce sont les plus
grandes de toutes. » Hélas s'il savait combien l'intelligence me donnait peu de joie, combien je parti-
cipais peu à celles que les questions intellectuelles
donnaient aux gens vraiment intelligents comme
MR⁰ 10 Bloch. | Il croyait que les joies de l'intelligence
devaient me consoler de tout : or il n'y avait pas si
petit plaisir qui ne me semblât plus vif qu'elles. Et
quand il m'avait dit citant je crois Schopenhauer que
l'homme le plus heureux était le poète, l'homme
capable des joies spirituelles, être presque divin et
que pour lui la vie la plus heureuse était celle où les
plaisirs de l'intelligence étaient les plus fréquents, je
songeais avec lassitude combien j'étais loin d'appartenir à cette classe d'hommes. Il y avait même dans
mes heures les plus sages, bien des plaisirs que je
désirais, revoir Combray, connaître certaines jeunes
filles, revoir le lever du soleil, certaines églises, l'étonnement * que nous arrivions à Combray, boire d'un
vin que j'avais bu à Venise; des joies spirituelles il
n'y en avait pas une qui fût pour moi l'objet d'un
désir et elles ne figureront jamais dans la vie la meil-
F⁰ 10   leure que je puisse rêver. | Hélas même à un point

(opposés aux Folios 10 et 11). Il a pu aussi s'amuser à rédiger une variante.
Mais il n'aura alors fait que l'ébaucher puisque le texte s'arrête court – ce
qui d'ailleurs rend son intégration presque impossible.
   Notons que Proust tient beaucoup à cet épisode de la halte du train
puisqu'il se retrouve ailleurs plusieurs fois (Carnet 1, préface du C.S.B,
p. 213, éd. Clarac, « Proust » 45 et Cahier 26) en tout ou partie.
   1. « Bergotte » rayé. Mais Proust reviendra à Bergotte (J.F., I, p. 569).

de vue plus strictement artistique on pouvait bien me
dire que j'étais doué. Je savais trop quand j'ouvrais
les yeux sur quelque scène de la nature, fût-ce la plus
belle et que je voulais décrire combien ne me venaient
que des mots qui m'ennuyaient moi-même. L'autre
jour en revenant en chemin de fer notre train longeait une vallée[1] qui passe avec raison pour une des
plus belles de France. C'était à cinq heures du soir,
le train s'était arrêté, je pouvais contempler les arbres
sur lesquels le soleil de cinq heures du soir donnait

F° 11   jusqu'à une certaine | hauteur de leur tronc, et,
dans le ruisseau qui un moment longeait la voie, je
voyais une telle variété de fleurs, de mousses mêlées
à de beaux reflets du ciel qu'on avait l'étonnement
de voir que les plus artistiques spectacles décrits par
la littérature se trouvent en effet dans la réalité, sur
une voie de chemin de fer. J'avais profité de l'arrêt
momentané du train pour tirer une feuille de papier,
et j'avais essayé de décrire exactement cette bande
dorée de lumière sur les troncs, et la ligne oblique de
l'arbre. Mais ne sentant aucune joie à les décrire, et
persuadé que l'enthousiasme quand on écrit est le
seul critérium du talent dont il faut bien que nous
éprouvions la joie nous-mêmes si nous voulons le
communiquer aux autres, j'avais laissé tomber ma
feuille de papier, avec un morne découragement.
Je continuais à regarder ces bandes de lumière et ces
lignes d'arbres et je n'éprouvais aucune joie à les
regarder. Et, pour me consoler, j'avais essayé un
moment de me persuader que sans doute j'avais
passé l'âge où on peut être enivré par la nature et la
décrire et que l'étude des caractères, la discussion
des esthétiques seule me restait. Et je me souviens
que je m'étais écrié à moi-même tâchant de me
consoler par la pensée qu'un autre domaine m'était
réservé[2] : « Ô arbres vous n'avez plus rien à me dire,

---

1. Mots rayés : « chemin de Méséglise, l'Oise ».
2. Le passage qui va suivre se trouve dans le Carnet I, d'où il a pu être

mon cœur refroidi ne vous ressent plus, mon œil constate[1] la ligne qui vous divise en parties d'ombre et de lumière avec une froideur telle qu'il serait bien vain de transcrire ces notes, trop ennuyeuses pour moi pour pouvoir plaire à personne. Si quelque chose doit m'inspirer maintenant c'est la pensée humaine et esthétique. Chanter je le sais bien en ce *F° 12* moment où je reste de glace devant | la plus belle heure du jour et la plus belle futaie de France, l'époque de ma vie où j'aurais pu vous chanter est close depuis longtemps et les inspirations que vous aviez pu me donner ne reviendront jamais. »

Dès en rentrant, avec cette activité qu'on a le premier jour d'un retour ou d'une arrivée, où les habitudes de la vie ne vous ont pas encore repris, j'avais essayé de discuter la question du réalisme. Et j'avais senti le même ennui, la même froideur qu'en essayant de décrire ces arbres au couchant. Je m'étais un instant raccroché dans mon désespoir à cette idée que j'avais souvent vue exprimée par des maîtres que ce n'est pas au moment où nous voyons une scène qu'elle nous semble plus belle, mais quand nous la revoyons, dans les « instantanés » de la mémoire. Hélas rien que ce mot d'instantanés faisait de ma mémoire comme une de ces expositions de photographies suffisant à m'indiquer que ce n'était pas plus dans elle que dans l'observation directe[2] que faute de génie, faute de cette imagination poétique qui fait disait-on trouver tout beau au poète et qui me faisait défaut aussi, dans cette faillite complète de

---

transcrit par Proust. Le texte du Carnet diffère un peu. Le voici : « Arbres vous n'avez plus rien à me dire, mon cœur refroidi ne vous entend plus, mon œil constate froidement la ligne qui vous divise en parties d'ombre et de lumière, ce seront les hommes qui m'inspireront maintenant ; l'autre partie de ma vie où je vous aurais chantés ne reviendra jamais. »

1. « froidement » rayé.

2. A partir de là un texte barré ou rayé que nous réintégrons, car il est nécessaire à l'enchaînement. Proust semble, d'ailleurs, sur la fin hésiter à rayer. Le contenu de ce texte rayé est réutilisé au Folio 13.

moi-même où partant de là * elle eût pu sinon me
disculper au moins compenser un peu mon absence
de sensibilité, de tendresse, de vertu, mon incapacité à
jouir par le voyage, par l'ami[tié] [1]. Je ne le savais que
trop. Quoi que je voulusse évoquer de ce que j'avais
vu, l'image que ma volonté tirait de ma mémoire me
semblait aussi ennuyeuse que la réalité même. Et
tandis que j'arrivais à la porte de l'Hôtel de Guermantes, je me forçai ainsi à revoir Venise, Querqueville, la vallée vue du chemin de fer avec les arbres

F⁰ 13   frappés par le soleil couchant. La réalité | évoquée
par la mémoire me paraissait ennuyeuse comme les
tableaux d'un kaléidoscope. Ainsi même en prenant
le mot de joie spirituelle dans son sens le plus vaste,
je ne jouissais pas plus par la mémoire des beaux
spectacles ou par leur vue, que par la discussion des
idées. C'est que j'étais dépourvu de cette imagination
qui chez les poètes transfigure la réalité et la leur
rend si belle. Et pourtant quand je m'étais rendu
compte que je n'avais ni bonté ni tendresse, que le
voyage, l'amitié, le monde ne m'avaient apporté que
déception, ce don poétique qu'on m'avait dit que
j'avais, ces joies intellectuelles, ce talent ce devait
être mon seul refuge. Et cela aussi me faisait défaut;

MR⁰ 13   et [2] arrivé à l'Hôtel de Guermantes, | me retournant,
comme j'étais dans la cour, pour jeter un dernier
regard plein d'ennui [3] sur le ciel bleu de mai et les
arbres verts dans l'avenue pour voir si un tardif
rayon de beauté ne m'apporterait pas sa consolation,
ne me montrerait pas que je n'étais pas immuable-
ment médiocre, je sentis en enregistrant avec exactitude le spectacle qu'un poète eût trouvé beau et qui

---

1. Le passage à peu près complètement rayé s'arrête sur ce mot, d'ailleurs
un peu douteux.
2. Cette phrase est réajustée aux renvois en marge et au verso de la
page précédente (p. 12).
3. Dans la première version rayée, Proust écrit entre deux lignes :
« laisser regard plein d'ennui mais dans la phrase en marge ». Nous
obéissons.

me semblait ennuyeux, combien l'univers me semblait laid parce que j'étais au fond médiocre. Je fus tiré de cette pensée par une voiture qui sortait de la cour[1] et que la tête tournée vers l'avenue je n'avais pas vue dans ma distraction et je me trouvai rejeté du côté des écuries où je fis quelques pas avant de V⁰ 12 rejoindre le perron, sur des pavés mal équarris. | Au moment où mon pied passait d'un pavé un peu plus élevé sur [un autre] un peu moins élevé, je sentis se former obscurément en moi, tressaillir comme un air oublié dont tout * le charme touche un instant ma mémoire sans qu'elle puisse encore * distinguer son chanteur et le reconnaître[2], cette félicité qui était en effet aussi différente de tout ce que je connaissais que l'est la musique, spéciale comme une sorte de thème mélodique d'un bonheur ineffable et que j'avais déjà entendue dans la campagne près Querqueville au cours d'une promenade avec Mᵉ de Villeparisis, à Rivebelle aussi devant le morceau de toile verte[3] et qui cette fois-là avaient éveillé en moi un souvenir que je n'avais pas revu *. Quelques autres fois encore à des intervalles souvent longs de plusieurs années tout d'un coup dans ma vie cette musique je l'avais encore entendue quand Mᵉ de Vi[lleparisis].....[4]

1. « Qui tournait dans » rayé.
2. Il y avait un point après « reconnaître ».
3. On retrouve cette toile verte dans la préface du *Contre Sainte-Beuve*, dans le Carnet 1 et dans R.T.P., II, p. 944 et 949. Ce passage remplace un texte partiellement barré : « Au moment où mon pied se posait de l'un sur un autre un peu moins élevé, un sentiment de bonheur m'arrêta. J'entendis en moi cette même phrase délicieuse que j'avais entendue dans ma promenade à Querqueville quand j'avais aperçu un rideau d'arbres qui m'avaient parlé d'un bonheur que je n'avais pu arriver à me rappeler, que j'avais entendue encore à Rivebelle devant un morceau de toile verte bouchant ma fenêtre, d'autres fois encore en revoyant des aubépines, quand Mᵉ de Guermantes m'avait parlé de François le Champi, et qu'alors je n'avais pas encore entendue ce jour d'hiver (etc.). »
4. « Vi » est rayé. C'est peut-être « Madame de Villeparisis ». La phrase est interrompue.

MR⁰ 14 | [1] Mais alors je n'avais pu reconnaître ce qui
réveillait en moi la phrase délicieuse et ce qu'elle
reconnaissait sous ces arbres, sous cette étoffe. A
Combray aussi je l'avais entendue devant les aubépines et plus tard quand Mᵉ de Guermantes m'avait
F⁰ 14   parlé de François le Champi | et alors je ne [l']avais
pas encore entendue ce jour d'hiver où [2] pour me
réchauffer ma mère m'apporta une tasse de thé.
Encore une fois voici que cette voix que j'avais oubliée
me parlait; mais où était-elle, que me disait-elle. Mes
yeux étaient enivrés d'un azur profond, j'avais une
sensation d'un été torride, de la fraîcheur délicieuse
qu'on y éprouve à l'ombre, mais ce n'était pas qu'une
sensation, c'était une vie bien heureusement réelle,
dont la seule affirmation qu'elle existait me remplissait d'une telle félicité qu'en ce moment tout mon
ennui de tout à l'heure m'eût été incompréhensible
et la perspective de la douleur indifférente. Cependant sans me soucier de ce que pouvaient penser les
gens qui passaient dans la cour, invités ou domestiques, je restais un pied sur un des pavés, un pied sur
l'autre, refaisant le même pas que j'avais fait pour
MR⁰ 14   qu'il fît | [3] renaître encore une fois l'insaisissable
frôlement des visions indistinctes qui proposaient
impérieusement à mon esprit l'énigme de leur
F⁰ 14   bonheur. | Je tâchais de ne pas voir les gens qui
passaient, de laisser seule dans ma conscience, la
sensation que j'avais pu éprouver en passant d'une
V⁰ 13   pierre sur l'autre, et cependant [4] | toutes les fois

1. En marge pour remplacer un passage rayé où il est encore question
de l'impression éprouvée « à Rivebelle devant un morceau de toile verte ».
2. « je bus » non rayé (par inadvertance).
3. Passage en marge.
4. Renvoi au Verso 13. Proust abandonne ici un passage (p. 14-15)
qui porte sur le même sujet que le Verso 13, qui est plus court et moins
satisfaisant. Le voici : « (et cependant) comme ces images évoquées par
une musique qui semble ne pas pouvoir les contenir, ce pas passant d'un
des pavés de cette cour à l'autre, précipitait * à mes yeux de plus en plus
d'azur aveuglant, de soleil, d'été bienheureux, de fraîcheur, mes lèvres se
tendaient, mes yeux étaient éblouis et caressés par l'azur comme par le

où je réussissais à ne pas me contenter de faire naturellement le pas avec ma jambe mais à le refaire en
quelque sorte en moi où mon âme retrouvait assez
d'élan pour retoucher une fois encore le point intérieur qu'elle n'avait pas saisi mais dont le contact
instantané et glissant lui causait une telle joie, à ce
moment-là comme certaines pages musicales ont ou
souvent * avaient le don d'évoquer certains paysages
avec lesquels on ne comprend pas que les notes ont
un rapport [1], la sensation de délices prit quelque
matérialité devint azur éclatant, chaleur splendide
du jour, ombre délicieuse et fraîche, elle prit une
force extensive *, se colora * devenant azur * qui
s'élargit, étincela au soleil, m'entraîna, oscilla comme
une boule et tout d'un coup je reconnus, à l'heure où
j'allais me relaxer [2] dans le baptistère de Saint-Marc
où mon pas avait éprouvé entre deux dalles de marbre
inégales une sensation pareille [à celle] qu'il avait
ressentie tout à l'heure et qui l'avait réveillée avec
toute cette journée d'alors dans laquelle elle était
enclavée qui attendait pour renaître avec sa lumière,
ses odeurs, les cris de ses marchands, le roucoule-
ment de ses pigeons, l'ombre de son image sur la
place, la joie de mes yeux caressés par le soleil,
— Venise [3].

reflet d'une étoffe somptueuse, une joie bienheureuse m'emplissait, la vie
tout à l'heure trop longue me paraissait trop courte, tout d'un coup je me
rappelai cette sensation éprouvée en faisant ce pas, c'était une sensation
éprouvée dans le baptistère de St Marc sur un dallage brillant et inégal,
elle avait réveillé l'autre et toute ma vie à ce moment-là à Venise, tout
ce que j'y éprouvai avait suivi. »
    1. De nombreux mots rayés. La construction de cette phrase et les mots
lus sont douteux, l'écriture étant détestable. Notons que la sensation
décrite ici est expressément éprouvée *dans* le baptistère de Saint-Marc
(cf. Pléiade III, p. 877, où Proust parle de la *place* Saint-Marc).
    2. Proust a d'abord écrit : « me réfu[gier] » puis a rayé et écrit : « me »
plus un mot que nous croyons être « relaxer ». On peut lire aussi « relever ».
    3. Nous trouvons beaucoup de phrases de ce type chez Proust, phrases
convergeant (magnifiquement) vers le mot clef de la fin.

MR° 15 ¹ | Mais par cette loi de notre nature qui veut
que nous fassions toujours passer les choses importantes après celles qui ne le sont pas, si bien que tout
l'effort des nobles vies, souvent * si douloureux
qu'elles y échouent, consiste précisément à tâcher de
remonter le courant qui nous entraîne vers ce qui
est plus facile c'est-à-dire moins important et à
faire remonter à contre-courant les choses importantes, au lieu de rester sur la dalle à la fois pari-
sienne et vénitienne et d'évoquer un mois de ma vie
passée et splendide qui gisait sous cette pierre, ² de
l'aligner vers ma sensation à la fois rétrospective et
présente, ou d'emporter tout de suite le trésor que
j'avais trouvé là et d'aller vivre avec lui, je fis ³ s'effacer immédiatement ce devoir devant celui de tout
homme bien élevé qui étant entré dans un hôtel où
il est invité doit aller vers les maîtres de maison, et ne
peut ni rester dans la cour ni ressortir sans être entré,
ce qui étonnerait le concierge.

F° 15 | ⁴ Mais arrivé au 1ᵉʳ étage, un maître d'hôtel [me]
demanda de faire le tour par le petit salon, la
Pᶜᵉˢˢᵉ qui se piquait de musique (en son temps ⁵)
ayant défendu qu'on ouvrît la porte du grand salon
pendant l'exécution des morceaux. J'en profitai pour
me reposer un moment seul dans la petite bibliothèque attenante à la salle à manger où, jadis j'avais
vu le prince d'Agrigente regardant seul avec une

---

1. Note en marge p. 15 – jusqu'à « concierge ».
2. Nous introduisons ici un bout de phrase que Proust a placé en face
sur le Verso 14, qui est de la même écriture et s'insère parfaitement
ici.
3. Proust avait d'abord mis : « je trouvai plus utile de ne ».
4. Cette phrase est partiellement rayée de coups de plume verticaux.
Elle fait évidemment double emploi avec la précédente située en marge
du Folio 16 : « Nous sommes de si pauvres êtres qu'au lieu de m'en
retourner seul avec mon trésor, je craignis de paraître ridicule au concierge
qui m'avait vu et entrai dans l'hôtel. »
5. Ceci semble une indication comme Proust en introduit souvent dans
son texte pour lui-même.

attention excessive et stupide chaque livre[1] et chaque
objet * qu'il agrippait de ses gestes hésitants, inexpli-
cables, furieux et tenaces de beau cygne au bec proé-
V° *14*   minent et pourpré[2]. | Et retrouvant, du moment
que j'étais seul l'ardeur qu'avait allumée en moi cette
Venise sortie comme une autre Delphes de sous
cette dalle, je me mis à faire comme il faisait et nerveusement lisant les titres sans y prêter attention et
remettant * le volume en place, je marchais à grands
pas comme jadis le Prince d'Agrigente dans la biblio-
F° *15*   thèque. | Mais comme j'étais dans la bibliothèque un
domestique dans la salle à manger en voulant prendre
des précautions pour ne pas faire de bruit, cogna
violemment une cuiller contre une assiette. Et à ce
moment même j'entendis pour la seconde fois[3]
tressaillir en moi un air de cette musique intérieure
qui n'était certainement * pas la même, car je ne la
reconnaissais pas mais qui me parlait de cette même
félicité qui anéantissait * au moment où je la ressentais ce qui n'était pas elle et donnait un prix infini à la
vie. Cette fois-ci il semblait que le bonheur eût été
V° *15*   encore de vivre dans la chaleur[4], mais c'était une[5] |
tout autre chaleur où le soleil rayonnait à travers la
fumée, où la soif d'une bière fraîche s'épanouissait *
au milieu de la poussière, où la brise courte faisait
onduler dans l'haleine chaude d'un drap et du cuir *
les fraîches vagues d'un parfum où voguait en zig-zags
F° *16*   un papillon captif[6]. Cette fois-ci[7] | un délicieux calme

1. Nous rétablissons les trois derniers mots rayés par l'auteur et négligeons un mot difficile à déchiffrer.
2. Ici commence un renvoi au Verso 14.
3. Le complément : « la phrase délicieuse » est rayé, sauf un « en moi »
repris après.
4. Ou : « de vive chaleur » ?
5. La suite au Verso 15. C'est une correction d'une encre plus noire que
celle du texte primitif qui semble obliger Proust, arrivé en bas de page, à
écrire au Verso 15.
6. Ici quelques petits textes très raturés en marge et au sein du Verso 16,
avec un J au crayon correspondant avec un I en tête du Folio 16. Ces
indications au crayon commencent plus haut, mais ne semblent pas tou-

forestier, une odeur de fumée dans l'azur, une fraîcheur de bière[1] m'apaisait. Et je reconnus le bruit
identique à celui de la cuiller[2] que faisait le marteau
des employés du train contre les roues pendant que
nous étions arrêtés le long de la petite vallée. Ce
bruit venait d'être fait par un domestique qui m'avait
reconnu et qui pour charmer mon stage dans la
bibliothèque, l'exécution devant durer assez longtemps, m'apportait — comme je ne pouvais aller au
buffet — un choix de petits fours, de thé et d'oran-

jours pertinentes. A qui les attribuer? Il ne paraît pas que ce soit à Proust
dont les renvois sont généralement très cohérents et très clairs. Au surplus
Proust n'écrit jamais au crayon noir mais à l'encre et il se sert peu de
lettres. Il renvoie toujours d'un signe à un autre semblable et ne pratique
pas le système des suites alphabétiques. Dans les pages en question où
interviennent les lettres A B C D E F G H I J K L M N O P Q R S T, il y a
plusieurs renvois de Proust à l'encre. D'autre part, le manuscrit autographe ne contient rien qui puisse correspondre à ces lettres, la dactylographie non plus. Le texte de ce manuscrit autographe est d'ailleurs beaucoup
plus limpide que celui de ce Cahier 58. Mais les petits textes marginaux du
Cahier 58 sont riches, le texte principal aussi, de notations qu'on ne
retrouve pas dans le manuscrit autographe, si bien qu'on peut douter,
malgré les nombreuses analogies, que Proust ait eu le Cahier sous les
yeux quand il a composé le manuscrit. Ce Cahier n'a-t-il pas été oublié
(ou égaré) par lui? Il contient 24 pages utilisées sur 70. Et nous verrons qu'il
a manqué de place plus tard dans le Cahier 57.
   Nous avons intégré dans le texte principal tout ce qui pouvait l'être ou
qui était donné à intégrer par Proust. Voici par contre ce qui n'a pas été
intégré par nous et qui correspond aux lettres J et K. K aurait pu remplacer
la fin de H, mais K étant inachevé, la chose ne nous a pas paru possible.
Voici le texte J suivi du texte K après une coupure :
   « Une route brûlante avait fait halte au milieu de la bibliothèque où
j'étais et une brise légère jouait avec la pointe des herbes [faisaient passer et
repasser]... Mais c'était autour de ce bruit de fourchette qu'elle entourait *
et dont la succession la faisait trembler comme une atmosphère * — la
chaleur d'une route qui sentait à la fois la poussière, le drap, la bière et les
fleurs, où de petits souffles frais, curieux et silencieux comme des enfants
sages passaient et repassaient le long de la halte — au milieu de la bibliothèque où j'étais — d'un train à qui il avait fallu arranger quelque chose,
celui que j'avais pris l'autre jour, dont les... »
   7. Reprise au bas du Folio 15, avec la suite Folio 16, après « Cette
fois-ci ».
   1. Au-dessus de la ligne. C'est une répétition.
   2. « fourchette » rayé.

geade. Or laissant le second trésor qui venait de m'être révélé, pour lui faire plaisir je bus un peu de [1] champagne et je lui tendis le verre et voulus m'essuyer la bouche avec la serviette qu'il m'avait donnée. Mais alors pour la 3e fois[2] la phrase délicieuse de bonheur et de vie s'adressa à moi. C'était comme une impression d'azur, mais différente des deux premières, d'un azur marin[3]. | Au premier moment l'impression de ce qu'elle m'évoqua fut si forte que mon esprit hésitant la crut un instant actuelle, je crus qu'on ouvrait les volets par la fente desquels [4][le soleil avec] ses antennes [d'or] venait me solliciter de descendre sur la plage et de partir me promener; la belle matinée marine qu'ils offraient* allait entrer dans la chambre, mon cœur bondit de projets de promenade, de l'appétit du déjeuner devant la mer et ma serviette − comme au lendemain de mon arrivée à Querqueville, quand je m'essuyais la figure avec le linge raide de l'Hôtel devant ma fenêtre − déploya et ouvrit* devant mes yeux, réparti[5] dans ses pans aux frustes* et raides cassures comme le plumage d'un paon un ruissellement ensoleillé d'argent d'émeraude et de saphir[6].

V° 15

---

1. « orangeade » rayé.
2. Proust écrit « voix », mot qu'on peut tenir pour un *lapsus calami*.
3. Ici un renvoi qui se trouve au verso de la page 15 et commence au chiffre 1. La suite du Folio 16 semble abandonnée et se trouve presque entièrement rayée de même que la suite au recto du Folio 17. Seule non rayée la phrase : « C'était comme une impression d'azur, mais différente des deux premières, d'un azur marin. »
4. « Desquelles » dans le texte, le mot s'accordant d'abord avec « portes », rayé au bénéfice de « volets ». Nous rétablissons ensuite les mots « soleil » et « d'or » qui sont rayés mais nécessaires au sens. On pourrait écrire aussi : « les antennes du soleil ».
5. Proust écrit ce mot au féminin pluriel. Il avait sans doute pensé à « tache » qu'il a ensuite rayé.
6. Voici la fin du Folio 16 qui se poursuivait au début du Folio 17. Proust l'a barrée et remplacée par le texte du Verso 15 que nous venons de donner. Il s'agit toujours du souvenir provoqué par l'impression tactile éprouvée au moment où le narrateur s'est essuyé la bouche :
(*F° 16*) « Je fus si long à la reconnaître que dix fois je crus que je

Fᵒ 17 | ¹ Et alors je compris que si toutes les réalités inté-
rieures vertus, vices, défauts, puissances, doivent
vivre en nous d'abord sans que nous les reconnais-
sions et que nous les appelions par leur nom et songions qu'elles peuvent être identifiées, dont nous
avons entendu parler ² par les autres ³, c'était, au
moins pour moi ⁴ avec la modalité particulière qu'un
acte de l'âme revêt pour un individu, ce que je venais
par un heureux hasard d'éprouver trois fois de suite

n'y parviendrais pas et que avec le jour où elle m'avait parlé derrière le
rideau d'alors, et derrière le morceau de toile verte, je ne saurais pas ce
qu'elle me disait. Tout d'un coup, resté seul dans la bibliothèque après
le départ du maître d'hôtel, je le reconnus. La serviette que j'avais prise
dans mes mains pour m'essuyer la bouche avait cette raideur, cet empois
qu'avait la serviette de l'hôtel de Querqueville le 1ᵉʳ matin quand devant
la mer bleue, dans la chambre hexagonale, grd mère m'avait dit que notre
linge n'était pas déballé et que je ne pouvais pas m'essuyer avec un linge
si raide dont je m'étais servi cependant en m'essuyant devant la fenêtre
en regardant la mer. Dans ses [plis] aux grandes cassures, elle avait gardé
l'azur changeant vert et bleu de la mer qui me rendait cette serviette plus
belle que la traîne d'un paon, et *(Fᵒ 17)* mon désir de déjeuner devant la
mer et me faisait une soif de ce matin-là etc. (voir) ».
    Proust raye à petits traits la fin du Folio 16 et le début du Folio 17 pour
corriger son image, entre les lignes d'abord, puis sur le Verso 15 :
    « Dans ses pans aux grandes cassures qui la dressaient, elle répartissait
comme un paon une traîne d'émeraude et de saphir. Je ne revoyais pas
seulement la mer; le bruit de la porte en s'ouvrant avait fait entrer du
soleil, celui... »
    Proust raye à nouveau cette correction pour la remplacer par la rédac-
tion définitive du Verso 15, que nous avons reproduite, terminant son
développement par cette image du paon, mais abandonnant du même
coup la suite de l'évocation de Querqueville qu'il avait pourtant essayé
de reprendre au bas du Verso 15, dans une phrase inachevée mais non
rayée : « Alors je ne " revis " pas seulement la. » Cet abandon entraînait
à son tour celui, plus important, de la première conclusion du développement, ébauchée sur le Folio 17, et que nous donnons maintenant.
    1. Ici au Recto 17 nous avons dégagé sous les ratures et de multiples
barres une phrase claire, cohérente et importante car elle termine, par un
rappel du jugement d'Elstir, le développement entier dans son état primitif. Mais sans doute Proust n'avait-il pas été entièrement satisfait de ce
texte, malgré les nombreuses corrections qu'il y avait apportées.
    2. Ou : « pour »?
    3. « Les joies spirituelles » rayé.
    4. Renvoi en marge jusqu'à « individu ».

que j'avais plusieurs fois éprouvé déjà, qu'en effet
comme le disait Elstir c'était bien une félicité auprès
de laquelle aucune autre n'existe et que la vie la plus
heureuse pour moi serait celle où ces joies, ou des
joies analogues à celles-là, seraient les plus éprouvées.

V⁰ 16 | ¹ Sans doute, ce que j'éprouvais en ce moment,
ce que j'avais éprouvé déjà plusieurs fois dans ma
vie, il se pourrait bien que ce fût, c'était à n'en pas
douter du moins, de la façon particulière dont ma
nature me permettait de les ressentir, ces joies spirituelles dont avait parlé Elstir ² et que la vie la plus
heureuse pour moi serait celle où de tels moments
pourraient se renouveler le plus souvent possible. Et
heureux d'être oublié dans cette bibliothèque où je

1. Une nouvelle fois, et sans qu'on puisse davantage en préciser le
moment exact, Proust reprend sur les versos correspondants, et dans les
marges de ces versos, les Rectos 17 et 18. Nous retrouvons au Folio 8 et
au Folio 9 du Cahier 57 les mêmes idées exprimées avec des expressions
analogues et même identiques quelquefois. Voici le développement
supprimé :
   (F⁰ 17) « Si j'avais dit la perception de la nature, par l'observation ou par
le souvenir, fade, si j'avais, en la reparcourant par l'imagination dit ma
vie laide, c'est que ce n'était nullement l'univers que je pensais alors mais
une simple découpure volontaire de certaines sensations [;] si j'avais encore
en évoquant les tableaux de Venise, ou de Querqueville, déclaré la vie
laide, c'est que ce que j'évoquais n'était nullement la vie, mais des abstractions linéaires absolument arbitraires. Elle devait être bien belle au contraire
la vie pour que ce qui m'en revenait un peu, non plus arbitrairement
enduré cette fois, mais tel que cela avait été éprouvé parce que *(F⁰ 18)*
c'était associé à lui, son du marteau sur les roues du train, inégalité des
pavés du baptistère, raideur de la serviette de l'hôtel de Querqueville,
suffisait pour me plonger dans une joie à laquelle j'eusse tout sacrifié.
Que la vie à ces moments-là me semblait belle, et ma pensée qui la sentait
dans toute sa beauté, précieuse, et mon talent qui se sentait capable de
l'évoquer, puissant. »
   Proust barre d'un trait, et ajoute à la fin du passage barré : « Combien
il fallait que la vie fût différente en ses divers moments etc. Suit le passage
du temps d'Elstir et de Combray », c'est-à-dire, sans doute, la nouvelle
rédaction sur les versos. Il a d'ailleurs laissé douze lignes en blanc avant
de continuer à remplir le Recto 18 (« Ces modalités extérieures... »).
   2. Voir MR⁰ 10. Rappelons encore que cette réflexion sera attribuée
à Bergotte (Pléiade, I, J.F., p. 569).

pouvais penser à l'aise, je me mis à la parcourir avec
autant d'agitation qu'autrefois le prince d'Agrigente,
prenant comme lui nerveusement, et reposant à sa
place, après l'avoir feuilleté, tout en poursuivant son
idée tel ou tel volume, de cette rare collection de
romantiques dont était si fière la Princesse de Guermantes. Ah! bien souvent et tout à l'heure encore
je m'étais dit que la vie était médiocre, cette médiocrité j'en revêtais jusqu'à mon plus lointain passé
que me représentait ma mémoire sur la réquisition
MV° 16   de ma volonté[1]. | Il avait suffi qu'un hasard ait
réveillé une des sensations que j'avais *réellement*
éprouvées à Venise, à Querqueville, dans ce chemin
de fer, pour qu'à l'irrésistible joie qui m'avait envahi
je comprisse combien ce passé vraiment revécu était
différent de celui que je croyais posséder, que je
regardais en bâillant alors qu'à l'instant seulement
MV° 17   je venais de le reconquérir. | Non! la vie n'était pas
médiocre, il fallait qu'elle fût bien belle pour qu'une
sensation si humble soit-elle qu'elle nous avait fait
éprouver, nous * apparaisse * prenant soudain la
place des prétendus fac-similés de l'intelligence, pour
que la réapparition * d'un simple moment du passé
m'ait enrichi * de cette irrésistible joie.

V° 16 | [2] Mais c'est que ce [que] j'appelais ainsi ce n'était
nullement mon passé[3], peut'être parce que la vue
étant de tous les sens celui qui est le plus docile à
l'intelligence, est celui qui peut s'éloigner le plus
facilement de la réalité. Tout est pareil et mono-
chrome dans les peintures de la mémoire. Mais que
le hasard, sans intervention de notre volonté, ni de

1. La suite du Verso 16 est barrée et reprise en marge du même verso.
Elle se poursuit en marge du Verso 17.
2. Nous reprenons le passage barré du Verso 16 qui nous paraît indispensable pour assurer la continuité avec la suite au Verso 17, qui n'est
pas barrée. Proust a corrigé ces deux versos dans les marges, sans s'assurer
de la continuité de la rédaction, comme cela lui arrive souvent.
3. Nous supprimons « que je revoyais alors », que Proust a oublié de
rayer après une correction.

notre raison, d'une sensation identique éprouvée
réveille en nous une sensation d'autrefois et dégage
chimiquement une époque de notre passé, alors
V° 17 celle-ci, traversant en nous des milieux | différents
sans s'y mêler, sans s'y altérer comme une bulle de
gaz dans un liquide, viendra apporter à la surface
de notre conscience sa saveur spécifique et oubliée.
D'où vient qu'elle ne ressemble à aucune autre d'un
autre temps, que le moindre souvenir [de] telle année
ou de telle autre, de tel lieu ou de tel autre, résonne
pour nous ou se dessine dans une atmosphère incom-
parable à aucune autre [1], [et que] je plonge immédiatement dans une vie originale, [une] chaleur
MV° 17 irréductiblement autre [2], | sous un ciel nouveau aux
colorations, à la sonorité, à l'humidité qui ne sont
qu'à lui et où je plonge dans un état intellectuel et
moral irréductible à aucun autre. Est-ce parce que
ne revivant pas la suite de nos années, mais tel
souvenir à tel moment [3], il se trouve affecté de
la particularité de l'heure où il se produisit, à
laquelle ne se sera pas produit tel autre et qui par
exemple une heure d'un soir d'été imprégnée de
lourds parfums fermée par le ciel rose et immobile comme un couvercle d'agate et ciselée par toutes
les contingences des événements et du site enferme
ce souvenir comme dans un vase isolé de tout autre
V° 17 et unique en effet [4]. | Cette qualité unique d'une sen-
sation qui vient ainsi au milieu de toutes celles
qui l'environnaient, est-ce [5] parce que même semblable, éprouvée à la même heure, en de mêmes circonstances, en des lieux et à des époques différents,
cette sensation éprouvée au milieu de toutes celles

1. Sont rayés : « de Combray », « ou de Querqueville ou de Venise ».
2. Renvoi en marge par une croix sur un texte (mal corrigé, comportant
deux répétitions).
3. « Tel moment » rayé, mais utile à l'intelligence du texte.
4. Retour au texte principal, Verso 17.
5. Un « c'était » non rayé, par oubli sans doute. Par contre, nous rétablissons : « toutes celles qui l'environnent ».

que nous rappelions en même temps, est restée insérée
entre elles, les évoque, les présuppose, s'en entoure,
en porte sur elle les mille reflets et même quand elle
semble une sensation analogue de faim, de chaleur
ou de marche [1], est différente selon l'odeur des
meubles qui nous entouraient, la lumière plus ou
moins grande que les rideaux laissaient entrer dans
la chambre, ce que nous voyions de nos yeux, en
même temps que nous la ressentions, et ce que nous
[ne] voyions pas mais ce que nous savions qui
était autour, que ce fussent les maisons noires [2],
l'église, les aubépines de Combray ou la colline
enveloppée de neige de Rivebiler [3] ou la plage de
Querqueville [4] et la félicité argentée et bleue de ses
MV⁰ 17 heures de brise, d'insolation et de loisir? [5] | Est-ce
parce que les années oubliées qui séparent le souvenir de tel autre empêchent de sentir la continuité
de notre vie intérieure et les transitions indiscer-
nables de nos sensations, [et] place[nt] un souvenir
dans un milieu tout différent d'un autre, comme à
une autre altitude? Est-ce enfin même quand une
sensation de faim par exemple, ou de repos, ou de
chaleur semble en apparence la même, toutes les
sensations où elle était insérée alors l'environnant
encore, qu'elle en porte sur elle les pâles reflets,
qu'elle est différente d'une sensation semblable etc.,
V⁰ 17   voir en face [6]. | Peut-être aussi c'était [la] spécificité

1. « promenade » rayé.
2. Rappelons qu'à Illiers on utilisait une pierre noirâtre appelée grison
pour les constructions; pour l'église en particulier.
3. On pense à Ribeauvillé, dans le Haut-Rhin.
4. Ici, Proust a rayé : « Les heures d'azur bienheureux et d'argent de
Querqueville. »
5. Suite en marge Verso 17. Tout le passage qui suit, jusqu'à « altitude »,
a été barré d'un trait vertical; mais Proust a établi un renvoi au moyen
d'une flèche qui aboutit à la marge page 18 où on lit : « Rétablir ce passage
barré (Est-ce enfin parce que les années oubliées) pour terminer la période.
Mais dire plutôt. Et cette originalité enfin provient d'états plus forts que
les années oubliées ».
6. Retour « en face » au texte principal que nous donnons ensuite toujours Verso 17.

de l'état de notre vie intérieure d'alors, de nos rêves de voyage et d'art, qui comme tous les états de pure pensée – ainsi qu'il arrive par exemple dans la lecture ou les rêves – a un pouvoir de différencier les choses sur lesquelles elle se projette que n'ont pas même les qualités particulières de ces choses : l'odeur[1] des rues ou de la mer, le granit * noir des maisons ou le noir des sombres forêts.

V⁰ 18 | Quelle que fût celle de ces causes qui prédominait pour assurer son originalité combien le passé évoqué avec cette vérité scrupuleuse qu'assure seul le jeu indépendant de notre inconscient sans que la fausse aucune intervention de notre volonté, quand le hasard d'une sensation analogue m'en faisait tirer.

F⁰ 18 | [2] Ces modalités extérieures n'étaient pas seules pour différencier ces temps, car ce que je retrouvais en moi, aussi vague que ces sensations du temps qu'il fait etc. mais caressant ma mémoire d'une automne * aussi vague et aussi aiguë, c'était mon rêve de beauté d'alors, ce qu'était pour moi la vie. Au centre de ces jours de Combray, de Querqueville, de Venise, se formait, s'arrondissait comme l'œuf d'une espèce disparue l'idée qui alors habitait pour moi tout le *F⁰ 19* paysage et | du fond[3] de laquelle je le voyais et qui faisait pleuvoir sur lui ses rayons colorants. C'est là qu'elle reposait aujourd'hui. C'était dans une belle journée de Venise, c'était au bord des grèves de Querqueville que je venais de retrouver[4] ma croyance en Ruskin, en Elstir, déjà à demi mêlées à cette nature et sans que je puisse m'en plaindre puisque

---

1. « parfums » rayé, fin presque illisible : « Les couleurs ou ces choses vues » rayé, sauf « vues ».
2. En bas de page 18 avec suite page 19.
3. Proust a d'abord écrit : « Et d'où s'échappent », p. 18-19.
4. Proust a d'abord écrit : « Qu'il m'eût fallu trouver » et n'a pas rayé « trouver », ni la virgule qui suit.

ma foi en leur vérité je ne les en avais jamais séparées
et ne les avais adoptées que comme un regard plus
profond pour les voir. Et en effet je ne les vois plus
qu'à travers elle, à travers la pensée que tandis que
MR⁰ 19 je me promenais sur la plage de | Querqueville ou
dans le baptistère de St Marc ne restait pas une idée
de derrière la tête, de derrière le regard, mais se
F⁰ 19 mêlait à ce que j'avais sous les yeux, | et elles ajoutent
à Venise ou à Querqueville une lumière, une qualité
d'atmosphère morale qui se superpose et se marie à
la chaleur ou à la légèreté de leur air, à leur soleil et
à leur eau, et ne les individualise pas moins[1].

F⁰ 20   [1] Quand déjà une fois le matin du mariage de
Montargis[2], dans la lumière du soleil dorant la
girouette de la maison d'en face, j'avais revu Venise,
aussitôt j'avais voulu y retourner[3]. Maintenant la
manière dont venait toujours à moi le sentiment
enivrant de la vie, hors du temps, de l'action présente, m'enseignait mieux que ce n'était pas à une
jouissance dans le temps, à une action qu'il devait
aboutir, car je ne l'y retrouverais pas. Sans doute y
avait-il au fond de nous un être, — celui qui en moi
venait de ressentir une telle joie — qui ne se nourrissait que de l'essence des choses[4]. Or dans le présent,
il ne pouvait la * saisir soit que les sens ne puissent
pas la lui apporter et qu'elle ne puisse être dégagée
que par l'imagination, soit que dans l'action nous
les * abordions par un côté d'utilité, de finalité
égoïste qui nous empêche de les voir en elles-mêmes,

1. Ici nous reprenons au Folio 20 un passage qui se terminera au Folio 21.
Proust raye des mots et des lignes entières, mais nous donne un texte clair.
   2. Ici nous supprimons un « j'avais » inutile, vestige d'une correction
incomplète.
   3. Un nouveau souvenir involontaire que Proust ne reprendra pas dans
la *Recherche*. Voir p. 154 une esquisse du même souvenir. Et aussi Cahier 3.
   4. Proust a rayé « l'essence des choses » et lui a substitué au-dessus
de la ligne « qualité vraie », puis il a écrit à nouveau au-dessous de la
ligne « l'essence des choses ».

soit que même si nous voulons les observer directement, l'intervention même [de] notre volonté, de
notre intelligence, interpose mille données arbitraires entre la réalité et nous. Ce n'est pas qu'elle ne
laisse pourtant son impression en nous. Mais par
cette paresse qui nous fait tout le temps nous détourner de nous-même, et au moment où nous éprouvons sincèrement quelque chose, mettre à ce moment
F° 21   même dans notre esprit quelque propos machinal |
ou ardent * d'habitude et de passion qui n'a aucun
rapport avec ce que nous avons vraiment ressenti, ces
impressions profondes nous restent inconnues. Notre
intelligence aurait beau vouloir les chercher, elles
sont en nous dans une région où elle ne peut pas
pénétrer. Ce qu'elle cherchera à se représenter comme
le passé sera tout autre. Et pour qu'il renaisse [1].....

V° 19 | [2] M'est arrivé soudain cette irrésistible joie, est
suscité en moi un être inexistant l'instant d'avant,
qui voulait vivre, qui voulait créer, qui ne craignait
rien de la mort, qui se sentait immortel. Cet être
il languit en nous dans la jouissance ou [l']observa-
tion du présent, où soit que les sens ne lui apportent
pas cette essence vraie des choses, avec ses délices,

1. Interruption. Nous reprenons ensuite au Verso 19 un texte qui nous
conduira jusqu'à la fin du Cahier 58.
Mais ce Verso 19 a déjà été amorcé au Recto 19, puis a été entièrement
rayé, sauf les quatre mots suivants : « Avec une irrésistible joie. » Nous
reproduisons ci-après ce texte qui contient une idée qui sera reprise par
Proust plus tard :
« Cette vie ressuscitée je la sentais en moi comme une essence précieuse
avec une irrésistible joie. Chose curieuse je ne pouvais pas la retrouver
directement mais seulement en une autre chose − ce bruit de marteau
dans ce bruit d'assiette, ces impressions de Combray dans ce volume d'ici,
cette heure de St Marc dans ce pavé de la cour, où certes je ne me serais
pas attendu à la rencontrer. Déjà je me souvenais le matin du mariage de
Montargis, la lumière du soleil sur la girouette m'avait rappelé Venise et
j'avais voulu y retourner. Maintenant je sentais mieux que de même que
cette... »
2. Nous ne pouvons placer le « Mais elle... » situé deux lignes plus
haut.

sa nourriture ou son ivresse qui[1] ne peut se réaliser
que dans l'imagination, soit qu'ils les fassent ou les
laissent * apercevoir dans le biais de l'activité utilitaire. Cet être qui ne se nourrit et ne s'enivre que de
l'essence profonde, universelle, des choses, languit
pendant la jouissance et l'observation du présent où
nous abordons la réalité par le biais de l'utilité
pratique ou le disposons arbitrairement selon les
idées préconçues | de l'intelligence. Ce n'est pas
qu'à ce moment-là même elles n'aient fait sur nous
une impression. Mais dans cette paresse qui nous
détourne perpétuellement de nous-même, au lieu
de tâcher à amener[2] à ce moment-là dans notre
pensée un équivalent de notre impression, nous y
mettons quelque parole extrêmement divergente
soit langage de l'habitude machinale, comme je
m'en étais aperçu sur le petit pont de la Gracieuse[3]
quand j'exprimais l'idée que...[4] par le mot zut, ou
par un coup de parapluie, ou quand écoutant du
Flaubert ou du Wagner, au lieu d'essayer de faire
figurer dans notre langage ce que nous avons ressenti nous disons : c'est admirable, c'est délicieux
— ou le langage de la passion comme quand sortant
de chez les Guermantes je traduisais le plaisir que
j'avais eu chez eux en disant : Ce sont des gens vraiment bien intelligents ou comme tout à l'heure
Bloch (qui pensant[5] : quel ennui de ne pas avoir été
assez courageux pour gifler ce M^r !) m'avait dit : « Je
n'ai rien à objecter mais je trouve vraiment ffantastèque ces mœurs nouvelles. » Cet être intérieur ne
languit pas moins dans la considération du passé —

V° 20

---

1. Des ratures incertaines.
2. Ou : amorcer ?
3. C'est vraisemblablement un nom donné à la Vivonne. Dans le *Contre
Sainte-Beuve*, p. 293 (éd. Pléiade) Proust parle du vieil hôtel de Forcheville
où il y avait un jardin descendant jusqu'à la Gracieuse « comme dans *La
Vieille Fille* ».
4. Ces trois points sont de l'auteur.
5. Les parenthèses et la ponctuation sont de nous. L'incident auquel
il est fait allusion reste à découvrir.

car ce que l'intelligence lui représente sous ce nom
ce n'est pas lui, pas * ces impressions auxquelles elle
n'a pas voulu s'arrêter et qui dorment dans des
régions obscures où elle n'a pas accès, mais des
abstractions conventionnelles * où ne reste rien de ce
qui l'enchanterait. Et il languit aussi dans l'attente de
l'avenir que la volonté construit avec des fragments
du passé et du présent à qui elle retire encore un peu
de réalité en leur donnant une affectation toute
égoïste, une destination purement humaine. Ce n'est
que l'imagination qui peut en dehors du temps lui
apporter cette précieuse essence et c'est parce que
extratemporel il ne peut avoir qu'une connaissance
F° 21   extra | temporelle [1] qu'il n'a pas la crainte de l'ave-
nir, se sent éternel. Mais l'imagination seule ne suffit
pas. Pour qu'elle soit sûre non d'inventer, mais de
recréer, il faut que le hasard lui fournisse le point de
départ d'une sensation déjà éprouvée qui dans le
déclenchement au fond de nous-même de la semblable
nous fournira la garantie de son authenticité, en
même temps que la reconstruction de toutes les
sensations au milieu desquelles elle survivait, sera
conçue par l'esprit halluciné non comme possible,
mais comme réelle, quoique non actuelle, ce qui
ajoutera à la vision l'idée – désintéressée, hors
du temps, mais réelle – d'existence. Je me souvenais que le jour du mariage de Montargis j'avais
déjà une fois, le matin dans le reflet que mettait
le soleil sur la girouette [2] de la maison d'en face,
retrouvé Venise où j'avais aussitôt voulu retourner.
Maintenant je comprenais mieux que ce n'était pas
dans un voyage, dans un moment de l'avenir ou
F° 22   une action, que je pouvais prolonger [3], | réaliser

1. Passage à la page 21 après extra. Tout ce passage rappelle celui que
Bernard de Fallois a recueilli (p. 53) pour constituer la préface du C.S.B.
2. Proust donne le même exemple que dans le passage que nous avons
intercalé plus haut avec un développement analogue.
3. Passage à la page 22. Il avait ajouté « fugitive » à action, puis il avait
rayé.

une joie que je ne rencontrais jamais que loin du lieu lui-même qu'elle m'évoquait, qu'au sein d'une autre chose à la fois différente et semblable, dans ce pavé de la cour de l'hôtel de Guermantes, dans ce heurt de la fourchette contre la soucoupe. Cette essence de la vie dégagée, ressentie, il ne fallait pas la réenfouir sous les mensonges, les obscurités de l'action, il fallait l'amener en pleine lumière, la fixer dans un équivalent qui ne fût ni le langage de l'habitude, ni celui de la passion, où chaque mot serait déterminé par elle, et non par la préoccupation de produire tel ou tel effet, par le laisser-aller des formules apprises qui reviennent, par les à-coups de l'humeur de l'individu physique qui ne peut s'oublier lui-même, qui garde en écrivant la sensation de son visage, de sa bouche, de ses mains, au lieu de ne plus être qu'une matière poreuse, ductile, se faisant elle-même l'impression qu'elle veut rendre, la mimant, la reproduisant, pour être sûr de ne pas l'altérer, de n'y rien ajouter[1]. Comment cet art ne m'eût-il pas semblé précieux et valoir que j'y consacre mes années, n'était-il pas simplement la régression vers la vie, vers notre propre vie qu'à tous moments nous nous refusons à voir, par fatigue, par incitation, par faiblesse, par machinisme, par passion croyant que nous voyons quelque chose de « fantastèque » ou de « délicieux » quand nous voyons toute autre chose, mais sur quoi nous ne voulons pas fixer nos yeux, et que nous perdons à jamais. Je comprenais que c'est parce que sur l'impression vraie des choses nous entassons à tous moments les abstractions de la pen-
F° 23   sée, la matière morte de l'habitude, de l'obscurité |

1. Ici, à la même hauteur, en marge : « Aussi dans les livres que je sentais maintenant que je voulais écrire ne laisserais-je jamais quelque souvenir d'un autre écrivain, quelque désir de briller comme on en a dans la conversation, quelque intervention de ma personne matérielle et humaine dicter ; les mots ne s'arrangeront que selon la réalité intérieure aperçue, mes livres seront fils du silence et de la solitude ; non fils de la société et de la conversation » (voir R.T.P., III, p. 898, où Proust reprend cette phrase).

où il nous plaît de vivre, les fumées de la passion, les tourbillons de l'action, que inversement pour faire de l'art, c'est-à-dire retrouver la vie, il fallait non pas reproduire ce que nous croyons la vie, le passé, les actions et les mots, mais retirer successivement tout ce que nous avions, dans le moment même où nous l'éprouvions et bien plus ensuite dans la mémoire et le raisonnement déposé sur la vie, qui l'obscurcissait et à la reproduction de quoi tant d'artistes bornent l'art, croyant ainsi être réels et vivants. Maintenant diverses difficultés qui m'avaient arrêté jusqu'ici me semblaient[1] ne plus avoir d'importance. Mettant l'objet de mon art dans une réalité sous-jacente à l'apparence des choses et qui se trouve aussi bien, et est aussi difficile à découvrir, sous une impression ressentie dans une cour princière que dans un atelier, en regardant passer un chambellan qu'en lisant un philosophe, je n'attachais plus | aucune importance à la matière du livre et ne me souciais pas qu'il fût.....[2].

F° 24

1. Plusieurs lignes rayées.
2. Interruption. Six lignes plus bas, l'auteur écrit : « Je re » et s'arrête. Mais la suite est au Cahier 57 (B.N., N.A.F. 16 697).

[L'Adoration perpétuelle]

(Cahier 57 [1])

F° 4 | Le domestique partit et mon exaltation s'étant accrue, je refis avec plus de violence le mouvement machinal qui accompagnait mes pensées et qui consistait à tirer l'un après l'autre les volumes « premières éditions, éditions originales » de la bibliothèque de la Princesse car j'étais bien content tant que durerait cette longue audition de Parsifal d'être enfermé pour pouvoir penser un peu à l'aise. Mais au moment où je venais de tirer un volume et de jeter distraitement un coup d'œil sur son titre : François le Champi [2], j'eus tout d'un coup, un tressaillement désagréable, un vrai sursaut comme si je venais d'être frappé par quelque impression trop criardement dissonante [3] d'avec mes pensées, avant

1. Nous passons maintenant au Cahier 57, page 4. Le narrateur est toujours dans la bibliothèque de la princesse. Ce Cahier 57 a dû, dans la version des pages de droite, que nous datons de 1911, être écrit rapidement. L'écriture est celle de quelqu'un qui est pressé et qui ne se donne pas toujours le temps de former ses lettres. Elle est, néanmoins, plus soignée que celle du Cahier 58.

2. Volker Roloff a remarqué que cet épisode concernant *François le Champi* se trouve déjà dans le Cahier 10 et fait partie d'un tout concernant George Sand, dont Proust a coupé la fin sur la dactylographie remise à Grasset. Cette fin a été reportée dans *Le Temps retrouvé*. C'est elle que nous allons lire au Recto 5.

3. Ce titre est ajouté entre les lignes. Dans R.T.P., III, p. 883, Proust écrit simplement : « En désaccord avec mes pensées actuelles. »

que tout d'un coup je la reconnusse dans un flot de larmes, venue[1] les soutenir, en harmonie profonde avec elle[s]. Comme le fils d'un homme qui a rendu des services à l'état[2] et qui, tandis que les fossoyeurs ferment la bière de son père et que les amis défilent dans le salon, avant le départ pour l'église, entendant tout à coup retentir une aigre musique sous ses fenêtres, se révolte, croit à quelque insulte jetée par la gaieté populaire, à son chagrin. Mais tout à coup il comprend, ses yeux se troublent de pleurs, c'est la musique d'un régiment qui vient pour rendre honneur à son père et s'associer à son deuil. Ainsi brusquement c'était un soir de Combray où je ne pouvais pas dormir, où ma mère avait passé la nuit, une nuit de clair de lune, à me lire François le Champi, c'était une tristesse bien ancienne qui aussitôt au moment où je*[3] lisais le titre du volume m'avait serré le cœur, sans que d'abord je l'eusse reconnue. Je m'étais demandé avec colère quel était cet étranger qui venait tout à coup me faire mal. Et tout d'un coup[4] j'avais compris que cet étranger *MR° 5* n'était autre que moi-même[5]. | C'était l'enfant que j'étais alors que le livre venait de susciter en moi, car de moi ce n'était que lui qu'il connaissait, il ne voulait être aimé que par son cœur et regardé que par ses yeux.

C'est que la chimère de certains esprits qui par goût pour le mystère cherchent à croire que les objets

1. Proust a peut-être d'abord voulu écrire : « pour venir ». Nous avons pensé qu'il avait oublié de supprimer « pour ». Mais il semble bien avoir écrit « venue » au féminin singulier.
2. Ce membre de phrase sera biffé au début d'une phrase dans le manuscrit définitif où l'on trouve plus loin : « ...et que le fils d'un homme qui a rendu des services à la patrie... »
3. Proust semble avoir mis « j'avais ». Mais il faudrait : « J'avais lu... » « au moment » est partiellement rayé.
4. Cette répétition de « tout d'un coup » n'a pas été supprimée par Proust.
5. A la suite un passage raturé et finalement barré, remplacé par la phrase en marge que nous donnons à la ligne.

conservent sur eux quelque chose des yeux qui les
regardèrent, que les monuments et les tableaux ne
vous apparaissent que sous le voile sensible que leur
ont tissé depuis des siècles l'amour et la contemplation des choses, cette chimère-là est vraie pour chacun de nous[1]. En ce sens-là[2], en ce sens-là seulement, mais c'est le plus précieux, une chose conserve
le regard que nous lui avons donné et si nous nous
retrouvons en face d'elle, ce regard elle nous le rendra avec toutes les images qui le remplissaient. C'est
que les choses — et comme les autres sous sa[3] couverture saumon et dans son volume François le
Champi — sitôt qu'elles sont perçues sont converties en nous en quelque chose d'individuel, d'homogène à toutes nos préoccupations et sensations
d'alors, mêlé à elles, à jamais inséparable d'elles.
Son titre avait tissé pour toujours entre ses syllabes
le clair de lune soyeux qui brillait en cette nuit-là.
Nous ne pouvons plus séparer de sa trame tout ce
qui l'imprégna. Je frémis en pensant au premier
chapitre d'un plaisir que causa à ce moment en moi
non sa beauté propre mais une odeur d'acacia que
je n'ai pas reconnue[4] |. Et il avait suffi que je l'aie
aperçu sur un rayon de la bibliothèque de la Princesse de Guermantes pour que se fût levé un enfant
qui avait pris ma place qui seul avait le droit de
regarder ce nom François le Champi et le voyait
même comme il le déchiffra, à peine sorti du papier
qui l'enveloppait, avec la même impression de

F⁰ 6

1. Proust avait d'abord écrit puis rayé : « Cette chimère-là est vraie si
on la transpose dans le domaine de la seule réalité qui soit, dans le domaine
de sa sensibilité propre. »
2. Ici commence le passage emprunté à la dactylographie du Cahier 10
(Verso 18) dans le futur chapitre de *Du Côté de chez Swann* qui sera intitulé
« Combray ». Dans la version de 1927 l'emprunt est plus important qu'ici.
3. Rayés « cette » et « la » au-dessus de la ligne.
4. La page 6 commence ici, avec une phrase que Proust a rayée car la
comparaison est répétée plus loin : « Portant encore enroulée autour d'elle
comme une écharpe aux couleurs célestes, la sonorité de la voix bénie qui me
le lut. »

l'ombre de l'acacia, le même désir d'un voyage à
Venise[1], la même angoisse du coucher du lendemain. J'ouvris la première page, je relus la première
phrase, elle portait encore enroulée autour d'elle,
comme une écharpe céleste la sonorité de la voix
bénie qui les lui lut. Que je me retrouve en présence
d'un objet.....
[2] (P.S. Sur François le Champi dire accessoirement
ce pauvre livre, bien médiocre, et qui pourtant
m'avait souvent [fait] trouver du plaisir à remarquer tant de façons de parler paysannes dans le langage de Françoise qui le remettait soigneusement
en place quand ma mère l'avait lu[3] et qui me la
faisait paraître en cela du moins comme un personnage au dialecte, amicalement noté, de George
Sand, tenant dans sa main l'œuvre dont elle est sortie, comme on voit dans la niche de certains porches
une petite sainte, tenir dans ses mains un objet minuscule et ouvragé qui n'est autre que toute la cathédrale qui l'abrite[4].)
[5] Et me rappelant le bruit de la cuiller contre la
soucoupe, l'empois de la serviette, l'inégalité des

1. « Et à Padoue » rayé.
2. Le *post-scriptum* qui suit semble être de l'époque du texte principal.
En tout cas, Proust a laissé un blanc sur la demi-page. Quand il reprend
cinq lignes avant la fin de la page, c'est pour abandonner George Sand et
traiter de souvenirs involontaires. Il respecte à peu près ce blanc. Mais un
trait semble relier les deux textes et ce trait est respecté par le P.S. et aussi
par la note sur Bergotte que nous donnons ensuite, ce qui semble prouver
que le P.S. est tout de même postérieur.
3. Proust a écrit « lue ».
4. Ici une note parallèle au P.S. et séparée de lui par le trait dont nous
parlons dans la note 2 ci-dessus : « Mettre pour Bergotte ou un autre, entre
2 phrases, ils n'étaient plus pour moi que de ces livres qu'un soir de fatigue
on prend comme un train pour aller se reposer dans l'atmosphère et dans
la vision de choses différentes. »
5. Ici un texte débordant (ce qui est exceptionnel) sur la marge, avec
report Verso 5 et continuation Folio 7 en tête et en marge et qui se relie à la
suite barrée par une croix. Ce texte, qui est une reprise du Cahier 58, dut servir de lien. Il est, semble-t-il, postérieur à ce qui précède et à la suite, mais il
reste antérieur à la version de 1912 puisqu'il y est question de Querqueville.

dalles dans la cour, qui m'avaient[1] rendu des
moments que j'avais vécus à Querqueville, à Venise,
dans ce trajet en chemin de fer je compris quel abîme
il y avait entre un passé retrouvé par hasard et les
inexacts et froids fac-similés que sous ce nom de passé
V° 5 | ma mémoire consciente[2], ma mémoire visuelle,
— comme si le sens de la vue était plus rapproché de
l'intelligence, plus abstrait déjà, plus éloigné de la
réalité que les autres — présentait à mon intelligence
sur la réquisition de ma volonté. Bien souvent et
tout à l'heure encore en m'acheminant vers l'hôtel
de Guermantes je me disais que la vie était médiocre,
et combien la vie spirituelle était sans joie pour
moi[3]. Mais ce n'était que[4] ce que je regardais en
fouillant dans ma mémoire, ce n'était pas la vie, que
les raisonnements que je faisais alors n'étaient pas la
MR° 7   vie spirituelle. Et alors je ne compris qu' | à ce
moment que c'était probablement elle la vie de
l'esprit que je vivais à ce moment et que dans nos
âmes où vices, vertus, qualités, jouissances *, nous
devons tout éprouver sans le connaître d'abord sans
soupçonner que cela ait quelque rapport avec les
vices, les vertus, les qualités et les dons que nous
avons entendu nommer, c'étaient les joies comme
celles que je venais d'éprouver coup sur coup — et
comme sans leur donner[5] leur nom j'en avais déjà
ressenties à Combray[6] devant les aubépines, à Querqueville devant un rideau d'arbres, et un morceau
d'étoffe verte, à Paris en entendant le bruit du calorifère à eau — c'était cela les vraies joies spirituelles —
sous la forme particulière où je pouvais les ressen-

1. Ici un « fait » qui est de trop. Proust avait écrit d'abord « fait retrouver » puis « revivre », parmi quelques retouches.
2. Proust raye ensuite « intellectuelle ».
3. Une correction en surcharge. Proust reprend ici une idée déjà exprimée dans le Cahier 58.
4. Mauvaise construction.
5. « leur donner » est répété.
6. « Querqueville », rayé d'abord.

tir — que ce serait sans doute le genre de talent si
j'en devais avoir, et que la vie la plus heureuse [1], serait
bien en effet celle où ces moments de clairvoyance
seraient les plus nombreux. Non le passé, le vrai,
non la vie n'était pas médiocre. Il fallait qu'elle
fût bien belle pour que des sensations si humbles,
pourvu qu'elle nous les ait fait éprouver, pour qu'un
simple moment du passé m'eussent enivré d'une
joie si confiante, d'une si irrésistible joie. Peut'être
d'abord ce qui me frappait en eux c'était combien
chacun différait des autres [2] (Suivre 4 pages plus
loin le morceau Bêta *. Puis le morceau bêta * finit
par [être] suffisant à me rendre heureux. Et alors je
prends ici : De très simples moments du passé? plus
peut'être et suivre).

F° 7 | Un simple moment du passé? Plus peut'être;
quelque chose qui était à la fois commun au présent
[et] au passé. En moi l'être qui venait de renaître,
c'était celui qui avait ressenti [3] cette même impression de joie à Combray devant les aubépines, à Querqueville devant un rideau d'arbres, et devant un
morceau d'étoffe [4], à Paris en entendant le bruit du
MR° 7 calorifère à eau, d'autres fois encore — et qui devait |
m'ôter pour un moment la peur de la mort parce
que j'avais goûté une miette de madeleine dans une
F° 7   cuillerée de thé. | — (le même peut'être qu'un tableau
d'Elstir ou une page de Bergotte laissait indifférent
mais qui saisissait son aliment et sa proie si entre
deux tableaux d'Elstir, sur deux pages différentes de
Bergotte il saisissait une arabesque, un rythme com-

1. Deux mots au-dessus de la ligne, comme une surcharge esquissée :
« une des ».
2. Nous mettons entre parenthèses ces indications que Proust a insérées
dans le texte. Puis nous reprenons à la ligne en tête de page (ce qui précède
était en marge, mais de la même encre, donc, on peut l'admettre avec
réserve, de la même époque). Nous notons que la page est rayée par une
grande croix. Le texte étant très près du texte définitif, cela signifie sans
doute qu'il a été utilisé. Nous n'avons pas retrouvé le morceau « bêta ».
3. « Donné » rayé.
4. Ici Proust ajoute « d'arbres ». C'est un lapsus.

mun [1]). Je le reconnaissais [2]. Cet être qui existe sans
doute en chacun de nous ne se nourrit que de l'essence des choses. En elle seulement il trouve sa sub-
sistance, ses délices. Il languit dans l'observation du
présent où les sens ne peuvent la lui apporter [3]. Il
languit dans la considération du passé, que l'intelligence lui dessèche, et dans l'attente de l'avenir que
la volonté construit avec des fragments du présent et
du passé à qui elle retire encore de la réalité en leur
assignant une affectation [4] utilitaire, une destination
étroitement humaine. Mais qu'un bruit, une odeur,
qu'une saveur [5] déjà perçue autrefois soit pour ainsi
dire entendu, respiré à la fois dans le présent et dans
le passé, réel sans être actuel, idéale sans être abstraite, aussitôt cette essence permanente des choses
est libérée et notre vrai moi qui depuis longtemps
F° 8   peut-être était comme mort, | mais qui comme ces
graines gelées qui des années plus tard peuvent [6]
germer, s'éveille, s'anime et se réjouit de la céleste
nourriture qui lui est apportée. Une minute affran-
chie de l'ordre du temps, a recréé en nous pour le
sentir l'homme affranchi de l'ordre du temps. Et
celui-là on comprend qu'il soit confiant dans sa
joie, que le mot de mort n'ait pas de sens pour lui.
Que pourrait-il craindre de l'avenir [?] [7].

1. C'est Proust qui, après un tiret, place cette notation entre parenthèses.
2. Ici rayé mais repris plus loin : « Pendant des années il n'existait pas,
semblait mort, comme ces graines gelées qu'après bien longtemps un peu
de chaleur suffit à faire germer. »
3. Quelques mots rayés qui ne conduisent à rien.
4. « égoïstement » rayé.
5. « une saveur » rayé, mais que nous mettons parce que le « qu' » n'est
pas rayé et ne correspond plus à rien. De toute façon les accords des adjec-
tifs sont fautifs. Nous donnons le texte tel quel. Dans R.T.P., III, p. 873,
où cette phrase figure, « saveur » a disparu. Mais il faut observer qu'ici
encore Proust reprend un morceau de la dactylographie de « Combray »
dans *Du Côté de chez Swann.*
6. La suite est rayée jusqu'à « avenir ». Mais on la retrouve en partie
dans R.T.P., III.
7. Un grand trait courbe jusqu'au bas de la page avec cette note :
« Suivre à la page suivante sans alinéas. »

F° 9 [1] | Tant de fois au cours de ma vie la réalité m'avait déçu, parce que au moment où je la percevais, mon imagination qui était mon seul organe pour jouir de la beauté ne pouvait — en vertu de la loi inévitable qui veut qu'on ne puisse envisager que ce qui est absent — s'appliquer à elle. Et voici que soudain [2], l'effet de cette dure loi s'était trouvé neutralisé, suspendu, par un expédient merveilleux de la nature, qui m'avait fait miroiter une sensation — bruit de fourchette et de marteau, même titre de livre etc. — à la fois dans le passé et dans le présent, et en la situant [3] hors de ce qui m'entourait et ayant réussi à isoler en quelque sorte un peu du temps permettait à mon imagination de la goûter en un rêve [4] auquel l'ébranlement effectif que le bruit, le contact du linge, etc. avait communiqué à mon être ajoutait ce dont les rêves de l'imagination seule sont dépourvus, c'est-à-dire l'idée d'existence, l'idée d'actualité, sans lesquelles ils ne sont pas réalisés, et qui grâce à ce subterfuge [5] ayant fait se rencontrer un *F° 10* peu de temps isolé, obtenu à l'état pur, avec l' | imagination [6] qui d'ordinaire ne l'appréhende jamais directement avait fait traverser ma vision de la beauté — la durée d'un éclair — par l'aiguillon [d'un] frémissement de bonheur.

[7] Mais cette contemplation d'éternité était fugitive

1. Ce Folio 9 est aussi rayé par une grande croix. Et même parfois certaines lignes sont rayées horizontalement, avec d'ailleurs aussi d'autres ratures appartenant à la correction de la première rédaction. Nous maintenons tout ce qui nous paraît appartenir à cette première rédaction. Ce passage a été transféré presque tel quel dans la version définitive (III, p. 872).

2. « Par un détour miraculeux », et ensuite « expédient merveilleux de la nature » rayé. Répétition aussi de « Et voici que soudain ».

3. Nous supprimons ici deux phrases rayées qui n'aboutissent à rien : « Un moment de mon passé. »

4. « dégageant » rayé.

5. Toute une suite rayée ou barrée extrêmement confuse.

6. Au-dessus de la ligne : « qui me faisait toucher un ✳✳✳ »

7. Passage barré par une croix. Nous éliminons seulement les mots rayés. Il reste à savoir si ces deux passages barrés de la page 10 doivent être maintenus, car ils ne sont pas repris plus loin.

au moins autant que ce trompe l'œil du passé, présent qui, incompatible peut'être avec le fonctionnement normal de la pensée, s'il eût duré un instant
de plus, m'eût fait perdre connaissance, comme un
point trop brillant qu'un hypnotiseur vous fait fixer :
et comme, inversement, parfois au moment de s'endormir, on [ne] touche pas, une seconde, avec ses
yeux, avec tout son être le charme particulier d'un
passé.

V⁰ 9 | ¹ Dans cette phrase mettre : « et comme inverse-
ment avant de s'endormir » avant s'il eût duré un
instant de plus etc. qui finira la phrase, et ajouter :
² Car on peut prolonger les spectacles de la
mémoire volontaire qui n'absorbent pas plus de
nous-même que de feuilleter un livre d'images. Mais
comme ces résurrections du passé la seconde qu'elles
durent sont si totales, elles ³ n'obligent pas seulement que nos ⁴ yeux cessent de voir ce qui est près
d'eux pour regarder la ligne de la mer à Querqueville elles ⁵ obligent nos narines à respirer l'air, notre
volonté à en bercer les projets, notre moi ⁶ lui-même
à s'y croire, ou du moins à trébucher entre ⁷ lui et le
moment présent, en une hésitation, un éblouissement
qui ne peut durer qu'une seconde.

F⁰ 10 | Car tandis que pour l'intelligence et les sens,
même au moment où ils affirment la différence des
lieux qu'ils voient ces différences résultent seulement
des combinaisons variées d'éléments, foncièrement
identiques ⁸ — pierres affectant la forme d'un cré-

1. Ici un renvoi peut-être postérieur, en tout cas d'une écriture différente, en face, vers le Verso 9.
2. Tout le passage qui suit est barré. Il est utilisé en R.T.P., III.
3. Ici Proust écrit « ils », ce qui est une étourderie. Dans R.T.P., III, on
trouve « elles ». De même, ensuite, il faut rétablir un « que nos » rayé
devant « yeux ».
4. « Que nos » est imparfaitement rayé.
5. Ici encore nous mettons « elles » au lieu de « ils ».
6. Rayé : « le plus profond ».
7. « Hésiter » rayé.
8. En marge jusqu'à « corinthien ».

neau gothique ou d'un chapiteau corinthien — ces
lieux, ces moments qui avaient ressuscité à mon imagination avaient chacun — comme dans certains états
du rêve où le fonctionnement de l'intelligence et des
sens est également suspendu sur eux comme un épais
halo, comme un[1] impalpable enduit fait de la
lumière du passé — et garderaient pour moi quelque
chose de particulier, d'irréductible à quoi que ce fût
d'autre[2], qui faisait de chacun d'eux comme l'entrée
délicieuse de vies que j'avais vécues à Venise, à Querqueville, à Combray, absolument distinctes, sans
équivalence ni communication entre elles et où je me
retrouvais baignant chaque fois sous un ciel nouveau,
dans une atmosphère, une lumière, une pensée spéciale.

F° 11 | Je[3] repensais à Ruskin, qui m'avait fait croire à
Venise avant de la voir, comme à un bon maître qui
quand nous étions enfant nous a appris les éléments
de la Religion dont nous nous déprendrons peut'
être plus tard mais qui feront que dans notre souvenir une âme cachée donnera aux fleurs d'un autel
du mois de Marie ou d'un reposoir de la Fête Dieu
une beauté que nous ne trouverons pas aux fleurs
d'un buffet dans une soirée de contrat * ou une voi-
turée de cocotte à la fête des fleurs. Et me récitant[4]
une de ces pages historiques je m'apercevais que l'air
de Venise était posé sur elles, je sentais que[5] quand je
relirais le livre je m'y promènerais en gondole, que
le texte reposerait mes yeux comme le bleu * pro-

1. En marge jusqu'à passé.
2. Ici un renvoi en marge : « Matérialisation peut'être de l'heure et
du ✳✳✳ où ils furent vus, qui les baignait et qui reste sur eux comme un épais
halo, comme un impalpable enduit. » La fin de l'addition est raturée.
3. Ici un passage d'une écriture fine et d'une encre pâle, placé dans le
haut de la page 11, occupant le cinquième environ de cette page et débordant sur la marge. Proust semble avoir laissé une place pour ce passage. Et
quand il reprend : « Déjà le jour du mariage », on voit qu'il ajoute ce
« Déjà » pour enchaîner, car il est obligé de le placer en marge.
4. « rappelant » rayé.
5. Au-dessus : « mes journées », on se demande pourquoi.

fond du canal, que les colonnes * roses de S¹ Marc
tenteraient mon regard et ma main. Et comme le
désir invite à la possession j'avais envie de partir pour
Venise. Mais je songerais que toutes les réminiscences qui en faisaient la beauté c'est dans mon âme
qu'elles flottaient et que si jamais je pouvais espérer
retourner * dans ces jours de Venise, le seul quai
d'embarquement où je dusse descendre pour cela
était au fond de moi-même.

Déjà le jour du mariage de Montargis, je m'en
souvenais, j'avais revu dans l'embrasement de la
girouette d'en face ¹, Venise et Combray et pour aller
plus à fond dans mon plaisir j'avais ² voulu prendre
le train, sans me rendre compte que de telles impressions ne peuvent que s'évanouir au contact de la
jouissance directe qui a été impuissante à les faire
naître et que la seule manière de la goûter davantage,
c'est de les connaître plus complètement, de les
rendre claires jusqu'en leur profondeur en les
convertissant en un équivalent de pensée, c'est-
à-dire de signes, en une œuvre d'art ³.

⁴ Peut-être serais-je amené par la rareté de telles
résurrections fortuites du passé, à y mêler comme un
Fᵒ 13   métal moins pur, des souvenirs ⁵ plus | volontaires.
Mais je m'abstiendrais le plus possible ne fût-ce

1. Proust répète « revu ».
2. Proust écrit : « J'allais », plus haut il avait écrit, mais rayé, « j'avais ».
3. En marge : « Un instant, revoyant avec tant de charme les heures de
Combray, de Querqueville ou de Venise, j'avais été successivement tenté
de partir pour ces lieux, où il y avait toute une beauté. Mais cette beauté je
me souvins que je ne l'avais pas vue quand j'y étais; retrouverais-je cette
heure délicieuse que je voyais; peut'être pourrais-je la retrouver, mais je
sentis bien que le quai d'embarquement où je devrais descendre, était
situé au fond de moi-même (arranger ceci avec ce qui est en face). » Pour
tout arranger, Proust a placé en tête du Folio 11 le texte que nous avons
donné plus haut : « Je repensais à Ruskin » jusqu'à « moi-même » où
l'image du quai est reprise et en mieux.
4. Quatre lignes et un renvoi en marge barrés plusieurs fois.
5. En marge : « peut-être pas là ». Le Folio 12 est constitué par une
paperole. Nous la donnons dans les « Notes pour *Le Temps retrouvé* ». Elle
est postérieure à notre texte.

que parce que leur vérité [1] n'a pas de contrôle comme
ont ceux qui sont renés d'eux-mêmes sans intervention de notre volonté ni de notre raison, attirés par
une réalité identique qui leur met sa griffe d'authenticité, ainsi qu'à toutes [2] les sensations contemporaines qu'ils amènent autour d'eux, dans une proportion exacte de mémoire et d'oubli, de choses
mises en lumière et laissées dans l'ombre.

[3] Cependant je m'avisais que des impressions
obscures avaient quelquefois sollicité ma pensée, à
la façon de ces réminiscences, mais qui cachaient,
non une sensation d'autrefois, mais une vérité nouvelle, une image précieuse, que je cherchais à découvrir par des efforts de même genre de ceux qu'on
fait pour se rappeler quelque chose comme si nos
plus belles idées étaient comme des airs, qui nous
reviennent sans les avoir jamais entendus, et que
nous nous efforçons d'écouter en nous où personne
ne les a jamais mis, de distinguer, et de transcrire. Je
me souvins avec plaisir [4] parce que cela me montrait
que j'étais déjà le même alors et que on reconnaissait [5] un trait fondamental de ma nature, avec tristesse aussi en songeant que je n'avais pas progressé
depuis mon enfance, que déjà à Combray je fixais
avec attention devant mon esprit quelque image qui
m'avait fait impression un nuage, un triangle, une
F° 14   tour [6], une fleur, un caillou, en sentant qu'il | y
avait dessous quelque chose de tout autre que je

1. « authenticité » rayé.
2. Proust ayant substitué « sensations » à « souvenirs » a oublié de
mettre « tous » au féminin.
3. Le passage qui suit est reproduit presque identiquement dans R.T.P.,
III, p. 878.
4. « Joie » rayé.
5. Proust n'a pas mis de point sur le i, d'ailleurs escamoté.
6. Cette « tour » est absente de l'énumération figurant dans R.T.P., III,
p. 878. Par contre Proust a rayé : « un clocher ». Ce passage tire sa source du
Cahier 26, Folio 15 (verso), et du Cahier 11, Folio 13 (recto). Voir la transcription qu'en a faite Bernard Brun dans le B.I.P., n° 10, automne 1979
(p. 23 *sq.*).

devais tâcher de trouver, une pensée qu'ils signi-
fiaient à la façon de ces caractères hiéroglyphiques
qui semblent représenter seulement des objets
matériels. Sans doute ce déchiffrage était difficile
mais seul il donnait quelque vérité à lire. Car les vérités que l'intelligence saisit directement à claire-
voie dans le monde de la pleine lumière ont quelque
chose de moins profond, de moins nécessaire que
celles que la vie nous a malgré nous communiquées
en une impression matérielle parce qu'elle est entrée
par nos sens mais dont nous pouvons dégager l'esprit. Sous l'angle particulier d'où je voyais momentanément l'œuvre d'art — comme il fût arrivé sans
doute sous un tout autre angle pourvu qu'il eût été
vrai aussi — m'apparaissait l'erreur des conceptions
de Bloch qui m'avaient un moment embarrassé. Un
sujet non frivole ou sentimental, non personnel ou
mondain, mais peignant de grands mouvements
ouvriers, ou ploutocratiques, ou à tout le moins à
défaut de foules, non d'insignifiants oisifs mais de
nobles intellectuels? La réalité à exprimer gisait non
dans l'apparence du sujet mais à une profondeur où
cette apparence importait peu comme le symboli-
saient ce heurt du couteau contre une assiette et cette
raide serviette de five o'clock mondain qui m'avaient
été plus précieuses et sous lesquelles j'avais trouvé
plus de réalité artistique que dans toute la conversation humanitaire et philosophique de Bloch[1]. Plus
de style disait-il, plus de littérature, de la vie.

F⁰ *15*   Or si[2] | même le roman devait se borner à repro-

---

1. En marge et de la même graphie : « (après Bernstein). » Les théories
de Bloch sont aussi celles du dramaturge H. Bernstein (1876-1953). Notons
en marge un trait en face des deux tiers supérieurs de la page avec la mention : « pas là ». Et nous avons vu que Proust avait traité cette question
plus haut. Après « Bloch » une croix qui renvoie en face, au Verso 13 :
« Mettre ici : la profondeur ne me semblait pas le privilège exclusif et
mettre le développement de la page 707 » (voir pour 707 le Folio 27).

2. En passant à la page suivante Proust oublie de rayer un « le » qui est
de trop.

duire ce que nous avons vu, le style serait peut'être un hors-d'œuvre, inutilement ajouté au défilé « cinématographique » des choses. Mais cette conception était absurde. D'abord rien ne s'éloigne plus de ce que nous percevons en réalité qu'un tableau cinématographique[1] car les sensations de la vue (comme toutes les autres) que nous donnent les choses nous en versent[2] au moment où nous les recevons une infinité d'autres. La couverture d'un livre que nous avons lu a tissé dans les caractères de son titre le clair de lune d'une nuit d'été. Le goût de café au lait[3] nous apporte encore aujourd'hui cette vague espérance d'un beau temps qui si souvent, pendant que nous le buvions dans un bol de faïence crémeuse comme lui blanche et plissée[4] qui n'était que comme le durcissement autour de lui pour le contenir de sa propre crème, quand la journée était encore intacte et pleine *, se mit à nous sourire dans l'incertitude du petit jour et du ciel matinal. Une lueur n'est pas qu'une lueur, c'est un vase rempli de parfums, de sons, de moments, d'entreprises et de climats[5]. Et la

1. Rayé : « qu'un relevé réaliste de lignes et de surfaces. Une sensation — de la vue ou d'un autre sens n'est pas pour nous qu'une sensation. Car ».

2. « contiennent » rayé, « nous » ajouté avec « versent ». On pourrait construire : versent en nous.

3. Proust a rayé « de thé » et laissé subsister le « ou » qui précède. En marge il écrit : « voir si c'est exactement copié ». Il semble qu'il s'agisse du passage concernant *François le Champi,* et plus bas : « peut'être... (illisible) ».

4. Quatre mots sont rayés : « faïence crémeuse comme lui ». Nous les rétablissons pour le sens.

5. Ici un renvoi à un texte précédé de l'indication suivante :
« Mettre ceci soit après " entreprise et climat ", si " Et la littérature qui se contente " est supprimé, ou si elle ne l'est pas après " à le goûter de nouveau ". »
C'est la seconde solution que nous adoptons. Ce texte nous paraît être antérieur à 1913. Cf. l'édition définitive (III, p. 889) où Proust écrit : « Une heure n'est pas qu'une heure, c'est un vase rempli de parfums, de sons, de projets et de climats. » Proust y reprend presque sans changements tout ce Folio 15 et termine par la même idée : « Mais tant qu'il n'y a pas eu cela, il n'y a rien » (III, p. 890).

littérature qui se contente de « décrire les choses »,
d'en donner un misérable relevé de lignes et de
surfaces, est malgré sa prétention réaliste la plus
éloignée de la réalité, celle qui nous appauvrit et
nous attriste le plus. Car elle coupe brusquement
toute communication de notre moi présent avec le
passé dont les choses gardaient l'essence, et l'avenir
où elles nous incitent à le goûter à nouveau.

V⁰ 14 | Ce que nous appelons réalité c'est un certain
rapport entre les sensations qui nous entourent
simultanément, rapport qui ne peut être traduit par
une simple succession cinématographique et que
l'écrivain doit retrouver pour enchaîner l'une à l'autre
dans [sa] phrase, comme elles l'étaient dans son
impression, deux sensations différentes. On peut
faire succéder indéfiniment dans une description les
objets qui figuraient dans le lieu décrit. La vérité ne
commence que quand l'écrivain prend deux objets
différents, pose leur rapport et les attache indes-
tructiblement par un lien indestructible, une alliance
de mots[1]. Le rapport peut être peu intéressant, les
objets médiocres, le style mauvais mais tant qu'il n'y
a pas eu cela il n'y a rien[2].

F⁰ 15 | Mais il y avait plus. Si la réalité était cette sorte
F⁰ 16   de déchet de l'expérience, à peu | près identique
pour chacun, et parce que quand nous disons un
mauvais temps, une guerre, une station de voiture, un
restaurant éclairé, un jardin en fleurs, tout le monde
sait ce que nous voulons dire; si la réalité était cela,
sans doute une sorte de défilé cinématographique[3]
de ces choses suffirait, et le « style », la « littérature »
qui s'écarterait de leurs simples données, serait un
hors-d'œuvre artificiel.

Mais était-ce bien cela la réalité [?]. Si j'essayais de

---

1. Dans le manuscrit définitif Proust substitue « métaphore » à « alliance
de mots » (III, p. 889).
2. Retour au Recto 15.
3. Proust a rayé « d'énumération ».

me rendre compte de ce qui se passe en effet au moment où une chose vous fait une certaine impression, je m'apercevais que[1] − soit que, comme ce jour, où passant sur le pont de la Vivonne, le calme[2] de l'ombre d'un nuage sur l'eau m'avait fait crier : « Zut alors » en sautant de joie, soit qu'écoutant une phrase de Flaubert tout ce que nous voyons de notre impression c'est : « c'est admirable » − Cette impression nous nous empressions de la laisser tomber au plus obscur de nous-même, sans l'avoir seulement aperçue, et nous empressant de lui substituer, pour donner une cause à l'émotion qu'elle pouvait nous donner, un prétendu équivalent intellectuel n'ayant qu'un vague rapport avec elle, qui devenait pour nous, elle. Parfois c'était un sentiment égoïste qui faisait que nous l'exprimions à rebours, comme quand flatté d'être reçu chez les Guermantes, ayant fait chez eux un repas copieux, m'étant réchauffé à leur sympathie, étant devenu momentanément semblable à eux, je m'écriais : « Quels êtres exquis, intelligents. » Or comme Bloch tout à l'heure, désa-
F⁰ 17 gréablement surpris par l'apostro|phe d'un passant (il) disait en riant beaucoup et comme intéressé par la singularité de la chose [: «] Je trouve cela ffan-

1. Ici en marge un texte qui remplace, semble-t-il, une ligne et demie rayée et qui ferait la suite au « je m'apercevais » : « que loin de chercher à savoir, à connaître à amener à la lumière cette impression, nous la laissons fuir, nous empressant de lui substituer un prétendu équivalent intellectuel [qui*a*] n'a aucun [rapport] avec elle et ⁕⁕⁕⁕*b* d'original *(et ensuite barré par un trait vertical)* comme quand applaudissant * une page de Flaubert nous disons c'est admirable, une symphonie de Beethoven − ou qui n'a aucun rapport avec elle comme quand à Combray exalté à la vue d'un rayon de soleil transfigurant les arbres je sautais de joie en criant : " Zut alors " − ou chose qui en est exactement le contraire comme dans toutes les impressions où notre amour-propre lésé réagit contre sa blessure en donnant..... » (Proust semble avoir abandonné ce passage au bénéfice du texte situé en regard.)

  a. rayé « qui en réalité diffère absolument d'elle ou bien n'en tient absolument pas compte et néglige tout ».
  b. Quelques mots illisibles : « n'apporte à celle-ci » (?) [rien].

2. « beauté » rayé.

tastèque »[1] même dans les joies artistiques qu'on
recherche pourtant en vue de l'impression qu'elles
donnent, nous nous arrangeons le plus vite possible à laisser de côté comme inexprimable ce qui
est précisément cette impression et à nous attacher
à ce qui nous permet d'en éprouver aussi souvent
que possible le plaisir sans le connaître jamais plus à

MR° 17 fond [2] | [(| car même pour les plus artistes, quand on
étudie [3] plus à fond un morceau de musique, un
tableau [4] ce que l'on approfondit ce n'est pas intime
mais des notions valables pour tous qu'on lui a

F° 17 substituées) | et de croire la communiquer à d'autres
amateurs, avec qui la conversation sera possible
parce que nous leur parlerons d'une chose qui est
la même dans [5] les moments même où nous sommes
spectateurs plus désintéressés de la nature, de la
société, de l'art lui-même dont pourtant on ne
recherche les spectacles que pour l'impression qu'ils
nous donnent — comme toute impression est double
à demi engaînée dans l'objet, prolongée en nous-
même par une autre moitié que seule nous pourrions
connaître nous nous empressons de négliger celle-
là, et nous ne tenons compte que de l'autre moitié
qui ne pouvant pas être approfondie parce qu'elle
est extérieure [ne] sera cause pour nous d'aucune
fatigue. Le [6] petit sillon [7] qu'une symphonie ou la
vue d'une cathédrale a creusé en nous nous trou-

1. Le passage qui suit a été barré de trois traits, mais Proust a écrit en
marge : « Rétabli ». En face, au Verso 16, une autre version du passage
concernant le dîner chez les Guermantes et Bloch qui se continue jusqu'au
milieu du Verso 17 avec à la fin l'indication suivante : « Prendre au
recto : Même dans l'art. » Voir le texte p. 323.
2. Renvoi en marge.
3. Nous rétablissons ce mot rayé.
4. Ici Proust oublie de rayer le mot « impression » qui complétait le
mot « substituées » qui, lui, est rayé avec d'autres mots.
5. Un trait irrégulier descend jusqu'à « aucune fatigue ».
6. Ici Proust, qui avait mis un point-virgule après « fatigue », surcharge
le l minuscule d'un L majuscule. Notons qu'il est déjà question de ce petit
sillon au Cahier 26, Folios 15 et 16.
7. En marge, Verso 17 (première moitié barrée d'une croix). « Ajouter au

vons trop difficile de tâcher de l'apercevoir. Mais nous rejouons [1] la symphonie, nous définissons ses formes [2], la pureté de ses rythmes avec d'autres rythmes, d'autres auteurs, nous retournons [voir] la cathédrale, nous différencions son style de celui des cathédrales de même époque, jusqu'à ce que nous les

F° *18*   con|naissions aussi bien que n'importe quel wagné-

MR° *18*   rien ou archéologue et [3] | nous n'avons de repos que dans l'érudition, dans cette fuite loin de notre propre vie que nous n'avons pas le courage de regarder. Et nous recueillons cette mélancolie de constater que notre goût [4], notre intelligence, ne nous ont servi qu'à nous élever à être exactement pareils à d'autres hommes qui sont parfaitement instruits en musique

F° *18*   et en archéologie. | Dans l'amour même pour qui cependant il semble que le souvenir, les tendres impressions devraient être si chères, cherchons-nous jamais à en prendre conscience, à les préserver de

MR° *18*   l'anéantissement [5]. | Nullement. Tandis que les impressions les plus précieuses de l'amour − elles doivent l'être pour nous émouvoir à ce point −

petit sillon. Les autres idées celles que nous formons peuvent être justes logiquement, nous ne savons pas si elles sont vraies. Aussi rien n'est-il plus précieux, si chétive que paraisse le genre * d'impression, la matière à laquelle elle se réfère, que ces impressions qui nous aiguillonnent de la hâte de vérité que nous sentons à l'intérieur. Elles sont ce qu'il y a de plus précieux au monde parce que c'est d'elles seules que peut se dégager la seule chose dont la jouissance amène notre esprit à une plus grande perfection et à une pure joie, la vérité. Non pas la vérité qu'avec des mots presque pareils * nous entendons appeler l'humble vérité, qui se constate et se note, qui pare les dehors des choses comme une branche * humble et caractéristique, mais une vérité qu'on n'aperçoit * pas, qu'on pressent, qui ne se laisse pas voir et qu'on ne peut atteindre qu'à condition de la créer en faisant renaître si complètement l'impression qui la contient, qu'on fasse naître avec elle son cœur * le plus intérieur, la vérité. Et ceci la * réalité passe à notre seuil et nous laisse une note sur elle en caractère cryptographique que nous ne nous donnons pas la peine de déchiffrer. »

1. Un « de nouveau » entre les deux lignes que Proust a omis de rayer.
2. Ici nous prenons quelques mots placés en marge après coup.
3. Ici un renvoi en marge jusqu'à « archéologie ».
4. Ici deux mots rayés, un qui ne l'est pas et une tache d'encre.
5. La suite en marge.

passent au fond de notre cœur, le premier [1] jour où la jeune fille que nous aimons nous a parlé, celui où elle nous a appelé par notre prénom, celui où elle nous a laissé l'embrasser — nous ne cherchons pas à les connaître [2], | à élever à la lumière, à préserver du néant ce qu'elles contiennent d'original, de si nouveau et de si doux, nous *** du résultat obtenu, nous nous attachons au fait seul [3], | nous en détournons les yeux, nous nous attachions tellement au fait lui-même [4], purement utile et sans élément qualitatif ni durable, comme à un échelon que nous avons réussi à saisir [*5] et qui nous rapproche d'un bonheur plus grand où demain peut'être nous parviendrons. Nous reproduisons pourtant parfois en nous par le souvenir le plaisir que nous avons eu sans chercher à le voir plus clairement de sorte que quand nous n'aimons [6] | plus la jeune fille ces moments sont anéantis alors que nous aurions dû en dégager la réalité éternelle de l'amour qui a passé en nous grâce à elle [7]. | Quand Maria [8] m'avait pour la première fois appelé par mon prénom, semblant ainsi me dévêtir de toutes mes écorces et coques sociales, et prendre ainsi mon être, avec délicatesse, entre ses lèvres, qui lui faisaient éprouver le plus intime attouchement, avais-je cherché à éclaircir, c'est-à-dire, à me rendre maître, de ce que cette joie avait de si nouveau et de si doux. Non! [9] ravi des espérances que pouvait me donner ce premier succès je ne retenais que le fait lui-même, ce rapport nouveau * existant

In the left margin:
V° 17
MR° 18
V° 17
F° 18

1. En chiffre.
2. La suite au Verso 17 (indiquée par un rond entourant une croix).
3. Proust ajoute dans une parenthèse non refermée : « voir en face la suite. » Et nous revenons au texte situé en marge, Folio 18.
4. Renvoi au Verso 17 pour les sept mots qui suivent.
5. Mots douteux.
6. La suite au Verso 17.
7. Retour au texte principal, Folio 18.
8. Maria est une jeune fille en fleurs de la première version de la *Recherche*. Son nom disparaît quand apparaît Albertine, en 1913.
9. Nous ajoutons le point d'exclamation.

entre elle et moi qui n'avait en lui-même aucune réalité originale, mais une simple utilité pratique comme un échelon sur lequel j'avais réussi à poser le pied et qui allait me servir à avancer, et que j'oublierais entièrement quand le progrès sur des échelons plus élevés aurait rendu celui-là inutile.

[1] Or ce que nous avons substitué à une impression trop difficile à fixer * c'est cela que nous croyons être elle[2]. Et peu à peu, conservée par la mémoire c'est la chaîne * mensongère de ces secs mémentos d'où est absent tout ce que nous avons réellement éprouvé, c'est cela qui constitue pour nous notre vie[3], la réalité[4] | et c'est ce mensonge que nous représenterait un art qui se dit « vécu », simple comme la vie, se refusant à être « littéraire »[5], double emploi si ennuyeux et si vain avec ce que nos yeux voient et ce que notre intelligence constate qu'on se demande où celui qui s'y livre peut trouver l'étincelle de joie, le moteur capable de la faire avancer dans sa besogne.

Non[6]! la grandeur de l'autre art, de celui qu'on appelait un jeu d'artiste, c'était justement de retrouver, de ressaisir, de nous faire connaître cette réalité loin de laquelle nous vivons, de laquelle nous nous écartons de plus en plus au fur et à mesure que s'épaissit la connaissance conventionnelle * que nous lui substituons et que nous risquerions fort de mou-

F° 20

---

1. Nous rétablissons ici « Or » qui a été à moitié rayé, rayé avec la phrase suivante : « Or le " Zut alors " ou le " c'est admirable " – c'est ce que nous nous rappelons de l'impression que nous **** à cette impression, c'est cela que nous croyons être elle. » En rayant ces mots Proust veut éviter une répétition. Mais ce qui précède contient déjà des répétitions à cause d'additions ultérieures aux marges ou au verso situé en face.

2. Nous avons rétabli ce passage rayé pour terminer la phrase.

3. En dessous : « notre passé ».

4. Ici nous reprenons en marge un passage destiné, semble-t-il, à remplacer le texte principal qui ne pourrait se raccorder qu'aux dernières lignes rayées du Folio 18. Notons que le Folio 19 est constitué par une paperole que nous trouverons dans les « Notes pour *Le Temps retrouvé* ».

5. Nous revenons ici au texte principal.

6. Ici encore nous ajoutons un point d'exclamation.

rir sans avoir connue : notre vie. Ce travail de l'artiste, de chercher à apercevoir sous de la matière, sous de l'expérience, sous des mots, quelque chose de différent et de profond, c'est tout simplement le travail inverse de celui que fait [1] en nous l'intelligence, l'amour-propre, la passion, l'habitude quand elle amasse au-dessus de nos impressions pour nous les cacher les clichés photographiques, nomenclatures et buts pratiques que nous appelons faussement

MR° 20 la vie [2]. | Mais pendant ce temps nous perdons notre vie, nous n'en gardons rien ; bientôt ces profondeurs où elle passe et d'où nous détournons les yeux sont recouvertes de tant d'habitudes machinales et de notions fausses que les yeux ou l'esprit fixés sur quelque parole qui n'a aucun rapport avec elle, nous ne l'apercevons même plus. Hé bien, je sentais maintenant que l'autre art c'était celui qui cherchait à remonter à cette vie, à briser de toutes ses forces la glace des idées, des habitudes et des mots qui nous la cachent, à retrouver la mer libre, à vous remettre face à face avec la réalité, à nous la

F° 21 rendre. | Il vivra de cette vérité profonde que nous appelons beauté ; il ne se contentera pas de faire défiler les unes après les autres des choses si jolies soient-elles, il dégagera leur essence commune il leur imposera un rapport analogue dans le monde de l'art à ce qu'est la loi causale dans le monde de la science, et qui sont les anneaux nécessaires par où dure un beau style [3]. Même [4] ainsi que la vie quand en rapprochant une qualité commune à deux sensations, comme tout à l'heure le coup de cuiller sur

---

1. On peut lire aussi : « fit ». Même idée dans R.T.P., III, p. 896.

2. Ici un 1 que nous interprétons comme un renvoi à un petit texte barré situé en marge. Voici le petit texte en question : « (Mettre après la vie bien que 1 d'en bas soit autre chose.) Comment en tout ceci prendrions-nous l'intelligence pure. Elle ne sait rien du réel. »

3. Voir R.T.P., III, p. 889, où il est question simplement des « anneaux nécessaires d'un beau style ».

4. Un « il » non rayé précédant plusieurs mots rayés.

la soucoupe, dégage leur essence commune, pour la soustraire aux contingences du temps et du particulier il enfermera cette essence dans une métaphore. Mais c'est un art raffiné, inaccessible à l'ouvrier dira Bloch. D'abord pourquoi ces grands amis des ouvriers[1].....

Ainsi nous passons à[2]

Ce travail qu'ont fait notre amour-propre, notre passion, notre intelligence, notre esprit d'imitation, du désir des arts, notre goût des formules brillantes, nos habitudes pour nous cacher la vie, c'est ce travail que nous déferons, c'est la même marche * en sens contraire que nous suivrons[3]. Mais vous y perdrez votre virtuosité, votre métier | [4], cette habileté naturelle[5]. Il s'agit bien de cela. Il s'agit de connaître notre vie. Cette virtuosité, cette facilité ne valent que par le sacrifice qu'il faut en faire sur l'autel de divinités plus hautes. Victimes agréables et choisies d'ailleurs où nous étions excusables de mettre notre complaisance, car souvent la facilité elle-même signifie aussi facilité plus grande à voir que la facilité n'est rien.

Tandis que les yeux fixés sur une image intérieure.....

Et quand nous aurons atteint la réalité, pour l'exprimer, pour la conserver, nous écarterons tout ce qui est différent d'elle que ne cesse de nous[6] suggérer

F° 22

---

1. En marge : « Très important à propos du présent *. La déception de l'amour, du voyage, etc. auraient pourtant bien dû m'apprendre que ce n'était pas de cela qu'il s'agissait que c'était de la chose intérieure et nullement de l'objet extérieur. On devrait penser que cette chose étonnante que nous sommes et qui vit et se développe a ceci de particulier que c'est au sein d'elle-même, qu'elle connaît les choses, [qu']elle les enveloppe pour les connaître. »

2. Interruption. Le passage qui suit est un peu décousu et obscur.

3. Les derniers mots de cette page sont rayés (plus ou moins bien).

4. Toute la fin du paragraphe est barrée d'un trait oblique. Nous n'éliminons que les lignes rayées.

5. Ici rayé sauf « habileté » : « qui s'était doublé d'habileté acquise ».

6. Ce mot dans le texte est répété inutilement.

la vitesse acquise de l'habitude. Plus que tout j'écar-
terais ces paroles que les lèvres plutôt que la pensée
choisissent, ces paroles pleines d'humour, comme on
en dit dans la conversation et qui après une longue
conversation, quand on a cessé pendant un certain
temps d'être soi-même, bourdonnent encore dans
F° 23   notre esprit, | l'emplissent de mensonge, et qu'il
n'a pas la force de réfréner, ces paroles toutes physiques qui viennent non de l'être profond, mais du
moi individuel, qu'on accompagne en les écrivant
d'une petite grimace[1] – la petite grimace qui altère
à tout moment la phrase d'un Sainte-Beuve. Les
livres sont les enfants du silence et ne doivent rien
avoir de commun avec les enfants de la causerie.

C'est le petit trait[2] que l'image, l'impression d'une
chose avait marqué en relief[3] en nous, auquel il faut
arriver, s'attacher scrupuleusement, en faire sortir la
signification. Toujours cette image qui recèle
[quelque chose] d'autre qu'elle, se distingue des autres
MR° 23   à l'instant même où elle est perçue des autres[4], |
nous sentons qu'elle a un fond que nous ne voyons
pas, semblable à quelque chose que sa vue a ébranlé
en nous-même, si bien qu'en cherchant en nous,
peut'être pourrions-nous le trouver. Mais que ce
sera difficile. Sans cesse [il faut] ramener devant
V° 22   notre attention l'image pour qu'elle fasse[5] | en nous
tressaillir ce quelque chose d'inconnu, que, mieux
F° 23   préparés, nous pourrons peut'être *** saisir.[6] | Je me
souvenais qu'à Combray au moment [où] une telle
image me passait devant les yeux, sans bien aperce-

1. En marge de la même écriture : « qui gardera écrite la sensation de
son menton et de sa cravate. » Cf. III, p. 897-898.
2. Proust raye « sillon ».
3. Proust raye « creusé ».
4. La suite en marge.
5. A partir de ce mot, nous reprenons un texte au Verso 22 juste en face
entouré d'un trait courbe avec, au crayon bleu, cette mention manifestement postérieure : « Ceci écrit avant ne se rapporte pas au morceau
au-dessus. »
6. Retour au texte principal.

voir ce qu'elle recouvrait, je[1] m'apercevais qu'il y avait quelque chose d'autre qu'elle-même en elle. Que de fois à Combray, dans mes promenades du côté de Méséglise ou de Guermantes, je l'ai dit, je revins[2] avec une telle image devant laquelle j'étais tombé en arrêt un instant que je sentais n'être qu'un couvercle bien qu'elle parût faute de temps semblable aux autres, un clocher oscillant devant un train, la courbure triste d'une barque, une tête de paysanne, tant d'images que j'avais rapportées dans ma pensée et qui y étaient le plus souvent restées comme des ornements inutiles, incompréhensibles, dont je n'avais pas eu la force de recréer en moi ce

F⁰ 24 — qu'ils signifiaient. | En m'en souvenant, j'éprouvais quelque plaisir à voir que ma manière particulière d'être averti de la présence d'une réalité profonde sous les apparences était déjà quand j'étais tout enfant la même qu'aujourd'hui; mais c'était avec tristesse aussi en pensant à tout ce temps perdu[3].

Cependant je m'avisai que si c'était toujours sous quelque image que la réalité à découvrir se présentait à moi, cette réalité n'était pas toujours un moment de mon passé, mais quelquefois une vérité nouvelle pour moi, et à laquelle il me fallait arriver de la même manière, en fixant mes yeux sur l'image, en me demandant ce qui était derrière elle, en tâchant de me souvenir de cette pensée que je ne connaissais pas, comme si les plus belles étaient comme des airs qui nous tourmentent du désir de les retrouver bien que nous ne les ayons jamais entendus, et que nous nous efforçons d'écouter, d'approcher de notre oreille intérieure, de distinguer, de transcrire sans que pourtant personne les ait mis en nous. Grande difficulté que

1. Nous rétablissons les mots suivants qui sont rayés, pour l'intelligibilité de la phrase, jusqu'à « en elle ».
2. Répétition que nous supprimons : « dans mes promenades du côté de Méséglise ou à Guermantes ».
3. Répétition du Folio 13. Proust en est conscient puisqu'il écrit : « Je l'ai dit. » Mais ses termes et ses exemples surtout sont différents.

ce soit ainsi sous quelque chose de matériel, sous une simple forme, que soit cachée une vérité. Comment
V° 23   de ceci ferais-je sortir cela ?[1] | J'ai bien senti en touchant par la pensée cette image qui est dans mon cerveau, que sous elle il y a quelque chose, mais quoi ? Je promène de nouveau ma pensée dans mon cerveau comme une sonde, je cherche le point précis de l'image où j'ai senti quelque chose, jusqu'à ce que je l'aie retrouvé, ma pensée s'est heurtée à quelque chose qui l'arrêtait à un peu de matière, je veux dire de pensée encore inconnue en moi, encore obscure sous son voile d'inconscient, et aussitôt elle l'a reperdue. Parfois je recommençais dix vingt fois, la sonde se fatiguait devenant moins sûre, allant moins loin dans son exploration, bientôt l'image qu'elle touche * n'est plus la première, la précieuse, mais une autre qui s'y est déjà substituée, moins profonde et qui ne contient pas l'obstacle fécond. Souvent cela restait ainsi. Je venais de perdre une idée que je ne connaîtrais jamais, une de ces créatures endormies au fond de nous sous les limbes de l'inconscient, qui ne peuvent naître et être délivrées que si nous réussissons à briser leur chrysalide, conduits vers elles sans les connaître encore par le pressentiment et le
F° 24   désir de leur beauté. | Et c'était toujours ainsi. C'était toujours sous des images que je pressentais la vérité précieuse, sur une figure de fleur, de forêt[2], de château, de poignard[3], d'oiseau, quelquefois une simple figure géométrique, un parallélogramme, un triangle,
F° 25   tout | ce grimoire compliqué et fleuri, plein de formes naturelles, comme des hiéroglyphes pour l'intelligence de qui personne ni moi-même ne pouvait me donner de règle, sa lecture consistant en un acte de création, de résurrection auquel rien ne peut suppléer, pour qu'un moment * paraisse la réalité

1. C'est un 1 de Proust, qui renvoie au Verso 23 à une note que nous intégrons au texte parce qu'elle nous paraît antérieure à 1913.
2. « village » rayé.
3. « épée » rayé.

même et la vie. Mais c'est aussi le seul livre que
nous ait vraiment dicté la réalité, l'impression qu'elle
nous a faite c'est la griffe de son authenticité. L'image
rencontrée par hasard au-dehors qui déclenche,
automatiquement s'il s'agit des réminiscences [1], la
résurrection d'un moment passé, est le contrôle
même de leur vérité, puisque nous en ressentons la
joie de [la] réalité retrouvée, son effort pour remonter à la lumière, avant qu'il n'y ait eu intervention de
notre volonté et de notre intelligence; et c'est la
confirmation aussi de la vérité de tout le tableau des
impressions subjectives * que l'impression renaissante
ramène avec elle [2], dans la juste et unique proportion
de lumière et d'ombre, que la mémoire et l'observation consciente ne sauraient pas nous prêter * [3].

S'il s'agit d'une vérité, vérité du sentiment ou de
la vie, sa figure matérielle, la trace de l'impression
qu'elle nous a faite est encore le gage de sa vérité
nécessaire. Les idées formées par l'intelligence pure
n'ont qu'une vérité logique, une vérité possible, leur
élection est arbitraire. Ce livre-là est notre seul livre.
Ce qui est clair avant nous n'est pas à nous. Nous ne
tirons de nous-même que ce que nous tirons de l'obscurité qui est en nous et que ne connaissent pas les
autres. | D'ailleurs comme l'art recompose exacte-
ment la vie, autour de ces vérités plus vraies qu'on a
atteintes en soi-même flotte une atmosphère de poésie, une douceur de mystère qui n'est que la [4] profondeur de la pénombre que nous avons traversée. Les
vérités précieuses que l'intelligence cueille à claire-

F° 26

---

1. Proust a oublié de rayer « notre », le complément « volonté » étant,
d'ailleurs, barré.
2. Ici un « avec lui » qui aurait dû être rayé avec les mots précédents.
3. Ici renvoi vers une note en marge barrée de trois traits de plume :
« La vie nous met déjà sur le chemin de l'art en ne nous montrant sa beauté
qu'après coup, dans autre chose. » C'est une idée que Proust reprend probablement ailleurs.
4. Des hésitations. Proust a barré : « le signe de ». Dans R.T.P., III,
p. 898, il dit : « le vestige de ».

voie[1] devant elle en pleine lumière ont des contours plus accusés, plus secs, et sont planes, n'ont pas de profondeur parce qu'elles n'ont pas été recréées. Souvent des écrivains au fond de qui n'apparaissent plus ces vérités mystérieuses, n'écrivent plus à partir d'un certain âge qu'avec leur intelligence, qui, cependant, a pris de plus en plus de force. Les livres de leur maturité ont souvent plus d'autorité plus de force, mais ils ne baignent plus dans le même velours[2].

Cette indication exacte d'un degré de profondeur de la pensée de l'écrivain, que le style fournit à tout moment[3] de lui-même, à celui qui le consulte comme le baromètre[4] de l'aviateur ou la boussole du marin sans qu'il soit nécessaire d'avoir mesuré le trajet parcouru, la profondeur étant, non une qualité *F° 27* intrinsèque du * | privilège[5] exclusif de certains sujets préconisés par les écrivains amis d'un Bloch, mais une sorte de degré de l'intuition [;] me * réservant d'examiner plus tard si à une même profondeur les objets ne comportaient pas cependant une importance plus ou moins grande, je sentais que quand un de ces mêmes écrivains qui, n'étant pas arrivé à eux * avec * profondeur, ne retirait pas de son langage ce

1. En marge à cette hauteur : « Q^d je dis : " Les joies de l'intelligence " c'était cela! Ajouter. Ou plutôt ce n'était pas cela mais quelque chose sans rapport avec les mots quelque chose d'ineffable, d'innommé * voir le passage ⦵ dans le **** forme page P. »

2. Ici trois petites croix que l'on retrouve page 28 avec cette note : « Ces trois croix ne se réfèrent * pas à ce qui est ci-dessous. Je ne sais ce qu'elles font là. » Mais elles se retrouvent en tête de la page 29 après ces mots : « Ne baignent plus dans le même velours. » Ce qui vient ensuite page 29 est barré de trois traits verticaux. Mais faut-il négliger la fin de 26 et les pages 27 et 28? Nous ne le pensons pas. Il n'y a d'ailleurs pas d'interruption dans le texte. Proust a pu penser après coup que son texte devait être disposé autrement.

3. En marge : « que le style fournit à tout moment ».

4. Proust commet une erreur. Dans R.T.P., III, p. 898, il mettra « altimètre » sans parler d'ailleurs d'aviateur.

5. En tête de ce folio le chiffre 707 dont la signification nous échappe; mais on peut supposer qu'il donne le nombre de pages, à ce moment du travail de l'écrivain, de la deuxième moitié de son livre. Voir au Folio 14.

qui est passion, ce qui est humeur, ce qui est imitation, atmosphère ambiante, idée mal éclaircie,
expression faussée par l'amour-propre dont on est
dupe, etc., qui n'approfondit aucune situation, n'in-
vente aucune image, sous prétexte de langage populaire ne fait pas fondre au creuset de sa sincérité les
banalités d'une pensée qui ne se comprend qu'à demi
et d'un sentiment dont l'intelligence reste la dupe, —
venaient flétrir ensuite l'art mondain, l'art frivole,
sans intérêt, immoral, art matérialiste, art de femme-
lettes, etc., je pensais que croire que leur art à eux
est élevé et puissant, ce serait réputer l'intention
pour le fait autant que dans la vie appeler bons les
hommes qui flétrissent sans cesse les méchancetés et
ne parlent que de vertus, quand même ils seraient
incapables de mettre de la bonté dans la plus petite
action. [Et quand]¹ après dix pages * de considérations générales, l'écrivain se trouve enfin devant le
fossé à sauter, une chose * à prendre * par une image
et qu'il échoue misérablement, on a beau * objecter
qu'il est intelligent, qu'ils étaient intelligents², mais

F° 28   cette | prétendue circonstance atténuante ne devrait
pas être comptée à l'actif d'un artiste plus que le
fameux : « il aime tant sa mère » qui a été plus ridi-
culisé mais qui n'est qu'aussi ridicule. Son art si
spiritualiste de tendances qu'il soit est³ plus matérialiste que les autres, puisqu'il ne sait pas descendre
au-delà des apparences, et même qu'un art qui a
quelque objet chétif et purement matériel mais dans
les profondeurs de qui il est descendu⁴.

---

1. Nous rattachons ici une phrase en marge, et qui se poursuit dans le
bas de la page et au folio suivant. Nous négligeons quelques mots isolés
que Proust n'a pas rayés.
2. Proust hésite ici entre le présent et le pluriel.
3. Ici un « le » qui n'est pas rayé.
4. En bas de page, débordant sur la marge et poursuivi en tête de page
en marge, un texte sur Bloch entrant dans le salon et prenant le nom de
Jacques du Rozier, etc. C'est barré mais Proust écrit que c'est accidentel
et indique que ce texte est « à mettre quand je rencontre Bloch dans ce

F⁰ 29 | Et certaines de ces vérités mêmes, sont des créatures tout à fait surnaturelles[1] que nous n'avons jamais vues, et pourtant que nous reconnaissons avec un plaisir infini quand un grand artiste réussit à les amener du monde divin où il [a] accès, pour qu'elles viennent un moment briller au-dessus du nôtre. N'était-ce pas une de ces créatures, n'appartenant à aucune des espèces de réalités, à aucun des règnes de la nature que nous puissions concevoir, que ce motif de l'Enchantement du Vendredi Saint[2] qui sans doute par une porte du grand salon entrouverte à cause de la chaleur, me parvenait depuis un moment, fournissant un appui à mon idée si même elle ne venait pas de m'être suggérée par lui. Avec

F⁰ 30   son archet Wagner | semble se contenter de la découvrir, de la rendre visible comme une peinture effacée qu'on dégage, d'en faire apparaître tous les contours, avec la sûreté prudente et tendre d'instruments qui les suivent à la piste, s'altérant légèrement pour indiquer * une ombre, marquant avec plus de hardiesse l'éclat plus grand où parvient un moment avant de disparaître la vision scrupuleusement respectée, à laquelle ils[3] n'eussent pas pu ajouter un seul trait, sans que nous eussions senti que Wagner ajoutait, qu'il mentait, qu'il cessait de voir * et cachait son obscurcissement par des parcelles de son cru. La parenté certaine qu'elle avait avec le premier

---

salon ». Postérieur à 1913 (?). Ensuite les trois croix dont nous avons parlé plus haut, avec les mots « ne baignant plus dans le même velours ». Et Proust s'y reprend à deux fois, barrant une première demi-page pour reprendre ensuite les mêmes idées.

1. Dans sa note (sur le Quatuor de Vinteuil p. 4, Cahier 57), Proust emploie la même expression de créatures surnaturelles.

2. Proust n'a pas oublié que l'on donne *Parsifal* et plus exactement le second acte. La représentation de *Parsifal* dans sa totalité durant cinq heures, on comprend que l'on se soit limité à un acte. Mais Proust ne s'est-il pas trompé d'acte? Car *L'Enchantement du Vendredi saint* se trouve dans le troisième.

3. Les « instruments », mentionnés plus haut dans la phrase.

éveil du printemps[1] en quoi consistait-elle? Qui aurait pu le dire; Elle était encore là, comme une bulle irisée qui se soutient * encore, comme un arc en ciel[2], qui un moment s'était affaibli, mais [avait][3] recommencé à briller d'un plus vif éclat et aux deux couleurs qu'il irisait * seulement d'abord, ajoute maintenant tous les tons du prisme et les fait chanter. Et on restait extasié et muet, comme si on eût dû compromettre par un mouvement le prestige délicieux et fragile qu'on voulait admirer encore tant qu'il durerait et qui dans un moment *[4] allait s'évanouir.

F⁰ 31 | Sans doute de telles vérités[5] inintelligibles, immédiatement senties[6], sont trop rares pour qu'une œuvre d'art ne soit faite que d'elles; il faut les enchâsser dans une matière moins pure. Mais si l'on [n']utilise pour cela que les vérités, secondaires peut'être par leur objet, mais dont la découverte nous a[7] donné un moment de joie, tant de remarques s'appliquant aux passions, aux mœurs, cette partie moins précieuse de l'œuvre sera encore pénétrée d'esprit. Encore là convient-il de ne pas se tenir aux différences superficielles[8] de l'objet. Quoi que Bloch s'imaginât, l'intérêt des lois qui régissent les mouvements de l'amour-propre, de la jalousie et de tant d'autres sentiments profonds sont tout aussi intéressants[9] à étudier chez un homme du monde insi-

1. Parsifal dans *L'Enchantement du Vendredi saint* contemple l'exquise beauté des prés qui entourent le château de Montsalvat.
2. Ici Proust avait mis un point et commencé une phrase qu'il raya, pour continuer la première.
3. Rayé, mais nécessaire au sens.
4. Une virgule qui aurait dû être rayée comme le sont les deux ou trois mots qui suivent.
5. « Visions » rayé.
6. Au-dessous et de la même encre : « dans l'expérience même des plus grands peintres * ».
7. Proust laisse subsister par erreur un « ont » qu'il n'a pas corrigé.
8. Au masculin dans le texte. Proust n'examine pas ce problème dans la version définitive.
9. « Tout aussi » est rayé ainsi que la première moitié de « intéressants ». Mais sans ces mots la phrase est boiteuse.

gnifiant que chez un écrivain [1], parce qu'ils font partie d'une vie organique qui obéit à des lois toujours identiques, comme la circulation du sang, ou les échanges respiratoires qu'un physiologiste étudiera [2] Sans cela l'étude du caractère de l'artiste doué Steinbock [3] dans la cousine Bette de Balzac, étude ennuyeuse et médiocre, serait forcément plus intéressante que celle du caractère du sot abbé Birotteau dans le Curé de Tours qui est admirable.

Encore si l'œuvre est un roman faudrait-il ne pas se contenter d'étudier ces caractères comme s'ils étaient immobiles [4]. Mais pour emprunter le langage de la géométrie, non point une psychologie plane, mais une psychologie dans l'espace et faire subir aux caractères les mouvements en quelque sorte mathématiques qui se passent à l'intérieur d'un caractère étant indirectement soumis à d'autres mouvements

1. Nous ajoutons ici ensuite un renvoi en marge indiqué par un trait terminé par un « sans » qui est le premier mot de la phrase qui vient après.

2. Proust ajoute mais raye : « tout aussi bien sur le corps d'un imbécile que sur celui d'un grand savant ». Dans la marge on trouve une note où il donne des indications sur une autre construction de ce passage. Il semble partir de la phrase sur les « lois toujours identiques » qui (c'est nous qui introduisons ce qui) « ne dépendent pas plus de la valeur intellectuelle de l'homme sur qui ont [sic] les étudie, sans cela l'étude du caractère d'un Steinbock (mettre ici entre parenthèses la phrase ci-dessous) et ensuite que le caractère etc. que la circulation du sang ou l'altération des tissus qu'un physiologiste étudie sur des viscères sans se soucier s'ils ont été prélevés sur le cadavre d'un artiste ou d'un boutiquier ». Ces modifications proposées et ces corrections, pas faciles à réaliser sans arbitraire, ne changent rien au sens. Elles nous apprennent seulement que Proust a hésité dans ses exemples entre un écrivain, un grand savant ou un artiste (d'une part) et un homme du monde insignifiant, un imbécile ou un boutiquier (d'autre part). Elles nous donnent tout de même un amusant aperçu des valeurs proustiennes.

3. Dans le Cahier 29, condamnant l'art de Romain Rolland, Proust écrit : « Aussi cet art est-il le plus superficiel, le plus insincère, le plus matériel (même si son *sujet* est l'esprit, puisque la seule manière pour qu'il y ait de l esprit dans un livre, ce n'est pas que l'esprit en soit le *sujet* mais l'ait fait : il y a plus d'esprit dans *Le Curé de Tours* de Balzac que dans son caractère du peintre Steinbock)... »

4. Ici suppression d'une comparaison avec une horloge.

F° 32   qui | agissent sur le caractère lui-même et à la fois
altèrent * ses molécules, et au-dehors [les font] [1] lentement changer de place dans l'ensemble des autres
êtres qui réagissent sur lui.
[2] Cette vérité, de la plus poétique à celle qui n'est
que psychologique, il faudrait que ce qui l'exprime
– langage, personnages, action – fût en quelque
sorte entièrement choisi et créé par elle, de façon à
lui ressembler entièrement, à ce qu'aucune parole
MR° 32 étrangère ne la dénaturât [3]. | Je n'aurais voulu, si
j'avais été un écrivain, y employer comme matière
que ce qui dans ma vie m'avait donné la sensation
F° 32   de la réalité et non du mensonge. | Pour le vêtement
des plus poétiques il serait fait comme les robes
d'aurore etc. [4], comme entre les robes couleur du
MR° 32 temps | [5] de la substance transparente des heures
les plus belles, dont nous ayons gardé le souvenir, de
[telle] matinée d'automne, de telle fin d'après-midi
d'été où une chose nous apparut, [où] nous vîmes
tout d'un coup engendrée par elles deux, une réalité
poétique et complète [6], moments * vraiment * musi-
caux, heures conservées dans la mémoire, enserrées *
dans la mémoire en vue de ce beau sacrifice et d'où
nous les tirerions pour [en] fournir – parfois plu-

---

1. « font » est rayé. Nous le rétablissons avec un « les » qui nous paraît
oublié.
2. Ici un renvoi de Proust avec un 1 qu'on retrouve entre parenthèses,
après le mot « ici » (« c'est peut'être ici (1) que se placerait le mieux »). Cette
note est peut-être postérieure au texte initial si nous en jugeons par le
Verso 33 où elle se poursuit et où elle est traversée par une autre note,
semble-t-il, postérieure à 1913. On la trouvera dans les « Notes pour *Le
Temps retrouvé* ».
3. A partir de là une phrase est renvoyée en marge.
4. On néglige un « qu'on » que Proust a oublié de rayer et ensuite trois
verbes rayés : « donnerait » (suite de « qu'on »), « ne prendrait », « choisi-
rait » et un autre mot rayé mais qui est illisible.
5. Renvoi en marge.
6. Ici Proust relie son texte à un autre plus bas, gêné sans doute par ces
mots eux-mêmes en marge et entre tirets : « – la base * d'un clocher par
exemple élancée au soleil couchant – »

F° 32

sieurs seraient nécessaires — vérifier pour cela — pour offrir à une idée la forme d'[une é]pithète | [1], entre les journées d'autrefois qui sont restées particulièrement belles qui sont dans notre souvenir [2]. Une fin d'après-midi lumineuse dans une église de campagne deviendrait * un adjectif, une promenade l'hiver en forêt en donnerait peut'être un autre, afin du sacrifice de tous ces beaux jours d'autrefois de tirer une goutte de parfum. Quant à ces minutes de particulière allégresse où nous sentîmes tout d'un coup en une chose les qualités, l'essence incarnée d'une autre, elles nous fourniraient ce qui en est l'équivalent dans le langage, une métaphore. Mais comme dans ces moments les plus lucides nous ne vîmes qu'une faible partie vraie — la base d'un clocher par exemple élancée au soleil couchant [3] — qui nous donne tant de joie — d'une chose dont le reste * demeurerait pour nous opaque, simple objet d'observation, il faudra aller chercher à des années d'intervalle [4] et dans des lieux différents, une heure favorisée où une autre partie de la même chose nous fut révélée pour la faire glisser à côté de l'autre, trop heureux si en sacrifiant pour cela nos plus beaux jours d'autrefois nous pourrions arriver à reconstituer, une fois une chose, | [une] vérité, dans toutes ses dimensions de réalité, tel[le] que nous la verrions * à la fois dans la réalité si nous ne nous laissons pas effrayer alors par la crainte des modernistes de faire un morceau, puisque nous savons qu'il n'y a pas dedans une parcelle de rhétorique et que tout a été tiré de l'expérience et de la vie, mais dédaignant le système de « notation », qui sous prétexte de replacer l'éclair de lucidité dans les circonstances

F° 33

---

1. Retour au texte principal après l'addition marginale qui se termine au verso.

2. Cette phrase fort compliquée semble faite d'une série de notations que Proust devait se réserver de mettre au point ; le « etc. » du début le prouve.

3. « Parcelle de vérité » rayé.

4. Au-dessus : « fut-ce à bien ».

où il se produisit replace[1] l'œuvre d'art dans le plan
des contingences * de la vie et use d'un réalisme psychologique qui est aussi superficiel que l'autre[2].
Les vérités moins poétiques, celles qui résultent
d'une identité *, perçue entre les caractères des différents hommes ou des différentes situations de la vie,
appellent une action dans des personnages, personnages qui peuvent être engendrés de personnages
connus dans la vie, mais si bien réduits en leurs
éléments constitutifs qu'ils se reproduiraient comme
les végétaux ou les animaux inférieurs par voie,
parfois de division, parfois de multiplication, une
seule qualité de quelqu'un qu'on a [connu[3]] devenant une personne et parfois s'unissant pour cela à
une qualité d'une personne tout autre, sans rien laisser dans le livre des circonstances du fait, des contingences de la vie — exprimées elles-mêmes par des
situations créées à dessein * pour les symboliser —
pour que rien de réfractaire ne se mêle dans le livre
à une essence spirituelle, homogène, malgré ses
nuances infinies et de façon que quand le plus léger
souffle le traversera, il puisse s'y propager et le faire
frémir tout entier comme cette matière sonore de la
symphonie musicale où la plus légère inquiétude,
l'ombre la plus furtive, la plus instable velléité de
gaieté fait frissonner, obscurcit, ou anime à la fois
tous les instruments[4].

1. Rayé : « fait dépendre ».
2. Rayé : « Pour les personnages ils pourraient être créés d'après des
personnages qu'on a, mais. »
3. « con » rayé. Nous rétablissons le mot « connu ».
4. A la suite les Folios 34 et 35 sont amputés de la partie principale de la
page. Il ne reste que des marges des hauts et des bas de page. Mais nous
avons retrouvé les Folios 34 et 35 du Cahier 57 dans le manuscrit autographe de la Nationale (au Folio 17 de ce manuscrit. Cahier XIX, N.A.F.
16 726). Ils y constituent une seule paperole (qui porte ce n° 17). Celle-ci
n'a pas été reprise par les éditeurs du *Temps retrouvé*. Le haut de la page 34
a été amputé d'environ 4 centimètres. Quant aux versos des pages 34
et 35, comme Proust les a commencées sur les marges et que ces dernières
n'ont pas été coupées, le texte se trouve réparti sur ces marges et sur le dos

F° 34 | Mais dans l'expression de cette vérité il faudra
bien se garder que rien n'intervienne de ce qui l'avait
elle-même obscurcie, ne pas la laisser altérer par
l'homme superficiel — l'homme qui garde la sensation * de son visage et de sa cravate pendant qu'il
MR° 34 compose, qui [1] | écrit certains mots comme il les pro-
noncerait pour le plaisir de les accompagner d'un
F° 34   petit haussement d'épaules | et qui réalise la pléni-
tude de l'épithète qu'il choisit non dans son style
mais entre ses dents où le plaisir qu'il en ressent
au lieu de les motiver * entièrement * dans son style
par des vérités, éprouve le besoin de se compléter
MR° 34 dans sa | joue par une petite grimace complémentaire
du choix bizarre de toutes les épithètes de Ste-Beuve
comme des diatribes de certains écrivains d'aujour-
F° 34   d'hui contre l'art contemporain | [2] — l'homme qui
croit que la réalité [3] peut se réaliser dans l'action
et qui attache une importance à « son passé », à des
amitiés intellectuelles, l'homme dont les mots sont
choisis par une humeur, une émotion factice, dont
il est dupe. Il ne faut [pas] [4] que les enfants du mensonge et de la parole, aient rien de commun avec les
beaux livres qui sont les enfants de la Solitude et du
Silence, voir verso suivant [5]. Mais redéfaisant ainsi
pièce à pièce votre langage, comme vous avez défait
vos souvenirs des choses, dira-t-on, ne craignez-
vous pas de perdre votre habileté technique, votre

des deux pages coupées, c'est-à-dire dans les deux manuscrits (le Cahier 57
et le manuscrit définitif).

1. Un renvoi que nous trouvons en marge et que nous reproduisons
à la suite de ce « qui » resté en suspens dans le manuscrit autographe
(jusqu'à « épaules »).

2. Nous avons intégré à « joue » un deuxième renvoi marginal. Nous
supprimons en marge du Cahier 57 une deuxième « petite grimace » qui
est une répétition.

3. « vérité » rayé.

4. Un « avec » que Proust oublie de rayer.

5. Au verso suivant on ne trouve pas de suite, mais un texte que nous
donnons dans les « Notes pour *Le Temps retrouvé* ».

F⁰ 35 virtuosité. | Il s'agit bien de cela! Mais de la réalité[1]
de la vie. La virtuosité, la « facilité », ne valent que
par le sacrifice qu'on en fait sur l'autel de divinités
plus hautes. Victimes choisies d'ailleurs, où nous
n'avions pas tort de mettre notre complaisance, car
souvent la facilité s'accompagne d'une facilité plus
grande à voir que la facilité n'est rien. Ce dont il
s'agit[2], c'est de connaître enfin la réalité, de briser
la glace des habitudes – des mots dits mécanique-
ment pour imiter * les autres * ou pour donner
satisfaction à nos nerfs, ou[3] [à notre paresse] qui se
perd * immédiatement dans * l'*** et nous en
MR⁰ 35 sépare *. Il | s'agit[4] qu'ayant peu à peu redéfait en
sens inverse tout ce qui nous éloignait de la vie, l'art
se trouve être précisément, intégralement, la vie. La
nature même ne m'avait-elle pas mis sur le chemin.
En me permettant de connaître la réalité des heures
de ma vie que longtemps après les avoir vécues et
enveloppée[s] en tout autre chose qu'elles, les après-
midi de Combray dans le bruit de cloche de l'horloge de mon voisin[5], les matinées de Rivebelle dans
le bruit de notre calorifère, ne faisait-elle pas déjà
de l'art. N'était-ce pas de l'art qu'elle faisait encore

---

1. Rayé : « il s'agit de revenir à la vie » et « tâcher de connaître enfin ».
2. Ici la suite est barrée et l'on retombe à « c'est de connaître ».
3. Ici le manuscrit qui est taché est indéchiffrable.
4. Proust met entre parenthèses : « voir dans la marge ». La marge est
restée dans le Cahier 57 où nous la recopions, en respectant la majuscule
du « Il ».
Voici le passage barré qui n'a pas donné satisfaction à Proust : « ... c'est
de savoir si notre vie, si cette réalité que nous avons laissé loin de nous, les
yeux[a] attachés pendant qu'elle passait au plus profond de nous-même, sur
les idées des autres passivement * entraînés * à dire les mots qui exigeaient
de nous le moins de peine où se continuaient le plus aisément les mouvements de nos nerfs, nous la connaîtrons * enfin, c'est de savoir si nous vou-
drons nous contenter de posséder au lieu de notre vie, la croûte extérieure
des choses connues ».
   a. Un mot qui semble se rattacher ici, qui est placé au-dessous et qui serait : « ardemment ».
5. Ici Proust renvoie un peu plus bas, mais il écrit : auparavant « son
charme » qui correspond à une addition aux quelques lignes du Folio 35,
dans le Cahier 57.

quand au moment où je sortais pour aller pour la
1ere fois il y a bien longtemps dans ce même hôtel
Guermantes où je me trouvais aujourd'hui elle avait
MV° *35* [attaché][1] à une sensation véritable * [2], | éprouvée
alors, le bruit du tonnerre, (peut-être *** une
autre ***) tant de sensations du passé, odeur du
lilas, *** des soirées des *** assemblant des choses *
qui avaient une affinité les unes pour les autres, faisant sa part à l'imagination, et faisant maintenir * le
passé déployé sur différents plans à la minute présente qui devant une sorte de cadre délicieux pour
la vue * [3] prenait la consistance, les dimensions, la
plénitude, la généralité, les attractions d'un beau
F° *35*   roman [4] qu'on voudrait vivre. | Il s'agit [5] de retrou-
ver et d'atteindre la mer libre, d'atteindre enfin cette
chose à laquelle nous tenons bien peu puisque nous
mourrons sans l'avoir connue (et que nous lui laissons substituer le revêtement apparent des choses, le
même pour tous) [6] : notre vie.

Et pourtant il n'y a qu'elle qui soit vraiment belle
et puisse nous donner [le point de vue] qui ne ressemble à aucun autre d'où nous pouvons les mépri-
F° *35*   ser tous et les malheurs aussi. N'était-ce pas [7] | un
peu de cette beauté [8] passée que je découvrais dans les
pages d'un livre que je feuilletais tout en songeant,
un des seuls livres modernes de la bibliothèque de la
Princesse de Guermantes, un vieux recueil d'articles
de Bergotte, ouvrage épuisé et que je ne possédais

1. « att » rayé.
2. Ici une croix qui semble renvoyer à une autre croix à la marge du
verso jusqu'à « vivre ».
3. Les quatre derniers mots rayés, maintenus pour le sens.
4. « livre » rayé.
5. Ici nous reprenons le « il s'agit » avec une autre majuscule ainsi que
le texte principal du Folio 35.
6. Nous mettons des parenthèses pour faire apparaître le mouvement de
la phrase.
7. Retour au Cahier 57.
8. En marge : « son charme ».

F⁰ 36 pas, mais dont j'avais lu | autrefois dans des Revues
presque tous les morceaux qui y figuraient [1]. D'abord
je n'ose pas l'ouvrir. Ces premiers essais de Bergotte que j'aimais plus que tout ce qu'il a fait depuis,
comment les trouverais-je maintenant? Ce charme
cette douceur [2] qui m'y enchantaient, d'une douceur
donnant aux plus simples pages, la fluidité aérienne,
ensoleillée et caressante d'une première journée de
printemps et que je n'ai jamais *** trouvé dans les
chefs-d'œuvre qu'il a écrits plus tard, n'était-ce pas
moi qui l'y mettais, par une façon de lire, par exemple
parce que m'imaginant alors à Combray, que Ber-
MR⁰ 36 gotte était un doux vieillard, | et que comme une
jeune fille de province qui dénature les œuvres
qu'elle joue parce que personne ne lui a indiqué
F⁰ 36 le mouvement où il faut les prendre, | je chantais
tout le livre en le lisant à la fois trop andante et
trop piano, ce qui en augmentait la mollesse et
en changeait le caractère. De plus d'un de ces essais,
je ne me rappelais rien sinon çà et là, comme
d'une mosaïque plongée dans l'ombre et dont
on ne peut distinguer ce qu'elle représente [sauf]
quelques points étincelant de couleur. Mais cette
couleur avait-elle été mise par Bergotte? Ou l'y
avais-je mise en comprenant mal une phrase de
lui, en associant à un mot qu'il avait employé un
souvenir personnel, n'était-elle pas tout simplement
la couleur du lieu où je le lisais? D'une page sur la
cathédrale de Reims je n'avais gardé qu'une impression de bleu azur. Je la relis sans pouvoir trouver ce

1. En marge : « Comment la Princesse de Guermantes le possédait-
elle? Je regardai la 1ʳᵉ page, je vis une dédicace (ce qui doit venir ici est
écrit neuf pages plus loin) ». Avant « d'abord », barré : « Là se trouvait ce
morceau sur la neige qui jadis avait ». S'agirait-il ici des articles d'Anatole
France réunis dans *La Vie littéraire?* Ou de Paul Desjardins?. L'allusion
ultérieure à la cathédrale de Reims fait plutôt penser à Ruskin; de même
que l'allusion à la neige qui vient après, Ruskin ayant décrit des paysages
alpestres de neige. Voir p. 185 et 186.
2. Au-dessous un : « J'y achetais * » que Proust a dû oublier de barrer.

qui l'avait motivée[1]. Je me rappelais aussi un ciel comme les filets d'une pêche que je voyais roses et

F⁰ 37   gris *. | Or en retrouvant la page je me rends compte — sans trop d'émotion d'ailleurs, car le propre du grand artiste c'est l'autorité dans la suggestion, les beaux livres sont écrits dans une langue étrangère, beaucoup moins pure qu'on ne le croit, nous mettons parfois dans les mots une image différente de celle qu'a vue l'auteur, mais la vérité est[2] dans la progression des rapports, sans qu'un mot ait l'importance que lui attribuent les amateurs de « variantes[3] » — qu'il s'agissait non du fruit pêche, mais de la pêche

MR⁰ 37   du poisson[4]. | Dans l'idée que je me faisais maintenant du talent de Bergotte j'avais si peu retenu le genre de beauté qui m'en avait longtemps paru le plus précieux fleuron, qu'en retrouvant ces phrases, je me demandais si elles n'étaient pas semblables au reste du texte et si ce n'était pas seulement une lumière partie du fond de ma mémoire qui les isolait, les sculptait ainsi en une nature plus belle, aimée et mystérieuse[5].

MR⁰ 36   [6] | Çà et là traînaient encore dans ces pages — comme des jouets de mon enfance — une phrase terminée par des points de suspension, un couplet tout en

1. Rayé : « Je me rappelais aussi une cathédrale posée dans le ciel comme des filets. »
2. Au-dessus « subsiste ».
3. Proust a rayé : « d'éditions ne varietur ».
4. Ici un renvoi en marge jusqu'à « mystérieuse ».
5. Cinq lignes rayées.
Ici nous allons intégrer dans le texte une note de la marge du Recto 36 qui se poursuit en « enclave » au Verso 36 et sur les deux Versos 37 et 38. Nous obéissons à l'indication suivante donnée par l'auteur en tête du Verso 37 : « Après l'enclave de la page précédente au Verso (sur le rythme) avant de prendre *voici la page sur la neige (c'est nous qui soulignons)* mettre. » Après ce « mettre » suit le Verso 37 qui se prolonge sur le Verso 38. Notons que l'écriture de ces textes de versos est la même que celle du texte des rectos (ou folios). L'une des idées qu'elle contient se trouve déjà exprimée aux Versos passablement mutilés numérotés 34 et 35.
6. Nous supprimons un « A mettre ici quelque part » qui ne se justifie plus, le « quelque part » ayant été indiqué plus loin.

V⁰ 36

apposition, sans verbe — qui me semblaient alors les plus belles choses du monde et dont je m'enchantais chaque jour. T S V P ¹. | De certaines autres phrases je ne me rappelais absolument rien et aurais cru les avoir sous les yeux pour la 1ᵉʳᵉ fois si je n'avais senti leur rythme, certaines consonances, éveiller au fond de moi l'écho de leur contour qui s'était gravé plus fortement en moi sans doute que la phrase elle-même en subsistant seul, comme de fresques ² aujourd'hui entièrement effacées subsiste parfois une mince [ligne ³] de couleur qui seul vestige et témoignage de la peinture qui la couvrit autrefois cerne * encore la nudité de la pierre. Et de plus en plus profondément en moi, de plus en plus profond, jusqu'en ces limpides juillets de Combray où j'attachais sur lui ma pensée pour tâcher ⁴ de saisir la raison de sa beauté et sa signification profonde existant entre lui et les vérités infinies que je voyais dans Bergotte — descend dans ma mémoire le cercle sonore de ce rythme admirable et vide, qui n'enchâsse * plus rien qu'un ciel d'été.

V⁰ 37

⁵ | Le dirai-je? ce style que j'avais tant aimé, m'ap-

1. Proust avait d'abord écrit puis barré par sept traits verticaux : « De certains morceaux ne subsiste pour moi que leur rythme sans concours * des images que le rythme tenait assemblées, et qui sont entièrement effacées comme ces peintures murales du moyen âge dont il ne reste rien qu'un liseré de couleur qui cerne seulement l'espace vide où elles étaient contenues. »

2. Proust a d'abord écrit « ces peintres » (rayé), « autour de l'espace nu que couvrait jadis une peinture murale » (rayé); ensuite il a ajouté « de fresques », mais il a oublié de corriger « effacée » pour l'accord.

3. « Rayé » mais non remplacé.

4. Ici un renvoi en marge jusqu'à « existant ». Un peu plus haut une répétition de « sur lui » que nous supprimons.

5. Proust au Verso 37 nous donne entre parenthèses l'indication suivante : « Après l'enclave de la page précédente au Verso (sur le rythme) avant de prendre (voici la page sur la neige) mettre. » Suit un texte qui se poursuit dans la marge du Verso 38. Nous respectons cette indication en insérant ici ce texte qui s'accorde très bien avec ce qui précède. Notons que Proust exclut en même temps ici un passage en le barrant à coups de plume. Voici ce passage que nous essayons de reconstituer : « Çà et là (*rayé :* je voyais quelque idée, apercevais une idée à une grande profon-

paraissait moins particulier que je n'aurais cru, un style d'admirable écrivain que n'eussent pas désavoué mais qu'eussent [1] presque pu signer plusieurs des plus grands. Il me paraissait beau pour les mêmes raisons que la leur. Et toi aussi pensais-je [2], attentif à reproduire fidèlement [3] dans les statuettes qu'on trouve au sein de ta prose comme dans les sols augustes où dorment des chefs-d'œuvre, les visions que tu apercevais au fond de ton âme et que nul autre ne vit jamais, voici que ton œuvre apparaît comme si semblable aux grandes œuvres des autres que toutes barrières individuelles tombées, il semble que comme les morceaux indûment séparés d'une même peinture murale, on pourrait les rentoiler dans un même panneau où cette colline que tu as si bien décrite [4] serait continuée sans heurt par la prairie de Tolstoï où fauche Levine. Tous les poètes me semblent ne faire qu'un seul Poète dont les noms différents s'appliquent seulement [5] Gérard de Nerval à ses minutes vagabondes, Baudelaire *MV° 37* à ses réminiscences, Vigny [6] | dont les heures tour-

deur, je voyais Berg) j'apercevais des motifs *, une œuvre * d'art que je ne connaissais pas, une impression, une idée que j'avais eue aussi et dont j'avais douté et je me sentais fortifié comme par un baiser de ma mère quand je craignais d'avoir mal agi. Le plus souvent il avait saisi cette idée bien plus loin que je ne saurais jamais (le faire). Une fois au contraire je vis au contraire qu'il s'était arrêté à un point par où j'avais passé mais que j'avais dépassé. Mais toujours..... »

1. Proust a oublié de mettre le pluriel quand il a changé le sujet « tel ou tel autre » en « plusieurs des plus grands ».

2. Au-dessus de la ligne : « ne voir et rien regarder du dehors ».

3. Au-dessus : « les visions * que tu apercevais en f..... »

4. On voit qu'ici Proust semble intégrer Marguerite Audoux dans le personnage de Bergotte, avec Tolstoï et tous les poètes !... Voir Cahier 26 (transcrit par Bernard Brun dans le *Bulletin d'informations proustiennes* n° 10).

5. « à tel moment » rayé. La même idée a été exprimée aux Versos 34 et 35 qu'il a découpés et transportés dans le manuscrit définitif. On la trouve aussi au Cahier 6 plus ancien et intégrée au *Contre Sainte-Beuve* dans « Sainte-Beuve et Baudelaire ».

6. Proust commence semble-t-il par écrire en marge et rayer : « dont la vie intermittente dure autant que celle de l'humanité et dont certaines heures portant do..... » (inachevé).

mentées et cruelles portent le nom de vie de Baudelaire, d'autres innocentes et vagabondes le nom de vie
de Gérard de Nerval, d'autres studieuses et sereines
vie d'Hugo, d'autres égarées abaissées vers des buts
inférieurs vie de Balzac ou de Chateaubriand, ou à des
buts qui dépassent la vérité artistique et ne l'atteignent
plus[1], dernières années de Racine, de Pascal[2] et
de Tolstoï, mais ne sont que les moments d'une
même vie intermittente et séculaire qui [dure]ra[3]

V⁰ 38 autant que l'homme | si bien que son aspect
physique même paraît pendant quelque temps ne
pas changer, et que tels portraits d'Hugo, de Baudelaire, de Vigny, de Leconte de Lisle et le tien[4]
semblent pris d'après des profils différents d'un
même visage. Mais l'originalité si elle semble se
fondre dans cette unité immense était pourtant nécessaire pour y accéder. Aucune ressemblance ne s'atteint du dehors. Elle n'est que l'extériorisation d'une
âme en harmonie à son insu avec d'autres âmes.

F⁰ 37 | Voici la page sur la neige. N'est-ce pas un charme
encore plus grand que son charme propre, que je ne
puisse savoir au juste ce qu'elle vaut parce que[5] la
relisant le plaisir qu'elle me fit souvent autrefois se
réveille et[6] les significations diverses que je donnai
successivement aux mêmes mots se superposent et
font au-dessus d'eux une atmosphère profonde et
trouble, la belle patine de l'esprit qui a duré met sur
les mots[7] qu'elle déroule * un reflet trompeur dont
je n'arrive pas à les séparer. Double reflet à la fois
physique et intellectuel. Dans cette journée où je le
lus chez Mademoiselle Swann je peignais les mots

1. « vieillesse » rayé.
2. Ce « Pascal » est ajouté sous la ligne.
3. Le commencement de ce verbe a été effacé.
4. Ce pronom possessif est au-dessus de la ligne. Il se rapporte à Bergotte.
5. Proust avait écrit : « parce qu'elle éveille », puis il a substitué à « elle
éveille » « la relisant », et oublié de transformer « qu' » en « que ».
6. Un renvoi en marge jusqu'à « duré ».
7. Au-dessus : « images ».

de Bergotte avec le blanc blafard de la neige dans un
petit jardin d'Auteuil où nous avions été faire visite
le jour de l'an précédent, avec le blanc doré de la
neige aux Ch^ps Élysées, le jour où j'avais tant craint
qu'on ne me laissât pas sortir, puis que Gilberte ne
vienne pas et où elle était arrivée toute rouge, avec
sa toque de fourrure et m'avait lancé une boule de
neige. Mais maintenant cette neige que j'avais vue
qui avait projeté son reflet sur son livre[,] maintenant c'était elle qui recevait du livre de Bergotte un
autre reflet. Car toutes les hautes pensées sur la neige

F° 38   qu'il contenait, qu'il avait | éveillées en moi, tandis
que je lisais ce jour-là [,] elles s'étaient silencieusement * approchées * dans la neige, comme un enfant
qui va jouer dans ce jardin et elles avaient formé
une amitié indissoluble. C'est cet amalgame que je
retrouvais dans ces pages de Bergotte où peut-être
ses paroles sur la neige suscitaient * une fraîcheur plus
pénétrante et pure qu'elles [1] n'en possédaient en réalité, mais aussi la neige que j'apercevais dégageait plus
de poésie que de la neige que les yeux seuls verraient ;
amalgame qui n'est ni esprit pur, ni simple vision,
patine qui couvrait chaque mot, épaisseur et volonté
du temps écoulé où les impressions que j'avais
ressenties autrefois m'étaient rendues non plus séparées comme l'intelligence les utilise et classe, mais
fondues dans un vague indéfinissable, charme de
la vie.

[2] A la première page du livre je vis une dédicace :
« A Monsieur le Prince de Guermantes [3] ces humbles

---

1. Nous substituons « elles » à « ils ». Proust ayant plus haut rayé « propos » pour y substituer « paroles », il n'a pas corrigé « il » en « elles ».
2. Pour ce paragraphe derrière une ligne courbe (dont Proust indique
la destination) :
« Ceci est quelques pages avant c'est indiqué en marge » et encore
en marge : « Cette ligne courbe est indépendante de la ligne sur les solstices et du capitalissime dans lequel la ligne sur les solstices figure. » Et
un « à mettre plus loin » qui est barré.
3. Rayé : « A Madame la Princesse. »

pages comme un hommage fervent à tout l'esprit de sa délicatesse et à toutes les délicatesses de son esprit. » Hélas le même homme dont la pensée s'enivre * de dominer les lieux et les siècles prouve en flattant M. de Guermantes qu'il a cru une chose importante pour lui d'être de[1] l'Académie (où M. de Guermantes compte des parents et des amis) ou simplement d'être en relations avec un grand seigneur. Dualisme aussi troublant que celui du philosophe idéaliste qui règle toute sa vie d'après l'existence d'un monde extérieur à laquelle il ne croit pas[2].

1. « Académicien » non rayé après plusieurs ratures.
2. En marge : « Illusion féconde peut'être, la grandeur du poète ayant peut'être pour condition qu'il ne la commande pas etc. – Ici. »
Ce passage est à rapprocher de ce que dit Proust sur la « suprême ironie Bergson et les visites académiques », au Cahier 14 et aussi au Cahier 24 et dans *A l'Ombre des Jeunes Filles en Fleurs* (I, p. 557). Voir l'étude de Mme Joyce Megay dans le *Bulletin Marcel Proust*, 1975 : « Proust et Bergson en 1909. »

[Le Bal de Têtes]

(Cahier 57)

F⁰ *40* | Je reposai le livre[1] car je venais d'entendre une rumeur qui annonçait que l'exécution était finie. Et moi qui il y a un moment m'étonnais des deux hommes qui étaient en Bergotte, j'interrompais des pensées qui au moment où je les formais me semblaient dominer * la vie, pour ne pas risquer[2] que le Prince de Guermantes entrant ne me trouvât[3] encore, la musique finie, dans la bibliothèque en train de rêver au lieu de causer dans le salon. Et faisant le tour par la galerie qui aboutissait au grand salon je [me] rappelais le jour où [dans] ce palais de contes de fées, M. et Mᵐᵉ de Guermantes recevaient comme un roi et une reine de féerie. J'entrai. Debout le Prince et la Princesse avaient bien encore le même air d'un Roi et d'une Reine de féerie et ce

1. Rappelons que Proust ici reprend, deux ans plus tard environ, *Le Bal de Têtes,* esquissé dans le Cahier 51. Une note en marge : « Avant je reposai le livre mettre le morceau sur Ruskin que je mets au verso suivant. » Nous avons retrouvé le début de ce morceau au Verso 40 : « Je reconnus le Ruskin que j'avais donné à la Princesse..... » Mais Proust ne va pas plus loin. Il enfouira même ce commencement de texte sous une autre note écrite en mars 1915. — On remarquera que Bergotte s'appelle ici Ruskin — Cf. Verso 40 dans les « Notes pour *Le Temps retrouvé* ». Le Folio 39 est marqué au composteur sur une paperole (d'une autre date que notre texte).

2. Rayé : « cette chose incongrue ».

3. Proust néglige souvent de mettre l'accent circonflexe à la 3ᵉ personne du singulier de l'imparfait du subjonctif. C'est le cas ici.

Prince cherchant encore par sa bonhomie volubile
à dissiper la timidité imaginaire de ses invités, on eût
aimé [lui] voir [1] le costume du prince Fridolin. Mais
s'il n'était pas costumé, il s'était du moins mis une
perruque poudrée et aussi la Princesse. Comme cela
les changeait [!] Mais était-ce une étiquette ou
quelque baguette de féerie [?] en effet, si je connaissais presque tous les invités, je ne les reconnais-

F° 41   sais que comme dans un rêve [2], ou dans un bal de |
« têtes », concluant sur une simple ressemblance à
leur identité. C'est bien le Cte de Froidevaux [3] qui
est près de la porte, cet homme si essentiellement
noir que j'avais rencontré avec M. de Guercy en sortant de cette soirée chez la P[cesse]. Il a poudré une moitié
de sa barbiche et tous ses cheveux [4]. Il est presque
difficile de le reconnaître [5]. Tiens et M. de Raymond
celui qui avait l'air d'un néophyte suspect * il a enduit
sa grande barbe blonde et ses cheveux ébouriffés
d'une sorte de poudre gris argent, comme cela il a

1. Dans le Cahier 7 qui est de l'époque du *Contre Sainte-Beuve,* Proust
esquisse déjà cette *Matinée chez la Princesse de Guermantes* et c'est là que le
prince et la princesse apparaissent en roi et reine d'une féerie.

2. Une note en marge qui semble de l'époque du texte : « Je ne sais pour
qui ni si ce sera dans ce chapitre... » (voir p. 377).

3. Rayé : « Sainte Marie des L ». Et en marge cette note : « Dans les
visages changés dans les yeux éteints et cernés, on dirait que la vie a
baissé *. »

4. Proust avait d'abord écrit « toute sa » [chevelure]. Mais il a corrigé
sa en *ses* et mis « cheveux », négligeant le *toute* qui est resté tel quel et auquel
nous substituons l'adjectif *tous.*

5. En marge une note postérieure à 1914. Il y est question d'Albertine
et elle commence par le mot « Capital » en gros caractères. Une autre note
barrée est placée au-dessous et commence par « Capitalissime » souligné.
Cette seconde note a été utilisée (on retrouve son texte dans *Le Temps
retrouvé*) et c'est pourquoi, vraisemblablement, elle est barrée. Son écriture est celle de textes postérieurs à 1914. La voici néanmoins : « CAPITA-
LISSIME les œuvres où il y a des choses intellectuelles sont comme les objets
après lesquels on laisse la marque du prix. Encore celle-ci ne fait-elle
qu'indiquer la valeur tandis que le raisonnement la diminue. On raisonne
c'est-à-dire on vagabonde chaque fois qu'on n'a pas la force de s'astreindre
à exprimer, à faire passer une impression par tous les états chimiques qui
la fixeraient enfin en expression. »

l'air d'être passé prophète. Mais près de moi, c'est
bien le petit Chemisey, je ne sais ce qu'il s'est mis
sur la figure mais¹ il s'est bien arrangé, fait bien des
rides, autour des yeux avec un poil si sec couvrant ses
moustaches naissantes et ses légers sourcils, qu'on
dirait presque un homme mûr. Comment c'est
Montargis; mais qu'est-ce qu'il s'est fait, il n'est
pas à son avantage, ce visage durci, fatigué, bronzé,
solennisé, comme vieilli, cela lui donne dix² ans de
plus. Il faudra que je lui dise qu'il n'est pas à son
avantage. « Comment c'est vous, hé bien vous arri-
vez à une jolie heure³, enfin ça ne fait rien on est
bien content de vous voir, j'ai cru, ajouta-t-il de l'air
mélancolique d'un homme préoccupé de sa santé que
je ne vous reverrais pas, me dit le Prince en gardant
mes deux mains dans la sienne. » Pauvre enchanteur, entre ses cheveux et ses moustaches toutes
blanches sa figure paraît toute rose, son nez franchement rouge, et toute sa figure a la douceur d'un
portrait anglais que je ne lui connaissais pas. Ses
yeux aussi ont perdu leur fixité perçante, ils semblent
hésitants, se reprendre * à la dérobée, fatigués comme
après une trop longue lecture. Est-ce du reste le changement de tous ces visages mais tous les yeux me
paraissent moins vifs * ⁴, et comme si je voyais tous
ces êtres en effet dans un rêve dont ils n'ont pas cons-
F° 42   cience, dans un crépuscule où la vie avait baissé⁵. |
Mais déjà mon cœur s'est serré, je comprends que
c'est un autre et plus puissant enchanteur qui a
combiné ce travestissement, l'ouvrier invisible et
infatigable dont j'avais vu l'œuvre dans l'église

---

1. La suite est barrée d'une croix jusqu'à « connaissais pas ».
2. Ce deuxième chiffre superposé au premier, un « quinze » à moitié
rayé.
3. « Me dit le Prince » rayé.
4. Le mot « éteints » est rayé et remplacé par « moins vifs ».
5. Ici une phrase que Proust a oublié de rayer : « Et je comprends que
c'est un autre et plus puissant enchanteur qui les a grimés » qui ferait double
emploi avec ce qui suit.

MR⁰ *42* de Combray, le Temps. ¹ | C'est lui qui a aussi fau-
filé d'argent, grimé de clair de lune noyé de vague
comme des personnages de tapisserie les hôtes du
palais de Contes de Fées, qu'il a baignés de clair de
lune, rendus eux aussi féeriques en effet : on sent que
c'est d'un coffret magique que l'enchanteur a
tiré ses poudres colorées et son fil, les crayons dont il
V⁰ 41 a assombri | ² le coin des yeux du petit Chemisey, la

---

1. Ici Proust barre le passage qui suit le mot « Temps », mécontent,
semble-t-il de ce qu'il vient d'écrire. Et il démarre en marge avec ce qui
suit, court passage très raturé où il reprend la même idée. Nous donnons
ici le texte abandonné et barré (par deux fois) et qui s'interrompt sur l'apparition sûrement jugée prématurée par Proust de Mᵐᵉ de Forcheville :
« Je comprends que c'est lui qui a travaillé aussi dans le Palais de Conte
de fées mêlant (*ici Proust a oublié de rayer* " comme dans les vitraux de
Saint-Hilaire " *– ce qui devenait nécessaire du fait d'un renvoi en marge*) des
fils de soie dans la barbe et les cheveux de ces hommes et de ces femmes,
qui étincellent comme les vitraux de Saint-Hilaire du brillant de leur cas-
cade * en une blancheur surnaturelle et poétique (" précieuse " *rayé – comme
plus loin* " argentées ", *après* " poudres "), et passant ses poudres grises
et noires dans la barbe et contre les sourcils de M. de Bernot et du
petit Chemisey qui ont l'air d'avoir rapporté des couleurs nouvelles d'une
chevauchée dans l'Invisible. Mais à Combray il avait œuvré avant ma naissance. Tandis que tous ces personnages s'il les a tissés de métal et rendus
vagues comme des personnages de tapisserie, c'est pendant que j'existais
(" vivais " *rayé*) et c'est comme s'il [avait] usé de ma jeunesse et de ma vie
pour les peindre, comme si c'était à mes dépens et dans mes forces qu'il était
venu prendre ses poudres et sa navette, sa conscience aussi car il a dégagé
du corps des enfants que j'ai connus la stature de leurs parents. Une grosse
dame à cheveux gris vient à moi. Elle ressemble à Madame de Forcheville. »
2. Ici nous allons poursuivre sur le bas du Verso 41 qui remplace le
texte barré au Recto 42 d'un trait oblique et jusqu'à la première ligne du
Recto 43. Voici ce passage barré : « L'univers (*mot rétabli*) des personnages vivants qui eux aussi laissent paraître leur usure et leurs yeux estom-
pés comme des personnages des tapisseries de Saint-Hilaire. C'est lui qui
a gonflé de ses soies rehaussées d'argent la chevelure de M. Froidevaux,
opalisé de ses poudres de talc (?) (*le point d'interrogation est de Proust*)
la barbe de M. de... (*le nom reste en suspens*), assombri de ce crayonnage
le coin des yeux et de la bouche du petit Chemisey, fait flotter sur la figure
de M. du... (*le nom reste en suspens*) ce bleu de clair de lune. Je reconnais
le travail de l'enchanteur. Car c'est un travail magique et ces couleurs
qui les irisent, même le petit Chemisey, même M. de Froidevaux
semblent les (*on passe au Folio 43*) rapporter à l'égal des personnages
sculptés au portail de Saint-Hilaire, d'une chevauchée dans l'invisible. »

poussière métallique dont il a bleui la barbe de M. de Grandcamp *, sont sorties d'un coffret enchanté; et les ont pastellisés d'une couleur si surnaturelle qu'elle semble plutôt le reflet que ces êtres si miraculeusement poétisés auraient gardé sur eux d'une chevauchée dans l'invisible.

F° 43 | Chaque soir, rejetant comme une maquette manquée le jour qui vient de passer, je me disais : demain je travaillerai, je vivrai et parce que je détruisais aujourd'hui je croyais qu'il n'avait pas été. Ma volonté ancienne de travailler et de vivre, parce que je ne l'avais pas réalisée était toujours en moi comme si elle venait de naître, et ce qui était entre elle et sa réalisation non encore venue, n'était pas. Et dans ce rêve d'action le temps n'avait pas passé pour moi, et je revenais dans le monde, reconnaissant à peine le visage nouveau des êtres parmi lesquels j'avais autrefois vécu[1].

[2] Mais ce canevas de clair de lune je ne peux le contempler[3] avec la même paix qu'à St Hilaire où le Temps avait fait son œuvre avant ma naissance. Ici[4] où je peux me souvenir d'un jour où elle n'était pas commencée encore, ici où elle s'est accomplie pendant ma vie, j'existais aux dépens d'elle comme si elle avait été faite à mon insu[5] avec les forces [de] ma jeunesse dérobée que je ne retrouverai plus.

F° 45 | [6] En certains la première vague du temps avait

---

1. La fin de la phrase est rayée à partir d'ici.

2. Ici nous plaçons le développement d'une idée exprimée plus haut mais qui devrait peut-être venir avant et qui est situé en marge. Proust s'y reprend à trois fois et barre les deux premiers essais. Mais il écrit d'abord : « Mais je ne peux pas les con..... » et c'est en marge qu'il reprend sa pensée.

3. Ici deux mots en interligne non déchiffrés.

4. Nous mettons à « ici » une majuscule comme Proust l'a mise au *Ici* rayé un peu plus haut.

5. Ces trois derniers mots au-dessous de la ligne.

6. Le Folio 44 est constitué par une paperole postérieure au texte primitif. Nous la retrouverons dans les « Notes pour *Le Temps retrouvé* ».

été précoce et partielle et dans leur barbe de jeunesse encore quelques écheveaux blancs détonnaient égalant la fantaisie des plus vives couleurs, comme les feuillages encore verts qu'une première atteinte de l'automne, les parcourant d'un trait capricieux étroit * et net comme la foudre, a sillonnés d'une longue mèche exotique et presque florale de feuilles roses [1].

Et chez certains dont l'air d'enfance ou de jeunesse avait l'air autrefois d'aspirer à l'émancipation et à la maturité, la vieillesse était venue alors qu'ils attendaient toujours; attendant [2] encore l'accomplissement de la vingtième année, leur visage enfantin commençait à se rider comme une pomme qui n'a pas mûri; mais chez d'autres leurs traits [3] de jeune homme qui avaient si longtemps affleuré sous le masque de leur chair qu'ils semblaient [éternels] leur physionomie immuable s'était entièrement résorbée et le temps avait fait entrer en scène à leur place des traits absolument différents, généralement ceux de leur famille. Et sous le visage d'un frère à qui ils n'avaient jamais ressemblé, et pour qui je les prenais, je reconnaissais leur voix qui me disait : « Non, Hen | ri est là-bas voyez-vous près du buffet » et j'apercevais un vieillard.

F⁰ 46

[4] Sur les enfants du Docteur Cottard lequel était maintenant médecin de la Princesse le temps avait

---

1. En marge un portrait barré : « Par contre la grande barbe blonde du jeune néophyte protestant à visage rose, puceau aux yeux noirs, inspirés et allègres avait été remplacée d'un seul coup par une grande barbe blanche. Son visage n'en paraissait que plus rose, ses yeux que plus vifs, ses yeux que plus inspirés et plus noirs comme une branche au milieu de la neige; je me le rappelais jeune apôtre et je le voyais devant moi au milieu des gentils comme un prophète. » Ce portrait en remplace un autre éliminé dans le texte principal à la même hauteur de page.

2. Proust a rayé « visage ».

3. « visage » rayé. « Éternels » est une restitution hypothétique qui semble indispensable au sens.

4. Le passage qui vient et qui comprend presque une demi-page est barré d'une croix. Mais Proust n'a pas barré la suite.

achevé de résoudre[1] dans le nombre d'années voulu *
le problème de faire ressembler aussi à leur père
ceux qui ne ressemblaient qu'à leur mère et ils se
pressaient autour du buffet avec le bec, les yeux
hésitants et l'effarement de jeunes oies. Celui qui
avait semblé récalcitrant et s'immobilisait enfant en
une majesté sereine de jeune dieu, avait rattrapé à
toute vitesse le temps perdu, son nez s'était déformé,
ses yeux avaient perdu leur sérénité, il était devenu
aussi laid que les autres; une tempe plus calme, un
bras * plus lent, étaient les seuls vestiges, et méconnaissables, du beau marbre antique qu'il était autre-
MR° 46   fois[2]. | Il avait suffi au frère de Madame de Cannisy
resté si longtemps un jeune homme rose et frivole,
que ses moustaches devinssent grises, ses traits hâlés
et son œil grave pour que au danseur poupin d'autrefois ait succédé comme dans un kaléidoscope, le colo-
F° 46   nel viril et bon qu'avait été son père.[3] | « Bonjour
quelle surprise » me dit en me tendant la main une
dame, que je ne connaissais pas, qui a comme un air
d'une Madame Swann[4] qui aurait grisonné et grossi[5].
« Vous ne me reconnaissez pas, vous me prenez pour
Maman! » ajoute avec cette simplicité ouverte[6]
qu'elle tient de son père cette dame qui est Gilberte de Montargis[7]. Des femmes plus âgées qui
l'avouaient moins franchement se sentaient pourtant changer et[8] consentaient à l'âge[9] dans leur
toilette, dans leur attitude et jusque dans leur régime

1. Un « été » non rayé.
2. Ici un renvoi en marge à un texte barré, sauf la dernière ligne.
3. Retour au texte principal.
4. « Forcheville » rayé. Cf. R.T.P., III, p. 980.
5. Ce « grossi » nous paraît devoir remplacer « si grosse » où le « si »
est rayé.
6. « franche » rayé.
7. A ce moment du récit Gilberte n'est plus Mlle Swann, ni Mlle de Forcheville. Elle a épousé Montargis.
8. Ici beaucoup de mots rayés et même mal rayés par une plume mal
encrée. Cf. pour ce passage avec R.T.P., III, p. 946.
9. Ici renvoi en marge pour les mots qui suivent.

les sacrifices qui leur semblaient relativement moins lourds pour conserver ce qui leur était le plus essentiel et le plus précieux dans l'individualité de leur *F° 47* charme, certaines[1] | ayant à choisir entre l'empâtement du corps et le défraîchissement du visage[2] marchaient dès le matin dans la campagne, montaient à cheval, mangeaient à peine, préférant faire porter tout le poids de la vieillesse sur leurs traits, pour conserver, au prix d'une mine tirée, d'yeux cernés, la sveltesse de la taille qui avait fait leur gloire. Mais c'est dans leur visage au contraire[3] que presque toutes s'efforçaient de lutter contre l'âge, le tendant vers la beauté qui les quittait comme un *MR° 47* tournesol vers le soleil[4] | et pour en recueillir le dernier rayon, pour l'y garder aussi longtemps que possible. Certaines renonçant* à la ciselure d'un nez compromis[5], de fossettes menacées, au piquant condamné d'une physionomie obligée de désarmer, [s'étaient] réfugiées dans le poli, le brillant, la fraîche superficie de leur blanc visage, l'avaient encore lissé, élargi, aplani et le tendaient* désespérément comme un ostensoir[6], vers le dernier adieu de leur jeunesse; tandis que[7] d'autres s'étaient résigné[es], ayant vu tomber leur fraîcheur, leur éclat, mais s'étaient réfugiées désespérément dans l'« expression » qui était comme l'essence de leur jeunesse et de leur charme, et [se] cramponnaient à un profil, à un sourire, à un regard vague, à une moue, à une patte

1. Un mot « garder » (de « pour garder ») n'a pas été rayé. Après « certaines » on passe au Folio 47.
2. « qui avait fait leur gloire » rayé.
3. Proust barre d'une croix à partir de là.
4. On passe en marge, la suite étant rayée et d'ailleurs remplacée par ce qui est en marge. Au milieu de cela une note cernée de bleu, à mettre « quelque part » et qui porte sur autre chose.
5. Il y a deux fois « nez », Proust barre le bon.
6. On retrouve cette image dans le passage barré que Proust a certainement jugé mal venu.
7. Proust corrige en mettant « qu'en d'autres », mais après il continue comme s'il avait écrit « que d'autres ».

V° 46   d'oie, qui n'avaient plus qu'une existence idéale, sans support matériel. Mais si [1] | dupes elles-mêmes de l'illusion qu'elles réussissaient à produire elles oubliaient qu'[il n'y] avait plus en elle de la jeunesse que la ressemblance imbougeable [2] d'un ancien portrait, elles semblaient avoir l'air de s'animer * et aussi * [si elles] voulaient sourire, leurs muscles décoordonnés ne leur obéissaient plus, elles faisaient la grimace et elles avaient l'air de pleurer.

F° 48 | Hélas [!] [3] au fur et à mesure que mes désirs remontaient davantage vers ma jeunesse tous les êtres au milieu desquels elle s'était avancée étaient allés si loin en sens inverse que, quand me ressouvenant de la jeune laitière que j'avais vue un matin au lever du soleil, la voyant devant mes yeux, sentant mes lèvres irrésistiblement tirées vers elle, j'aurais voulu partir pour la revoir même si elle vivait encore, une matrone morose lui avait succédé, comme si elle était partie chercher une place * au loin, et ce visage que mes yeux voyaient qui tentait mes lèvres, était une pure fiction que le désir rend hallucinante comme un mirage qui est peut-être la seule fiction entièrement mensongère de toutes [celles] qui sont [,] la seule qu'il ne pourra jamais [4] réaliser et où il sent qu'il se heurte au néant puisque je [5] pourrais battre l'univers entier sans trouver dans son recoin le plus ignoré ce même visage que mes yeux voyaient, vers lequel mes lèvres se tendaient tel qu'il fleurissait il y a tant d'années dans la grâce de ses quinze

F° 49   ans. | Mais, ma bouche retourne vers elle, c'est-à-dire vers quelque chose qui n'est nulle part et ne sera jamais.

Hélas [!] les morts aussi, de ma gd'mère même

---

1. Ici un renvoi au bas du Verso 46, qui se prolonge dans la marge 47.
2. « immobile » rayé.
3. La phrase a été remaniée.
4. Renvoi au bas de la marge. La proposition qui précède est répétée. Nous retenons celle qui s'accorde avec le contexte.
5. Ici un mot non déchiffré au-dessus de la ligne.

quand je me la figurais, vivant encore, telle que je
l'avais aimée, c'est que je plaçais dans les jours actuels
son image d'autrefois comme si aujourd'hui et alors
étaient deux époques simultanées et si pour aller de
l'un à l'autre elle n'aurait pas eu à traverser [,] si elle
avait vécu [,] l'espace de temps qui les séparait.
Hélas [!] tandis que je cherchais ma tante qui ressemblait tant à ma grand-mère, je fus abordé par la
Princesse à qui je voulais la présenter[1] et en
même temps par le visage [de ma tante] aussi charmant encore de vieille femme que si c'eût été celui
de quelque portrait de Rembrandt ou de Hals, en
une paysanne qu'on voit dans un village qu'on ne fait
que traverser et qui nous montre l'impénétrable
écorce des visages qu'on n'a jamais vus. Quand elle
me dit en m'appelant par mon prénom que je ne la
reconnaissais pas, je fus obligé de lui confesser que
non tant j'eus peu l'idée que ce pouvait être ma
tante et je ne l'eus pas davantage quand elle se fut
nommée. Il eût fallu d'abord qu'elle ôtât de sur son
pâle et beau visage ce masque proéminent et rouge,
F° 50 de sur le sourire que je me | rappelais et qui était
celui de ma grand'mère [,] cette bouche vissée[*]
comme une orange en bois dont les deux parties
pourraient se séparer et qui au repos faisaient un
hémisphère convexe; que je retrouve les yeux doux
dans ce regard farouche, allègre et pointu de vieille
bergère, enfin le visage de ma grand'mère, ce visage
de ma grand'mère que j'aurais dû si j'avais voulu
avec vérité le croire vivant et près de moi, me représenter hélas [!] sans doute pareil à celui-ci. Je m'ex-
cusai tout en tâchant de percer à travers son regard,
à travers les joues nouvelles et les lèvres inconnues
[le visage ancien. Mais] à peine si sous son masque
je la reconnaissais à la voix. Surtout je voulais vous

1. Cette partie de phrase comporte des mots répétés qui ne sont pas
rayés. La tante dont il est question ici est celle du Cahier 58. Proust ne l'a
pas oubliée. Les Versos 45-49 sont à traduire. Ils portent sur le même sujet
que les pages qui font face. Voir p. 393 *sq.*

présenter, lui dis-je. [–] Mais c'est tout à fait inutile, nous avons fait tout cela nous-même, nous nous connaissons déjà beaucoup dit gravement la Princesse et j'espère que nous n'en resterons pas là ajouta-t-elle [1]. Et la Princesse de Guermantes me redit ensuite à tant de reprises que ma tante — la plus médiocre et la plus absurde personne que j'aie connue — était délicieuse, qu'elle était ravie de la connaître, qu'elle voulait absolument la revoir que je fus obligé de voir dans ces paroles après avoir d'abord cru [2] à un excès de bonté pour moi qui ne reculait devant | aucun sacrifice pour me faire plaisir, l'expression sincère de l'impression que lui avait produite ma tante; ce qui me donna à penser qu'il fallait que les gens du monde s'imaginassent a priori les autres comme des monstres n'approchant même pas de l'humanité puisque la moindre lueur d'intelligence ou de douceur qu'elle reconnaissait chez ma tante l'émerveillait comme la précocité d'un enfant ou la mémoire d'un animal. [–] Comment [!] vous arrivez seulement, me dit Me de Chemisey dont je reconnus le [3] visage régulier, mais devenu rouge sous ses cheveux blancs [;] de noble et sévère il était d'une dureté cruelle. Et le petit signe qu'elle avait au coin du nez avait pris une fulgurance et une importance détestable, comme une grosseur maligne. J'avouai que je venais seulement d'entrer. Elle [4] me dit avec la langue « tute, tute, tute ». Mais quand j'ajoutai que j'aurais peut'être pu entrer en insistant, mais que j'avais autant [aimé] rester à rêvasser dans la bibliothèque,

F[o] 51

---

1. Quatre lignes sont barrées d'un petit trait oblique. Proust les a supprimées parce qu'il exprime la même idée un peu plus loin. Les voici : « Peut'être les gens du monde s'imaginent-ils les autres si en dehors de l'humanité qu'ils sont émerveillés de trouver en eux quelque lueur d'intelligence comme dans un animal. »

2. Un « d'abord » rayé et un autre qui se promène en haut et à gauche.

3. « fier et beau » supprimés. Mais « visage » est mis deux fois après cette suppression.

4. Nous mettons point et majuscule.

MR° 51 elle [1] haussa | les épaules. Ce fut bien pis quand je dis
à la princesse de Guermantes qui me demandait à
quoi elle pourrait m'inviter qui m'amuserait, je lui
dis que ce serait aux sauteries qu'elle donnait pour
F° 51 sa nièce *, aimant voir des jeunes filles | : « Au moins
ne le dites pas, que voulez-vous que je vous dise,
il y a des choses qu'on n'avoue pas, qu'on ne fait
[pas]. On donne un louis à son cocher pour arriver
plus vite mais on n'arrive pas après Parsifal. Ce jeune
homme intelligent a donc cessé de l'être, me dit-
elle. Du moins devriez-vous tâcher de garder les
apparences et ne pas dire que vous aimez le bal, et que
vous trouvez aussi agréable de rester à vous prome-
F° 52 ner dans une chambre qu'à écouter [2] | l'œuvre d'un
Titan. Voyons je ne veux pas vous taquiner et vous
rendre malheureux pour la 1ʳᵉ fois que je vous vois.
Mais vous savez Wagner pour moi! Au fond les
œuvres se choisissent leurs auditeurs. C'est Parsifal
qui n'aime pas mort que vous l'écoutiez. S'il avait
souhaité votre paire d'oreilles, je ne doute pas que
le cheval de votre fiacre n'aurait pris le mors aux
dents pour vous emmener avant le premier accord. »
C'est par ce genre de pensées ingénieuses qu'elle
rappelait Legrandin. Une dame passa à qui la Princesse dit : « Cela fait plaisir de le voir n'est-ce pas [»]
et elle me nomma. « Ah B Bonjour » dit-elle.
[C'était] [3] Mᵉ de Montyon * noyant * son regard et
son sourire comme autrefois. Mais comme ils étaient
plus faibles, presque éteints, elle avait l'air de sourire dans la vague et béate [in]certitude de quelqu'un

---

1. Il semble ici que deux mots sont rayés faiblement et remplacés par
« elle haussa », ce qui renvoie à une suite en marge que nous donnons :
« elle haussa les épaules ».
2. Ici, commence une note qui prend toute la marge (voir les « Notes
pour *Le Temps retrouvé* », *MR°* 52). Dans ce morceau Mᵐᵉ de Guermantes
ou Mᵐᵉ de Chemisey, Proust hésite entre les deux, dit : « Ah! c'est bien
usé Bergotte! c'est bien fini! Oui, je ne dis pas que ce n'est pas gracieux,
mais etc. »
3. Nous rétablissons « c'était » rayé.

qui s'éveille et ne vous apercevant qu'à travers une
buée qu'elle épaissit d'ailleurs volontairement un
instant après jusqu'à la rendre opaque pour répondre
sans avoir l'air de la reconnaître au salut à la fois
profond et délibéré de M[e] [de] Chemisey, qui la
fixait [1] depuis une heure pour que l'autre ne pût
pas passer sans recevoir son bonjour, mais qui avec
son intelligence et sa grâce trouvait le moyen de
donner à cette révérence que personne ne lui demandait et qu'elle avait tant cherché à faire, l'air d'une
politesse indispensable dont elle s'acquittait par
nécessité [2] et avec, ou ce qui signifiait [cela] je pense *,
désinvolture. Mais Me de Montyon disait : « j'admire la bonté c'est à dire l'absurdité * de la Princesse
F[o] 53   de recevoir cette femme » | ne voulant pas quant à
elle qui n'était pas Princesse de Guermantes et ne
pouvait pas tout se permettre, se commettre à frayer
avec une intrigante sortie on ne sait d'où [3] qui s'était
fait épouser par un de ces Chemisey qui tenait d'ailleurs un fort petit état dans cette Normandie où elle
ne connaissait que les plus grands et qui cherchait à
se faufiler partout, mais n'y réussirait certainement
pas chez elle [4].

Ainsi m'étant dit presque depuis le soir où j'étais
venu pour la première fois chez la Princesse de Guermantes — depuis [5] le mariage de Montargis qui avait
eu lieu l'année d'après [:] [6] je me mettrai au travail

1. « épiait » rayé.
2. « sans plaisir » rayé – parmi d'autres.
3. Quelques mots non rayés comme « la femme d'un de » – parmi
d'autres rayés comme un « Legrand » qui pourrait bien être Legrandin
puisqu'il s'agit dans ce passage de Normandie et des Chemisey.
4. En marge une note de la même écriture : « Q[d] je serai chez M[e] de
Chemisey elle me dira avec admiration de madame de Guerm. elle est amie
de M[e] de Montyon n'est-ce pas. (Puysegur, Wagram etc. Clermont Tonnerre, Forceville *.) »
5. Deux mots indéchiffrables au-dessus.
6. Quatre lignes rayées où il est question de la grand-mère (« me déses-
pérant de voir combien ma grand'mère avait vu clair »); en marge de cette
note : « Mettre cela à ce moment-là quel triste triomphe j'avais remporté
sur cela (suit volonté. » Nous respectons la ponctuation de Proust.

demain, demain était devenu pour moi le jour où je
me mettrais au travail, et chaque jour qui passait où
malade et irrésolu je n'avais toujours pas commencé,
je le comptais pour rien, et comme une argile qui
n'a pas pris au feu et qu'on jette et qu'on remplace
par une neuve, je mettais à sa place le jour suivant,
qui ne comptait pas non plus n'ayant pu servir à
rien de bon; et comme si le nombre de ceux que
j'avais ainsi pris et rejetés n'avaient rien changé
pour moi, avait été aussi indépendant de moi que les
mauvaises poteries, vivant toujours le désir bandé
entre hier où j'avais décidé d'écrire et demain où
j'écrirais, ces innombrables jours, d'ailleurs tous
pareils dans mes habitudes de malade et d'oisif,
maintenus entre un désir qui n'avait pas varié, et
qui à cause de cela semblait d'hier, ma résolution au
travail, et la réalisation de demain, m'avaient paru
comme un seul jour[1]. Ma réalisation c'était pour
demain, il me semblait que en réalité tant je la sentais la même, laissée intacte par un désir constant
F° 54   (et un regret constant) que c'était hier[2]. | Mainte-
nant[3] datait d'hier, séparé de demain où je le réali-
serais par un seul souvenir et long, et parce que mon
avenir, dont j'ajournais tous les jours le début n'était
pas commencé, comme si tel que je restais sur le seuil
à hésiter le temps ne passait pas, et si cela aussi ce
n'était pas durer vieillir et vivre m'avait conservé
l'illusion, la sensation presque de l'adolescence, de
la grande jeunesse. Et[4] tout d'un coup comme un
homme retourné par le courant voit[5] avec épouvante
qu'il a perdu de vue la rive et qu'il a passé le récif
d'où il pourrait être ramené, c'est le changement

---

1. Ici Proust écrit « car même il me semblait ». Puis sans rayer il écrit
la suite donnée ici.
2. En marge une note que l'on retrouvera p. 417 et 419.
3. En marge : « Mêler cela à ce que je dis des remous * du monde chic
différent de celui des Guermantes. »
4. A partir de là barré jusqu'à la fin du paragraphe.
5. Nous supprimons la répétition de « tout d'un coup ».

d'aspect de ce qui était autour de moi qui venait de
m'avertir brusquement du long et irrémédiable trajet que sans le savoir j'avais parcouru.

Et ce n'était pas que l'aspect des visages sur lequel
le temps avait exercé sa chimie. La société des Guermantes, en la nature de laquelle — avérée* bien
spécifique par les affinités qu'elle éprouvait pour
tous les grands noms princiers d'Europe, et la répul-
sion qui éloignait d'elle tout élément non aristocratique, — j'avais trouvé comme une sorte de refuge
matériel pour le nom de Guermantes dont elle était
la dernière réalité — avait subi dans sa constitution
la plus intime une altération profonde. La présence
de Mᵉ de Chemisey n'aurait peut'être pas suffi à
la dénoncer, si en entendant Mᵉ de Souvré[1] dire :
« Bonjour Henri » je ne m'étais retourné et [n'] avais
vu Bloch, à la sœur de qui la Princesse était en train
MRᵒ 54 de faire mille grâces[2]. | Quand je parle de Bloch :
lui aussi commençait à être à la mode, car (bien que
l'avènement des gens obscurs nous échappe, car une
fois qu'ils sont arrivés et font pour nous partie du
« monde » nous ne songeons pas d'où ils sont partis) il en est de la plupart des gens comme des valeurs
de bourse. Il y en a bien peu et même de la plus
mauvaise qualité qui, pour une raison particulière
qui empêche de voir la loi générale, n'ait son heure
et ne soit entraîné dans un mouvement de hausse. |
Fᵒ 54 De beaucoup d'hommes que je ne connaissais pas
de vue, les noms qu'on me dit détonnaient ici. Mais
le nom de certaines femmes me stupéfia davantage.
Et à mon étonnement on répondait pour plus d'une :
« Ah! ce n'est pas une gᵈᵉ amie de la Pᶜᵉˢˢᵉ mais elle
l'invite parce que c'est la maîtresse de ce sculpteur, de

---

1. Douteux et mis à la place de « Montyon » rayé. Une croix. Proust
cherche un nom et ne trouve pas. En marge et barré : « — celle que j'avais
vu autrefois ouvrir tout grands ses calices à toute graine transportée par
les souffles propices ».

2. Nous introduisons ici (où il y a une croix dans le texte) une note marginale.

ce financier. On a l'habitude de les inviter ensemble.
Des gens que jamais les Chemisey ni leurs parents
n'eussent reçus paraissaient très intimes avec la Princesse, disant : à demain, à de suite ! Le snobisme qui
F° 55   jusqu'ici¹ avait | successivement * écarté du monde
Guermantes tout ce qui ne s'harmonisait pas avec
lui avait cessé de fonctionner. Les ressorts du nom
étaient brisés. Et mille corps étrangers² y pénétraient,
lui ôtaient toute homogénéité, toute tenue, toute
couleur. Il semblait que le faubourg St Germain
comme une vieille femme devenue gâteuse ne répondît que par des sourires faibles et timides à la hardiesse de bonnes insolentes qui avaient envahi ses
salons, buvaient son orangeade et lui présentaient ses
amants³.

Mais la destruction de cet ensemble cohérent⁴
d'éléments dont mille nuances et raisons expliquaient
la présence et la coordination qu'était le salon Guermantes quand je l'avais connu, me donnait peut'
être moins la sensation du temps écoulé et de petites
parties de mon passé détruites que l'anéantissement
même de la connaissance des mille raisons, des mille
nuances qui faisaient que tel élément y était indiqué, que tel autre y était une nouveauté suspecte etc.
La plupart des personnes qui se trouvaient depuis
peu dans la société, non seulement celles qui étaient
récentes par leur accession, mais celles qui l'étaient
par leur âge, n'ayant pas connu ce passé, commet-
taient à son égard mille erreurs. J'entendais un

1. Quelques mots au-dessus et au-dessous de la ligne non identifiés.
2. Renvoi en marge jusqu'à « couleur ». Les verbes ne sont pas accordés
au pluriel.
3. Cf. R.T.P., III, p. 957.
4. La fin du passage a été barrée d'une croix, vraisemblablement pour
permettre à la place l'insertion d'une longue paperole compostée 56,
collée ici et contenant des considérations portant sur le même sujet mais
sur des exemples empruntés à l'affaire Dreyfus et à la guerre de 1914-1918.
Cette paperole, comme d'ailleurs toutes les autres, est postérieure à la
version ci-dessus du *Temps retrouvé*.

F⁰ 57 jeune duc expliquer à quelqu'un qui lui demandait
si¹ | [sur] la mère de Mᵉ de Montargis « il n'y
avait pas quelque chose à dire »,² qu'elle avait fait
en effet un mauvais mariage en épousant par amour
un aventurier que personne ne connaissait du nom
de Swann, mais qu'elle avait épousé ensuite un des
hommes les plus en vue de la société M. de Forcheville. Sans doute la Pᶜᵉˢˢᵉ ou la Dˢˢᵉ de Guermantes eussent souri en entendant cette assertion;
sans doute des femmes qui eussent pu se trouver là
mais qui ne sortaient plus guère, les Dˢˢᵉˢ de Mouchy,
de Montmorency, de Talleyrand, qui avaient été
amies intimes de Swann, et qui n'avaient jamais
aperçu Forcheville, qui du temps où elles allaient dans
le monde n'y était pas reçu, étaient de celles qui
conservaient la mémoire d'une société différente, aux
yeux de laquelle sémitisme et élégance n'étaient pas
des termes ennemis et dont le nombre diminuait tous
les jours. Un artiste amateur³ à qui une dame demandait comme il se faisait que M. de Montargis disait
ma tante à la Pᶜᵉˢˢᵉ de Guermantes lui expliqua,
que c'était parce qu'il avait épousé une demoiselle
de Forcheville, renseignement que cette dame s'em-
pressa d'aller communiquer à une amie qui le pro-
clama d'un air d'évidence à une troisième, comme
si la parenté des Forcheville et des Guermantes avait
été connue d'elle de tous temps. Quant à la⁴ jeune
Bⁿᵉ de Timoléon, née Carton *, à quelqu'un qui lui
faisait remarquer que Montargis était à tu et à toi
avec ce qu'il y avait de mieux dans la réunion, si elle

---

1. La page 57 est entièrement barrée d'une grande croix. Le 56 est une
paperole qu'on retrouvera dans les « Notes pour *Le Temps retrouvé* ».
2. Ici nous supprimons « expliquer » qui est répété en le faisant précéder
de la virgule qui devient nécessaire.
3. « peintre » et « ministre », « homme du monde » sont rayés.
4. Proust raye certains mots et omet quelquefois d'en rayer d'autres
qui deviennent inutiles, ou de mettre un point. Mais ces accidents sont
rares. Notons que le Verso 55 en face de cette page, le Verso 54, et le 57
portent sur le même thème. Voir « Notes pour *Le Temps retrouvé* ».

répondait : « Dame quand cela ne serait que par sa femme qui est une Forcheville », ce n'était pas qu'elle ne sût qui était Montargis. Mais ayant épousé un gentilhomme de dernière catégorie, M. de Timoléon qui lui paraissait le plus grand seigneur de la terre, les Timoléon étant parents éloignés [des] Forche-

F° 58 ville, rien | ne lui paraissait égaler la grandeur de cette maison.

Et sans doute ces changements survenus dans la société avaient existé de tout temps. Sans doute au temps où, à peine parvenu, j'étais entré dans le milieu Guermantes, j'avais dû comme les nouveaux venus d'aujourd'hui contempler comme partie intégrante de la société et sans les différencier des éléments absolument différents d'eux qui recevaient leur prix seulement du milieu où ils figuraient depuis peu, antérieurs à moi, mais qui paraissaient nouveaux à des membres plus anciens de la société qui voyaient changer son aspect[1]. Même dans le passé où je reculais la grandeur du nom de Guermantes[2] et sans illusion car les Guermantes y faisaient plus grande figure qu'aujourd'hui, ne les avait-on pas [vus] s'allier à des familles qui comme les Colbert paraissent aujourd'hui aussi nobles qu'elles, mais étaient toutes bourgeoises alors. Un homme comme le duc de XX autant que par la présence de tel nouveau venu, n'avait-il pas dû alors être choqué par telle remarque que j'avais faite et qui témoignait de ma part de l'ignorance d'un ensemble de souvenirs qui constituait son passé.[3]

---

1. Ici une note peu lisible placée en marge qui semble être une notation rapide d'une idée que Proust reprend ensuite : « et choquer par mon ignorance de ces différences qui faisaient * partie de ses souvenirs et de son passé un homme comme le Duc de XX ».
2. Un passage rayé que voici : « Combien de ces relations aujourd'hui si banales, ou de ces admirations devenues purement intellectuelles n'étaient-elles pas nées dans le parfum de rêves nobles * qui m'entouraient * encore quand je remontais à leur origine. »
3. Dans la suite rayée apparaît le nom de Bloch. En marge une note qui

Et sans doute cette beauté plus pure et sans mélange que j'avais connue à [1] la société Guermantes était une illusion qui tenait à ce que à peine parvenu * alors, je n'avais pas vu plus de différences [2] [entre les] anciens éléments de cette société [et] ceux qui y avaient été ajoutés depuis peu, que n'en voyaient les parvenus d'aujourd'hui, irritant sans doute alors un homme * comme le duc de..... [3] de la même façon [qu'] ils m'irritaient, aujourd'hui, par des remarques qui prouvaient que n'existaient pas pour moi mille circonstances qui constituaient son * passé; déjà sous Louis XIV des éléments non aristocratiques qui l'étaient devenus depuis comme les Colbert [4] s'étaient alliés aux Guermantes qui avaient pourtant alors une plus grande situation qu'aujourd'hui | [5] et qui étaient apparentés à plusieurs maisons souveraines; à tout moment de sa durée cette société des Guermantes résumée pour moi par leur nom de Guermantes qui était resplendissant comme une couronne, comprenait une proportion identique

F° 59

est une autre version du paragraphe précédent et du paragraphe suivant. Toutes ces phrases commencent par « Sans doute » ou « Et sans doute » et développent la même idée. Voici la phrase marginale : « Sans doute à tel moment de sa durée le nom de Guermantes en tant qu'assemblage de tous les noms qu'il admettait était comme ces corbeilles de fleurs, ou comme ces armées qu'on renouvelle par le cinquième et qui présentent au milieu de spécimens anciens dans toute leur beauté de jeunes pousses qui n'arriveront à maturité que quand les autres trop sèches seront à leur tour remplacées, mais qui se confondent dans l'ensemble excepté pour ceux qui ne les ont pas toujours vues, et qui gardent le souvenir des tiges plus hautes qu'ils remplacent. » Cette note est barrée, comme est barré le passage qu'elle pouvait remplacer.

1. « milieu » rayé. Le « au » qui précède n'a pas été rayé. Nous le remplaçons par « à ».

2. Ici Proust avait d'abord écrit : « ne sachant pas différencier des anciens éléments de cette société ceux qui y avaient été ajoutés depuis peu ».

3. Le nom de ce duc n'est pas donné.

4. Nouvelle allusion aux Colbert. Proust semble se répéter. En réalité il reprend trois fois sa rédaction en barrant à chaque fois.

5. Le Folio 59 est barré en croix.

de pierres invisibles mêlées aux rares à [1] l'armature de qui elles empruntaient leur prix et ne se laissaient discerner que par les yeux qui gardaient le souvenir de celles qu'elles remplaçaient. Ou plutôt comme les forêts, comme les armées *, comme les corbeilles de fleurs qu'on renouvelle par cinquième, un jour ces nouveaux venus seraient aussi beaux, aussi puissants, aussi instruits que les autres. Un jour Bloch aurait du salon Guermantes une image aussi ancienne, aussi modifiée, aussi déjà inexistante que celle que j'en avais aujourd'hui. Les qualités même qui semblaient disparaître avec ceux dont on est tenté de croire qu'elles étaient le privilège, se reformaient en ceux qui semblaient les plus éloignés de les porter [2]. Bloch ne m'avait-il pas représenté la négation de ces qualités de bonté, de discrétion, de tact dont ma grand' mère et M. de Norpois me semblaient avoir emporté dans la tombe la juste mesure et l'étalon. Et tout à l'heure en ne me parlant pas de la maison où il allait [3], en ne disant pas le nom de Guermantes, n'avait-il pas montré que longtemps après son éducation finie il devenait un homme bien élevé. Mais surtout en défendant comme il l'avait fait notre ami malheureux, ne montrait-il pas que nous avons tort de nous fier exclusivement aux natures bonnes que nous avons connues, et d'avoir peur des ambitieux [4], des cœurs durs, des égoïstes, des méchants, des ironiques, des fourbes. Jadis j'avais été déçu en pensant que le général de Trinvères * n'était que le petit Trinvères vieilli. Mais le petit Trinvères qui était là s'était recouvert comme un chêne se couvre après un certain temps de mousse, de cette tolérance, de cette politesse, de cette façon humaine d'envisager la vie

---

1. « voisinage » rayé incomplètement et remplacé par « armature ».
2. « Ma grand'mère » rayé.
3. Rayé : « tout à l'heure en défendant si heureusement notre ami malheureux ». Voir plus haut page 119 (Cahier 58).
4. « méchants » rayé.

F° 61 [1]   qu'apporte l'âge. Et de même la bonté que par | une
illusion d'optique nous croyons appartenir en propre
aux natures en qui nous l'avons connue, est une
maturation de la plante humaine pour peu qu'elle
soit un peu intelligente et sensible et qui s'était produite chez Bloch, qui pour ses petits enfants sans
doute apparaîtrait comme le seul type d'homme
bon, emportant avec lui dans la tombe la bonté, la
bonté qui viendrait sucrer [2] à la saison voulue d'autres
natures aussi acides que la sienne, la bonté principe
universel comme la justice qui fait que si notre cause
est juste, un juge prévenu qui n'était pas de notre
opinion, qui nous était hostile, n'est pas plus à
craindre pour nous qu'un juge ami. Certes [3] cette
forme du Temps sur laquelle maintenant je voyais
que ma vie était étendue ajoutait quelque chose à ce
que m'avait rendu ma mémoire, et ce qui lui manquait par essence, un changement que la mémoire ne
connaît pas puisqu'elle ressuscite le passé au milieu
du présent tel qu'il était et comme si le temps n'avait
pas passé. Elle me donnait l'idée pendant la durée de
la révolution de mon esprit sur lui-même, de révolutions différentes qui réagissaient sur celle-là et qui
ne la mettent pas pour l'exemple tout à fait dans la
même position respectivement à d'autres mondes
qui eux aussi avaient évolué. Et elle me..... [4] je songeais combien..... [5]

1. Le n° 60 est porté sur une paperole. Notons que les pages continuent
à être barrées jusqu'à la page 72 incluse, comme si Proust les avait
utilisées ou comme s'il les avait remplacées par certains textes qui sont
aux versos en regard, ou même des paperoles. Nous revenons sur ces versos
et paperoles, qui sont postérieurs à 1913 (à de rares exceptions près) dans
la partie qui suit celle-ci, « Notes pour *Le Temps retrouvé* », de telle sorte
que le Cahier 57 sera publié dans son intégralité.
2. « sur le tard » rayé. Cf. R.T.P., III, p. 969-970.
3. Ici un trait assez fort barre la fin de l'alinéa.
4. Un mot rayé (« conseillait »).
5. En marge, on trouve une note en trois parties qui a trait à la même
idée qui est développée ensuite mais que Proust n'a pas pu intégrer. Il
s'agit d'une comparaison : « ou comme un accident de terrain, château ou

Et comme des corps qui mesurent la durée non
seulement par les révolutions qu'ils accomplissent
autour d'eux-mêmes, par les positions différentes
qu'ils occupent successivement par rapport à d'autres
corps, plus d'une des personnes que cette matinée
réunissait ou dont elle m'évoquait le souvenir, me
donnait, sur les aspects successifs qu'elle m'avait présentés, les circonstances différentes, opposées d'où
elle avait surgi, faisant ressortir les aspects variés, les
F° 62   différences | de perspective de cette route qu'est la
vie [;] qu'avait été ma vie, me disais-je, trouvant
dans la diversité et la richesse de mes souvenirs le sentiment plus fort de l'identité de ma personne qui les
avait recueillis, qui est le grand plaisir du voyageur!
De mon identité, de la leur aussi, combien de fois les
mêmes personnes avaient paru dans ma vie, tantôt
vues par moi à ce point de vue, tantôt à un autre[1].
Et comme une fois passée la période où une personne nous apparaît d'une certaine façon, nous
« représentant une même chose », quand après un
intervalle de temps nous la retrouvons au sein de
circonstances autres, à un autre point de vue, nous
avons d'elle une image différente que nous utilisons
seule, tant que cette nouvelle période dure et que
nous éprouvons si peu le besoin de modifier, que
vivant * sur les vieilles images que j'avais gardées
des invités de ce soir depuis qu'ils étaient pour moi
des gens du monde quelconques, donnant des fêtes
ou s'y rendant, j'avais cru d'abord à un déguisement

colline qui lui apparaissait tantôt à sa droite tantôt à sa gauche, tantôt vu
comme dans un creux, *** au voyageur dans diverses orientations et altitudes de la route qu'il suit, puis apparaît au-dessus d'une forêt, et un instant après émerge d'un fond,..... »
  1. Dans ce passage nous obéissons à une note de Proust : « finir la phrase
comme au-dessus (ce qui est barré) ». Mais cette opération nous oblige à
reporter plus loin la phrase située après le mot « voyageur! » : « Si pendant une même période de temps... » et à la souder à la suite qui est d'ailleurs précédée de points... de suspension : « la diversité des images success-
sives... » avec laquelle elle semble se bien raccorder, tout en faisant double
emploi.

en les retrouvant poudrés à frimas[1]. Si pendant une
même période de temps où notre position par rapport à une personne reste la même nous ne tenons[2]
d'une [telle] personne qu'une seule image que nous
jugeons si peu à propos de changer que j'avais cru à
un déguisement en ne voyant pas les invités se le dire,
en retrouvant blanchies des têtes que je voyais toujours pareilles, la diversité des images successives
F° 63   d'une même personne | rendait plus tranchées, plus
indépendantes les vies des autres, les circonstances
où elles nous étaient apparues, en faisant comme un
certain nombre de personnes différentes, ou plutôt
comme une même personne ayant eu pour nous des
significations entièrement distinctes[3]. En remontant
de plus en plus haut je finissais par trouver des premières vues de la personne * séparées des suivantes
par un intervalle de temps si long qu'elles avaient
entièrement cessé d'être pour moi ce qu'elles étaient
alors, qu'en pensant à elle, en croyant embrasser le
cours entier de mes relations *, je ne m'en souvenais
jamais, n'y faisais jamais allusion avec elle, et [elles]
étaient si séparées de celles qui suivaient que ce
n'était plus, pour moi maintenant que ce rêve, qu'un
tableau, qu'une sorte de frontispice posé au seuil de
mes relations, mais si peu vivifié par la continuité *
envers l'être visuel que cela me paraissait une pure
image, représentant plutôt la personne, qu'ayant été
déposée en moi par la même personne, comme
Mlle Swann[4] me regardant d'un air si dur devant la
barrière à claire-voie du parc de Combray, comme
M. de Guercy — pour moi l'amant de Me Swann —
ce jour-là, ou même le 1er jour à Querqueville quand

---

1. Ici un 1 qui ne renvoie qu'à un autre 1 suivi d'un passage rayé.
2. Renvoi en marge jusqu'à « déguisement ».
3. Ici six lignes rayées où il est question de Bergotte, de Mlle Swann et
des cathédrales. La suite que nous reproduisons est barrée d'une croix
avec, en marge, la mention : « mettre cela plus loin ».
4. « Gib » rayé. En marge : « une peinture factice ». Voir aussi une note
en marge, p. 447.

je ne le connaissais pas, comme Me de Guermantes
quêtant dans l'église de Combray et tant d'autres.
Parfois même la faiblesse de l'image imitait le rêve
(voir c'est écrit[1]), je ne savais pas si je ne reportais
pas sur une personne un autre souvenir.[2] Le jardin
où j'avais vécu * était-il le parc Swann avant qu'il
fût marié (ou bien mettrais-je)[3] ou au contraire
n'avais-je jamais été chez lui et était-ce un souvenir
de mon | autre jardin ou d'un rêve dans lequel je
croyais voir Swann. Et à partir de cette 1re apparition
combien de personnes successives avaient-elles été
[vues][4]. Mlle Swann avait été longtemps pour moi
une jeune fille qui connaissait Bergotte et revêtue par
là d'un grand prestige. Puis un jour j'étais devenu
amoureux d'elle, combien sa maison me paraissait
inaccessible; combien elle me devenait délicieuse;
n'était-ce pas une autre personne que j'avais suivie
croyant que c'était Mlle de Forcheville, et maintenant, c'était l'ennuyeuse femme de Montargis dont
j'avais tant de peine à éluder les invitations[5]. Et sa
mère,.....

Et combien de fois ces personnes étaient revenues
dans ma vie. Comme si les diverses circonstances de
la vie étaient des boîtes qui continssent toutes la

F^o 64

1. Note de Proust.
2. Cette phrase est imparfaitement rayée et on lit en marge au bas de
la page : « Le sourire dans l'ombre d'un homme qui me faisait peur dans
son jardin, c'est-il celui de Swann chez qui j'(dans son jardin)aurais été à
Combray tout petit avant qu'il fût marié. »
3. Nous mettons ces mots entre parenthèses.
4. Ici un « toutes » que Proust a certainement oublié de rayer avec
« celles-là » qu'il supprime. Et un mot non déchiffré que nous traduisons
par « vues ».
5. A cette hauteur en marge, après un petit dessin &, Proust écrit :
« c'est probablement ici que prend la suite de 2 pages avant au verso à ce
signe, les images les plus anciennes ne venant qu'après ». On trouve le
même dessin au bas du Verso 61. Il s'agit des Guermantes, là et dans le
verso suivant. Et aussi de la comparaison des rouages de la vie avec un
treuil et une corde qui s'enroule autour de celui-ci, comparaison qu'on
retrouvera au Folio 65.

même chose pour[1] notre * usage [.] Combray m'avait
offert un Swann agréable mais bien détestable ami
de mes parents qui empêchait Maman de venir me
dire bonsoir. Paris m'avait offert un Swann terrible
et délicieux, père de celle que j'aimais qui d'abord
m'empêchait de la voir, puis un Swann ami des
Guermantes homme du monde quelconque; Mlle
Swann avait été d'abord pour moi la petite amie,
revêtue par là d'un grand prestige de l'écrivain que
j'admirais le plus, puis celle que j'aimais et dont
Bergotte ne recevait plus que le reflet avant de devenir l'inintéressante[2] femme du monde dont j'avais
peine à éluder les invitations. Et Me Swann trouvée
dans l'appartement de mon oncle, cocotte délicieuse,
retrouvée dans le parc de Combray, mauvaise épouse,
au Bois beauté convoitée, aux Champs Élysées mère
troublante, et comme telle[3]. Et la diversité des
périodes de ma vie par où avait passé le fil de celle
de chacun de ces personnages avait fini par mêler
ceux qui étaient le plus distincts, comme si la vie ne
possédait qu'un nombre limité de fils pour exécuter
F° 65 les dessins les plus différents. | Quoi de plus séparé
dans mes divers passés que mes visites à mon oncle,
que le neveu de Me de Villeparisis fille de maréchal,
que Legrandin et sa sœur, que le fleuriste ami de
Françoise dans la cour. Et aujourd'hui tous ces fils
différents avaient servi à faire le couple[4] Montargis
et le couple Chemisey.
V° 64 | Et[5] de bien des épisodes littéraires ou his-

---

1. Ici un « sans » au-dessus de la ligne qui paraît rayé.

2. Les mots « l'inintéressante femme » et la fin de la phrase sont rejetés
en marge. Proust se répète en ce qui concerne Swann et Gilberte (voir §
précédent); aussi en ce qui concerne les invitations qui sont « éludées ».
La seconde fois c'est d'ailleurs dans un ajoutage en marge.

3. Ici un mot rayé. La phrase ne s'achève pas. Tout ce passage concernant Mme Swann est barré de petits traits comme si Proust n'en avait pas été
satisfait.

4. « jeune » rayé.

5. Rayé : « inversement si je lisais ».

toriques contemporains dont je lisais le récit et auxquels[1] des personnages très différents avaient concouru, je pourrais souvent, de régions tout opposées et distinctes de ma mémoire retirer, dans cet état de transparence qu'ont les êtres que nous avons connus, le souvenir des différentes parties composantes. L'éditeur, que le grand écrivain dont le roman avait bercé ma jeunesse raconte lui avoir imposé le dénouement que j'avais lu et qui était juste l'opposé de celui qu'il avait écrit, c'était ce vieux Monsieur à barbiche blanche qui dînait tous les dimanches chez ma tante; la princesse dont le roman d'amour était tardivement révélé comme ayant eu une si grande influence sur la politique étrangère de l'Europe, c'était celle que j'avais vue chez la Princesse de Guermantes, c'était celle aussi dont j'avais vu le portrait chez Elstir et elle était la sœur de cette duchesse de Montmorency que j'avais rencontrée à Querqueville, trouvant, dans mes souvenirs, à chaque être offert par la vie et qui formait comme la moitié d'une circonstance, l'être dont l'adaptation à celui-là formait l'événement complet, comme un amateur qui a vu tant de choses qu'on ne peut pas montrer le volet de retable sans qu'il se rappelle dans quelles ventes a passé, dans quelle église subsiste, dans quels musées est dispersée la prédelle (?)[2] ou qui finit par trouver en battant les antiquaires l'objet précieux* qui avec celui qu'il possédait, fait la paire. Alinéa.

MR° 65 | Comme si la vie disposait d'êtres peu nombreux, comme d'une corde[3] ayant peu de jeu qui monte le long d'un treuil et vient toucher à divers points,

1. Ici Proust a rayé le mot « et » ainsi que les trois quarts de « auxquels ». Il y substitue « forgés par la conjonction ». Mais la construction de sa phrase devient mauvaise. Aussi laissons-nous subsister la précédente.
2. Le point d'interrogation est de Proust.
3. Cette comparaison est corrigée en marge où nous la reprenons et, aussi, développée Verso 61 (voir « Notes pour *Le Temps retrouvé* »). On la retrouve dans R.T.P., III, p. 973.

F° 65 | il n'y avait pas de personnages dans ma vie,
presque pas d'objet qui n'ait joué des rôles successifs
MR° 65   et différents[1]. | Une amitié une chose même si je la
retirais quelques années après de mon souvenir, je
voyais que la vie n'avait pas cessé de tisser autour
d'elle des fils différents qui finissaient par la feutrer
de ce beau velours de l'ancienneté que rien ne peut
imiter et comme celui qui dans les vieux parcs enveloppe une simple conduite d'eau d'un fourreau
d'émeraude. Cette[2] page de Bergotte sur la neige
n'était-ce pas Mlle Swann qui me l'avait copiée au
temps où je l'aimais, n'était-ce pas elle que j'avais
donnée plus tard à Maria[3], n'était-ce pas elle encore
que je venais de relire chez les Guermantes réverbé-
F° 65   rant la blancheur de mes neiges d'autrefois[4]. | A ce
point de vue différent de tous les autres et en rapport
avec ma vie intellectuelle, Montargis n'était-il pas
celui qui m'avait fait connaître Elstir et sa femme
celle qui m'avait fait connaître Bergotte. Le petit
volume de François le Champi et à un point de vue
historique et non plus pour son pouvoir de me
rendre des impressions – n'était-il pas placé au
milieu de la nuit la plus triste et la plus douce que je
me rappelasse de Combray, à l'époque où je n'espérais pas connaître jamais les mystérieux Guermantes
et symbolisant en quelque sorte par la lecture que ma
mère m'en avait faite un soir où j'avais dû dormir,
la première abdication de la sévérité de mes parents
d'où je pouvais faire dépendre le déclin de ma santé,
la ruine de ma volonté, le néant de ma vie, et à un

---

1. Ici un 1 qui renvoie à un 1 en marge et un texte que nous reprenons
et qui est barré comme tout le reste dans la page sauf dans le haut de
celle-ci.
   Nous supprimons la répétition « dans ma vie », comme celle de « montant » un peu plus haut.
2. Dans le texte « cette » avant « belle » qui est rayé.
3. Cf. p. 162. L'allusion à la neige fait penser à ce que Ruskin écrit de
la neige alpestre dans *Les Peintres modernes*. C'est ce que pense Jo Yoshida
dans sa thèse inédite *Proust contre Ruskin*. Voir aussi *Sésame et les Lys*, p. 133.
4. Ici finit la note marginale.

autre moment ce même volume, dans la bibliothèque
des mystérieux Guermantes n'était-il pas placé dans
le jour le plus beau, celui qui éclairait soudain tous
les tâtonnements de ma pensée et me laissait apercevoir peut-être le but de ma vie et l'art. Ainsi ces personnes et ces choses, avaient [1], en leurs acceptions
diverses, cette beauté qui dans les œuvres d'art
F° 66 s'ajoute à leur | beauté propre, cette beauté à laquelle
était si sensible Elstir. Quand il enrichissait la notion
d'un bibelot * [2] de toutes les collections où il avait
figuré, des hasards de sa vie, qui nous rend plus précieux un tableau de Rubens en nous rappelant que ce
chérubin que St Simon etc., beauté à laquelle
deviennent plus sensibles par compensation ceux en
qui diminuent les forces de la sensibilité pour goûter
la beauté propre des choses et qui accordent plus de
place aux plaisirs de l'intelligence et du contingent,
la beauté de l'histoire [3]. Et je retrouvais pour plus
d'une de ces personnes dans ma mémoire [4] une première image, la plus ancienne de toutes comme
Mlle Swann nous regardant d'un air hostile devant la
barrière de la Raspelière à Combray, comme à la
Raspelière encore M. de Guercy qui n'était alors
pour moi que l'amant de Me Swann, comme M^e de
Chemisey, sœur brillante de Legrandin que j'ima-

1. Ou : « ouvraient », ou : « ornaient », mais il y a ici une correction
malheureuse, semble-t-il, car elle entraîne la répétition du mot beauté.
2. Le mot « tableau » a été rayé pour éviter la répétition avec « tableau
de Rubens ». La lecture de la suite est très hypothétique.
3. En face de quatre lignes rayées, en marge : « Et quand je remontais
dans ma mémoire, sans même parler d'une image plus ancienne que toutes
les autres que j'avais de certains êtres mais dont je n'étais plus certain,
par exemple de Swann avant son mariage etc. » Et plus bas séparé par une
ligne (mais c'est peut-être la suite) « − comme les ruisseaux − sans remonter jusqu'à cette nuit où je ne pouvais rien distinguer avec cette certitude *
je retrouvais une première image, la plus ancienne de celles que je me rappelais clairement * comme Mlle », (Le « comme Mlle » renvoie peut-être
au « comme Mlle Swann » du texte).
4. « je retrouvais » est répété. Proust se répète aussi par la suite; il
reprend même l'expression de « frontispice », et, au demeurant, tout ce
passage n'est pas très cohérent.

ginais * à Combray et pour qui il ne voulait pas nous
donner de recommandation, qui séparée des autres
par un long intervalle, ne venait jamais à mes yeux
quand je pensais à eux parce qu'elle ne correspondait pas à la notion nouvelle que j'avais d'eux, à ce
qu'ils étaient devenus pour moi, n'était plus en communication avec leur être vivant, avait fini par devenir bien irréelle elle aussi, comme un simple portrait qui ne semblait pas avoir été déposé par la
personne dans ma mémoire, un gracieux frontis-

F° 67   pice artistement placé en toutes | mes relations avec
Mlle Swann ou de Me de Forcheville dont était bien
distincte la petite fille au chapeau rose avec M. de
Guercy à qui je n'avais jamais parlé, à propos de qui
je n'avais jamais repensé à l'ami de Me Swann, avec
Me Swann dont je n'avais su que bien longtemps
après, comme on identifie le portrait d'une femme
inconnue, qu'il n'y avait pas solution de continuité
entre elle et la dame en rose que j'avais vue chez mon

V° 66   oncle. |¹ Me souvenais-je aujourd'hui quand je
pensais avec une admiration raisonnée à Bergotte du
temps où Swann m'avait donné une si grande émotion à Combray en me disant qu'il pourrait me faire
rencontrer avec lui, quand je pensais à la D^sse de
Guermantes du temps où dans la rue, dans un salon,
elle portait encore sur elle le lustre mystérieux du
faubourg St Germain d'où elle venait d'émerger
comme Vénus et où elle allait se replonger, débuts
presque fabuleux; belle mythologie de relations qui
devaient devenir si banales. D'autres n'avaient pas
été annoncées, à leur origine, dans ce mystère dont
je retrouvais encore le charme quand je repensais à

1. Ici renvoi au verso précédent par une croix et un long trait sinueux.
En conséquence Proust barre la fin de la page et le commencement de la
suivante pour éviter une répétition : « Heureux passé que celui qui prélu-
dait par tant de rêves à des relations si banales » puis après deux lignes en
blanc : « pour Me de Guermantes. Débuts presque fabuleux, chère mythologie de relations devenues si banales. Me de Guermantes n'était-elle pas
devenue pour moi une femme comme toutes les autres, découpée, plus

ces années (détestable[1]), étant nées plus tard à une
époque où je ne croyais plus aux êtres. Mais celles-là,
plus sèches aujourd'hui qu'une des cartes d'invitation, leurs commencements pas très différents peut-
être, la nature les entourait, les veloutait, de quelque
suite *, ou seulement dans la saison, de la lumière
d'alors, mettant autour de mes deux premières rencontres avec madame de Souvré par exemple l'odeur
de marronnier du jardin Guermantes, ou la bise de
mer faisant claquer le mat * de Rivebelle, ou le vif
argent d'un jour gris prenant dans son réseau étincelant la P^{cesse} de Guermantes dans la cour de la
Duchesse de Guermantes quand je n'allais pas encore
F° 67   chez elle[2]. | Parfois avant la 1re image, il me semblait
qu'il y en avait peut-être encore dont je n'étais pas
certain (voir ci-dessus[3]).....

Comme ces navires si lointains que je voyais à
Querqueville et dont éthérisés qu'ils étaient en une
nuée bleue je ne pouvais[4] affirmer s'ils étaient des
navires ou une simple figure des nuages à qui l'éloignement donnait l'apparence de la réalité.

gracieusement peut'être, dans la même argile, ses joues, son nez n'appartenant à aucune personnalité à part * etc. Pourtant quand j'étais resté loin
d'elle comme cela venait de m'arriver dans mon imagination elle reprenait
son charme ancien ».

« Cette première image était-elle bien la première du reste; pour certains
êtres il me semblait en connaître une plus ancienne encore (Swann avant
son mariage ruisseaux *). »

1. C'est sans doute une remarque de Proust sur ce qu'il vient d'écrire.
2. Proust n'est pas sûr de la place de tout ce passage écrit au Verso 66,
puisqu'en marge il place (lors d'une relecture qu'on ne peut dater) une
note : « il vaudrait mieux mettre tout cela après apparence dans la réalité
(ou avant). Heureux passé où je mettais dans ma peine * étouffée et douce
des commencements fabuleux, Me de Souvré et les commencements amoureux ». Une courte note au-dessus et de la même écriture : « Ceci doit
être récrit et étoffé et nourri. » Une autre note marginale à la page 67 (en
face de « Comme ces navires... réalité ») : « Ceci reporté à une page avant. »
3. Proust a laissé un blanc où il se proposait vraisemblablement de
mettre une précision. Voir p. 216, n. 1.
4. Le « ment » de « nettement » placé à la ligne est rayé. Le mot est, en
effet, inutile.

F° 68 | [1] Parfois ce n'était pas en une seule image qu'ap-
paraissait cet être si différent de celui que j'avais
connu depuis. C'est pendant des années que Bergotte m'avait paru un être divin avec lequel je ne
pouvais espérer converser sans un miracle, que l'apparition contre le massif de laurier et de myrtes des
Champs Élysées du chapeau [2] gris de Swann ou du
manteau violet de sa femme me changeait en un
marbre blanc et glacé à l'intérieur duquel mon cœur
frappait comme le [3] ciseau du sculpteur, que l'essence [4], l'âme du nom de Guermantes [5], plongeant
dans le mystère la Duchesse qu'il désignait, faisait
apparaître* dans un salon une enclave de surnaturel qui avait pour limites le tabouret de soie où
elle posait la pointe de son soulier, la surface du tapis
que touchait le bout de son ombrelle, la ligne d'in-
tersection de sa pensée vaguant [6] dans son regard et
de l'objet auquel elle s'appliquait, de son dire* et
de celui à qui elle s'adressait, exerçant sur la matière
réfractaire au milieu duquel elle était plongée [7] une

1. Proust a d'abord écrit « apparition » et puis : « c'était pendant
quelque temps, c'était sur toute la longueur de tous..... ». Il n'achève pas et
raye.
2. Dans le texte un « de » qui semble de trop. Tout le passage très corrigé
est difficile à restituer (« haut » en trop). Proust le reprendra (R.T.P., III,
p. 974) et y introduira de l'ordre.
3. Au-dessous de « marbre blanc » on croit lire « pierre blan ». Proust
a rayé « pierre » avant d'avoir fini d'écrire « blanche ».
4. « mystérieuse » rayé. Il semble qu'un certain « que » ici soit surajouté
sans raison. De même Proust supprime « me rendait » et semble oublier
de rayer « sa présence ». Il faut se reporter ici au début de la phrase :
« C'est pendant des années que... » pour comprendre la construction de
cette suite.
5. Nous reprenons ici ce qui est en marge et qui se raccorde mieux. Il
s'agit d'ailleurs d'une très fine évocation de la duchesse de Guermantes.
Voir les notes qui suivent.
6. Un participe présent remplaçant, semble-t-il, « souriant » rayé. On
pourrait lire aussi « voguant ».
7. Au bas du Folio 68 barré par une sorte de V à l'envers, Proust semble
bien avoir oublié de raccorder son texte après avoir rayé de la manière que
nous venons de dire le passage suivant : « ... l'âme d'un nom regardant
par les yeux de la duchesse de Guermantes, craignant d'être froissée dans les

F⁰ 69

réaction [1] si spécifique et si effervescente, qu'aux points où l'âme ducale se terminait et entrait en communication avec la | réalité vulgaire, dans le balancement de sa taille, dans la jeunesse de sa prunelle, dans sa poignée de main, dans la frange extrême de la sonorité de sa voix, il me semblait y avoir une sorte d'étincellement, de lustre, l'humidité d'une Vénus qui vient d'émerger des ondes du Faubourg St Germain et ne s'adresse qu'à travers leur vernis * imperceptible et isolant aux mortels modifiés eux-mêmes en leur essence et devenus savoureux parce qu'elle daigne s'adresser familièrement à eux [2]; origines presque fabuleuses chère mythologie de relations si banales ensuite mais qu'elles prolongeaient d'un passé aussi brillant comme la queue d'une comète en plein ciel [3]. Et même ceux qui n'avaient pas commencé dans le mystère mais comme mes relations avec Mᵉ de Souvré, avec le Duc de X si sèches, si purement mondaines aujourd'hui, gardant à leurs débuts leur premier sourire, plus calme, plus doux, et si onctueusement tracé dans la plénitude d'un après-midi d'été au bord de la mer, d'une fin de journée de printemps à Paris bruyante d'équipage et de poussière que l'air éclaboussait de son onde tiède

plis de sa robe et s'élevant dans son cou, donnant à ses regards à son maintien à sa toilette une singularité et une fierté délicieuses, et exerçant sur tous les milieux étrangers où elle était plongée... »

1. Ici on pourrait placer un autre texte situé en face au bas du Verso 67 : « une réaction qui changeait la nature des personnes chez qui elle allait, et dont l'effervescence faisait des limites de sa mondanité ducale, de la frange extrême de son regard du liseré le plus extérieur de ses intonations, de la chute de sa jupe, d'une sorte de lustre, du vernis à la fois insolent et brillant comme l'humidité d'une Vénus à peine émergée des flots du faubourg Saint-Germain et qui correspondait avec ».

En somme, de ce passage qu'il a beaucoup travaillé et pour lequel, tout au moins, il rassemble des matériaux, on peut proposer plusieurs versions possibles et l'on pourrait tirer des observations intéressantes sur son style, sa recherche des qualificatifs en particulier. Nous nous bornons à proposer une version et à rassembler les pièces du dossier.

2. Ensuite quelques mots et 4 lignes rayés.

3. Proust reprend ici la même comparaison qu'au Verso 66.

et réfléchissante qui l'entouraient avec une telle plénitude que [ma]¹ mémoire avait probablement prêté * pour étoffer ces moments-là et compléter ce qui leur manquait, beaucoup de souvenirs dispo-

F⁰ 70 nibles | de moments pareils qui lui donnaient plus d'épaisseur et de velouté. Mais [pour] de telles² relations, le passé avait été gonflé de tant de vains désirs, formés sans espoir, dans la vaste chimère desquels j'avais pourtant * fait tenir toute ma vie, et dont je voyais aujourd'hui, dans une ennuyeuse familiarité, dans des intimités dédaignées, l'exaucement m'être si indifférent que je pouvais à peine comprendre comment il avait pu me paraître alors le rêve inaccessible et mystérieux du bonheur. Ces³ grands portraits de Rembrandt qui étaient devant moi, ce seigneur aux souliers à bouffettes, avec chapeau à rabat, à la canne presque moliéresque, si suave * et si grand sous sa laque noire et son noble vernis, aller visiter avec Maria au bord de l'Heerengracht la petite maison pleine de chefs-d'œuvre d'où il⁴ était sorti, être connu de ses parents comme son ami, aller la retrouver, la chercher chez elle, prendre un repas avec elle, et ces ineffables joies, ne pas les goûter un seul jour que l'angoisse⁵ de sa fin prochaine rendait douloureux et presque difficile dans la trop grande tension du désir qui veut * se rendre compte qu'il est réalisé, à vivre comme sien, mais qu'elles soient les innombrables jalons, les arbustes fleuris tout le long du

1. « la » rayé mais pas remplacé, à moins que ce ne soit le mot (peut-être « ma ») placé très au-dessous.
2. « pour » est rayé, un « autres » semble barré.
3. « deux » rayé.
4. Ce « il » désigne le seigneur. On verra au sujet de ces tableaux et de Maria l'article d'Henri Bonnet dans le B.M.P., 1978. Ces deux tableaux figurant mari et femme se trouvaient dans une exposition ou un musée en Hollande où Proust lors de ses deux voyages a pu les voir. Mais il a pu les revoir ou en revoir un à Paris, chez les Rothschild auxquels ils appartiennent. « Heerengracht » est une graphie proustienne.
5. Quelques mots en marge : « pouvoir un jour de tristesse la faire venir ».

chemin, le parfum et le soleil perpétuel de la vie, toute
ma vie s'écoulant dans le paradis à peine imaginable
de sa vie à elle [!] Et cependant c'est ce qu'elle-même
souhaitait, m'offrait, ce que tous ceux qui la connaissaient proclamaient pouvoir lui être le plus agréable
maintenant que sa maison était devenue dans mon
esprit une maison comme toutes les autres, dans moi.

V⁰ 69 | ¹ Que son pays, cette Hollande si redoutée où
elle devait retourner, ses parents, sa maison, ses occupations, ses repas, ses promenades, ne soient plus un
infranchissable inconnu qui la sépare de moi, mais
m'admette et me reconnaisse, pour un de ses amis,
pour que je puisse la voir chez elle ou sortir avec
elle, non pas un de ces jours sans lendemain où le
bonheur mêlé de l'angoisse de les voir bientôt finir
et rendu presque irréel par l'attention désespérée
qu'on y porte, mais que je la voie toujours sans
jamais la quitter ces rencontres faisant le pain quo-
tidien de la vie; c'était un de ces rêves que je me
plaisais à supposer réalisés seulement dans ces imaginations de l'insomnie où l'on arrange les circonstances de la vie comme un roman qu'on compose-
rait, et où la moindre phrase que l'on prononce
couche à nos pieds les pays extasiés. Mais jamais je
ne l'avais cru un instant possible. Et toute l'étrangeté ² du monde s'était retirée pour moi dans une
petite maison où je ne pourrais jamais entrer.

F⁰ 71 | Sans doute ³ la vie mettant à plusieurs reprises
sur mon chemin ces personnes, par le jeu naturel
de ses hasards, me les avait ⁴ présentées dans [des]

1. Ici nous découvrons un nouvel état, en face, au Verso 69, dans un texte
de même écriture. Dans les « Notes pour *Le Temps retrouvé* », on trouvera
un texte situé en marge du Folio 70, qui aurait pu être inséré ici lui aussi
et qui éclaire un peu le texte principal.
2. Il ajoute au-dessous : « et le prix ».
3. Proust a d'abord écrit : « Sans doute les circonstances particulières
résultant du jeu naturel des hasards de la vie qui avaient mis sur mon
chemin ces mêmes personnes. » Ce paragraphe est presque entièrement
repris dans le manuscrit définitif (Pléiade, III, p. 975).
4. Proust met par inadvertance ce verbe au pluriel.

circonstances particulières qui en les entourant de
toutes parts m'avaient rétréci la vue que j'avais eue
d'eux, et m'avaient empêché de goûter la plénitude
de leur essence. Ces Guermantes même qui avaient
été pour moi l'objet d'un si grand rêve, quand je
m'étais approché d'abord de l'un d'eux, ils m'étaient
apparu, sous l'aspect, l'une d'une vieille amie de
ma grand'mère que celle-ci évitait dans le hall de
[l'] hôtel de Querqueville, l'autre d'un jeune homme
jusque-là impoli qui sortit de sa voiture un jour de
pluie pour, le chapeau à la main, nous y faire monter, l'autre encore d'un Monsieur qui m'avait regardé
d'un air si désagréable à midi devant les jardins du
casino, l'autre un M^r en veston du matin qui arrêtait
mon père dans la cour. De sorte que ce n'était jamais
qu'après coup en les identifiant au nom de Guermantes, que leur connaissance était devenue la
connaissance de nombreux Guermantes. Mais peut'
être cela même me rendait-il la vie plus poétique de
penser que la race mystérieuse aux yeux perçants, au
bec d'oiseau, au teint rose, aux cheveux dorés, la
race inapprochable et inconnaissable, s'était trouvée
si souvent, si naturellement, par l'effet de circonstances aveugles et différentes, s'offrir à ma contemplation à mon commerce, et plus tard à mon intimité, jusqu'à ce que[1], quand je voulais connaître
Madame Putbus[2] ou faire entendre du Wagner à
ma tante[3], c'était à tel ou tel Guermantes, comme
aux amis les plus serviables que je m'adressais. Certes
cela m'ennuyait d'aller chez eux autant que chez
F° 72   tous les autres gens du monde que j'avais | connus
ensuite. Même pour la Duchesse de Guermantes

---

1. Proust écrit d'abord « aujourd'hui ».
2. Au-dessus : « Mlle de Quimperlé ». Proust hésite entre deux noms.
Dans l'édition définitive reprenant la même phrase, il dit : « au point que,
quand j'avais voulu connaître Mlle de Stermaria ou faire faire des robes
à Albertine, c'était, comme aux plus serviables de mes amis, à des Guermantes que je m'étais adressé » (Pléiade, III, p. 975).
3. C'est la tante dont il est question au début de ce récit (Cahier 58).

dont comme [de] certains pays on avait une sorte de
nostalgie quand on était loin d'elle, son charme
n'était visible qu'à distance et s'évanouissait si l'on
était près d'elle. Mais malgré tout les Guermantes
avec Madame de Montargis aussi différaient des
autres gens du monde en ce qu'ils plongeaient plus
avant en moi leur racine, dans un passé où je rêvais
V⁰ 71 davantage et où je croyais plus aux individus | ¹ et
quelquefois au moment où je venais de refuser une
invitation des Montargis ou de m'ennuyer chez la
Duchesse de Guermantes, un rayon de mon attention
prélevant, mettant en lumière, dans les profondeurs
de ma mémoire une coupe de leur passé, le nom de
Guermantes apparaissait accompagné – arôme de
forêt, ou vernis ² de porcelaine – d'un fragment des
leit-motive qui l'escortaient alors, je revoyais le
teint de rose ³ [de Madame de Guermantes] quand
elle passait dans la rue, je pensais que dans la
petite salle à manger à glaces où on m'eût reçu
chaque soir avec tant de joie et où je n'étais jamais
allé, le roi et la reine du festin assis en face l'un de
l'autre, ne souhaitant rien de mieux ⁴ [que] de passer
la soirée comme je voudrais, de voyager où je voudrais, c'était la jeune fille aux tresses blondes enguir-
landant son front avec des fleurs, et jusqu'à il y a
quelques années, plus belle encore disait chacun
depuis son mariage, et le jeune insolent de Quer-
F⁰ 72 queville, issu de la race divine. | ⁵ Et quand je m'en-

---

1. Renvoi, au moyen d'un petit cercle barré, au verso précédent, c'est-
à-dire en face du Folio 72.
2. « roseur » rayé, sans doute à cause du « rose » qui suit.
3. Au-dessus rayé : « les cheveux blonds de Madame de Guermantes ».
4. « Que de voyager où je voudrais » rayé.
5. Ici nous revenons au texte principal où la phrase qui suit se retrouve
presque identique mais mieux équilibrée. Mais après une ligne blanche
il y a au Verso 71 un texte non barré de même écriture et sur le même sujet
qui pourrait être intégré dans le texte principal :
« Si alors dans mes heures d'insomnie, j'arrangeais de ces rêves où toutes
les richesses, toutes les puissances viennent à vous, elles n'avaient pour moi
qu'une valeur, c'était de me permettre d'entrer en rapport en leur rendant

nuyais chez eux[1] comme ce soir, je me consolais[2],
confondant, comme un marchand qui s'embrouille
dans ses livres, la valeur de leur possession, avec le
prix où les avait cotés mon désir, en pensant que ce
que je goûtais avec ennui, c'était pourtant l'objet
d'une des plus chères imaginations de mon enfance[3].
Mais pour d'autres êtres le passé dans mes relations avec eux était gonflé de rêves plus ardents[4],
formés sans espoir où s'épanouissait si richement
ma vie d'alors dédiée à eux tout entière que je pouvais à peine comprendre comment leur exaucement
était ce mince, étroit et terne ruban, d'une intimité
indifférente et dédaignée où je ne pouvais plus rien
retrouver de ce qu'avait[5] leur mystère, leur fièvre
et leur douceur. Ces[6] grands portraits de Rembrandt
qui étaient en face de moi, cet homme en feutre,
aux canons [,] à la canne * (voir ce livre), presque
moliéresque, et si noble sous sa laque unie; sous son
vernis noir, pouvoir aller en automne avec Maria,
un matin d'automne[7] marchant avec elle, au soleil
sur le quai en contrebas jonché de feuilles mortes

d'immenses services ou en prenant à leurs yeux un extrême prestige, avec
les parents de Gilberte, de Maria, de tant d'autres de pouvoir pénétrer
dans[a] un appartement, dans une ville, dans un château, dont la façade
me dérobait tout l'inconnu et le bonheur de la vie, de voir s'ouvrir à moi
cet impénétrable qui me séparait de celle que j'aimais [,] sa vie de famille,
ses relations avec ses amis, avec ses professeurs, ses fatals voyages. Et ce
grand portrait d'homme par Rembrandt qui était en face de moi avec sa
canne etc.[b].

a. Plusieurs mots rayés : « maisons, ville dont la façade ».
b. Ici Proust met : « Voir en face. » En face sur le Folio 72 une note marginale, celle que nous
donnons plus loin et qui commence par « N'y avait-il pas en une époque ».
1. Proust écrit pour « chez eux » qu'il a barré : « pas barrer ». Nous lui
obéissons.
2. Ici un renvoi en marge jusqu'à « désir ».
3. Pour cette fin de phrase et la suite cf. Pléiade, III, p. 976.
4. « passionnés » rayé.
5. « de ce qui avait fait »; rayé « fait » et le point sur l'*i* de « qui ».
6. « deux » rayé. Proust semble hésiter. Le « Ces » est partiellement
rayé.
7. « Au bord de l'Heerengracht » rayé ainsi que « dans la maison de son
tuteur ».

sonner à la petite maison où descend l'escalier.....[1]
et dans la salle basse .... regarder à côté d'elle,
sentant son bras contre le mien, le portrait cruelle-
ment divorcé de celui-ci | de la grande femme en
noir, debout les yeux en amandes fixés au-delà de la
fenêtre sur cet Heerengracht[2], dont se souvient
encore assez pour nous cette peinture-ci exilée et
captive à Paris dans l'hôtel [de] la Princesse de Guermantes[3]; cette maison [du] tuteur de Maria qui semblait me dérober sa vraie vie, et pour laquelle son
départ chaque automne, même si à Querqueville
j'arrivais à devenir son ami, me semblait comme je
savais que je ne pourrais l'y accompagner, un de
ces malheurs inhérents à la destinée, inéluctables
comme la mort, [si] elle m'avait demandé d'aller
y vivre avec elle, les amis[4].....
d'aller voir le portrait qui lui faisait pendant dans
la petite maison d'Amsterdam[5] de Maria, où je
savais qu'elle allait passer l'automne chez un tuteur
qui ne me connaissait[6] pas, qui ne m'aurait pas laissé
aller la voir, et que par quelque miracle, je pusse *
l'accompagner, que son tuteur m'y invitât[7], et nous

F° 73

1. Ces points de suspension et les suivants sont de Proust. En marge,
un texte qui semble être une note : « N'y avait-il pas eu une époque où
le *** plus beau rêve de ma vie, auquel j'aurais sacrifié tout le reste de ma
vie, non seulement dans sa médiocrité mais eût-elle dû être pleine de faits
singuliers * pour aller avec Maria. » Quelques mots rayés où il est encore
question de Maria : « Où à un de ces automnes quand Maria partait pour
chez sa tante..... » Au Folio 70 Proust a déjà décrit ce portrait de Rembrandt et dit son rêve d'accompagner Maria en Hollande. Il y revient
aux Folios 72-73.
2. « le rappeler » en marge.
3. « regrette » rayé.
4. Proust raye ensuite plusieurs mots sauf « les amis ». Une ligne en
blanc ensuite avant une nouvelle rédaction.
5. Rayé : « du tuteur » (?), « sur l'Heerengracht » plus loin est rayé
aussi.
6. En marge : « Placer en son temps à un de ses départs le départ de
Françoise pour chez ses frères. »
7. Rayé ensuite : « que tous deux après avoir passé ensemble la nuit
en chemin de fer ».

nous retrouvions ensemble un matin d'octobre mon bras près du sien devant le portrait de [la] grande femme en noir dont les yeux en amandes regardaient encore * le quai en contrebas jonché de soleil que n'arrêtaient plus les arbres clairsemés et de feuilles mortes[1], l'Heerengracht, que se rappelait encore assez pour nous en faire souvenir, l'époux cruellement divorcé qui était devant moi, exilé et captif dans l'hôtel de Guermantes.

Depuis c'étaient tous ces parents redoutés qui m'avaient, souvent sans succès, demandé d'être leurs hôtes[2], ces amis au nombre desquels j'avais en pure perte sollicité de figurer, ces maisons où l'on m'invitait souvent à venir passer l'été ou me fixer tout à fait[3].

V° 72 | Que j'en avais connu de ces demeures que mon imagination habitait sans cesse où je croyais n'entrer jamais, dont j'écrivais l'adresse[4] sur mes livres[5], chacune à son tour, aussi désirée, aussi redoutée, quand c'était un cinquième étage dans la banlieue ou une ferme de province que quand c'était un château[6] ou un hôtel aux Champs-Élysées, où paraître jamais supportable, être jamais présenté aux parents[7] et qui m'eussent-ils admis une fois ne me laisseraient jamais venir souvent, aux amis, à tous ceux qui voyaient tout le jour celle que j'aimais, me paraissait aussi enivrant, mais aussi impossible[8] si le père était employé de chemin de fer et les amies des midinettes, que [si] c'était un prince du sang, et[9] les

---

1. Rayé : « dont les feuilles mortes pourrissaient au soleil ».
2. Le singulier, leur hôte, se comprendrait mieux.
3. Ici un renvoi à la page précédente au moyen du chiffre 1.
4. Au-dessus : « le nom ».
5. « cahiers » rayé. Ensuite plusieurs lignes rayées.
6. « princier » rayé.
7. En marge jusqu'à « souvent ».
8. Un premier « impossible » à moitié rayé se trouve plus haut.
9. Nous supprimons dans cette dernière phrase un « qui » qui nous paraît de trop.

demeures parisiennes sur le plan de Paris, les provinciales ou les étrangères, au milieu de la carte de France et d'Europe, injectant autour d'elle, dans un large rayon, la sensibilité et la vie, intercalaient un réseau vivant, un cœur douloureux. Et dans toutes, dans le petit manoir, plus ferme que château, délabré sur la montagne qui lui met* des deux côtés un panache romantique de sapins, dans la maison blanche[1] cachée dans les vignes, au penchant* du lac, dans la villa de St Germain, dans la maison normande qui regardait la mer à travers les ormes[2] – dans la vieille maison de Versailles, partout un jour*, j'avais une place réservée à table, une chambre, une aile du château.[3] Et alors enchaîner avec au bas en face[4] : c'étaient les parents redoutés qui m'avaient [invité], la paysanne réservait pour moi sa plus belle vendange, pour moi le plus riche financier organisait des chasses, le châtelain rouvrait à la noblesse du pays que j'étais curieux de voir les salons fermés depuis si longtemps. Mais j'avais beau me dire que ces êtres étaient ceux que avant j'avais rêvé de connaître, d'approfondir, dont j'avais rêvé de posséder la vie, que cette grosse femme rouge qui était près de moi (Gohry* il vaudra mieux la mettre sous un nom déjà vu ou ailleurs à Querqueville) était celle qu'un jour j'avais suivie le soir, la voyant devant les vitrines allumées, qui s'était retournée une fois mais ne m'avait pas distingué à cause de sa myopie,

1. « vieille ferme » rayé, et plus haut « la villa » rayé aussi.
2. Nous repartons avec un texte situé dans le haut de la page qui se raccorde ensuite avec des textes situés en marge et ensuite nous repartons au bas de la page à : « Mais là encore pourtant », texte qui se prolongera en dernière ligne du Folio 73.
3. Ici un trait vertical qui s'explique peut-être par l'invitation à enchaîner qui suit mais qui n'est pas réalisable. La phrase « en bas en face » commence ainsi : « Depuis c'étaient tous ces parents redoutés... » Cette indication renvoie au texte du bas de la page 73, ici quelques lignes plus haut.
4. Indication de Proust qui n'a pas dit comment l'enchaînement pouvait se faire. Il abrège et il se répète.

et que la vie m'avait parue belle seulement parce qu'elle contenait la possibilité – pour moi l'impossibilité – de la connaître, de savoir, de connaître et posséder ce qui était derrière ce visage (cela pourra faire un pendant aux 2 autres, mondaines et sentimentales, étant la 3ᵉ des rêves dans la rue *) peut'être la Bⁿᵉ de Villeparisis [1]. Cette petite femme que j'avais aimée, passant devant les boutiques éclairées et marchant vite [,] courbée, n'avait-elle fait que traverser le monde, je ne retrouvais rien d'elle, rien de l'esprit que je rêvais en elle, c'est-à-dire de mon désir que m'inspirait son visage dans la femme qui m'avait parlé tout à l'heure à la peau irritée [2], instruite, sotte et pratique.

[3] Mais là encore pourtant, et plus grand parce que ces êtres-ci n'avaient pas seulement charmé mon imagination mais troublé mon cœur [,] c'était un plaisir de penser que la vie finit par être familièrement habitée par les êtres qu'on a désirés le plus, que l'inconnu du cœur et l'inaccessible, le temps finit par le changer en connu et familier et que s'il est de l'essence du rêve de s'évanouir quand il se réalise, du moins ces causeries, ces voyages, ces arrangements d'existence qui s'offrent à nous et que la vie met à portée de notre main, c'est ce que notre rêve de bonheur avait de plus doux et de plus douloureux ; et que [4] de quelque route que ce fût [5], quelque ferme *
Fᵒ 74   [ou] maison désormais * si je sentais ou * [6]... | que je

1. Renvoi un peu plus haut en marge. Proust a écrit deux en chiffres et mis Bⁿᵉ pour Baronne.
2. « à l'esprit » rayé.
3. Le passage qui suit au Verso 72 semble bien remplacer celui du bas de la page 73 que voici : « mais là encore pourtant, la vie me semblait plus belle de m'avoir peu à peu ouvert toutes grandes dussé-je y entrer sans plaisir ou n'y pas entrer du tout les portes de chaque maison de mon rêve ».
4. Suite bas de Folio 73 – mais la phrase est interrompue.
5. Ce passage qui précède remplace celui qui se trouve en bas de marge du Folio 73 et qui est rayé.
6. Ici un mot illisible et une interruption, semble-t-il. On tourne la page et au Verso 73 on trouve collé, en bas et à gauche, un rectangle de papier

sentisse se pénétrer de mon désir, devenir différente
de toute la nature du monde, devenir tout * du rêve,
à la porte impitoyable dont je me dirais que c'eût
été pour moi le bonheur de voir la porte d'or [se]
refermer sur moi et [1] obligé de suivre mon chemin
et de ne jamais revoir la fille blonde, [de] m'éloigner
pour toujours de ce château de rêve avec plus de
calme en me disant que si j'étais resté dans le pays,
un jour ou l'autre la porte inconnue ayant éliminé
son mystère et son charme me serait devenue pareille
à toutes les autres, et avant de m'être fermée, se serait,
sans que je daignasse alors y entrer, ouverte toute
grande devant moi.

Et sans doute tous ces plans différents suivant
lesquels le Temps, depuis que je venais de le ressentir dans cette fête, disposait ma vie, en me faisant
songer que dans un livre qui voudrait la raconter
il faudrait user par opposition à la psychologie plane
dont on use d'ordinaire, [d'] une sorte de psychologie dans l'espace [2], ajoutaient [3] une beauté nouvelle à ces résurrections que ma mémoire opérait

traversé par un [Ca]pitalississississimeissime, avec de la même grosse écriture :
« Pour ajouter au verso ci-dessous [quan]d je dis danger extérieur... »
Puis, plus haut, d'une écriture différente plus fine : « Et aussi faute de place
j'ajoute au dos de ce papier q.q. chose de capitalissime — » Et au-dessus :
« P.S. Il faudra que je soie [*sic*] sorti *par exception le jour* pour aller à cette
matinée ce qui expliquera peut-être la *vivacité* de mes sensations et le
retrouvage du *Temps*. Je pense au Rayon de soleil sur le Balcon. »

1. Ici l'auteur renvoie en marge, barrant : « sur cette fille blonde qui y
entrait je pouvais la regarder et m'éloigner d'elle avec plus de calme en me
disant qu'un jour ou l'autre la porte inconnue [a] me serait devenue pareille
à toutes les autres, aurait perdu son mystère et son charme, et cessant d'être
fermée se serait ouverte toute grande devant moi ».
    a. « mystérieuse » rayé.

2. Cette idée se retrouvera reportée dans *La Fugitive* (Pléiade, III,
p. 557) : « Comme il y a une géométrie dans l'espace, il y a une psychologie
dans le temps où les calculs d'une psychologie plane ne seraient plus exacts
parce qu'on n'y tiendrait pas compte du Temps et d'une des formes qu'il
revêt : l'oubli. » Le paragraphe est d'ailleurs barré; vraisemblablement
parce que Proust veut se souvenir qu'il l'a utilisé.

3. Nous mettons « ajoutait » au pluriel le sujet ne pouvant être que
« tous les plans ».

tant que je songeais seul dans la bibliothèque, puisque la mémoire, en introduisant le passé dans le présent sans le modifier, tel qu'il était au moment où il était présent supprime précisément cette grande dimension du temps suivant laquelle la vie se réalise. Mais hélas plus qu'une beauté c'était une souffrance, car tous ces souvenirs[1] que jusqu'ici les sachant d'époques différentes, j'évoquais bien davantage mais ne le sachant pas sur le même plan, maintenant comme dans le petit jeu du rappel élastique dont la tête et la queue comprimant les anneaux peuvent tenir l'un à côté de l'autre entre deux doigts, mais, qui si on lui rend sa longueur, mesure des mètres, je sentais un souvenir avec une angoisse infinie, se placer l'un dessous l'autre et s'enfoncer dans un passé dont je n'osais pas mesurer la profondeur sinon depuis le jour du mariage de Montargis.[2] C'était avec une souffrance aiguë, que je ressentais ce temps écoulé, n'osant depuis que j'avais remarqué son œuvre, [en] calculer la durée sinon depuis le jour [du] mariage

1. En marge un texte qui semble s'insérer ici bien qu'il n'y ait pas de renvoi : « que jusqu'ici les sachant d'époques différentes j'évoquais bien davantage mais ne le sachant pas sur le même plan, maintenant ». Ici un renvoi par une croix au Verso 73 : « maintenant comme dans le petit jeu du rappel élastique dont la tête et la queue comprimant les anneaux peuvent tenir l'un à côté de l'autre entre deux doigts, mais, qui si on lui rend sa longueur, mesure des mètres, je sentais un souvenir etc. » *(on retrouve cette image au Folio 75).* Ici retour au texte en marge : « avec une angoisse infinie, se placer, l'un dessous l'autre et s'enfoncer dans un passé dont je n'osais pas mesurer la profondeur sinon depuis le jour du mariage de Montargis ». Nous intégrons tout cela dans le texte. Cette note donnera une idée du genre de difficultés que nous avons rencontrées. Nous supprimons le « etc » après « je sentis un souvenir », car il sert seulement à renvoyer au texte de la marge 74.

2. Ici retour au texte principal. En bas de la marge 74 peut-être une correction du texte ou une suite du morceau contenu dans la précédente note : « au mariage de Montargis j'avais vingt ans — année d'enfance à Combray quand sur le pont de la Vivette je m'apercevais de la différence des paroles prononcées avec l'impression éprouvée ou quand dans mes promenades sur le côté de Guermantes ou de Méséglise, je rapportais une image que j'essayais d'approfondir et cette soirée que je m'étais rappelée tout à l'heure où j'attendais ».

de Montargis où j'avais définitivement résolu d'écrire[1] et dont sans oser réfléchir à la grandeur des mots je pensais qu'il y avait bien dix ou douze ans de mon passé jusqu'à la profondeur où se trouvaient reculés — avec Gilberte[2] aux Champs-Élysées, ces jours de Combray où de mes promenades du côté de Guermantes et de Méséglise je rapportais une impression où j'essayais de voir clair[3].

V° 74　| [4] Très important à mettre à un de ces endroits sur le Temps[5]. Voyant que je n'ai pas la place de transcrire ici ce morceau je le mets dans le cahier jaune glissant où il y a des vides[6]. Curieuse chose que ce Temps. D'une façon il était comme la fluide atmosphère dans laquelle baignaient les événements de notre vie, il modelait les figures, il leur donnait leur relief, il les séparait entièrement, les mettait en regard, les opposait. C'était lui la véritable lumière qui ajoutait du mystère aux figures humaines. Et si j'avais chez Me de Chemisey caressé avec tant d'émoi le visage de Maria c'est [que] le charme que donnait aux plus anciennes une beauté d'annonciation [,] de prophétie de ce qui devait venir plus tard, les plus récentes semblaient lui-même le mettre en valeur, le

1. Il semble que le mariage de Gilberte avec Montargis ait été dans une première version le point de départ (grâce à un souvenir involontaire dont il est question plus haut) des révélations sur la nature de l'art, qui sont à l'origine du temps retrouvé.

2. Au lieu de Gilberte Proust avait d'abord écrit Maria. Le trait de plume qui raye est à peine visible, mais il est réel. Cette biffure témoigne d'une lecture ultérieure de Proust.

3. Cette fin de phrase a été rayée (à partir de « je rapportais »). Nous l'avons reprise pour donner un sens à la phrase.

4. Proust arrive ici à la fin du Cahier. Il s'aperçoit qu'il manque de place et il écrit sur le Verso 74 avant de terminer sur la page 75. Et il supprime la marge.

5. Cette indication semble antérieure à la suivante qui est pourtant placée en partie au-dessus. Le « très important » est souligné par Proust.

6. En marge, au crayon rouge : « Voir dans le cahier jaune glissant. » Le cahier jaune glissant est le Cahier 13. Il contient la suite de la page ci-dessus. Malheureusement, on le verra, cette suite est inachevée.

faire sentir, car l'aspect nouveau sous lequel elles se présentaient était comme le signe visible d'une exposition différente, d'un déplacement d'éclairage du temps. Mais.....
Curieuse chose que le Temps. Interposant sa fluide atmosphère entre les images d'une même personne, il les sépare, les expose, les oppose et nous force à nous redire (comme je le faisais si souvent devant Maria), « c'est bien elle »[1] devant les personnes dont l'habitude nous fait trop vite oublier ce qu'elles furent primitivement pour nous. Ainsi il circule entre les différentes apparitions d'un être, en rend les aspects plus mystérieux et nous aide à nous retrouver, à goûter dans les caresses actuelles l'espérance qui nous animait quelques années auparavant. Mais son pouvoir comme celui de ces poisons qui à petite dose donne[nt] une[2] rêverie agréable et à plus forte dose tuent, à quelques années de distance il peut faire pour nous d'une même personne, une autre jeune fille où en reconnaissant.....

F° 75 | Et tout d'un coup entendant dans mon souvenir mes parents qui accompagnaient M. Swann vers la porte, puis le son rebondissant, rougeâtre, cressonier et criard[3] de la petite sonnette qui me signifiait qu'il venait de partir, je fus effrayé en sentant que cette sonnette je l'entendais encore en moi sonner à cette époque qui était encore actuelle et qui ne mettait[4] à sa date que les événements que j'étais obligé de placer entre elle et le moment présent[5], que c'était

1. Nous mettons les guillemets.
2. Interruption. Suite trouvée dans le Cahier 13, V° 64 mais qui s'interrompt au mot « reconnaissant ». Et pourtant il reste encore une moitié de page en blanc et ensuite plusieurs pages non écrites.
3. Proust écrit aussi après un premier « criard » barré « ferrugineux et glacé » dont on ne sait si cela est rayé ou souligné. Dans la version définitive du *Temps retrouvé*, il écrit : « Rebondissant, ferrugineux, intarissable, criard et frais. » le « frais » correspond, semble-t-il, au néologisme « cressonier ».
4. Rayé « faisait », puis « rendait un si loin passé ».
5. Renvoi vers le bas de la page jusqu'à « pour l'observer mieux ».

bien elle qui sonnait, sans que je pusse rien changer
à son tintement, puisque ne me rappelant pas bien
d'abord comment s'éteignait son grelot, je m'efforçai
de ne plus entendre le son des conversations autour
de moi et descendis en moi-même écouter [1] de plus
près son tintement pour l'observer mieux. Ce passé
si profond je le portais avec moi puisque quand elle
avait retenti à mes oreilles à Combray [2] dans ce passé
si profond, j'existais déjà, j'étais déjà là, et depuis je
n'avais pas cessé une seconde d'exister, de penser,
d'avoir conscience de moi, puisque ce passé m'était
intérieur, comme une longue galerie où je pouvais
retourner jusqu'au jour où tinte la petite sonnette
de Combray sans être arrêté par une clôture [,] par
MR⁰ 75 une route extérieure, sans *avoir à sortir de moi* [3]. | J'eus
un sentiment de fatigue et d'effroi à penser que j'étais
déjà là alors, si loin d'aujourd'hui et que pourtant j'avais été obligé de continuer à maintenir, à
assumer la possession de tout ce passé, à le [4] tenir
en équilibre derrière moi. Et [tout ce passé] [5] adhérait encore fermement à ma conscience jusqu'en ses
derniers anneaux comme [6] dans ce petit jeu du serpent mécanique dont la tête et la queue comprimant
tous les anneaux peuvent tenir entre deux doigts
serrés et qui si on lui laisse reprendre sa longueur
F⁰ 75 mesure des mètres, cette soirée de [7]..... | Je sentais que

1. Nous supprimons un « l' » qui est de trop avant « écouter ».
2. « Je pouvais le visiter à volonté » en marge.
3. Souligné par Proust, comme plus haut un second et même un troisième « sans sortir de moi » que nous supprimons pour éviter une répétition.
4. Une croix, semble-t-il, pour réintroduire ce « le » (informe) à sa place.
5. Nous réintroduisons ces trois mots rayés, qui sont nécessaires au sens
et nous mettons une majuscule à *Et* pour marquer la fin de la phrase impli-
quée aussi par le sens.
6. Une comparaison que nous avons déjà trouvée sur la marge du
Verso 73 après une croix : « maintenant comme dans le petit jeu du serpent élastique dont la tête et la queue comprimant les anneaux peuvent
tenir l'un à côté de l'autre entre deux doigts, mais qui si on lui rend sa
longueur, mesure des mètres, je sentis ce souvenir etc. »
7. Interruption et retour au texte principal.

tout ce temps enfui qui était si long, déroulé derrière moi d'année en année, et au-dessous de moi, je n'étais pas en lui, que j'avais à le tenir à le garder, qu'il avait été sans une interruption vécu, pensé, secrété par moi, qu'il était ma vie, qu'il était moi. Et comme si les hommes étaient des sortes d'échassiers, grimpés sur leurs années écoulées qui grandissaient sans cesse, leur rendant la marche de plus en plus difficile vertigineuse et périlleuse, et qui tout d'un coup tombaient[1], je m'effrayais d'avoir déjà des échasses si hautes sous mes pieds, il ne me semblait pas que je pusse avoir la force de maintenir plus longtemps à moi tout ce passé déjà si profond qui descendait de moi. Hélas c'est au moment[2] où avait tressailli en moi, un plus profond moi-même et que j'avais seul [à] mettre à l'abri dans un livre qui vivrait après moi, que je sentais que pouvait d'un instant à l'autre[3].....

1. « s'écroulaient » supprimé.
2. Nous supprimons « où je », mots que Proust oublie de rayer.
3. C'est ainsi que se termine ce Cahier-brouillon de 1911. La fin ressemble, avec la comparaison des hommes montés sur des échasses à celle du manuscrit définitif que Proust a peut-être achevé au printemps 1922, tout au moins dont il a peut-être alors trouvé les derniers mots — si ce que Céleste Albaret dit à propos du mot « Fin » inscrit sur ce dernier est exact. Il a suffi à Proust de supprimer la phrase commençant par « Hélas » (qu'il n'a pas terminée) et qui semblait l'engager dans des considérations pessimistes sur la vie, pour y substituer un « du moins, si elle (la vie) m'était laissée assez longtemps pour accomplir mon œuvre, ne manquerais-je pas d'abord d'y décrire les hommes... comme occupant une place... prolongée sans mesure... dans le Temps ». Mais on trouve dans le Cahier 11 ce qui pourrait être la suite et la fin de ce Cahier 57.

Fragment du Cahier 11 [1]
(B.N. — N.A.F. 16 651)

On sait que Proust est resté assez longtemps indécis quant à la façon dont il pourrait terminer son livre. Ce fragment du Cahier 11 a pu lui paraître une fin possible, qu'il n'a finalement pas retenue mais qui s'accordait très bien avec son manuscrit de 1910-1911, c'est-à-dire avec la fin du Cahier 57 où il dit en terminant : « je sentais que pouvait d'un instant à l'autre... » et s'arrête brusquement. Je sentais quoi? La réponse est manifestement : « que la vie pouvait m'être ravie », ou quelque chose d'analogue. Mais dans le fragment du Cahier 11, sans mettre de majuscule, c'est-à-dire comme s'il poursuivait, il commence ainsi : « et je sentais aussi l'effroi de ne pas avoir la force de maintenir... » Ce « aussi » paraît bien significatif et semble pouvoir nous dispenser d'émettre l'hypothèse d'une page arrachée dont le fragment en question ne serait que la suite.

Il y a bien une page manquante dans le premier feuillet de ce Cahier. Mais ce qui est curieux c'est que la première page écrite a déteint sur la page de garde qui fait vis-à-vis — ce qui prouve que Proust n'a rien retenu de ce qu'il pouvait y avoir avant. Il avait écrit le texte que nous avons et refermé sa page sur la page de garde, immédiatement, sans la sécher.

Il résulterait de ces observations que ce fragment du Cahier 1911 doit être daté non de 1909 comme l'a supposé Bardèche mais de 1911 comme le Cahier 57. Il doit en être ainsi de l'ensemble du Cahier 11. C'est la thèse qui est soutenue par Bernard Brun dans le B.I.P. du printemps 1981. Bernard Brun au surplus nous montre

---

1. Fin présumée de la première version précédente du *Temps retrouvé*.

*que ce Cahier 11 contient des textes complémentaires destinés à être
insérés dans* **Du Côté de chez Swann** *donc de peu antérieurs aux
dactylographies de 1911.*

*S'il n'a pas retenu cette fin, c'est bien évidemment qu'il n'en avait
pas besoin, ou plus besoin, après avoir rédigé son manuscrit définitif.*

*Remarquons qu'il reprend et développe surtout des considérations
générales sur la mort qui conviennent à la fin d'un livre et continue —
ce qui concourt au même effet final, sur la sortie de Mme de Forcheville (Odette) impotente portée à bras sur un pliant.*

*La transformation de Mlle de Forcheville en Mme de Montargis
semble prouver comme le pense Bardèche que ce texte est postérieur
à celui du Cahier 51 qui, lui, nous a paru de la fin 1909. Mais le
Cahier 11, répétons-le, contient des textes plus récents encore et son
contenu semble bien s'adapter à la fin du Cahier 57 que nous situons
aux environs d'août 1911.*

R^o 1　　| et je sentais aussi l'effroi de ne pas avoir la
force de continuer à maintenir ce long passé assu-
jetti à moi; effroi raisonnable de l'énormité de la
tâche que c'est de vivre et qui quoique nous n'en
ayons pas habituellement conscience, ne nous en
mène pas moins à la mort; mais, effroi qui se justifiait
encore lui-même après coup par cette conscience
même, où, quand elle s'applique à une réalité vitale,
le fait et l'idée des faits peuvent [1] se toucher, ne plus
faire qu'un, comme chez certains cardiaques que
subitement l'idée claire de la mort tue. Et désabusé
de cette fausse idée de nous-même que nous donne
l'habitude pour la commodité de la vie de nous
identifier avec notre corps, ce qui fait que nous
[nous] représentons notre pensée comme quelque
chose du volume à peu près d'une banane [2], pour
qu'elle puisse tenir entre nos yeux et nos cheveux, — et
l'habitude aussi de ne pas nous voir dans le temps,
ce qui fait que nous ne prolongeons [pas] notre

1. Maurice Bardèche propose « parviennent à », mais le « à » n'existe
pas.
2. « orange » rayé.

personne du passé qu'elle a vécu et traîne avec elle,
j'apercevais les hommes montés comme sur des
échasses plus ou moins hautes, chacun sur la tour de
son passé, en haut de laquelle travaillait le prophète
de Jérusalem *, mais tours ambulantes et qui mar-
chaient avec eux, tours nées d'eux-mêmes, faisant
corps avec eux dans l'intérieur duquel, fait d'une
matière translucide et vécue, ils voient jusqu'aux
profondeurs et à l'écroulement de laquelle ils ne
peuvent survivre; qu'ils sont forcés de faire chaque
année plus haute quoiqu'ils sachent que c'est les
rendre moins assurées, non pas semblables à celles
à ras de terre où jouent les enfants, mais celles des
vieillards qui touchent presque le ciel, mais titubent
sans cesse et menacent à tout moment de s'écrouler,
et [celles] des jeunes gens, parfois plus beaux que les
autres, la lyre à la main et les cheveux dénoués, tout
près de terre encore, mais qui n'avaient pas la force
de se maintenir au-dessus d'elle et qui bien vite y
retomberaient. Mais, ignorant la hauteur à laquelle
ils se trouvaient, ils n'avaient aucune conscience du
danger; et continuaient à marcher, courir, à entre-
prendre comme de plain-pied. C'est parce que j'avais
regardé en bas que j'avais eu le vertige en voyant la
R° 2 hauteur | des minutes superposées et exactes * qui me
soutenaient, car il n'est pas d'autre temps que celui
que nous avons vécu, il est notre vie et nous nous
écroulons avec lui.

Sans doute, notre corps blessé peut survivre un
moment à terre; mais, avec la perte du passé, l'esprit
a sombré. Or, mort de l'esprit ou mort totale c'était
tout un, puisque si, depuis une heure, je tenais à la
vie, c'était à cause de l'œuvre que je venais de sentir
tressaillir dans mon esprit et pour pouvoir la mettre
au jour. Et c'était à ce moment que la notion du
temps m'avait fait sentir combien ma vie était avancée, menacée prochainement peut-être; juste au
moment où cette vie était devenue précieuse, où
j'étais comme un homme à qui on a confié un message

et qui doit chercher à éviter tout danger jusqu'à ce qu'il l'ait remis en lieu sûr, jusqu'à ce que sa personne chétive reperde l'importance empruntée. Dans la tristesse et l'effroi de ces cimes perfides de mon âge, je pensai avec plaisir à la Princesse de Talamon, et à la M^{ise} de Gérenton, qui avaient l'une un an de plus, l'autre un an de moins que moi. Dans le Temps où je me voyais, je les sentis près de moi, je me souvins avec plaisir que l'une plaisait encore et avait dû changer d'amant, que l'autre allait entreprendre un long voyage. Leur exemple me donna quelques renseignements plus rassurants sur cette maturité de la vie que je venais d'apercevoir pour la première fois et qui n'était peut'être encore ni la vieillesse ni la mort. Dans le Temps où je m'apercevais, je les sentais par leur âge près de moi. | Et leurs images, au contraire de beaucoup d'autres qui la redoublaient, si elle ne réveilla pas entièrement la confiance en mes forces, diminua du moins la tristesse de ma solitude [1].

R^o 3

Hélas, ce n'était pas seulement l'espoir de jamais mettre à jour cette œuvre que le Temps venait de saper en moi; sur la vérité, sur le prix de cette œuvre même, il venait de me donner un 1er doute. Cet élan de sentiment, cet acte s'obligeant à recréer ce que nous avons senti, toute la valeur que je lui attribuais jusqu'à n'en plus accorder au raisonnement [2] ne venait-elle pas justement de ce qu'il m'était plus difficile que lui, parce que j'étais moins jeune et que la clarté des idées survit bien longtemps à la vitalité obscure de la mémoire et de l'instinct créateur? De même que quand je vivais trop de la vie du monde, j'avais été tenté de voir dans la mondanité d'une jeune Violante, et de quelques autres [3], le véritable péché contre l'esprit, et d'attacher à la solitude que je ne possédais pas une valeur que j'avais reconnue

---

1. La même idée se trouve exprimée au Verso 62 du Cahier 51.
2. « à l'intelligence » rayé.
3. Allusion aux *Plaisirs et les Jours?*

depuis qu'elle n'avait pas, de même n'était-ce pas le vieillissement, peut'être un peu prématuré, de ma force nerveuse qui me faisait désespérément chercher en elle la source unique de toute vérité? L'effort que je faisais, ce besoin que j'avais de penser à fond les mots, pour faire ressaisir pleinement à mon cerveau l'idée obscure et la sensation du passé, et qui me semblait le critérium de la valeur d'une telle opération, n'étaient-ils pas les premiers spasmes avant-coureurs de la destruction de la mémoire et de l'aphasie? Sans doute mes amis avaient plaisanté une telle crainte et moi-même je leur eusse donné facilement l'illusion qu'elle n'était pas fondée, avec cette adroite coquetterie des malades qui, dans le moment même où ils voudraient qu'on reconnaisse leur mal, cherchent à paraître bien portants. Mais la réalité de nos | états est en nous-mêmes, séparée de ce que les autres abordent et mal par un effort qu'ils ne connaissent pas. Si bien qu'il est des mystères du corps et de l'esprit qui échappent presque autant à leur jugement exact qu'il leur est impossible de déclarer, sur le vu de nos bonnes œuvres, si nous ou notre conscience a tort de ne pas être en repos.

R⁰ 4

Évitant de dire adieu à la Princesse,[1] je m'acheminai vers l'escalier. Sur le palier du haut, je rencontrai Mᵉ de Montargis à qui, pour dissimuler que je désirais partir seul, je demandai au contraire où elle allait. Ses yeux embarrassés eurent l'air de chercher un prétexte et elle dit d'une façon évasive... « Mais, je crois que Charles[2]... que nous devions nous rejoindre, mais il avait quelques courses... » Je pensai que sans doute, elle trompait Charles. A ce moment, tout le monde s'écartait pour laisser passer Mᵉ de Forcheville, qu'impotente deux hommes descendaient à bras sur un pliant. Mᵉ de Montargis

---

1. Proust a d'abord écrit puis rayé : « Pour éviter de parler à tant de gens je m'étais mis à l'écart près de la fenêtre, en faisant semblant de regarder quelque chose... »
2. Prénom de M. de Montargis.

s'éloigna vivement et me parla avec animation en se tournant d'un autre côté. Je compris que le spectacle, hélas nécessité par l'état de sa mère, lui semblait ridicule et que, voyant qu'on regardait Mᵉ de Forcheville, elle ne tenait pas à avoir l'air d'être avec elle. Je la quittai, je sortis,.....

RÉSUMÉS

I. L'ADORATION PERPÉTUELLE

(Cahier 58)

V⁰ 5   Retour du narrateur à Paris. La sœur de sa grand-mère désire assister à la première audition du second acte de *Parsifal* chez la Princesse de Guermantes qui donne une matinée.

F⁰ 6   Le narrateur rencontre Bloch. Bloch fait allusion à l'article du *Figaro* qu'il n'a pas encore lu.

F⁰ 2   Bloch développe une théorie littéraire à tendances humanitaires et sociales. Il condamne ce qu'il appelle la littérature, comme avait déjà fait M. de Guercy.

F⁰ 8-   Changement de Bloch. Il devient bienveillant (avec des
V⁰ 7   nuances). Il ne peut répondre à une invitation immédiate du narrateur car il se rend dans un endroit (« assommant ») qu'il ne nomme pas *(Ce sera la matinée chez la princesse de Guermantes)*.

F⁰ 9   Le narrateur déplore que les choses qui l'intéressent
F⁰ 10   ne soient que de simples plaisirs et non des plaisirs de l'intelligence. Son indifférence devant un beau paysage un jour où son train s'arrête en pleine campagne.

F⁰ 11   Quand il essaie [1] de décrire le spectacle pendant l'arrêt il ne ressent aucune joie. N'a-t-il pas dépassé l'âge où

---

1. « ...persuadé que l'enthousiasme quand on écrit est le seul critérium du talent dont il faut bien que nous éprouvions la joie nous-même si nous voulons la communiquer aux autres ».

l'on peut être enivré par le spectacle de la nature : « Ô arbres vous n'avez plus rien à me dire »... etc. Il se console en pensant qu'il lui reste peut-être l'étude des caractères, la discussion des esthétiques.

Mais quand il essaie de discuter la question du réalisme il ressent le même ennui, la même froideur qu'en essayant de décrire les arbres au couchant. Il se tourne alors du côté de la mémoire.

F° 13   Mais la réalité qu'elle évoque lui paraît aussi ennuyeuse que les tableaux d'un kaléidoscope. Il pense que cela résulte de sa médiocrité à lui. Mais voilà qu'il se trouve rejeté du côté des écuries dans la cour de l'Hôtel de Guermantes par l'arrivée d'une voiture. En marchant sur un pavé plus élevé que les autres, il sent tressaillir en lui un air oublié, une félicité analogue à celle qu'il avait éprouvée près de Querqueville au cours d'une promenade avec Mme de Villeparisis, ou à Rivebelle devant un morceau de toile verte, et qui cette fois-là avaient éveillé en lui un souvenir qu'il n'avait pas revu.

F° 14   Le narrateur n'avait pas alors connu ce jour de l'hiver où sa mère lui apporta un peu de thé. Analyse de l'impression causée par les pavés inégaux qui lui rappelle le baptistère de Saint-Marc et Venise.

F° 15   Au lieu d'approfondir son impression il entre dans l'hôtel. Le maître d'hôtel le fait passer par le petit salon, le grand étant fermé pendant l'exécution des morceaux. Il en profite pour passer dans la bibliothèque où il avait vu jadis le prince d'Agrigente. Mais un domestique cogne une cuiller contre une assiette et pour la seconde fois il entend tressaillir un air de la même musique intérieure.

F° 16   Il s'agit du bruit du marteau des employés contre les roues du train, lorsque celui-ci s'était arrêté le long d'une vallée dans la campagne. Mais tandis que le domestique

V° 15   qui lui a apporté un peu de champagne lui tend une serviette pour s'essuyer la bouche, pour la troisième fois la phrase délicieuse de bonheur et de vie s'adresse à lui. Il s'agit de son arrivée à Querqueville au bord de la mer et du linge raide de l'hôtel avec lequel il s'essuya la figure.

V° 16   Sont-ce ces joies spirituelles dont avait parlé Elstir? Cette irrésistible joie lui fait comprendre combien ce passé rêvé est différent de celui qu'il croyait posséder, mais qui n'était pas son vrai passé.

V° 17   Essai d'explication. Est-ce parce que tel souvenir à telle heure se trouve affecté des particularités où il se produisit et qu'il est, enfermé dans un vase isolé, tout autre et unique?

Est-ce parce que nos souvenirs, dit l'auteur, séparés les uns des autres sont placés à des altitudes différentes? Peut-être est-ce la spécificité de l'état de notre vie intérieure d'alors, de nos rêves de voyage et d'art, etc. Pour différencier ces temps il y avait aussi son rêve de beauté d'alors, sa croyance en Ruskin pour Venise, sa croyance en Elstir pour Querqueville.

Note : Si j'avais déclaré la vie laide, en évoquant les tableaux de Venise ou de Querqueville, c'est que ce que j'évoquais n'était nullement la vie, mais des abstractions linéaires absolument arbitraires.

La vie n'est pas médiocre.

L'impression ressentie le matin du mariage de Montargis et qui lui a restitué Venise dans la lumière du soleil devant la girouette de la maison d'en face. Le sentiment enivrant ne se trouve ni dans une jouissance dans le temps (car il est hors du temps) ni lié à une action.

L'être qui en lui ne se nourrit que de l'essence des choses. L'intelligence ne peut atteindre les impressions profondes.

L'irrésistible joie suscitée en nous par un être qui se sent immortel mais qui languit dans l'observation d'un présent où les sens ne lui apportent pas l'essence vraie des choses ou ne les laissent voir que dans le biais de l'activité utilitaire. La paresse qui nous détourne de nous-même. Sur le petit pont de la Gracieuse le « zut » et les coups de parapluie. Ou quand écoutant du Flaubert ou du Wagner nous disons « c'est admirable! » au lieu de faire figurer dans notre langage ce que nous avons ressenti. Le langage de la passion également condamné, comme le passé que l'intelligence nous représente abstraitement. L'être qui ne se nourrit que de l'essence des choses languit aussi dans l'attente de l'avenir que la volonté construit avec des fragments du passé et du présent.

Ce n'est que l'imagination à qui le hasard fournit le point de départ d'une sensation, qui retrouve une sensation semblable apportant l'essence extratemporelle et la garantie de son authenticité.

L'idée d'existence. J'avais voulu retourner à Venise le jour du mariage de Montargis lorsque je vis le reflet du soleil sur la girouette. Mais ce n'était pas dans un voyage

F° 18
F° 19

F° 17
F° 18
V° 17

F° 20

F° 21

V° 19

V° 20

F° 21

F° 22

(un moment de l'avenir ou une action) que je pouvais
réaliser une joie que je ne rencontrais jamais qu'au sein
d'une autre chose à la fois différente et semblable (le
pavé de la cour des Guermantes, heurt de la fourchette).
Énumération de toutes les erreurs à éviter (en note :
condamnation du désir de briller; mes livres seront fils
du silence et de la solitude). L'artiste ne doit pas reproduire tout ce que nous entassons (abstractions, habitudes,
F° 23   passions, tourbillons de l'action...) dans l'impression
F° 24   vraie. Le narrateur n'attache plus d'importance à la
matière (c'est-à-dire au sujet) du livre.

(Cahier 57)

F° 4   Le domestique sort. Le narrateur refait avec plus de
violence le geste de tirer les volumes des « originales » de
la bibliothèque, très content que dure l'audition de *Parsifal* et d'être tranquille. Et voilà qu'il tire *François le
Champi* et se met à pleurer.

Mais il a d'abord eu un tressaillement désagréable,
comme celui qui enterrant son père entend une aigre
musique sous ses fenêtres. Mais il s'aperçoit ensuite qu'il
F° 5   s'agit de la musique d'un régiment venu rendre les hon-
neurs. Ici il s'agit de la nuit où sa mère lui lut *François
le Champi* et c'est l'enfant qu'il était qui est suscité.
Vérité de la chimère selon laquelle les objets conservent
quelque chose des yeux qui les regardèrent.

Les choses sitôt qu'elles sont perçues, sont converties,
F° 6   en nous, en quelque chose d'individuel, d'homogène à
toutes nos préoccupations et sensations d'alors, mêlé à
elles, à jamais inséparables d'elles.

« Post-scriptum. Dire de ce pauvre livre (François le
Champi) bien médiocre qu'il m'avait fait trouver du plaisir à remarquer tant de façons de parler paysannes dans le
langage de Françoise... »

Il y a un abîme entre le passé retrouvé et les inexacts et
F° 7   froids fac-similés que la mémoire visuelle présente à l'intelligence sur la réquisition de la volonté.

Les vraies joies spirituelles sont celles que j'ai ressenties
devant les aubépines, un rideau d'arbres à Querqueville,
un morceau d'étoffe verte, un calorifère à eau à Paris.

Mon passé, le vrai; non! la vie n'était pas médiocre. Il fallait qu'elle fût bien belle pour qu'un simple moment de mon passé m'eût enrichi d'une si irrésistible joie.

Plus que cela : quelque chose qui était commun au présent et au passé.

F° 8   L'être qui venait de renaître en moi est le même qui saisit son aliment si entre deux tableaux d'Elstir, ou deux pages de Bergotte il saisit une arabesque, un rythme commun. Il ne se nourrit que de l'essence des choses. Il languit dans l'observation du présent par les sens, dans celle du passé que l'intelligence dessèche, dans l'attente de l'avenir que la volonté construit avec des fragments du présent et du passé. Mais qu'un bruit, une odeur soient perçus à la fois dans le présent et le passé aussitôt l'essence permanente des choses est perçue.

F°s 8-9   Comparaison avec les graines gelées qui germent beaucoup plus tard. L'homme affranchi de l'ordre du temps et qui ne craint plus la mort. L'impuissance de l'imagination est suspendue par un expédient merveilleux de la nature qui fait miroiter une sensation à la fois dans le présent et le passé.

F° 10   Ainsi l'idée d'existence s'ajoute-t-elle aux rêves de l'imagination.

Cette contemplation d'éternité est fugitive. Elle risque aussi de nous faire perdre connaissance.

V° 9   Ces résurrections sont si totales que l'éblouissement produit ne peut durer qu'une seconde.

F° 10   Ces moments ont quelque chose d'irréductible à quoi que ce soit d'autre.

F° 11   Je repensais à Ruskin qui m'avait fait croire à Venise, comme un enseignement religieux nous fera trouver plus tard une beauté aux reposoirs de la Fête Dieu. Et comme le désir incite à la possession j'avais envie de partir pour Venise. Erreur, car le seul quai d'embarquement où je dusse descendre était au fond de moi-même. Déjà le jour du mariage de Montargis j'avais revu dans l'embrasement de la girouette d'en face Venise et Combray et j'avais voulu prendre le train, mais la jouissance directe est impuissante à faire naître ce qui ne peut être donné que par une connaissance plus complète qui le rend clair jusqu'en sa profondeur en le convertissant en un équivalent de pensée, c'est-à-dire de signes, bref en une œuvre d'art.

F° 13   Peut-être serai-je amené par la rareté de telles résurrec-

F⁰ *14*
F⁰ *13*

tions à y mêler des souvenirs volontaires. Mais je m'en abstiendrai le plus possible.

Cependant je m'avisai que des impressions obscures avaient quelquefois sollicité ma pensée, à la façon des réminiscences, mais qui cachaient, non une sensation d'autrefois, mais une vérité nouvelle, une image précieuse, que je cherchais à découvrir par des efforts de même genre de ceux qu'on fait pour se rappeler quelque chose comme si nos plus belles idées étaient comme des airs qui nous reviennent sans les avoir jamais entendus et que nous nous efforçons de transcrire. Je reconnaissais là un trait fondamental de ma nature. Déjà à Combray je fixais quelque image, un nuage, un triangle, un clocher, une tour, une

F⁰ *14*

fleur, un caillou en sentant qu'il y avait là quelque chose à trouver à la façon des hiéroglyphes. Sous l'angle particulier d'où je voyais maintenant l'œuvre d'art, m'apparaissait l'erreur des conceptions de Bloch. La réalité à exprimer gît non dans l'apparence du sujet mais à une profondeur où cette apparence importe peu. Il y a plus de réalité artistique dans le heurt du couteau contre une assiette que dans toute la conversation humanitaire et philosophique de Bloch.

F⁰ *15*

Condamnation de ce que l'auteur appelle le défilé cinématographique des choses dans le roman. Car une sensation est toujours accompagnée d'autres sensations. Par exemple : la couverture du livre que nous avons lu a tissé dans les caractères de son titre le clair de lune d'une nuit d'été. Exemple du goût du café au lait matinal. Une lueur n'est pas qu'une lueur, c'est un vase rempli de parfums, de sons, de moments, d'entreprises et de climats.

Ce que nous appelons réalité est un rapport entre les sensations. La vérité ne commence que lorsque l'écrivain attache deux objets par le lien indestructible d'une alliance de mots.

F⁰ *16*

Le défilé cinématographique ne serait justifié et le style condamné que si la réalité n'était que le déchet de l'expérience.

F⁰ *17*

Les exclamations (zut alors! c'est admirable!) n'expriment rien. Exemple de Bloch qui s'exclame : je trouve cela ffantastèque! Nous laissons toujours de côté comme inexprimable la véritable impression.

Nous négligeons la partie de l'impression qui est engainée en nous. Nous n'apercevons pas le petit sillon qu'une symphonie ou la vue d'une cathédrale a creusé en nous. Mais nous rejouons la symphonie et retournons voir la cathédrale. Nous versons dans l'érudition. Nous sommes finalement parfaitement instruits en musique et en archéo-

F° 18 logie. Même en amour nous ne cherchons pas à le connaître. Nous ne dégageons pas la réalité éternelle de l'amour qui a passé en nous. Quand Maria m'avait appelé pour la première fois par mon prénom je n'avais pas cherché à me rendre maître de ce que cette joie avait de si nouveau et de si doux.

F° 20 La chaîne mensongère des « mémentos » d'où est absent ce que nous avons réellement éprouvé. C'est le mensonge que nous représenterait un art qui ne se veut pas « littéraire », double emploi ennuyeux de ce que nos yeux voient.

La grandeur de l'art qu'on appelle un jeu d'artiste c'est de nous faire connaître une réalité que sans lui nous risquerions fort de mourir sans avoir connue.

L'artiste et le travail inverse de celui que font en nous l'intelligence, l'amour-propre, la passion, l'habitude.

F° 21 L'artiste vivra de cette vérité profonde que nous appelons beauté. Il dégagera l'essence commune des choses, et leur imposera un rapport analogue (les anneaux nécessaires par où dure un beau style) à ce qu'est la loi causale dans le monde de la science —

F° 22 ou ainsi que la vie qui en rapprochant une qualité commune à deux sensations dégage leur essence commune. Objection de Bloch.

La facilité, la virtuosité sont-elles à condamner ?

F° 23 Écarter ces paroles que les lèvres plutôt que la pensée choisissent et qu'on accompagne en les écrivant d'une petite grimace, celle qui altère la phrase d'un Sainte-Beuve. Difficultés de l'expression. Les images qui ne sont qu'une couvercle (clocher, courbure triste d'une barque, tête de paysanne). Déjà quand j'étais enfant !...

F° 24 Cette réalité n'était pas toujours un moment de mon passé, mais quelquefois une vérité nouvelle. Description

V° 23 d'un effort de recherche d'une idée. La vérité précieuse pressentie sous des images (fleur, forêt, château, poignard, oiseau, figure géométrique, parallélogramme, triangle). L'impression faite est la griffe de son authenticité[1].

---

1. Au Folio 21 (Cahier 58) Proust parle de « garantie » de son authenticité.

F⁰ 25   Les idées formées par l'intelligence n'ont qu'une vérité
logique ou possible, leur élection est arbitraire. Ce qui
F⁰ 26   est clair avant nous n'est pas à nous. Nous ne tirons de
nous-même que ce que nous tirons de l'obscurité qui est
en nous. L'atmosphère de poésie, la douceur de mystère
qui n'est que la profondeur de la pénombre traversée. Les
vérités que l'intelligence cueille à claire-voie devant elle
en pleine lumière ont des contours plus secs et pas de profondeur. Mais certains écrivains n'écrivent plus à partir
d'un certain âge qu'avec elle, laquelle a pris de plus en
plus de force. Leurs livres ont plus de maturité mais ne
baignent plus dans le même velours.

F⁰ 27   Le style fournit le degré de profondeur de la pensée. La
profondeur n'est pas le privilège de certains sujets. A une
certaine profondeur le sujet a peut-être une importance.
Croire que l'art des écrivains qui n'arrivent à aucune profondeur et n'inventent aucune image sous prétexte de langage populaire est élevé et puissant, c'est réputer l'intention pour le fait.

F⁰ 28   L'intelligence d'un artiste n'est pas plus une circonstance atténuante que le fameux : « il aime tant sa mère ».
Son art spiritualiste est plus matérialiste que les autres
puisqu'il ne sait pas descendre au-delà des apparences.

F⁰ 29   Certaines de ces vérités sont des créatures tout à fait
surnaturelles que nous n'avons jamais vues et pourtant
que nous reconnaissons avec un plaisir infini, comme
dans cet *Enchantement du Vendredi saint* qui parvenait
F⁰ 30   du salon au narrateur. Wagner semble se contenter de les
découvrir, de les rendre visibles.

F⁰ 31   Description du morceau de Wagner. Sa parenté certaine avec le premier éveil du printemps en quoi consistait-elle? De telles vérités inintelligibles, immédiatement senties sont rares. Il faut les enchâsser d'une matière
moins pure, de vérités, secondaires peut-être par leur
objet, mais dont la découverte nous a donné un moment de
joie (remarques s'appliquant aux passions, aux mœurs).

Mais, là aussi, il convient de ne pas se tenir aux différences superficielles. Quoi que Bloch s'imaginât, les
lois qui régissent les sentiments sont aussi intéressantes
à étudier chez un homme du monde insignifiant que chez
les écrivains parce qu'ils sont soumis à des lois physiologiques qui sont identiques (l'étude du caractère de Steinbock ne vaut pas celle de l'abbé Birotteau).

Ces caractères, il ne faut pas les étudier comme s'ils étaient immobiles — mais au moyen d'une psychologie non pas plane mais dans l'espace.

F° 32   Cette vérité il faudrait qu'aucune parole étrangère ne la dénaturât.

Pour le vêtement des plus poétiques, il faut faire un choix. Tirez du sacrifice des beaux jours une goutte de parfum. La métaphore est l'équivalent de ces minutes où nous sentîmes en une chose les qualités, l'essence d'une autre.

F° 32-33   *(Nous ne croyons pas utile de résumer la fin du Folio 32 et le Folio 33 qui sont trop obscurs et à cause de cela d'un intérêt très réduit.)*

F° 34   L'homme superficiel qui altère la vérité (comme Sainte-Beuve ou certains écrivains contemporains par leurs diatribes contre l'art contemporain). Erreur de l'homme qui croit à la réalisation dans l'action. Les beaux livres sont les enfants de la Solitude et du Silence.

F° 35   La facilité, la virtuosité ne valent que par le sacrifice qu'on a fait sur l'autel de divinités plus hautes. Il s'agit de comprendre que l'art se trouve être précisément, intégralement la vie. La nature m'avait mis sur le chemin en me permettant de ne connaître la réalité des joies de ma vie que longtemps après les avoir vécues : les après-midi de Combray dans les bruits des cloches de l'horloge de mon voisin, les matinées de Rivebelle dans le bruit de notre calorifère, faisant ainsi déjà de l'art etc. Il s'agit de retrouver et d'atteindre la mer libre, d'atteindre la réalité de notre vie.

F° 36   Découverte d'un livre de Bergotte dans la bibliothèque de la princesse de Guermantes.

Ces premiers essais comment les trouverais-je maintenant ? Ce charme, cette douceur qui m'y enchantaient n'était-ce pas moi qui les mettais par une façon de lire trop ardente et trop piano à la fois ?

F° 37   La vérité est dans la progression des rapports sans qu'un mot ait l'importance que lui attribuent les amateurs de « variantes » (exemple d'une erreur). Le rythme de Ber-

F° 36-   gotte. Tous les poètes ne lui semblent faire qu'un seul
V° 37   poète. La page de Bergotte sur la neige. Significations diverses que je donnais aux mêmes mots. Je peignais les mots de Bergotte avec le blanc blafard de la neige dans un petit jardin d'Auteuil et avec le blanc doré de la neige

aux Champs-Élysées le jour où j'avais tant craint que Gilberte ne vienne pas. Maintenant c'était la neige qui recevait du livre de Bergotte un autre reflet. Amalgame des impressions d'Auteuil sur la neige avec les pages de Bergotte.

F° 38   A la première page du livre dédicace flatteuse de Bergotte au prince de Guermantes. Désir d'être de l'Académie ou d'être en relations avec un grand seigneur? Dualisme aussi troublant que celui du philosophe idéaliste qui règle toute sa vie d'après l'existence d'un monde extérieur à laquelle il ne croit pas.

II. LE BAL DE TÊTES

(Cahier 57 — Suite)

F° 40   Fin du concert. Crainte du narrateur d'être trouvé dans la bibliothèque par la princesse. Il se souvient du jour où le prince et la princesse l'avaient reçu dans ce palais de contes de fées. Il entre. Ces derniers ont bien toujours le même air d'un Roi et d'une Reine de féerie. Mais il ne reconnaît les invités que comme dans un bal de « têtes ». Le comte

F° 41   de Froidevaux (qu'il avait rencontré avec M. de Guercy). M. de Raymond. Le petit Chemisey. Montargis. Le prince.

F° 42   Mais le narrateur comprend que l'enchanteur qui a combiné ce travestissement c'est le Temps. M. de Bernot. Le petit Chemisey. A Combray le temps avait œuvré avant sa naissance. Mais les personnages qu'il voit ont vieilli durant son existence et en quelque sorte à ses dépens. Apparition de Mme de Forcheville.

La chevelure de M. de Froidevaux. Le petit Chemisey.

F° 43   Chaque jour il se disait : demain je travaillerai. Différence entre sa contemplation du temps à Saint-Hilaire et maintenant où son œuvre a été faite aux dépens de sa vie passée.

F° 45   La première vague du temps qui chez certains parcourt leur barbe d'écheveaux blancs. Évolution de l'air d'enfance et de jeunesse de certains vers des traits empruntés à des membres de leur famille. Ils sont trahis par leur voix.

Les enfants du docteur Cottard. Leur évolution vers la

F° 46   laideur. Le frère de Mme de Cannisy*. Le narrateur ne reconnaît pas Gilberte de Montargis qui se nomme

franchement. Il l'avait prise pour Mme Swann (Forcheville rayé), Comment font certaines femmes pour conserver l'individualité de leur charme, d'autres la sveltesse
F° 47   de leur taille. Mais c'est dans leur visage que presque
toutes s'efforçaient de lutter contre l'âge. Leurs tenta-
tives pour conserver ce qui était l'essence de leur jeunesse
V° 46   et de leur charme. Celles qui commettent l'erreur d'être
dupes de l'illusion qu'elles réussissent à produire.
F° 48   Hélas! à la jeune laitière désirée, de sa jeunesse, avait
succédé une matrone morose. Mirage et désir.
F° 49   Les morts aussi ne sont nulle part et ne seront jamais.
Tandis qu'il cherche sa tante il est abordé par la princesse. Le visage charmant de vieille femme – semblable
à quelque portrait de Rembrandt ou de Hals qui nous
montre l'impénétrable écorce des visages qu'on n'a
jamais vus – de sa tante qu'il ne reconnaît pas, bien que
F° 50   celle-ci ressemble à sa grand-mère. Mais cette ressemblance est modifiée par un masque nouveau. A peine s'il
la reconnaît à la voix. Il veut présenter sa tante à la princesse qui dit que c'est déjà fait, qu'elles se connaissent
F° 51   déjà beaucoup, qu'elle est ravie, etc. Le narrateur, qui
juge sa tante médiocre et absurde, observe que les gens
du monde s'imaginent les autres comme des monstres
puisque la moindre lueur d'intelligence ou de douceur
chez eux les émerveille. Mme de Chemisey. Elle reproche
au narrateur de préférer rêvasser dans la bibliothèque
plutôt que d'écouter Wagner.
F° 52   « Au fond les œuvres se choisissent leurs auditeurs »,
ajoute-t-elle. Elle rappelle Legrandin par ses pensées
ingénieuses. Mme de Montyon *. Elle répond sans avoir
l'air de la reconnaître au salut de Mme de Chemisey
qui la fixait depuis une heure pour que Mme de Montyon
ne pût pas passer sans recevoir ce salut. Cela ne l'empêche
pas de donner à sa révérence l'air d'une politesse indis-
F° 53   pensable. Mme de Montyon trouve la princesse absurde de
recevoir cette femme, une intrigante qui s'est fait épouser
par un Chemisey, d'ailleurs sans importance en Normandie. Depuis le soir où il était venu chez la princesse, depuis
le mariage de Montargis qui avait eu lieu l'année d'après,
il s'était dit : demain je travaillerai et il n'avait toujours
pas commencé : Son désir de travailler étant invariable,
sa réalisation lui paraît toujours être pour demain.
F° 54   Maintenant date d'hier. Il ajourne tous les jours le début

de son avenir. A cause de cela il a cru ne pas vieillir. Mais le changement d'aspect de ce qui est autour de lui vient l'avertir brusquement du long trajet parcouru. Le temps a aussi exercé sa chimie sur la société des Guermantes qui s'est profondément altérée dans sa constitution la plus intime. Présence chez la princesse non seulement de Mme de Chemisey mais de Bloch et de sa sœur, et de quantités d'autres que même les Chemisey n'eussent pas reçus autrefois.

F° 55   Dégradation du monde Guermantes.

F° 57   Les erreurs commises par les nouveaux venus : Swann considéré comme un aventurier, Forcheville comme un homme en vue. Erreur de la jeune baronne de Timoléon, née Carton, sur Montargis, Forcheville et les Guermantes.

F° 58   Ces changements ont existé de tout temps. Quand le narrateur était entré chez les Guermantes il avait dû commettre les mêmes erreurs que les nouveaux venus d'aujourd'hui et prendre des nouveaux pour des anciens. Les Guermantes ne s'étaient-ils pas alliés aux Colbert, famille toute bourgeoise alors.

F° 59   A tout moment la société des Guermantes résumée par son nom pour moi resplendissant avait comporté une proportion identique de pierres vraies et fausses. Mais les qualités qui semblent disparaître chez certains se reforment en d'autres. Exemple de Bloch devenu discret et bon. Le petit Trinvères vieilli et les qualités qu'apporte l'âge.

F° 61   La bonté, maturation de la plante humaine pour peu qu'elle soit un peu intelligente ou sensible. C'est comme un homme bon que Bloch apparaîtrait plus tard à ses petits-enfants. Cette forme du Temps sur laquelle le narrateur voit que sa vie est étendue.

F° 62   Les aspects successifs présentés par une personne lui donnent les différences de perspective de cette route qu'est la vie avec le sentiment plus fort de l'identité de sa personne qui est le grand plaisir du voyageur. De celle des autres aussi.

F° 63   Le narrateur explique comment les vues successives d'une même personne lui paraissent comme une suite de personnes différentes ou plutôt comme une même personne ayant eu pour nous des significations entièrement distinctes. L'image la plus ancienne n'est plus qu'un frontispice posé au seuil de ses relations : Mlle Swann devant le parc de Combray, M. de Guercy à Combray ou à Querqueville, Mme de Guermantes quêtant dans l'église de Combray, etc. (Voir en note les autres exemples de Mme de Chemisey, de Mme Swann en satin rose chez son oncle, Swann à Combray, Montargis si bon au régiment.)

F° 64   Les images successives de Gilberte. Les diverses circonstances de la vie semblable à des boîtes. Nouvelle évocation des différents Swann, des différentes Gilberte et de Mme Swann dont il n'avait pas parlé dans le précédent folio (mais seulement dans la note).

F° 65-
V° 64   Comment les différents (mais peu nombreux) fils de la vie se mêlent pour faire par exemple le couple Montargis et le couple Chemisey. De régions distinctes de ma mémoire je pourrai tirer les différentes parties composantes des êtres que j'ai connus. Le grand écrivain dont le roman avait bercé ma jeunesse est aussi le monsieur à barbiche blanche qui dînait chez ma tante etc. Comparaison avec une corde qui monte un seau tiré par un treuil et qui touche la corde de côtés différents. Le beau velours de l'ancienneté que rien ne peut imiter. La page sur la neige de Bergotte copiée par Gilberte Swann, donnée plus tard à Maria et qu'il vient de relire chez les Guermantes. Montargis lui a fait connaître Elstir − et sa femme Bergotte. *François le Champi* à Combray et le même petit volume, retrouvé dans la bibliothèque des Guermantes et lui laissant apercevoir peut-être le but de sa vie et de l'art.

F° 66   La beauté à laquelle était si sensible Elstir est aussi la beauté de l'histoire à laquelle deviennent aussi plus sensibles ceux en qui diminue la sensibilité qui permet de goûter la beauté propre des choses. Le narrateur retrouve en sa mémoire la première image de plus d'une personne : celle de Mlle Swann l'air hostile devant la barrière de la Raspelière, de M. de Guercy au même endroit, Mme de Chemisey sœur brillante de Legrandin − image qui ne revenait jamais à ses yeux quand il pensait à eux parce qu'elle ne correspondait pas à la notion nouvelle qu'il

F° 67   avait d'eux. Gracieux frontispice bien distinct de ses relations avec Mlle Swann ou Mme de Forcheville. Il n'avait

V° 66-
(cf.
F° 63)   su que bien longtemps après qu'il n'y avait pas de solution de continuité entre la Mme Swann amie de M. de Guercy et la dame en rose. Se souvenait-il quand, pensant aujourd'hui avec une « admiration raisonnée » à Bergotte,

de l'émotion éprouvée quand Swann lui avait dit qu'il pouvait le faire rencontrer avec lui — ou quand il pensait à la duchesse de Guermantes du temps où elle portait sur elle le lustre mystérieux du faubourg Saint-Germain ?

« Débuts presque fabuleux, belle mythologie de relations qui devaient devenir si banales » ! La nature veloutait ses relations de la lumière d'alors ; ses deux premières rencontres avec Mme de Souvré et l'odeur de marronnier du jardin de Guermantes. La bise de mer qui faisait « claquer le mat de Rivebelle ». Le « vif argent d'un jour gris prenant dans son réseau étincelant la P^cesse de Guermantes ».

F° 67   Avant la première image il y en avait peut-être une autre. Comparaison avec les navires dont il ne sait pas si ce sont pas des nuages [1].

F° 68   Les êtres qui lui sont apparus longtemps sous un certain aspect : Bergotte, Swann et Odette, la duchesse de Guermantes.

F° 69   La duchesse de Guermantes comparée à une Vénus qui vient d'émerger des ondes du Faubourg Saint-Germain. (Une longue note sur Montargis, et sur leur amitié. Cette note commence au Verso 68 et se termine au Verso 69). « Origines presque fabuleuses, chère mythologie de relations si banales ensuite. » Ses relations avec Mme de Souvré et le Duc de X. Il peut à peine comprendre que l'exaucement de ses chimères (mondaines) avait pu lui paraître

F° 70   autrefois « le rêve inaccessible et mystérieux du bonheur ». Le narrateur aperçoit le portrait d'un grand seigneur de Rembrandt qui lui fait souhaiter d'aller avec Maria visiter au bord de l'Herengracht la petite maison pleine de chefs-d'œuvre d'où il était sorti, prendre un repas avec elle et goûter d'ineffables joies, toute la vie du narrateur s'écoulant « dans le paradis à peine imaginable de sa vie à elle ».

V° 69   Voir Maria sans jamais la quitter, c'était un de ces rêves qu'il se plaisait à voir réalisés mais dans l'insomnie « où la moindre phrase que l'on prononce couche à nos pieds les pays extasiés ». Mais jamais un instant il n'avait cru cela possible.

---

1. Ici voir deux notes importantes avec un texte situé au Verso 66 et un autre en marge du Recto 67. Il y est question de Mme de Guermantes au mariage de Mlle Percepied (1re note), et de Gilberte à qui il demande de lui faire connaître des jeunes filles (2e note). Comparaison avec les coursiers qu'on ne nourrit que de roses.

F° 71   Comment il a connu les Guermantes (dans des circonstances particulières qui l'avaient empêché de goûter la plénitude de leur essence). Comment néanmoins les Guermantes lui rendent la vie plus poétique. Quand il veut connaître Mme Putbus ou faire entendre du Wagner à sa tante, c'est finalement aux Guermantes qu'il s'adresse.

F° 72   Le charme, même celui de la duchesse de Guermantes, n'était visible qu'à distance.

V° 71   Après avoir refusé l'invitation des Montargis ou après s'être ennuyé chez les Guermantes, son attention retrouvait le nom de Guermantes avec tout ce qui l'escortait autrefois.

F° 72   Et il se consolait en pensant que ce qu'il goûtait maintenant avec ennui était l'objet d'une des plus chères imaginations de son enfance.

Pour d'autres êtres l'exaucement des rêves formés se réduit à un mince, étroit et terne ruban d'une intimité indifférente et dédaignée. Les portraits de Rembrandt et le rêve de partir avec Maria. Allusion au portrait cruellement « divorcé ».

F° 73   C'est le portrait d'une femme en noir les yeux fixés au-delà de la fenêtre sur l'Herengracht. Si Maria lui avait demandé d'aller voir ce portrait dans la petite maison d'Amsterdam... Depuis c'était ses parents d'abord hostiles qui l'avaient invité sans succès.

V° 72   Qu'il en avait connu de ces demeures où il croyait n'entrer jamais! Partout, dans le petit manoir plutôt ferme que château, la maison blanche cachée dans les vignes, la villa de Saint-Germain, la maison normande, dans la vieille maison de Versailles, il avait une place réservée.

Souvenir d'une rencontre dans la rue et de la déception qui en a résulté plus tard (le troisième des « rêves dans la rue »).

Plaisir de penser que le temps finit par changer l'inaccessible en connu et en familier.

Il songe que pour raconter sa vie il faudrait une sorte de psychologie dans l'espace (au lieu de la psychologie plane dont on use d'ordinaire), car les plans différents suivant lesquels le Temps dispose sa vie ajoutaient une beauté nouvelle aux résurrections de la mémoire qui, elle, en introduisant le passé dans le présent sans le modifier supprime la dimension du temps suivant laquelle la vie se réalise. Il pense avec une souffrance aiguë au temps écoulé (dix ou douze ans depuis Combray). Allusions au mariage de Montargis.

(Une note au Verso 73 où il est question de la mort qu'il trouverait moins indifférente maintenant qu'après le dîner de Rivebelle. Possibilité d'un accident « intérieur » comme celui qui frappa sa grand-mère.)

F° 74
V° 73   Influence du temps sur les figures humaines (exemple du visage de Maria). Il circule entre différentes apparitions d'un être.

F° 75   Tout d'un coup, se souvenant de ses parents accompagnant Swann vers la porte, il entend le son « rebondissant, rougeâtre, cressonier et criard » de la petite sonnette. Il descend en lui-même pour écouter de plus près son tintement. Ce passé il le portait en lui. Depuis il n'avait pas cessé une seconde d'exister et pouvait retourner vers ce passé où tinte la sonnette *sans sortir de lui.* Tout ce passé est lui. Comme si les hommes étaient des sortes d'échassiers grimpés sur les années écoulées et il s'effraie d'avoir des échasses si hautes sous ses pieds. C'est au moment où avait tressailli en lui un plus profond lui-même qu'il lui faudrait mettre à l'abri dans un livre, qu'il sentait que d'un moment à l'autre [la vie pouvait lui être ravie].

(Cahier 11)

R° 1   Effroi devant la tâche de vivre. Fausse idée de nous-même (que donne l'habitude) de nous identifier avec le corps – et fausse idée de ne pas nous voir dans le temps montés comme sur des échasses « chacun sur la tour de son passé », celles des vieillards qui touchent presque le ciel et celles des jeunes gens (« parfois plus beaux que les autres, une lyre à la main, les cheveux dénoués, sans conscience du danger »). Le vertige du narrateur (« car il n'est pas d'autre temps que celui que nous avons vécu »).

R° 2   Mort de l'esprit ou mort totale, c'est tout un. Il sent qu'il tient à sa vie, parce qu'il pense à son œuvre que le temps menace.

Mais la princesse de Talamon et la marquise de Gérenton sont de son âge. Cela le rassure, car (malgré leur âge) l'une avait dû changer d'amant et l'autre allait faire un grand voyage.

R° 3   Mais le temps lui fait émettre un doute non plus seulement sur l'espoir de réaliser son œuvre, mais sur le prix de cette œuvre même. L'élan du sentiment, la valeur qu'il lui attribue jusqu'à n'en plus accorder au raisonnement (à l'intelligence) lui fait craindre parce qu'il est moins jeune pour « la vitalité obscure de la mémoire et de l'instinct créateur » au profit de la clarté des idées (il s'était trompé de la même façon lorsqu'il avait cru que la mondanité d'une jeune Violante est le véritable péché contre l'esprit et que la solitude possédait une valeur qu'elle n'avait peut-être pas).

Sa difficulté pour faire ressurgir pleinement dans son cerveau, idée obscure et sensation passée.

R⁰ 4   Les autres nous connaissent bien. Il sort et en sortant rencontre Mme de Montargis. Celle-ci fait semblant de ne pas voir sa mère Mme de Forcheville impotente que l'on descend à bras sur un pliant.

Index des noms de personnes

Cahiers 58 et 57[1] — *B.N., N.A.F. 16698 et 16697*

---

1. Pour le Cahier 11 se reporter au Tableau p. 77.
2. La lettre C est une abréviation pour Cahier.

G

Gilberte : C. 57 : F⁰ 37, F⁰ 46 (épouse de Montargis), F⁰ 57, F⁰ 64
  (Mᵐᵉ de Montargis), V⁰ 71 (et note), F⁰ 74 (et note).
Grand'mère : C. 57 : F⁰ 49, F⁰ 50, F⁰ 53 (note), F⁰ 59, F⁰ 71.
Gregh (Fernand) : C. 58 : F⁰ 6, F⁰ 2.
Guermantes (Princesse de) : C. 58 : V⁰ 5, F⁰ 6, F⁰ 9 (note), F⁰ 15,
  V⁰ 16 − C. 57 : F⁰ 6, F⁰ 35, F⁰ 36 (note), F⁰ 38 (note), F⁰ 40, F⁰ 41,
  F⁰ 49, F⁰ 50, F⁰ 53, F⁰ 57, V⁰ 64, F⁰ 67, F⁰ 73.
Guermantes (Prince de) : C. 58 : MR⁰ 14 − C. 57 : F⁰ 38, F⁰ 40, F⁰ 41.
Guermantes (Duchesse de) : C. 57 : F⁰ 57, F⁰ 63, V⁰ 66 (et note),
  F⁰ 67, F⁰ 68 (et note), F⁰ 69, F⁰ 72, V⁰ 71, V⁰ 71 (et note).
Guermantes (Duc de) : C. 57 : F⁰ 71.
Guermantes (en général ou le nom de) : C. 57 : F⁰ 16, F⁰ 54, F⁰ 58
  (et note), F⁰ 59, F⁰ 64, F⁰ 65, F⁰ 68 (le nom), F⁰ 71 (et note), F⁰ 72,
  V⁰ 71.

H

Hals (Franz) : C. 57 : F⁰ 49.
Hammond (?) : C. 58 : F⁰ 5.
Hugo (Victor) : C. 57 : MV⁰ 37, V⁰ 38.

K

Kock (Paul de) : C. 58 : F⁰ 5.

L

Lanson (Gustave) : C. 58 : F⁰ 6, F⁰ 2.
Lazard (Max) : C. 58 : F⁰ 6, F⁰ 2.
Leconte de Lisle : C. 57 : V⁰ 38.
Legrandin : C. 57 : F⁰ 52, F⁰ 53 (note), F⁰ 65 (et sa sœur), F⁰ 66
  (et sa sœur).
Lévine : C. 57 : V⁰ 37.

M

Maria : C. 57 : F⁰ 18 (et note), F⁰ 65, F⁰ 70, V⁰ 69, F⁰ 71 (note), F⁰ 72
  (et note), F⁰ 73 (le tuteur de), F⁰ 74 (note), V⁰ 74.

Index des noms de lieux, de publications et d'ouvrages divers

G

Gohry (?) : C. 57 : V° 72.
Gracieuse (la) : C. 58 : V° 2.
Guermantes (hôtel de) : C. 58 : F° 12, F° 15 — C. 57 : F° 6, F° 23,
   F° 35, F° 55 (salon), F° 13, F° 14 (le côté de).

H

Herengracht (grand canal d'Amsterdam) : C. 57 : F° 70, F° 72
   (note), F° 73.
Hollande : C. 57 : V° 69.

I

Illiers : C. 58 : MV° 17 (note).
Intransigeant (L') : C. 58 : F° 2.

L

La Revue : C. 58 : F° 2 (note).
Les Peintres modernes : C. 57, F° 65 (n. 3).

M

Marie-Claire : C. 58 : F° 2 (note) — C. 58 : F° 4 (et note).
Méséglise : C. 58 : F° 10 (note) — C. 57 : F° 23, F° 74 (le côté de).
Mirbeau (Octave) : C. 58 : F° 4 (note).

O

Oise (l') : C. 58 : F° 10 (note).

P

Padoue : C. 57 : V° 6 (note).
Paris : C. 58 : V° 5, V°ˢ 9-10 — C. 57 : F° 7, F° 69, F° 71, F° 73,
   V° 72.
Parsifal : C. 58 : V° 5 — C. 57 : F° 4, F° 28 (note), F° 51, F° 52.

Q

Querqueville : C. 58 : F° 12, V° 12, V° 15, MV° 16, MV° 17 (notes),
   F° 9, F° 17 (en note) — C. 57 : F° 6, F° 7, F° 10, F° 11 (note), F° 63,
   V° 64, F° 67, F° 71, V° 71, F° 73, V° 72.

III

Cahier 57 (1913-1916) [1]

(B.N.-N.A.F. 16 697)

[NOTES POUR
LE TEMPS RETROUVÉ]

---

1. Avec en appendice une note sur « le nom de Guermantes » contenue dans le Cahier 58.

INTRODUCTION

Après avoir extrait des Cahiers 58 et 57 le texte de la première version complète du Temps retrouvé *proprement dit, nous nous sommes attaqués aux notes sous lesquelles cette première version se trouvait enfouie dans le Cahier 57.*

Bien qu'un certain nombre de Cahiers (13 au total selon notre estimation [1]*) nous manquent, on peut affirmer à nouveau que ces deux* Cahiers *sont, par les pages de droite, les seuls vestiges de la première version d'*A la Recherche du Temps perdu, *tous les autres, 32 au total, brouillons, avant-textes ou textes, ayant été brûlés par Céleste sur l'ordre de son maître.*

*Proust fut interrompu dans la préparation et la publication de la suite de son œuvre par le déclenchement de la guerre le 1ᵉʳ août 1914. N'étant pas mobilisable, il ne le fut pas pour autant dans son travail. C'est ainsi qu'il élabora petit à petit une nouvelle version de son œuvre à partir de ce qui avait déjà été publié (*Du Côté de chez Swann*) et ce qu'il avait déjà écrit* [2]. *Un document d'une importance capitale permet de dater non seulement la première mais la seconde et dernière version d'*A la Recherche du Temps perdu. *Ce document est une lettre adressée à l'un de ses meilleurs partisans, avec Léon Daudet, lors de l'attribution du prix Goncourt le 10 décembre 1919 : le romancier J. H. Rosny aîné. Il s'agit d'une très longue lettre vendue*

---

1. Voir dans *Monsieur Proust* le chapitre intitulé « Céleste j'ai bien travaillé », et mon compte rendu dans le *Bulletin Marcel Proust* de 1974.
2. Voir à ce sujet Feuillerat et Bardèche ainsi que les documents se trouvant à la Bibliothèque nationale et le livre récent de Douglas Alden : *Marcel Proust's Grasset Proofs* (1978).

à l'hôtel Drouot[1] le 15 décembre 1975, écrite par Proust peu après le prix et dans laquelle celui-ci raconte la vie qu'il mène et donne des précisions sur ses opinions politiques, et religieuses même, et surtout sur l'élaboration de ses livres. Tout en confirmant — ce que nous avons toujours dit — que la Recherche a été esquissée au plus tôt vers 1907 et terminée vers 1911 ou 1912, il déclare : « ... TOUS LES VOLUMES SONT ÉCRITS... Quand Swann a paru en 1913, non seulement A l'Ombre des Jeunes Filles en Fleurs, Le Côté de Guermantes et Le Temps retrouvé étaient écrits mais même une partie importante de Sodome et Gomorrhe. Mais pendant la guerre (sans rien toucher à la fin du livre, Le Temps retrouvé), j'ai ajouté q.q. chose sur la guerre qui convenait pour le caractère de M. de Charlus. »

Proust n'est sans doute pas tout à fait véridique en ce qui concerne Le Temps retrouvé. Le texte de la version primitive que nous avons donné sous le titre de Matinée chez la Princesse de Guermantes a été revu, corrigé et complété par lui ainsi que nous l'avons expliqué dans notre introduction précédente. Il n'est pas modifié dans sa structure; et c'est cela que Proust a certainement voulu dire. Mais il reconnaît qu'il a ajouté le chapitre intitulé M. de Charlus pendant la guerre. Il reconnaît aussi explicitement que la version de 1912 ne contenait pas la totalité de Sodome et Gomorrhe en disant qu'une partie importante de cette œuvre était écrite.

Après A l'Ombre des Jeunes Filles en Fleurs en 1919, il ne reste plus « à peu près », dit encore Proust à Rosny, que cinq volumes à publier. L'énumération est facile à faire : Le Côté de Guermantes, Sodome et Gomorrhe, La Prisonnière, Albertine disparue, Le Temps retrouvé. Que manquait-il de Sodome et Gomorrhe en 1913? Principalement La Prisonnière pour partie et Albertine disparue, c'est-à-dire deux tomes de Sodome et Gomorrhe auxquels, sur le conseil de ses éditeurs, Proust a donné finalement des titres à part. Or nous possédons à la Nationale un manuscrit autographe composé de vingt cahiers manuscrits qui comprennent Sodome et Gomorrhe, La Prisonnière, Albertine disparue (ou La Fugitive), et Le Temps retrouvé. Ils constituent (à peu de chose près) la version définitive et (mis à part quelques fragments peu importants)

---

1. Voir le catalogue de vente, imprimé par l'ancienne maison Étaix (Le Havre) sous le contrôle de Mme J. Vidal-Mégret. Nous avons dû nous contenter des extraits et des excellents résumés donnés par ce catalogue.

le seul manuscrit autographe de ces œuvres [1]. *« Tous les volumes sont écrits », dit Proust en décembre 1919. Il faut en conclure que ces 20 Cahiers représentent avec* Swann *déjà paru et par conséquent intouchable,* A l'Ombre des Jeunes Filles en Fleurs *paru aussi et* Guermantes [2], *la deuxième version d'*A la Recherche du Temps perdu, *celle de 1919, dont Proust dit qu'elle était terminée à cette date. Le manuscrit définitif du* Temps retrouvé *est inclus dans ce manuscrit autographe qui forme un tout continu. On peut donc affirmer que cet ouvrage était terminé en 1919. Et comme il contient des allusions à 1918, notamment dans un passage où Saint-Loup parle de stratégie et cite des articles d'Henry Bidou concernant l'offensive d'Hindenburg en mars 1918 (Pléiade, III, p. 981), on peut penser qu'il a été écrit en 1918, voire au cours de 1919.*

Bien entendu, étant mort le 18 novembre 1922, Proust a pu insérer dans les manuscrits des allusions postérieures à 1919. Il avait sous la main tous ses manuscrits non publiés, La Prisonnière *dont il a pu corriger une partie sur épreuves et tous les autres. Rien ne l'empêchait d'y introduire des éléments qui n'y figuraient pas au moment de la rédaction, comme c'est le cas pour le chapitre sur M. de Charlus.*

En sens inverse, c'est-à-dire en remontant dans le temps, les notes qu'il a engrangées au cours des ans sur les pages blanches du brouillon, c'est-à-dire les pages de gauche et finalement sur tous les espaces restant disponibles, nous apportent d'autres lumières. Elles peuvent nous apprendre à quelle date Proust a cessé de les accumuler et par suite à quelle date il a pu commencer à rédiger son manuscrit définitif du Temps retrouvé. *Les notes du temps de guerre sont nombreuses. À leur sujet nous avons trois indications précises : 1° la citation et le commentaire au Verso 40 d'un article de Pierre Mille dans* Le Temps *du 19 mars 1915; 2° l'allusion à la caricature du très chauvin dessinateur Forain qui a pour légende : « Leurs poisons : après Wagner, les gaz » et qui parut dans* Le Figaro *du 29 décembre 1915 (située au V° 6); 3° la note où Proust se réfère à des articles de Barrès*

---

1. Ajoutons, pour *Sodome et Gomorrhe* et *La Prisonnière* des dactylographies et des épreuves partiellement corrigées, qui se trouvent dans le riche fonds de la Bibliothèque nationale, mis en ordre et classé par Florence Callu.

2. Dont il a dû remettre le manuscrit à Rivière en 1918 puisque dans les pages de garde d'*A l'Ombre des Jeunes Filles en Fleurs* il l'annonce comme étant « sous presse ».

sur son séjour en Italie dans L'Écho de Paris de juin 1916. Cette dernière note est la plus récente parmi celles que l'on peut dater. Proust a été obligé de lui chercher une place en marge du Recto 16.

Proust aurait donc pu se mettre à la rédaction de son manuscrit définitif vers le milieu de 1916. Ce que nous dit Jean Milly du pastiche des Goncourt [1] qui figure au début du Temps retrouvé dans le premier chapitre intitulé Tansonville et qui est deux fois ébauché dans le Cahier 55 que l'on peut dater de 1915 [2], l'allusion à la lutte anti-sous-marine dans la seconde ébauche de ce Cahier, s'accorde avec notre hypothèse et l'on peut penser que la date de départ de Proust se situe en 1916. C'est vraisemblablement à cette date qu'il s'est mis à écrire la fin des 20 Cahiers correspondant au Temps retrouvé, le premier chapitre, Tansonville, prévu depuis longtemps mais auquel il ajoute des considérations sur la guerre avec les remarques stratégiques de Saint-Loup auquel il ajoute aussi le pastiche des Goncourt — le second chapitre, M. de Charlus pendant la guerre [3], où il introduit dans un vaste tableau toutes ses impressions de guerre, et en même temps que la description de la germanophilie et des aberrations de M. de Charlus, sa critique des jugements erronés [4] et des contradictions des uns et des autres quand il s'agit des Allemands, sans compter les observations de Saint-Loup sur la stratégie napoléonienne d'Hindenburg — le troisième chapitre, Matinée chez la Princesse de Guermantes qui contient ce qu'il appelle dans une note son « esthétique dans le buffet » et Le Bal de Têtes.

D'autres indications précises sur son travail pendant la guerre nous sont fournies 1° par la dédicace à Mme Scheikévitch; 2° par ce qu'il écrit lui-même dans Le Temps retrouvé.

On sait que la dédicace à Mme Scheikévitch est du 3 novembre 1915,

1. Le Pastiche Goncourt dans Le Temps retrouvé (R.H.L.F. de sept.-déc. 1971). Jean Milly conteste avec de bonnes raisons que ce pastiche ait été écrit, comme le suppose Ferré, en reconnaissance de l'attribution du prix Goncourt, après le 10 novembre 1919. C'est aussi l'avis de Yoshikawa qui observe que son brouillon figure dans le Cahier 55. Remarquons que le péril sous-marin naquit le 22 septembre 1914 lorsque l'U 9 de Weddingen torpilla trois croiseurs anglais.

2. Voir plus loin ce que nous disons de la thèse de Kazuyoshi Yoshikawa.

3. Peut-être se sert-il d'un cahier de brouillon figurant parmi les 13 que nous n'avons pas pu consulter.

4. Il parlera même de « l'écume de niaiserie » que la guerre a traînée, avec et après elle.

donc largement postérieure à Du Côté de chez Swann *paru en novembre 1913.* « *Madame, écrit Proust, vous vouliez savoir ce que* Mme *Swann est devenue en vieillissant. C'est assez difficile à résumer.* » *Il va tout de même le faire et il ne se bornera pas à* Mme *Swann. Il lèvera le voile sur le personnage* « *qui joue le plus grand rôle et amène la péripétie, Albertine* » *(Corr. p. 234-235). Cela se termine (p. 241) sur un* « *Hélas! Madame, le papier me manque au moment où ça allait devenir pas trop mal* ».

Il en a tout de même dit beaucoup, puisqu'il résume une partie de La Prisonnière *et d'*Albertine disparue. *Et la suite qui allait devenir pas trop mal, c'est sans doute sa conclusion,* Le Temps retrouvé.

Certes, c'est ce dernier qui nous intéresse surtout ici. Mais le manuscrit définitif (les 20 Cahiers) forme un tout, répétons-le! Et il y a de fortes chances qu'il ait été écrit sinon d'un seul jet, du moins de façon continue.

Ce manuscrit était-il en route le 3 novembre 1915? Pas tout à fait si nous nous référons à la découverte de Yoshikawa, qui nous apprend dans son excellente thèse sur La Prisonnière *(malheureusement inédite) que la lettre à* Mme *Scheikévitch est composée à l'aide de onze morceaux empruntés aux Cahiers 55 et 56 sur* Albertine disparue (La Fugitive). *Ce dont Proust était en possession à ce moment-là, c'était donc ce que l'on peut appeler des* « *préparations* ». *Et il y a lieu de supposer qu'il s'est mis à sa rédaction définitive ensuite, c'est-à-dire vraisemblablement fin 1915 ou début 1916.*

Le Temps retrouvé *a dû être composé après, au cours de l'année 1916, au plus tard en 1917.*

Pour écrire cette troisième partie il a à sa disposition depuis 1911 les Cahiers 58 et 57 où il puise abondamment, mais il modifie beaucoup Le Bal de Têtes, *de la manière que nous avons dite dans l'introduction de notre seconde partie* (Matinée chez la Princesse de Guermantes), *et non sans y ajouter dans une conversation avec Gilberte de nouvelles allusions aux idées de Robert et de quelques autres sur la stratégie des Allemands pendant la guerre de 14-18. On a l'impression qu'il a récrit cette* « Matinée » *sur sa lancée, comme nous le laissent penser les allusions à Saint-Loup et à ses idées sur la stratégie par trois fois, comme un leitmotiv unificateur, et dans* Tansonville *et dans* M. de Charlus pendant la guerre *et dans* Le Bal de Têtes, Oui! *tout est écrit en décembre 1919! Mais il y a quelque temps qu'il a terminé et nous le répétons, vraisemblablement en 1916.*

Ces dates sont aussi corroborées par Proust même. Dans Le Temps retrouvé (III, p. 723), au passage sur M. de Charlus, le narrateur, toujours persuadé qu'il n'a pas de dons pour la littérature et qui a même renoncé à son projet d'écrire, fait un long séjour dans une maison de santé, puisqu'il dit en être revenu en août 1914 « pour subir une visite médicale », évidemment imposée par les autorités militaires.

Cette visite médicale n'a pas dû lui demander beaucoup de temps. Mais le séjour a dû continuer. Proust ou son héros, Marcel, a besoin que son absence de Paris dure le plus longtemps possible pour justifier les changements qu'il constatera plus tard dans Le Bal de Têtes. Il en revient, nous dit-il, en 1916, parce que la maison de santé ne trouvait plus de personnel médical. C'est alors qu'il se rend chez Mme Verdurin devenue avec Mme Bontemps « une des reines » du Paris de la guerre. C'est alors aussi qu'il fait (Pléiade, III, p. 725) des comparaisons entre les personnes qu'il avait connues en 1914 et les jeunes femmes de 1916, nouvelles venues « qui étaient la fleur de l'élégance, les unes depuis six mois, les autres depuis deux ans, les autres depuis quatre ». Il note, car tout va très vite, que « la dame qui connaissait les Guermantes depuis 1914 regardait comme une parvenue celle qu'on présentait chez eux en 1916 etc. ».

Un peu plus loin, au début de la Matinée chez la Princesse de Guermantes, *le narrateur parle de « la nouvelle maison de santé » qui ne l'a pas plus guéri que la première — ce qui montre que Proust n'a pas oublié les deux séjours et qu'il les a bien répartis dans le temps. Son chapitre sur Charlus pendant la guerre a bien dû être écrit vers 1916-1917, car il n'aurait pu s'aviser de parler d'avance de l'époque 1916. C'est à ce moment-là ou un peu après, qu'il a dû rédiger et inscrire ce chapitre sur Charlus vieilli (esquissé d'ailleurs depuis longtemps, dans le Cahier 51) dans son montage. On le voit, tout concorde. Le gros des Notes est lui-même de la même époque. Il n'a pas dû excéder beaucoup 1916-1917, c'est-à-dire le moment où Proust en aura fini avec sa rédaction définitive du Temps retrouvé.*

*

Ces Notes ne nous permettent pas seulement de résoudre des problèmes de datation. Elles fournissent bien des renseignements intéres-

sants sur certaines clefs, elles nous donnent des portraits qui nous font souvenir qu'il y a en Proust à la fois un La Bruyère et un Saint-Simon, peintres de la société de leur temps. Elles nous apportent des *indications nouvelles pas toujours exploitées sur le souvenir involontaire. Elles font à la musique, à Vinteuil, à Wagner, à la caricature des mélomanes de toutes sortes, de Mme Verdurin à la marquise de Cambremer, une place importante qu'on ne retrouvera pas dans* Le Temps retrouvé *définitif, car il transportera cela plus haut, sous une autre forme, dans* La Prisonnière *en particulier. Un certain nombre de notes sont consacrées à une sévère critique de la littérature « sociale » et s'ajoutent à ce qui est dit de celle-ci dans la conversation avec Bloch qui se trouve au début de notre version de 1911 de la* Matinée chez la Princesse de Guermantes. *Toute une série de notes consacrées à Bergotte vont dans le même sens et enrichissent singulièrement le portrait de celui-ci en même temps qu'elles affirment l'importance du style. De nombreuses notes sont destinées au portrait des Guermantes et à tout ce que leur nom a représenté à un moment donné de poésie pour le narrateur.*

L'apport le plus important de ces notes provient peut-être enfin de celles qui nous fournissent des renseignements sur les lignes de force de la pensée proustienne : importance de la sensation, de la contribution de l'instinct à la création, rôle à la fois limité et capital de l'intelligence, le général et le particulier (celui-ci étant subordonné à celui-là) — et les nombreuses observations qui étayent ce qu'on peut appeler la profession de foi idéaliste de Marcel Proust, qu'il résume ainsi dans une de ses notes : « On devrait penser que cette chose étonnante que nous sommes et qui vit et se développe a ceci de particulier que c'est au sein d'elle-même qu'elle connaît les choses [et qu'] elle les enveloppe pour les connaître. »

Rappelons que, dans l'établissement (qui présente des difficultés inouïes) de ces textes nous sommes toujours restés le plus près possible de ce que l'auteur a écrit. Nous n'avons corrigé que des fautes évidentes, d'ailleurs assez rares, et lorsque nous avons comblé certaines lacunes nous l'avons indiqué au moyen de crochets. Enfin les mouvements du texte, les renvois qui sont très nombreux ont toujours été signalés — de telle sorte que quiconque voudrait les retrouver sur les manuscrits pourrait aisément le faire.

Notons aussi que l'ordre dans lequel nous les donnons est celui dans lequel ils se présentent. On peut seulement affirmer que les plus anciens sont ceux qui sont le mieux placés, c'est-à-dire au milieu des versos. Ils ne remontent pas au-delà de 1913-1914. Ceux qui sont en marge, surtout en marge de rectos, sont évidemment plus récents. Il faut toutefois faire une exception pour la Note sur le Quatuor de Vinteuil qui est située sur une page gardée en blanc, au recto et au verso, pour des raisons que nous ignorons et sans doute parce que Proust voulait placer là plus tard un texte qui n'était certainement pas cette Note sur le Quatuor. Cette page recto-verso n'a pas suffi puisqu'il a dû faire deux renvois, l'un dans une place restée disponible au Verso 2 et l'autre, à la fin, pour quelques mots, dans le haut de marge du Recto 4. Or cette très importante note sur le Quatuor, première incarnation du Septuor, qui devait vraisemblablement figurer à la place occupée d'abord dans la « Matinée » par L'Enchantement du Vendredi saint, peut être datée assez exactement. Elle le peut une première fois par l'allusion à Albertine, bien que le nom soit rayé. Car Albertine est indissolublement liée au malheureux Agostinelli entré au service et dans la vie intime de Proust au début de 1913 et mort en mai 1914. Il n'y a pas d'Albertine dans l'œuvre de Proust avant cet événement. Elle le peut encore grâce au Carnet 3..

Ce Carnet 3 (B.N., N.A.F. 16 639) contient plusieurs textes (Versos 4 et 5 — puis Verso 40, Recto 41, Verso 41, Recto 42, Verso 42, Recto 43, Verso 43, Rectos 44 et 48) [1] *qui, nous le verrons, se rapportent au Cahier 57, en particulier à la Note sur le Quatuor de Vinteuil et sont vraisemblablement de peu antérieurs à celui-ci. Il a dû être commencé un peu avant 1913 car il contient au bas du Recto 2 une phrase sur Maria qui est une héroïne de 1909-1912. Mais une adresse notée au Verso 5, « 19 rue des Moneghetti La Condamine » nous amène tout de suite plus loin dans le temps puisqu'il s'agit vraisemblablement de l'adresse des Agostinelli qui habitaient La Condamine, quartier commerçant de la Principauté de Monaco. On peut supposer, Agostinelli ayant quitté Paris à la fin de 1913, que nous sommes au moins en décembre 1913, date à laquelle Proust charge Albert Nahmias d'aller récupérer Agostinelli sur la côte d'Azur. Mais le Recto 12, sans doute un peu postérieur, autorise plus de précision. Nous lisons en effet : « Cte Louis Gautier Vignal*

---

1. Voir aussi le Carnet 4. Kazuyoshi Yoshikawa nous donne dans sa thèse, page 169, un essai de reconstitution du Quatuor à partir des notes (sur César Franck et Schumann) tirées des Carnets 3 et 4.

6 rue Eugène Labiche 9675. » Or *Louis Gautier-Vignal nous apprend dans* Proust connu et inconnu *(Laffont, 1976) qu'au printemps 1914 il descendit à l'hôtel Majestic tandis qu'il faisait préparer l'appartement qu'il avait loué rue Eugène-Labiche. Il nous précise qu'il emménagea le 28 juin, « jour, écrit-il, de l'assassinat de l'archiduc François Ferdinand d'Autriche à Sarajevo ». Proust ayant appris que Louis Gautier-Vignal était l'ami de l'aviateur Roland Garros, lui téléphona (vraisemblablement au 9675) pour savoir s'il pourrait obtenir des renseignements sur le pilote Agostinelli mort le 30 mai près d'Antibes dans un accident d'aviation. C'est d'ailleurs ainsi qu'ils firent l'un et l'autre connaissance. Au Verso 14 et au Recto 15 il est ensuite question de blessés anglais qui s'étaient arrêtés dans « la petite ville » avant d'être dirigés sur Calais. Nous sommes en pleine guerre. La petite ville notée par Proust est peut-être Mézidon. Car au début de septembre il a décidé, comme nous le dit Céleste Albaret (*Monsieur Proust, p. 46*), de se rendre à Cabourg. Et son domestique Ernest Forssgren nous révèle (*Études proustiennes II, p. 119*) qu'ils durent, Proust, Céleste et lui, s'arrêter dans cette petite ville dans la gare de laquelle ils rencontrèrent des soldats anglais. On peut présumer avec une quasi-certitude que les notes qui suivent et qui sont relatives au quatuor de Vinteuil sur le Carnet 3 sont postérieures à septembre 1914. La Note sur le Quatuor est donc elle-même postérieure à cette date. On peut la situer approximativement dans le dernier trimestre 1914. Ce Carnet 3 est, dans sa majeure partie, écrit au début de la guerre de 1914, comme le Cahier 57, qui est, pour la majeure partie des notes, un cahier de guerre.*

Parmi toutes les notes qui concernent le plan de l'œuvre et qui marquent de la part de Proust un souci constant de composition que des lecteurs qui n'avaient lu que le début de son œuvre ont eu bien tort de contester, nous citerons pour terminer une note qui n'est pas située dans les premières pages comme les autres mais au verso de la page 38 — ce qui prouve qu'elle est relativement récente. En outre, elle ne concerne que « ce dernier Cahier », c'est-à-dire Le Temps retrouvé, *tel qu'il apparaît dans* Matinée chez la Princesse de Guermantes :

« Capitalissime à mettre quelque part dans ce dernier Cahier quand je dirai que je comprends ce que c'est que d'avoir vieilli, ce que c'est que d'avoir aimé (je croyais ne pas aimer Albertine), l'utilité de la

douleur (je croyais cela funeste et Albertine m'a été utile), ce que c'est qu'un grand écrivain (Bergotte). »

Arrêtons-nous! Il y a quatre choses essentielles à exprimer dans ce dernier Cahier : la vieillesse, l'amour, l'utilité de la douleur, l'art à travers le grand écrivain.

La présence de l'amour nous surprend. Car, dans le reste de son œuvre, Proust s'est acharné à nous montrer que l'amour, du moins la passion amoureuse, est une illusion. Et voilà qu'il se contredit! Il en est ainsi au même verso, dans la note qui précède en parlant du bonheur. Il tempère son affirmation en disant que les êtres qui posent pour le bonheur « n'ont pas beaucoup de séances à nous donner ». C'est un fait néanmoins (a remarqué J.-H. Bornecque dans **Un autre Proust**) que son dernier amour lui a apporté (il y a des pages dans **La Prisonnière** qui le prouvent) quelques véritables séances de bonheur.

Et voici la conclusion très philosophique sur les images et les idées qui termine ce *Verso 38* :

« *Ainsi si les noms avaient perdu pour moi de leur individualité, les mots s'étaient bien remplis de sens. Car la beauté des images est logée à leur arrière, mais la beauté des idées [est] à leur avant, de sorte que les premières cessent de nous émerveiller quand nous les avons atteintes, mais les secondes ne se laissent comprendre que quand nous les avons dépassées.* »

*

Ces **Notes** pour **Le Temps retrouvé** *comportent un Index des noms propres. Elles ne comportent pas de résumés, car il n'était pas facile d'en établir un, certaines d'entre elles ne comptant que quelques lignes. Mais nous les avons fait précéder d'un sommaire constitué par les titres que nous avons donnés à chaque note et que nous avons placé en tête avec le rappel des sigles. Le lecteur pourra ainsi se faire facilement une idée du contenu de chaque note.*

H. B.

SOMMAIRE [1]

(Cahier 57)

---

1. Ce sommaire est constitué par les titres que nous avons donnés aux différentes notes et qui nous ont paru les résumer ou les expliciter de façon suffisante. Les paperoles sont en italiques.

ANNEXE
(Cahier 58)

[Notes pour *Le Temps retrouvé*]

[Plan pour *Le Temps retrouvé*]
V° 1

[1] *Capital : L'articulation de ce chapitre pourra être*
1° La parution de l'article me donne désir non pouvoir de travailler et me fait aller dans le monde (Ce 1° sans gde importance).
2° (important très) Il peut paraître bizarre que sortir pour aller dans le monde puisse créer impression mais rien n'est qu'en nous, monde qu'en nous, et impressions dues à différences de sensibilité (aller en auto pour un peu de la route) 3° Capital. Le temps retrouvé c'est-à-dire toute l'exposition de l'esthétique dans le buffet 4° *Capitalissime mais ce temps éternel ne pouvait se réaliser que par une créature soumise au temps, ce qui rendait ma tâche bien périlleuse, j'allais en avoir une preuve en entrant dans le salon.* Et alors bal costumé etc. (dans lequel je pourrai introduire si je veux que le temps changeant pourra servir de cadre au temps retrouvé dans les nombreux [passages] moins précieux du roman en faisant sentir les différences physiques et psycholog. d'intensité selon les changts de position par rapport aux personnes, les planètes etc. Et cela finira par Gilberte me proposant de venir à Combray [2],

1. Ce morceau et le suivant sont placés au verso d'une page de garde blanche et marquée 1 au composteur.
2. Le voyage du narrateur à Combray sera raconté dans le chapitre intitulé « Tansonville » dans la fin de *La Fugitive* et le début du *Temps retrouvé*.

le bruit de la sonnette de son père et les béquilles du temps (Gilberte et sonnette douteux).

[Le bruit du couteau : souvenir involontaire]

[1] Au moment où j'entends le bruit du couteau tel qu'il était et non tel que je l'avais revu, un instant il caresse ma pensée non pas seulement de la vue de la mer telle qu'elle était ce matin-là. Comme les ailes de chérubins qui font mille tours en un moment (?)[2] toutes les sensations que j'éprouvais en même temps que celle-là, l'odeur de la chambre, le désir du déjeuner, l'incertitude de la promenade, la présence du plafond pyramidal[3] au-dessus de moi, tout cela attaché ensemble et tournant comme les mille ailes des chérubins qui font [mille] tours à la minute, caresse mon âme du souvenir d'un monde évanoui, mais d'un monde qui non * pas tableau plat * comme les tableaux de la mémoire a toutes les dimensions, toutes les qualités sensibles, est accompagné de mon être d'alors, de ma pensée d'alors, tourne complet, plein, existant réellement total[4]. Et ainsi à l'instant qui suit ma pensée ne sent plus son frôlement, car pour la sentir il a fallu une seconde que non seulement ce que je vois dans cette bibliothèque fût aboli pour faire place.....

R° 2 [5]
[A propos des arbres qui ne lui disent rien]

Avant la serviette au moment des arbres qui ne disent rien : Comme malgré la promesse faite jadis aux aubépines ma vie s'était desséchée depuis Combray. A peine quelques pommiers, quelques pommiers en fleurs, au regard de toutes les fleurs d'autrefois où j'étais réjoui jusque par les asperges.

1. Texte dont la première moitié est barrée en majeure partie, qui est commencé aux deux tiers de la page, et qui est peut-être antérieur au précédent.
2. Ce (?) est de Proust.
3. Il raye « mur », mais il semblait avoir écrit « mur nouveau ». Et « nouveau » n'est pas rayé.
4. Ce qui suit semble supprimé par trois traits.
5. Dans le haut de page et de la même écriture que *M R*° 2.

[A ajoutei ρour la serviette]

(passage barré par une croix :)

A mettre à l'empois de la serviette. Mon plaisir n'était pas que dans les belles couleurs de la mer, le soleil de la chambre, le reflet des bateaux dans la commode, la pensée du bon déjeuner. Je jouissais de [cet] instant de vie qui à ce moment-là supportait ces impressions, de cet instant de vie qui avait pour surface* d'un côté cette belle mer, d'un autre la promenade à faire, d'un troisième le moment du déjeuner, et qui était tendance, appétit vers tout cela dont peut-être à ce moment-là un peu de fatigue [ou] d'autres impressions m'empêchèrent de parfaitement goûter la joie, que je savourais maintenant délicieuse, pure et désincarnée.

MR° 2
[Après la parution de son article, plan pour la suite]

A mettre avant l'arrivée chez la P^cesse (qui est peut-être M^e de St Euverte?) de Guermantes, si c'est le jour où mon article a paru — et après ma joie de l'avoir lu et des télégrammes que j'avais reçus. Malheureusement je sentis tout de suite que ce petit succès si l'on peut dire que c'en fut un ne m'aiderait en rien à travailler. Car l'encouragement n'est pas l'aide et en communiquant le désir il n'y ajoute pas le pouvoir. [Un] [1] grand n'aurait du reste pas été plus utile. Il développait en moi une satisfaction, des sentiments affectueux pour ceux qui me disaient du bien de cet article, un désir de les voir, d'être gentil pour eux de les remercier, de causer d'eux et avec eux, quelque chose d'analogue à l'amitié, c'est-à-dire quelque chose de superficiel qui produit des conversations attendries, des actions touchantes, mais nullement une œuvre, pourquoi il faudrait au contraire renoncer aux autres et rentrer en soi, car le premier résultat de cette joie fut non de me faire rester seul à penser mais de me donner envie de sortir et de voir des gens, et pour la première

---

1. Nous rétablissons ce mot qui n'est d'ailleurs qu'en partie rayé.

fois depuis longtemps d'aller dans le monde. J'avais reçu une invitation de la P^cesse de Guermantes : Cela me semble une occasion d'en retrouver[1]. Heureusement le monde n'est un empêchement à l'art que si on le réalise dans mon cas, de même que de grands événements ne[2] peuvent pas nous donner de gdes facultés quoi qu'on dise après les guerres etc. (Citer au besoin Flaubert Correspondance sur la Caussade[3] je crois). Or cette journée allait agir sur moi t^t autrement que n'auraient fait les télégr[4] que j'avais reçus. Il y avait longtemps que je n'étais sorti. Alors suivra l'exaltation que cela me donne avant laquelle il faudrait avoir dit le souvenir des arbres que je vois exactement sans y trouver de beauté. Tout cela se développant en un grand morceau et à cet ennui de ne pas avoir de génie succèdent dès que je me lève (Marquer l'opposition par un Mais dès que j'eus pris la résolution de me lever ou dès que je fus prêt à sortir) les successives impressions profondes du souvenir (rayon de soleil sur le balcon et girouette serait très bien là). Puis sol du baptistère etc, c'est l'été penser aux portes reliées au feuillage en fleurs qu'on ouvre en descendant du fiacre découvert (en allant prendre des nouvelles d'Hermann rencontre de Paul Golsmith *[5]) l'hôtel Guermantes nouveau pourrait être au Parc Monceau[6].

1. Rayé à partir de là, jusqu'à « je crois ».
2. Renvoi à une suite dont deux lignes et demie sont rayées mais que nous conservons en pleine page avec plusieurs autres renvois à des textes situés les uns au-dessus des autres.
3. La Caussade (1817-1897), poète, secrétaire de Sainte-Beuve et bibliothécaire au Sénat. La parenthèse n'a pas été fermée; mais Proust est allé à la ligne.
4. « télégrammes ».
5. Dans *Monsieur Proust*, Céleste parle d'un certain Goldsmith. On retrouve ce nom, Goldsmith, dans le haut de page coupé du Verso 35. Un Hermann (Édouard) est cité dans une des *Lettres Retrouvées* publiées par Philip Kolb (p. 105). Il achète des valeurs pour Marcel Proust.
6. Il est fort possible que cette note soit contemporaine du Cahier 58, c'est-à-dire de décembre 1910, bien qu'elle soit située en tête du Cahier 57 et en marge du Recto 2. En effet, « le souvenir des arbres » comme « les successives impressions profondes du souvenir » se trouvent décrits dans le Cahier 58. Le morceau « Soleil sur le Balcon » par contre sera placé dans Guermantes I. Quant à l'hôtel de Guermantes (celui du prince) il

V° 2

[Résurrection de Venise et St Marc]

(note en pleine page — inachevée :)

A mettre pour la sensation du passé
Et aussitôt Venise et St Marc qui n'étaient plus pour moi
que ces images desséchées, minces *[1], ces images purement
visuelles, ces « vues » en lesquelles nous transformons les
choses que nous avons vécues et perçues à la fois avec tous
nos sens et qui du même coup s'extériorisent si bien, se
détachent si parfaitement de nous, se dépouillent si bien de
vie *[2] que nous pouvons croire les avoir regardées seulement
dans un album ou dans un musée, Venise et St Marc, comme
ces graines gelées [3] pendant des années et qu'on croyait inertes
et qui tout d'un coup exposées à des effluves * humides se
remettent à germer, se prolongèrent de toutes les sensations
de chaleur, de lumière, de miroitement, de promenade sur
mer dans le moyen âge que j'éprouvais en me faisant conduire
tous les jours par la gondole sur les eaux printanières, dans
le baptistère si frais où ma mère jetait un châle sur mes
épaules. La place s'ajoute à l'église, le débarcadère à la place,
le canal au débarcadère, et à ce que mes yeux voyaient tout
le couloir * de désirs, de sensations diverses, de vie au bout
duquel et en profondeur nos yeux voient une image de la
réalité.....

sera transféré, dans la *Recherche,* non au parc Monceau, mais dans une
construction neuve Avenue du Bois. Notons aussi que le souvenir engen-
dré par la vision d'une girouette ensoleillée, que Proust mentionnera à
l'occasion du mariage de Montargis mais sans le décrire, ne figurera pas
dans la version définitive du *Temps retrouvé.* La doctrine de Proust sur la
façon de poursuivre *Le Temps retrouvé* n'est pas encore bien fixée.

1. Peut-être « ruinées ». Proust avait écrit ensuite « sans racines de vie »,
puis rayé les trois derniers mots pour mettre « sans appendice de velouté
de vie inconsciente »; puis rayé à nouveau sauf le « sans ».

2. Au-dessus de la ligne vient un « en la sensation visuelle qu'ils nous
firent éprouver » dont la place n'est pas indiquée.

3. Voir *L'Adoration perpétuelle,* in *Matinée chez la Princesse de Guermantes,* 1910-1911, Cahier 57, Folio 8.

MV° 2
[Plaisir des souvenirs]

Nous n'avons plaisir à descendre respirer dans notre âme
que dans les heures où nos souvenirs rafraîchis se remettent
[à] exhaler leur parfum[1].

[Le bruit du calorifère à eau]

(note en haut de marge :)

[2] Quand je suis sorti de chez moi, j'entendis dans un tuyau
qu'on arrangeait un bruit que je pris pour celui du calorifère
à eau. Et avant de l'avoir reconnu j'avais aperçu la blanche
inondation du brouillard effaçant la campagne comme une
fresque d'où surgissait seule conservée une colline oblongue ;
je sentais la chaleur du chocolat, l'espoir d'une belle matinée. Mais la souffrance de me rappeler la première visite où
j'avais embrassé Albertine ne s'y mêlait plus. Il en est des
souvenirs douloureux comme des morts[3] ils sont vite détruits
et on ne retrouve plus que la nature, l'air du matin et du soir,
l'herbe, les fleurs.

R° 3
[Le Quatuor de Vinteuil]

(écrit sur toute la page en absorbant la marge :)

Note[4]
Je pourrai sans doute quand j'ai compris ce qu'il y a de
réel dans l'essence commune du souvenir et que c'est cela
que je voudrais conserver (mais ne sachant pas encore que

1. Proust avait d'abord écrit puis rayé : « Mettre quelque part Notre
âme n'est pas habitable et (" respirable " : rayé) agréable à respirer. »
2. En marge, en deux morceaux – tous les deux barrés.
3. Proust avait d'abord écrit : « (ils sont) déjà détruits que la nature
continue à faire pousser les... ».
4. Ce texte est très raturé. Nous donnons les ratures intéressantes. Le
mot « Note » est de l'auteur.

cela se peut par l'art, sachant seulement que cela ne se peut
ni par le voyage, ni par l'amour, ni par l'intelligence)[1] dire
que j'entends à travers la porte le quatuor de Vinteuil (aux
œuvres de qui la matinée[2] sera consacrée). Et je dirai à peu
près ceci : comme jadis à Combray quand ayant épuisé les
joies que me donnait l'aubépine et ne voulant pas en demander à une autre fleur, je vis dans le chemin montant de Tansonville[3], un centre de nouvelles joies naître pour moi d'un
buisson d'épine rose, ainsi n'ayant plus de joie nouvelle à
épouser[4] dans la sonate de Vinteuil, je sentis tout d'un coup
en entendant commencer le quatuor que j'éprouvais de
nouveau cette joie, la même et pourtant intacte encore, enve-
loppant et dévoilant à mes yeux un autre univers, semblable
mais inconnu; et la ressemblance s'achevait[5] de ce que le
début si différent de tout ce que je connaissais dans ce quatuor s'irradiait, flambait, de joyeuses lueurs écarlates; c'était
un morceau incarnadin, c'était la sonate en rose. La sonate
de Vinteuil m'avait paru tout un monde, mais un monde que
je connaissais entièrement et voici que le Dieu qui l'avait
créée n'y avait pas épuisé son pouvoir en en faisant une
seconde, c'est à dire une[6] tout autre, aussi originale qu'était
la sonate de sorte que la sonate qui m'avait semblé une totalité n'était plus qu'une unité, que je dépassais maintenant
la notion de l'un et comprenais ce qu'était le multiple grâce
à la richesse de ce génie qui me prouvait que la beauté dont
il avait manifesté l'essence dans la sonate avait encore bien
d'autres secrets à dire, bien d'autres paradis à ouvrir. Je ne
concevais pas que le genre de beautés qu'elle contenait ne
fût pas entièrement épuisé et consommé en elle; quand j'essayais d'en imaginer, je les imaginais d'après elle, je retou-

---

1. Cf. Carnet 4 (R° 4) : « La variété, la différence que nous cherchons
en vain dans l'amour, dans le voyage, la musique nous l'offre. »

2. « soirée » rayé. Cette matinée finale dans la brève version du *Bal de
Têtes* que Proust a écrite au Cahier 51 était une soirée.

3. « Montj », sans doute Montjouvain, rayé.

4. « découvrir » rayé – au lieu d'« épouser » on peut lire « éprouver ».

5. « était plus grande » rayé.

6. La suite en renvoi dans le haut de page jusqu'à « ouvrir ».

chais de languissants pastiches. Et voici que cette phrase
rose, aussi merveilleuse que m'avait paru la première fois
celle de la sonate, mais tout autre, que je n'eusse jamais
pu imaginer, venait de naître, comme à côté d'une jeune
fille, une sœur toute différente [1]. [Elle créait devant moi, elle
tirait du silence [2]] et de la nuit, dans une rougeur d'aurore
les formes d'un monde inconnu, délicieux, qui se construi-
sait *(V° 3)* peu à peu devant moi [3]. Et ce monde nouveau était
immatériel, cette forme singulière qu'il projetait devant
moi dans une lueur empourprée c'était celle d'une joie différente des autres joies comme la joie mystérieuse et ombrée
qui émanerait de la bonne nouvelle annoncée par l'Ange du
matin. Certes, il y avait entre la Sonate et le Quatuor de
grandes ressemblances. Sans doute Swann avait eu raison
jadis d'appeler la phrase de la sonate : une créature imma-
térielle, une fée captée par Vinteuil, arrachée par lui au monde
surnaturel [4]. Mais ces créatures surnaturelles, il est curieux
qu'une certaine affinité, une mystérieuse correspondance
entre un cerveau humain et leurs phalanges immortelles,
fasse que ce seront toujours les mêmes qui se plaisent dans
l'œuvre d'un même artiste, tandis que [5] chez un autre ce
seront d'autres qui auront élu domicile. Vinteuil avait ainsi
certaines phrases qui, de quoi qu'il parlât, de quelque sujet
qu'il traitât, habitaient son œuvre dont elles étaient comme.
le peuple familier, les dryades et les nymphes, belles [6] et
divines étrangères [7] dont nous ne savons pas la langue et que
nous comprenons si bien ! si caressantes et si belles que quand

---

1. Rayé : « et d'un charme encore inconnu ».
2. Ces mots sont rayés. Nous les maintenons pour l'intelligibilité du
texte. Du reste Proust ne raye pas le second complément de « tirait » : *et
de la nuit.*
3. Rayé après le point : « Et cependant ce quatuor c'était bien encore
du Vinteuil. »
4. Proust raye : « il avait dit vrai, mais n'était pas allé assez loin ».
5. « dans l'œuvre » au-dessus.
6. Le mot « belles » est rayé. Il se peut que « et » soit aussi rayé. On
aurait alors simplement : « divines étrangères ».
7. Cf. le Carnet 3 (16 639) au Verso 4 : « Pour Vinteuil dans le second
volume. Les notes ces belles étrangères dont nous ne savons pas la langue
et que nous comprenons si bien. »

je les sens passer et repasser sous le masque nocturne des sons qui me dérobe à jamais leur visage mon cœur se serre en sentant si près de moi les seuls êtres qui m'aient jamais dit un mot nouveau d'amour et que mes yeux se remplissent de pleurs. Ce n'était pas que des phrases à la Vinteuil qu'on reconnaissait[1] dans le quatuor, ainsi dans ces harmonies qui commençaient à embuer toute son œuvre à l'époque attristée où il écrivit la sonate, les mêmes brumes qui s'élevaient le soir,[2] depuis cette heure de sa vie, flottaient ici et là sur son œuvre. Mais ce que je sentais là n'était-ce pas justement quelque chose comme cette qualité particulière à une impression, à une joie que je n'avais pu trouver ni à Balbec où ne restait rien de ce qui faisait la particularité de son nom (ni chez Albertine)[3]. L'amour ne me l'avait pas donné davantage. *(V⁰ 2)*[4] La phrase pouvait être parfois titubante de tristesse elle sonnait à toute volée comme des cloches une joie qui ruisselait de soleil plus que tous les pays que j'avais vus, et déjà dès la sonate le déferlement de certains accords ne déployait-il pas plus de soleil que les vagues de Balbec à midi[5]. Ce que j'éprouvais là n'était-il pas ce que j'avais ressenti tout à l'heure en entendant la cuiller, en marchant sur les dalles inégales et n'est-ce pas une nécessité de notre esprit de ne sentir vraiment la pure saveur d'une chose que quand elle est évoquée par une autre; et en effet je n'avais jamais senti la douceur de la mer embuée du matin comme dans l'ange de pierre blanche d'une fresque d'Elstir où elle était si pâle et embrumée[6]. *(V⁰ 3)* Je l'avais retrouvé tout

1. En marge avec un trait : « Mettre cette phrase un peu plus haut sans doute » (lecture difficile).
2. Proust a rayé ici un « flottaient çà et là » en oubliant vraisemblablement de rayer le « et qui » qui précède et que nous supprimons.
3. Rayé, mais le nom d'Albertine, comme d'ailleurs celui de Vinteuil, prouve bien que ce texte n'est pas antérieur à 1913.
4. Ici renvoi au verso de la page précédente (p. 2) où se trouve cette indication : « à intercaler dans la page suivante au verso ». Et d'abord, rayé : « Certains déferlements du piano avaient ».
5. Rayé : « D'ailleurs, n'est-ce pas une loi de ».
6. En marge de cette note : « Nous n'avons plaisir à descendre respirer dans notre âme que dans les heures où nos souvenirs rafraîchis nous semblent exhaler leur parfum. »

à l'heure [1] en écoutant le bruit de la cuiller et en sentant la différence des dalles. C'était donc quelque chose d'une telle essence que j'entendais dans ce quatuor; et il me souvint [2] que parfois aussi dans certaines phrases de Bergotte, dans la couleur d'un tableau d'Elstir, j'avais senti cette révélation de cette qualité particulière des émotions de l'âme que nous ne trouvons pas dans le monde réel. Ainsi donc c'était l'œuvre d'art qui comme le *(R° 4)* spectre révélait la composition des [individus] [3].

1. Rayé : « C'était quelque chose comme ce que j'avais. »
2. Ou « semblait ». L'écriture en cette fin de page est parfois cahotique.
3. Ce mot manque. Mais il est facile à deviner : c'est celui que Proust emploie dans *La Prisonnière* à propos du Septuor de Vinteuil (Pléiade, III, p. 256) et que nous ajoutons ici, « individu ». La fin de cette phrase à partir de « Spectre » est nichée dans le haut de la marge du Recto 4. Et elle nous avait échappé la première fois où nous avions donné ce texte (dans *Le Figaro littéraire* de février 1971).

Cette comparaison avec le spectre de la lumière se trouve d'ailleurs développée dans le Carnet 3 (B.N., N.A.F. 16 639) au Verso 5 après la mention « pour Vinteuil ». Elle sera reprise presque dans les mêmes termes dans *La Prisonnière* (III, p. 258). « Comme les couleurs du spectre extériorisent pour nous la composition intime des astres que nous ne verrions jamais, ainsi la couleur du peintre, les harmonies du musicien, nous permettent de connaître cette différence qualitative des sensations qui est la plus gde jouissance et la plus gde souffrance de la vie de chacun de nous et qui reste toujours ignoré[e]. Car elle est indépendante de ce que nous pouvons raconter (les faits, les choses) qui sont les mêmes pour tous. Mais grâce à l'harmonie de Franck, de Wagner, de Chopin, à la couleur de Ver Meer, de Rembrandt, de Delacroix, nous allons vraiment dans les lieux les plus ignorés volant d'étoiles en étoiles. Bien plus que si des ailes nous étaient données; car ce qui fait pour nous l'uniformité des choses, c'est la permanence de nos sens, et si nous allions dans Mars ou dans Vénus, les choses ne nous paraîtraient jamais différentes puisque ce seraient toujours des visions de nos mêmes yeux. Le vrai bain de jouvence, le vrai paysage nouveau, ce n'est pas d'aller dans un pays que nous ne connaissons pas, c'est de laisser venir à nous une nouvelle musique[a].

« Pour Vinteuil[b] encore fin de la symphonie[c] Franck [:] Il semblait dans sa joie tirer les cloches à toutes volées par un dimanche de soleil où on s'écrase sur la place de Combray. La phrase était boiteuse[*] et pas belle mais elle enivrait de joie et de soleil[d]. »

On comparera cette Note sur le Quatuor de Vinteuil avec ce que Proust écrit encore dans le Carnet 3 aux pages suivantes : V° 41, R° 42, V° 42, V° 42, R° 43, R° 44. Nous en extrayons ce passage : « qu'aurais-je pu[*]

MR° 4
[Le Quatuor et les critiques]

(note barrée en croix :)

Capitalissime
A un endroit où je parle des célibataires de l'art [1] (Stany et
Saussine [2] applaudissant. Applaudir ? Même entendre * toujours est de trop) je dis qu'ils me disent : « J'ai entendu cela.
C'est bougrement beau. Ajouter ceci *Capitalissime,* ils me
disent d'un ton naturel j'avais été à un concert où on jouait
des choses de Vinteuil (car il vaut mieux que ce soit Vinteuil).
Je t'avouerai que ça ne m'emballait pas. Alors mon célibataire presse le débit : On commence le quatuor [3]. (Alors sa face
exprime l'inquiétude [4], l'affolement, comme s'il y avait le feu,

dire, je ne me rappelais ni la mélodie, ni le ton, ni si les notes devenaient *
rapides et nombreuses ou bien rares et lentes, une certaine fraîcheur qui
montait, quelque chose de brillant et de suave comme une soierie qui se
serait élevée dans les airs au sein d'un parfum qui se déchire... Ainsi q^d
j'avais entendu la 1ere fois le Quatuor de Vinteuil (en réalité je pense
ici à un morceau de violon joué par Capet dans le 1er quatuor en ut mineur
de Fauré) sans doute dans la 3e partie do. *(Proust place très haut ce* do *comme
sur une portée musicale).*
Tâcher peut-être d'amplifier cela en parlant de la tasse de tilleul ».
Et plus loin R° et V° 48 : « Ne pas oublier qu'il est un motif qui revient
dans ma vie plus important que celui de l'amour d'Albertine *et peut'être
assimilable* au chant du coq du Quatuor de Vinteuil finissant par l'éternel
Matin, c'est le motif de la ressouvenance matière de la vocation artistique
(tasse de thé, arbres en promenade, clochers etc) ».
(Lire à ce sujet les études de Sybil de Souza dans les *Bulletins Marcel Proust,*
n°s 39 et 40.)
    a. « œuvre d'art » rayé.
    b. « Ber » rayé. Vraisemblablement pour « Bergotte ». C'est un lapsus. Et Proust corrige en
mettant « Vinteuil ».
    c. « sonate » rayé.
    d. Il y a ensuite un troisième « pour Vinteuil » où sont nommés Schumann, Beethoven et
Schubert.
    1. Voir R.T.P., III, p. 891.
    2. Saussine (le comte de) admirateur de Wagner.
    3. On peut penser que ce texte est contemporain de la grande Note sur
le Quatuor de Vinteuil.
    4. Entre les lignes l'auteur écrit : « Mettre plutôt l'expression de figure
après que ces mots indiquent le sens de ce qu'il va dire... »

d'une [voix] blanche absolument comme s'il m'eût dit[1] je vois une étincelle, on sent le roussi, on crie au feu. C'est toujours la migraine de Mme Verdurin, les émotions prises à la lettre pour nous montrer qu'elles sont plus fortes. Et cependant ce n'est pas forcément stérile puisque c'est ainsi qu'Elstir parlait peinture quand il ne s'était pas encore dégagé de ce milieu. Suivre en marge après la + [2], laisse voir son âge et il s'écrie : « Ah mais je me dis, nom d'une pipe, ça change! Tonnerre de Dieu ce que j'entends là C'est exaspérant, c'est foutrement * mal écrit, c'est lourd, mais c'est extraordinaire, mais ce n'est pas l'œuvre de tout le monde. Je le réentendrai. Et mon vieux, j'en suis à la huitième fois et je te fiche mon billet que ce n'est pas la dernière. »

$$V^o\ 4$$
[Monsieur de Cambremer vieilli]

CAPITALISSIME[3]
Pour mettre quand j'arrive dans la soirée et que je ne reconnais pas les gens.
Un Monsieur s'approcha de moi. Bonjour. Vous ne me reconnaissez pas? Je l'examinai. J'étais sûr de n'avoir jamais vu ces joues rouges, cette barbe blanche[4]. Alors du fond de cet être inconnu dans lequel il était captif et comme si son moi cherchait à arriver jusqu'au mien, il me dit[5], comme un homme masqué qui nous avertit dans un bal : « Je suis M. de Cambremer. » Alors cessa l'enchantement qui me rendait M. de Cambremer invisible et je reconnus qu'il disait vrai quoique la forme sous laquelle il me parlait différait autant

---

1. Renvoi pour quelques lignes vers le haut de la page par une croix.
2. Cette croix est de Proust. Le mot qui suit dans la marge est presque entièrement effacé.
3. L'emplacement de cette note est un peu insolite, puisqu'elle se rapporte à la dernière partie du Cahier *(Le Bal de Têtes).*
4. A partir d'ici Proust raye les mots suivants.
5. Proust a rayé auparavant : « Alors du fond de cet être nouveau dans lequel par une véritable métempsycose il s'était incarné il était prisonnier et comme si son moi cherchait à arriver jusqu'au mien il me dit. »

de celle sous laquelle je l'avais connu que si, par une véritable métempsycose il avait été changé en crapaud ou en tilleul. Lui-même semblait avoir honte de sa forme nouvelle, et il me parla sur le ton suppliant qu'ont les ombres des morts quand dans l'Érèbe (vérifier Érèbe) elles entourent Ulysse et tâchent à se faire reconnaître de lui[1].

MRº 5
[Ne disons pas cathédrale...]

Littérature il faut qu'il y ait q.q. chose dans les choses qu'on veut dire d'où elle est écossage de pois aussi bien qu'elle est bâtie, ne disons pas pour ne pas être prétentieux une cathédrale mais une robe (ceci pour composition) frayer des routes et jeter des ponts (ceci moins bien).

Vº 5
[Romain Rolland, l'instinct, Bergotte]

(en tête de page et barré en croix :)

Quand je parle des genres Romain Rolland et aussi Bergotte (?) qui a écrit sur la guerre. Ils disaient qu'ils avaient fait cela pour refaire l'unité morale de la nation (prendre formule plus exacte dans Desjardins, Action Morale), pour le triomphe du Droit (Affaire Dreyfus) (ou Guerre) qui les empêchait de penser à la littérature. Mais c'était des excuses et parce qu'ils n'avaient plus de génie c'est-à-dire d'instinct (ce qui pourra se rattacher à la théorie plus loin sur l'intelligence) (et au gros cahier bleu Bergotte et la guerre). Car l'instinct dicte le devoir et l'intelligence fournit les excuses

---

1. En marge, en face du texte précédent : « Ce morceau capital pourra être appliqué à quelqu'un d'autre que M. de Cambremer (Desjardins). D'autre part le mot masqué pourrait être réservé pour un autre. Et peut-être même je pourrais m'en tenir ici à métempsycose et c'est quand j'aurais énuméré tout le monde que je mettrais la comparaison avec Homère et je dirais : Toute cette foule se pressait autour de moi comme les morts de l'Odyssée venant dire à Ulysse leur nom et lui rappelant le passé. (Vérifier dans l'Odyssée). »

pour l'éluder[1]. Mais ce qui fait que l'art est vraiment la réalité, et la plus austère école de la vie, et le vrai jugement dernier, c'est que les excuses n'y figurent point, et que les intentions n'y sont point comptées, et qu'à tout moment l'artiste doit écouter l'instinct.

(trois lignes plus bas :)

La sensibilité fournit la matière où l'intelligence porte la lumière. Elle est le combustible (mettre cela q.q. part).

(entre ce dernier texte et le précédent un texte démarre qui se poursuit plus bas :)

Pour Bergotte je dirai qu'à ces 1ers livres le public qui en les ayant lus avait en somme contracté une dette envers lui disait nous attendons les suivants : il nous les doit. Qd il devient célèbre[2] le père Bloch dira avec confort comme s'il s'asseyait à table : ses articles sont assommants, je le trouve puant. Ceux qui l'admirent sans comprendre diront il a une belle langue, c'est une grande figure, il a la grande manière.

[Robe ou bœuf à la mode]

(en haut de la page (2 lignes) puis en marge :)

A propos de tous les modèles que j'ai eus (église de Caen, de Falaise etc.) et de bâtir une robe etc., je dirai que ces modèles (surtout les personnes) étaient aussi nombreuses[3] pour avoir un seul résidu que les viandes que faisait acheter Françoise pour composer son bœuf à la mode. De sorte que ce livre je le bâtissais comme une robe (énumération des autres images) et je le recueillais comme une *gelée*. (Cette image nouvelle à ajouter)[4].

---

1. En face de cette phrase, et en marge Proust écrit (avec une petite flèche au bout du « que ») : « formule que je pourrais placer dans le morceau sur Romain Rolland ».
2. A partir de là Proust raye jusqu'à « sans ».
3. Ces deux mots sont rayés. Mais ils n'ont pas été remplacés et sans eux la phrase est boiteuse.
4. Voir R.T.P., III, p. 1033-1035.

[Mlle Swann]

(plus bas en marge et débordant un peu à la fin sur la page :)

Avant cette matinée[1] quelqu'un de snob pas arrivé (Legrandin ou Bloch) me dira agacé que je dise la Marquise de St Loup : « Mais la Marquise de St Loup est-ce que ce n'est pas tout bonnement Mlle Swann? Elle n'a pas à faire tant de chichis. J'ai connu sa mère (comme si ça la diminuait qu'il l'eût connue. Humilité Grunebaum).

MR° 6
[Matériaux]

(en grande partie barré :)

Capitalissime. Quand je dis que les matériaux, frivolité, paresse, douleur, de la vocation littéraire étaient venus à moi bien que je ne les aie pas reconnus : ils s'étaient amassés en moi aussi à mon insu, aussi inconnus de moi que peut l'être dans la plante les réserves de (mettre un exemple tiré par exemple des légumineuses, blé ou je ne sais quoi, peut-être bien que cela n'aille peut-être pas le blé qui n'est blé que dans nos contrées)[2].

V° 6
[Le nom de Guermantes]

(au centre de la page :)

A mettre quand je reçois l'invitation de Me de Guermantes (Mancieux *) ce nom de Guermantes (le château) écrit sur la lettre ne me semble pas celui d'un bâtiment matériel, mais comme un recul d'histoire et de nature, du fond duquel la lettre m'arrivait comme du temps de Geneviève de Brabant. Je connaissais pourtant maintenant bien des gens dont la situation était tout aussi grande que celle des Guermantes et

1. « soir » rayé. Il s'agit de la *Matinée chez la Princesse de Guermantes*. Proust ne confond pas la soirée chez la princesse avec la matinée. La soirée est située dans *Sodome et Gomorrhe* (2e partie, chap. 1er).
2. Dans le haut de cette marge et rayé : « Ajouter à genre Romain Rolland ».

qui pourtant * ne m'intéressaient pas du tout. Je ne les avais pas imaginés d'après un nom, d'après un titre avant de les connaître. Me de Guermantes incarnait pour moi l'Idée, au sens platonicien, de la Duchesse. Cette [1] connaissance était-elle plus fausse que celle que j'avais des duchesses femmes quelconques que j'avais connues. Au fond, peut-être pas ; elle avait sa vérité puisque l'impression que les Guermantes m'avaient fait[e *] dans mon enfance, tous les autres jeunes gens la ressentaient et la reconnaîtront. Cet accord-là, c'est une vérité aussi. Signature La Rochefoucauld, Josephe [2] Labursa *.

V° 6
[Les Idéologies changeantes qui gouvernent le Monde]

(bas de la page, suite en marge et dans le haut de la page avec des renvois au moyen de petites croix :)

Quand je parle des gens qui intelligents et un peu bêtes [3] croient successivement à l'antisémitisme, au wagnérisme, à l'antiwagnérisme (Forain : Leurs poisons : après Wagner, les gaz) [4] il faudrait rattacher cela peut-être à ce que je dis des coteries qui font kaléidoscope (si c'est dans cette partie-ci que je le dis). Et cela permettrait d'élargir le kaléidoscope mondain en disant : Simple kaléidoscope mondain dirait-on. Nullement car il reflète simplement toutes les idées politiques, sociales, religieuses qui se succèdent dans la cervelle des idéologues et mènent les nations, font les guerres [5] (ou du moins la prolongation priamesque [6] des guerres) la révolution

---

1. A cette hauteur en marge : « Ne pas oublier Duquesne (à un tout autre pt de vue). »
2. Ou « paraphe ».
3. On peut lire aussi : « non pas bêtes ».
4. Forain (1852-1931). Caricature représentant des soldats français casqués dans une tranchée et un nuage de gaz à l'horizon, dans *Le Figaro* du 29 décembre 1915. C'est le titre que donne Proust.
5. « les revol » rayé.
6. De Priam, considéré comme fauteur de la guerre de Troie ou de son renouvellement. Proust emploie le même suffixe, dans sa dédicace d'*A l'Ombre des Jeunes Filles en Fleurs* à la princesse Soutzo, ajouté de la même manière à un nom propre « Parsifal » quand il parle de « miracle parsifalesque » (voir *Le Visiteur du Soir* de Paul Morand et le catalogue de vente *Correspondances littéraires* du 17 nov. 1978, Drouot Rive Gauche).

Leurs poisons

Par FORAIN

— Après Wagner, les gaz !...

Lithographie de J.-L. Forain : « Leurs poisons : après Wagner, les gaz !... »,
extraite du Figaro du 29 décembre 1915.
Bibliothèque nationale. Photo © Bibl. nat./S.P.A.D.E.M., Paris, 1982.

(af. Dreyfus) écartent les juifs des emplois, etc., tout cela se réduisant malgré l'ampleur que leur donne leur réfraction dans des masses à la courte vie de certaines idées dont la [1] nouveauté séduit certains cerveaux peu exigeants en fait de preuves, comme leur vieillissement au bout de qq. ans les fatigue, si bien que tout le monde clame en chœur : la France aux Français, le Christianisme est contre nature. Pas de paix boiteuse, etc., nous n'avons pas voulu la guerre, maintenant il nous faut l'Alsace-Lorraine etc. et nous faisant à peu de temps de distance estimer et mépriser François-Joseph [2] auguste et méprisable, le roi de Serbie assassin puis vénérable, etc., et les Japonais monstres pour les Russes puis leurs alliés, les Anglais pour les Boers etc. Mais pour revenir à l'anti-wagnérisme etc., comme toutes les idéologies changent mais se succèdent sans interruption, l'homme intelligent qui ne donne pas dans elles a en réalité un perpétuel rocher de Sisyphe à remonter. Il croit avoir fini de l'anticléricalisme, alors l'antisémitisme commence; il a fini de l'antisémitisme, c'est l'antigermanisme [3], à l'antiwagnérisme des gens qui disaient musique de l'avenir succèdent des gens qui disent musique du passé, musique germanique peut-être lier à cela brumes du Nord, Ibsen si guerre avec la Suède, Tolstoï et ballets russes si guerre avec la Russie, Kipling plus impéria-liste que toute la littérature allemande (citer q.q. part Ruskin sur l'Angleterre Sésame et Bible) Annunzio etc. Si on faisait de tout cela en trop * [un] beau morceau.

MV° 7
[Peuple et Aristocratie]

Dire sur une de ces jeunes revues à qui on avait objecté que la peinture d'une société aristocratique et une œuvre d'où le peuple est absent n'est pas forcément insignifiante et cité comme exemples les Mémoires de St Simon, un des plus intelligents et des plus laborieux et des mieux intentionnés *

1. Renvoi dans le haut de la marge.
2. Renvoi dans le haut de la page.
3. Suite bord de la marge R° 7.

parmi les rédacteurs de cette Revue avait répondu [1] : j'avoue que la peinture de tous ces inutiles m'indiffère assez, je ne peux pas aller au-delà de dix pages, ce qui avait d'ailleurs fait sourire l'écrivain [2] d'un grand goût quoique social qui avait fondé la revue et à qui le caractère [3] aristocratique des Mémoires de St Simon et mondain de certaines scènes de Balzac et de Stendhal et souvent artistes de Flaubert n'empêchaient pas de considérer ces œuvres, comme les plus belles de la littérature française

V^{os} *7 et 8*
[Sur Bergotte et l'art social] [4]

Quand je parle de Bergotte (peut-être à cet endroit : Et toi aussi tu passeras). Même en ce moment sa gloire subissait une éclipse. Comme les plus récentes grandes œuvres d'art qui avaient fait impression [5] se trouvaient avoir un certain idéal philosophique et religieux, il était arrivé (fait commun à toutes les époques parce que la faculté de ressentir des idées, de les assimiler, de raisonner, ont toujours été beaucoup plus fréquentes que le véritable goût littéraire, mais qui prend une extension plus considérable aujourd'hui où les revues, les journaux littéraires se sont multipliés et avec eux les vocations factices d'écrivain) que toute la meilleure partie de la jeunesse, la plus intelligente, la plus désintéressée, s'était enflammée pour cet idéal et s'était imaginé qu'il était le critérium de la valeur d'une œuvre. Sans doute on les eût bien étonnés si on leur eût dit qu'ils renouvelaient l'erreur des David, des Chenavard, des Brunetière sur la peinture à grands sujets et à idées, car l'erreur ne se renouvelle jamais sous la même forme et ceux qui y tombent ne la reconnaissent pas. Bergotte étant classé parmi les écrivains qui font de l'Art

1. Renvoi plus haut dans la page.
2. « poète » rayé.
3. Renvoi plus haut.
4. Il est question de Bergotte (et d'Elstir) au Recto 7 *(Matinée chez la Princesse de Guermantes)*. Le texte est barré.
5. Proust raye « le plus enthousiasmé la jeunesse étaient des œuvres d'un caractère... ».

pour l'Art leur paraissait pour cette raison inférieur. De plus
cette jeunesse était éprise d'un art populaire, d'un retour au
peuple et le monde qu'avait peint Bergotte était le monde
une société élégante dont ils s'imaginaient que la peinture ne
peut être que puérile. Et ainsi l'œuvre de Bergotte leur semblait ne pouvoir s'adresser qu'à des gens du monde à la fois
parce qu'elle peignait souvent ce monde spécial, et en même
temps à cause de la complication de son « écriture » qui ne
pouvait s'adresser qu'à des raffinés. Mettre ici comme réponse
(cela ira sans doute mieux là) le morceau déjà écrit que les gens
du peuple s'intéressent plus aux gens du monde et d'autre
part que les gens du monde ne sont [1] *(Vᵒ 8)* nullement des raffinés [2]. Aussi ce courant d'idées avait-il envahi la partie la
plus intelligente du monde, qui y trouvait comme base naturelle le mépris qu'on a dans le monde pour tout ce qui est
mondain et qui s'enthousiasmait pour l'art social. C'est ainsi
que quand l'intelligence veut se mettre à juger les œuvres
d'art, il n'y a plus de certitudes, rien de fixe, on peut prouver tout ce qu'on veut. Aussi se produisait-il dans la littérature des phénomènes comme il s'en produit dans la politique
où les revirements de l'opinion fabriquent tardivement un
grand homme d'état avec un ancien ministre longtemps
oublié et qui ne diffère pas des autres. Un écrivain inférieur à
Bergotte, beaucoup plus mondain de goûts, mais beaucoup
moins parfait comme style et ayant peint plutôt avec intelligence d'ailleurs certains milieux populaires arrive un jour à
établir un joint, une sorte de coïncidence entre un certain
brio académique qu'il avait dans le style et les idées religieuses
et philosophiques qu'il semblait beau à la jeunesse d'exprimer [3]. Cette réussite le fit sacrer le plus grand écrivain de
l'époque. Aimant le monde en cachette, il se promenait en
tenue de vieux bohème au milieu des jeunes gens et tonnait

1. En marge à la hauteur du dernier paragraphe : « Avant cette phrase
dire que cette notion de la jeunesse à tendances sociales était décuplée par
les enquêtes où la jeunesse disait ce qu'elle était. »
2. On passe au Verso 8.
3. En marge à la hauteur de ce dernier paragraphe : « Dire à propos
de cet écrivain, de vieux jeu, il était devenu idole de la jeunesse, de la même
façon qu'un modéré est accepté on ne sait pourquoi par le parti socialiste. »

contre le monde. Dans les jeunes revues on opposait l'humanité de son œuvre au dilettantisme de Bergotte[1]. Bergotte
savait bien que Legrandin n'existait pas à côté de lui. Dans
les pages de Legrandin qu'on citait en les opposant aux
siennes, il reconnaissait une foule d'idées médiocres qu'il
n'eût jamais eu le courage d'exprimer, des banalités à peine
déguisées par[2] l'adresse du langage le plus vulgaire, et dans
le même numéro il voyait attaquer ses meilleurs livres. Aussi
dédaignait-il ces attaques mais il en souffrait. Cela n'empêchait pas que les jeunes gens qui écrivaient ces choses ne
fussent en somme une élite de travailleurs désintéressés par
rapport à la foule des journalistes ou romanciers à succès qui
avaient encore moins de dons littéraires qu'eux et beaucoup
moins d'intelligence et de désintéressement. Mais ils me[3]
montraient par un exemple si je ne comprenais pas encore
bien pourquoi dès que l'intelligence se met à toucher aux
œuvres d'art pour les juger tout s'embrouille et

Voir 4 pages plus loin au verso crayon bleu quelque chose
qui peut venir après ceci ou dans les mêmes parages[4].

MR° 9
[Contre l'art social et patriotique]

(en tête et en marge :)

Capital : aux raisons contre lesquelles j'aurais à me
défendre de faire du Romain Rolland et de suivre l'esthétique à la mode se joindraient pour ajouter au désarroi des
théories celles qui suivent toujours les bouleversements guerriers et font détester ce qui les a précédés. Après la révolution on ne faisait plus aucun cas de Watteau par civisme. Et
pourtant peut' être dans la gloire totale de la France entre-t-il
pour une plus grande part que Vien. Barrès lui-même qui
naguère écrivait que pour être poète l'imagination est plus

---

1. Rayé : « En réalité il avait beaucoup moins de talent. »
2. Ici un « une » qui semble de trop.
3. La suite est un peu plus haut en marge.
4. Cette indication est située en marge. 4 pages plus loin, du moins au
Verso 11, se trouve effectivement une suite, mais sans crayon bleu.

nécessaire que le cœur, écrit maintenant (*Écho de Paris* dans les articles de son séjour en Italie en juin[1]? 1916) que le Titien préfère la gloire de sa patrie (voir l'article exact). Or[2] *(M 10)* c'est exact si l'on s'en tient au résultat. Oui un grand artiste prépare la gloire de sa patrie, mais à condition de ne pas s'en soucier, c'est-à-dire de ne pas faire intervenir le raisonnement dans le choix de son œuvre, tandis que Barrès ne doit pas tout à fait vouloir dire cela. D'ailleurs (ceci peut se joindre à ce que je dis des lois que l'artiste découvre) ces lois n'ont pas de rapport avec sa bonté morale. Il est souvent pénible à un homme doux de faire des découvertes en anatomie. Laclos écrivit les Liaisons dangereuses. Flaubert souffrant de vivre parmi les bourgeois d'Yonville. Et il peut être cruel à certains d'écrire une œuvre où la vocation ne leur permet pas de peindre * les grandes vertus qu'ils ont connues près d'eux mais de se pencher sans cesse sur des monstres. Les Pères de l'Église devaient éprouver cela.

*V*ᵒˢ *9*[3] *et 10*
[Hiérarchie des plaisirs]

Quand je parle de la sensation des dalles de Venise, de la cuiller et du plaisir que cela me cause autour duquel je voudrais arranger ma vie maintenant (si je ne l'ai pas dit le dire car pour ce qui suit je suis sûr que je ne l'ai pas dit) je savais bien que ce plaisir-là seul était fécond et véritable; je ne parle même pas des plaisirs mondains qui m'avaient bien donné leur composition frelatée en n'excitant chez moi que l'ennui, le malaise que donne une nourriture abjecte, de l'amitié qui était une simulation puisque pour quelques raisons morales qu'il le fasse l'homme qui renonce au travail pour des amis sait qu'il sacrifie une réalité pour q.q. chose qui n'existe pas, les amis n'étant des amis que dans cette douce folie que nous avons au cours de la vie, à laquelle nous

---

1. « mai » rayé. Le point d'interrogation qui suit est de Proust.
2. Note indiquant : « suite au recto marge », c'est-à-dire au Recto 10 qui commence par « suite de marge du recto précédent ».
3. Ce texte est presque entièrement barré. Proust s'en est servi. Cf. *Le Temps retrouvé*, III, p. 875.

nous prêtons mais que du fond de l'intelligence nous savons l'erreur d'un fou qui croirait que les meubles vivent et causerait avec eux (mettre plutôt ceci quand je dis que je préfère les jeunes filles, à Balbec)[1] celui-là agit de même qu'un travailleur qui s'interrompt d'un chef-d'œuvre pour recevoir par politesse quelqu'un, et ne répond pas comme Néhémie[2] sur son échelle « non possum descendere magnum opus facio » ce qui devrait être la devise de tout artiste à qui il est aussi absurde de reprocher de s'enfermer dans sa tour d'ivoire comme on dit qu'aux abeilles dans leur ruche de cire, ou aux chenilles dans leur cocon. Mais pour parler de plaisirs plus réels celui même que j'avais eu avec les jeunes filles à Balbec, celui aussi qu'il me coûtait plus de renoncer parce que de la Prendre au verso suivant :

V° 10

Suite du verso précédent près de la marge[3] parce que de la souffrance y était lié, celui de sentir (un) être m'appartenir, et m'envoyer de bien loin comme des abeilles rapportant du miel, des provisions de douceur, comme Albertine revenant à moi quand je l'avais [fait] chercher par Françoise dans cette douce journée où je l'avais attendue en jouant du Wagner ce plaisir-là était moins fort parce qu'il était moins réel et plus égoïste que celui qui serait plus ardu à prendre mais qui du moins ne se détruisait pas par sa propre jouissance comme *celui de sentir Albertine à moi qui dès que je le sentais ne m'était*[4] *plus perçu puisque j'avais cru m'ennuyer en l'attendant qui revenait du Trocadéro tandis que je m'exaltais de plus en plus en approfondissant le bruit du couteau de la saveur de la tasse de thé ou de la titubation des cloches*[5].

1. Le passage qui suit n'est pas barré.
2. Néhémie : Ancien Testament, Néhémie reconstruisit les murailles de Jérusalem après le retour de Babylone.
3. Cette première phrase est de Proust. Elle nous dispense de toute indication.
4. Proust écrit « n'étais plus » qui nous paraît une faute d'inattention.
5. Suit immédiatement la mention : « Mettre quelque part (pas là). » C'est Proust qui souligne le passage qui précède.

MV° 10
[Le langage de Françoise]

(en face du texte sur Françoise que nous donnons ensuite :)

à noter q.q. part. D'ailleurs le langage de Françoise paraîtra de jour en jour moins singulier, car les romans étant écrits par les journalistes, les journaux rédigés par les gens les plus vulgaires, et personne ne sachant plus le français les fautes qui pouvaient autrefois singulariser un paysan, tendaient à devenir courantes dans l'« article de fond ». Hier un académicien a écrit : « dès l'instant que » dans le sens de « du moment que » comme parlait Françoise[1] et demain peut-être cet académicien dira comme Françoise qu'il reste à Neuilly pour signifier qu'il y demeure.

V° 10
[La crémière]

J'appelai Françoise. « Françoise lui dis-je nous avons une crémière qui vient porter le lait » « Oui Monsieur » « Une jeune? » « Dans les dix-sept dix-huit ans » « Avec des grandes mains blanches » « Oui Monsieur[2] » « Est-elle déjà passée? » « Non elle viendra dans une heure. » « Dites-lui d'entrer me parler ». C'est que j'apercevais une jeune crémière[3] non à travers le carreau de sa crèmerie mais au vitrage du rêve que j'avais eu cette nuit et où elle passait encore détournant vers moi ses yeux souriants. Je l'avais appelée, elle ne m'avait pas entendu et je m'étais réveillé[4]. La jeune crémière entra mais pour justifier de l'avoir appelée, je mis tant d'attention à lui expliquer, poser des questions compliquées sur diverses

1. Ici renvoi plus haut toujours dans la marge.
2. Proust a commencé à mettre des guillemets à chaque réplique. Puis il s'est arrêté. Nous continuons pour plus de clarté.
3. « Aux beaux yeux » rayé.
4. Ici Proust raye quelques lignes : « Mais son reflet projeté devant moi me rendait précieuse la vie où j'espérais la découvrir et j'allai pendant quelques jours rêver de crèmerie. Enfin je trouvai une jeune crémière qui me plut. Mais je ne sais si elle ressemblait à celle... »

crèmes, à chercher de l'argent dans la pièce voisine et à ne pas la regarder que je pus tout au plus m'apercevoir qu'elle ne ressemblait pas à celle dont je sentais encore le regard détourné dans mon cœur. Je m'habillai et sortis allant de crèmerie en crèmerie. Je voyais encore en moi le visage de la crémière dont j'aurais voulu être l'ami. Je savais que je ne la verrais jamais. Mais je voyais aussi en moi celui de la jeune marchande de lait, celui de Mlle de Quimperlé, celui de mon inconnue au bal de la P^{cesse} de Guermantes. Eux aussi je les voyais, mes lèvres allaient vers[1] eux et je savais que je ne les verrais jamais puisque les deux premières étaient vieilles et que l'autre était morte.

$$V^o \; II$$
[Aberration de la critique]

Suite de 4 pages avant (ou du moins sinon suite peut s'amalgamer dans les mêmes parages)[2].

Car la réalité du talent est un bien, une acquisition universelle — ce qui ne veut pas dire intellectuelle[3] — dont on doit avant tout constater la présence sous les modes apparentes de la pensée ou du style. Or c'est à celles-là que la critique s'arrête pour différencier, classer les auteurs. Elle appellera prophète[4] un écrivain qui n'apporte[5] nul message nouveau mais dont le ton est péremptoire, qui use à tout moment d'interjections et qui est tout gonflé d'une rhétorique qu'une sage médecine des âmes oserait à peine lui interdire de peur qu'il ne lui reste rien, comme certains

1. Suite dans la marge de ce Verso 10.
On pense ici à l'incident rapporté par Daniel Halévy dans *Pays parisiens* (p. 124) avec Mme Chirade la belle crémière que le jeune Proust trouvait si belle qu'il voulut lui offrir des fleurs.
2. Voir plus haut, Verso 8. Ce texte est de Proust. Une ligne le sépare de la suite.
3. Rayé : « tandis que la critique s'arrête aux ».
4. Rayé : « et apocalypse ».
5. Ou « apportent ». Mais Proust a rayé « et un livre » en oubliant de mettre au singulier.

obèses[1] ou ces morphinomanes qu'on n'ose faire maigrir
ou démorphiniser de peur de les tuer. Cette aberration de
la critique est telle qu'un écrivain devrait presque préférer
être jugé par le grand public si malheureusement il n'était
incapable de se rendre compte même de ce qu'un écrivain a
tenté car l'ordre de ces recherches lui est inconnu; sans cela
il y a plus d'analogie entre le bon sens du public et le talent
d'un grand écrivain qui n'a cessé d'écouter et de suivre en lui
en faisant faire silence à tout le reste la nature et l'instinct,
entre l'instinct du public, et le talent d'un grand écrivain qui
n'est qu'un instinct perfectionné, mieux compris, plus reli-
gieusement écouté encore, qu'avec le verbiage[2] de la critique
qui ne sait pas se taire, descendre au fond de soi ou des
autres, qui rapproche d'après des apparences et aujourd'hui
encore serait toute prête de renouveler[3] sur d'autres[4] noms
la même erreur qu'on ne reconnaîtrait * pas, Petrus Borel
est avancé et Racine vieux jeu.

MV° 11
[Aimer d'autres jeunes filles]

Capitalissime Quand je parle de la nécessité d'aimer d'autres
jeunes filles (la formule ci-dessous[5] étant très bonne à ajouter à ce que j'ai dit) quelle tristesse quand le souvenir excitant le désir, recherchant sa date nous comprenons que l'être
n'a pu garder dans la vie la fraîcheur qu'il a dans notre
mémoire et que le plus sûr moyen de trouver quelque beauté
qui s'en rapproche, c'est de le chercher à un âge qui se rapproche de celui qu'avait celle dont nous nous souvenons, c'est-
à-dire de le chercher, ô[6] tristesse! dans une autre personne[7].

1. « goutteux » rayé.
2. « intelligence » rayé.
3. Ou « commettre ».
4. Suite en marge.
5. Peut-être « ci-dessus »?
6. La ponctuation et l'accentuation ici sont de nous.
7. Dans le haut du Verso 11 on trouve ces quelques mots : « bruit de
notre calorifère (" de Combray " rayé), comme si ».
Voir plus bas note MR° 67 sur le désir du héros de connaître des jeunes
filles.

PR° 12
[Le vieux chanteur et sa jeune femme]

(12 au composteur comme s'il s'agissait d'une page — située entre 11 et 13 :)

Voir au dos un détail important
phrase à ajouter à ce Capitalissime
(à placer cette phrase après celle (sans doute) où je dis qu'on le trouvera mort). Les travailleurs pauvres, comme les malades, comme nos saints soldats [1] savent, ignoré du loisir, ce qu'est la vie ou plutôt ce qu'est la mort et la résurrection. Eux donnent par leur fatigue une partie de leur vie qu'ils sentent retranchée d'eux pendant des heures précaires où ils ne sont plus en état de faire face à aucune tâche, à aucune souffrance, aux simples fonctions de la vie, se sentant à côté de la mort. Eux seuls, ils pensent encore éprouver le miracle du sommeil et du repos, peuvent dormir deux nuits de suite et tout d'un coup étonnés, au 3e matin du 3e jour, sentir se lever la pierre et chanter le soleil triomphal de la résurrection.

Capitalissime
Pendant que je songeais, un des chanteurs qui devaient chanter et sa femme entrèrent timidement, paraissant, par habitude d'être comptés pour rien par les domestiques, relire une dernière fois leur rôle. Lui, prématurément vieux, tout blanc [2], ne trouvait plus d'engagements au théâtre depuis longtemps malgré son grand talent. Mais il donnait des leçons, courait le cachet par tous les temps, pour nourrir sa jeune femme et ses enfants. La dignité de sa vie, laborieuse et si dure, sa bonté, éclataient dans son visage de vieillard surmené. En les voyant pris d'une pitié comme je l'avais déjà été au moment de la maladie d'Aimé je me disais que j'avais trop été intéressé jusqu'ici par les curiosités du vice et qu'il y avait quelque chose de plus beau et de plus poignant dans

1. Expression qui prouve qu'on est en 1914-1918.
2. Rayé : « n'était plus depuis longtemps professeur de chant. » On verra que sur ce point Proust se ravise.

la vertu. Puis toute mon existence s'était trop passée au milieu des gens riches ou s'ils étaient pauvres, assurés par la fortune des riches, comme l'était Françoise, grillon sûr[1] de notre foyer. Tandis que le vieillard quelque malaise qu'il éprouvât, toussant, grelottant de fièvre, quand il neigeait, sans avoir les moyens de prendre des voitures, il lui fallait sortir, aller chanter où on voulait bien de lui pour la nourriture des enfants, la petite élégance de la femme, leurs pauvres « matinées d'élèves » où ils se croyaient obligés à des rafraîchissements. Jamais de repos, jamais pouvoir penser à soi, à la fatigue de l'âge. On comprend que les cheveux fussent devenus vite blancs, que se fussent gonflées ces veines, comme devaient l'être ces artères qui se rompraient un jour où on trouverait le pauvre artiste tombé mort, dans la boue ou la neige, en courant pour attraper un autobus. La robe de la jeune femme en sa grâce apprêtée ne me faisait pas moins de chagrin. Je sentais tout ce que représentait de fatigue pour le vieux mari et pour elle, le prix qu'avait dû coûter ces manches * si ornées [****][2] elle s'était crue obligée pour venir chez la P^cesse de Gue[rmantes] qui la paierait bien mal ou ne la paierait pas du tout [et qui] sans doute [n'appréci]rait guère son talent, pas plus que celui de son mari non seuleme]nt si bon, si loyal qui n'avait rien [demandé pour son] travail, mais aussi si grand artiste, et à la femme [qui était une re]marquable artiste aussi. On ne comprenait pas pourquoi ✳✳✳ elle n'avait pas, seule de tant de chanteuses qui avaient toutes moins de talent qu'elle, trouvé d'engagement. Elle aimait ce mari plus âgé qu'elle, il n'eût pas été jaloux la sachant sage. Mais aucun directeur n'avait voulu d'elle.

PV° 12
[La toilette de la chanteuse]

Pour ce qui est au dos ou plutôt pour ce que je dis de la toilette de la chanteuse peut-être à quelques pages de là.

1. Pas d'accent circonflexe.
2. A partir de là le papier du manuscrit est déchiré et sali. Les textes que nous proposons entre crochets sont donc un peu douteux.

D'ailleurs il faut dire que cet effort ne fut pas absolument sans résultat bien qu'il eût le seul auquel l'artiste n'eût pas tenu. Car la P^cesse de Guermantes ayant invité un secrétaire pauvre de son mari (si on peut mettre un nom – Aimé ? – ce sera mieux) il trouva toutes les femmes élégantes vraiment pas élégantes et le dit avec la présomption et la hauteur * de ✳✳✳ des gens du commun (peut-être Charley). Celle qu'il trouva le mieux et que je pus enfin identifier sur sa description, qu'il avait trouvée plus distinguée, plus élégante, plus belle, plus comme il faut que les autres, était précisément la seule qui ne fût pas du monde et sans doute justement à cause de cela et parce qu'elle avait porté à leur maximum le genre d'effort que la mère ou les sœurs de Charley faisaient quand elles voulaient être habillées ou paraître distin-· guées [1].

[Récitation grotesque]

P.S. [2] il y aura aussi une récitation d'une petite poésie [,] vers célèbres et que presque tout le monde connaissait. Aussi leur annonce sur le programme fit-elle plaisir. Mais l'artiste arriva, chercha partout des yeux, d'un air égaré, leva les mains d'un air suppliant et poussa comme un gémissement les premiers mots. Chacun fut ensuite précédé d'une mimique pareille. Chacun se sentait gêné de cet appareil de sentiments comme par une impudeur. Personne ne s'était dit que c'était cela réciter des vers. Plus tard on s'habitue c'est-à-dire qu'on oublie le malaise, on dégage ce qui est bien et on compare entre soi * diverses récitations pour dire celle-ci est mieux, celle-là moins bien. Mais la 1ere fois, de même que quand dans une cause simple on voit un avocat s'avancer lever en l'air le bras d'où retombe la toge et commencer d'un ton méchant * on n'ose pas regarder ses voisins (ceci pourra être mis quelque part je ne sais trop où il faudra enlever le mot Plus tard il s'agit d'un public déjà mûr. On l'expliquera èn disant cette impression fut ressentie ou par les personnes

---

1. « élégantes » rayé.
2. Ce P.S. est placé en tête de la page et sur la marge. Il est barré.

très jeunes ou par celles qui n'ont pas l'habitude d'entendre des récitations poétiques [)].

MR° 13
[Pour le livre à faire] [1]

(trois notes marginales que nous donnons en commençant par celle qui nous paraît la plus ancienne :)

Quand je parle du livre à faire : pour qu'il ait plus de force je [le] suralimenterai comme un enfant faible (dans la partie où je dis, je le préparerai comme une offensive, je le bâtirai comme une robe, etc. * [)] je l'étendrai sur une table comme une pâte dont on veut faire un gâteau, je le franchirai (ou je le vaincrai) comme un obstacle.

pour le Livre : je lui résisterai comme à un ennemi (à cause de la fatigue d'un si grand ouvrage) je le conquerrai comme une amitié.

pour le Livre : Je le créerai comme un monde sans laisser de côté les mystères qui n'ont probablement leur explication que dans d'autres mondes (extérieurs ou intérieurs) de ces mystères qui même au p[t] de vue positif étaient ce qui m'avait le plus remué dans ma vie (clochers *) et q[d] j'en retrouvais l'indice dans le quatuor de Vinteuil. Quand je dirai je le créerai comme un monde, ajouter [:] Mais que serait chétive auprès de ces ambitions la réalisation [!] Pourtant je ne partais pas d'une ambition mais d'une réalité et ces mystères je les avais souvent recueillis comme de précieuses et mystiques graines [2].

V° 13
[Contre les théories]

(au milieu, barré, un texte autour duquel les autres semblent s'être bâtis, donc antérieur, de la même écriture que le « pas là » de la marge du F° 14 — Une ligne après, même écriture :)

1. Voir Verso 5 [Robe ou bœuf à la mode].
2. Ces deux derniers mots sont partiellement coupés au bas de la page.

En un de ces endroits En elles-mêmes déjà je n'aimais pas
ces théories parce qu'elles étaient tranchantes, orgueilleuses *
parce qu'elles étaient des théories; leur contenu logique
pouvait m'imposer, mais je sentais que leur existence était
déjà une preuve d'infériorité, comme un enfant vraiment
sincère bon et bien élevé, s'il va jouer chez des amis dont
les parents lui disent : « Pourquoi ne dites-vous pas votre
pensée, nous avant tout nous sommes francs » sent que tout
cela dénote une qualité morale inférieure à la bonne action
pure et simple qui ne dit rien. L'art véritable ne proclame
pas, et s'accomplit dans le silence et la discrétion [1].

V⁰ 13
[*François le Champi* et *Saint Mark's Rest*]

*(texte barré d'une grande croix où seule la fin n'est pas barrée et
poursuivi en marge :)*

« Capital, quand je parle de François le Champi si j'en
parle (et bien que cela me soit inspiré par St Marks Rest
mais je peux — sans nommer St Marks, et * [2] réunir Combray
et Venise). Il y avait des pages [3] [dans] François le Champi
et [dans] le livre de (mettre un sur l'art) [4] que j'avais lu à
Venise, [5] [entre lesquelles] je voyais Combray (dire ce que
j'ai dit que je revois), la gondole amarrée devant St Georges
le Majeur où elle est bercée à l'ombre des pieds des colonnes
toutes noires de la Piazzetta. Ils étaient donc devenus des
livres illustrés, ce qu'on appelle dans le langage des érudits
(vérifier) des livres à images. Et pour ne pas parler de François
le Champi qui a son mérite, du moins [6] le dernier livre qui

1. Cf. Verso 26 en bas de page.
2. Ou : « St » pour « seulement » ? Ou t[t] pour « tout » ?
3. « Entre les pages de » rayé.
4. Au-dessus d'un blanc.
5. « éléments * maintenant enrichis par mémoire d'illustrations qui
avaient du moins pour le si » rayé.
6. Proust ajoute « devant » au-dessus de la ligne quand il modifie la
fin de sa phrase (voir note 2 p. 318).

en a bien peu [1] était grâce aux illustrations dont [2] l'avait enrichi ma mémoire devenu précieux comme cés ouvrages anciens sans valeur par eux-mêmes mais entre les feuillets desquels (voir quelle ville le g[d] peintre de livres d'heures a reproduite). Encore ces enluminures où scintillait le saphir du grand canal était-ce [3] bien seulement des peintures. Ce n'était pas seulement un tableau que nous voyons, il me baignait de toutes les sensations etc. et alors enchaîner si cela se peut aisément * les lignes qui venaient sans doute quelques pages plus loin où je dis que j'ai envie de revivre ces minutes de Venise − N.B. si je veux me remettre dans cet état d'esprit C'est la 2e page de St Marks Rest [4] qui m'a fait revoir Venise. C'est lui le livre médiocre dont je parle. Il n'est d'ailleurs pas si médiocre que cela.

[Les deux illuminations :
Parsifal et la leçon d'idéalisme]

(bas de page, avec renvoi au-dessus :)

Capital [5] : De même que je présenterai comme une illumination à la Parsifal la découverte [6] du Temps retrouvé dans les sensations cuiller, thé etc, de même ce sera une 2e illumination dominant la composition de ce chapitre, subordonnée pourtant à la première et peut être quand je me demande qu'est-ce qui assurera la matière du livre [7] qui me fera soudain apercevoir que ttes *(sic)* les épisodes de ma vie

1. Au-dessus de ce mot un mot non lu.
2. Ici un renvoi vers la marge de la page 14 : « j'étais comme ces collectionneurs qui ne lisant jamais le texte de livres anciens ou des prières qu'a illustrées Fouquet mais qui s'extasient devant les merveilleuses enlumimures représentant une ville, laquelle est toujours... Pour ce petit livre devenu précieux pour moi par les illustrations que ma mémoire y avait ajoutées la ville n'était pas... mais Venise. C'était entre les pages, de véritables émaux où je voyais scintiller l'eau sublime du gd Canal ».
3. En marge à partir d'ici.
4. Il faudrait : « St Mark's Rest. »
5. Gros caractères comme le Capital écrit au dos de la couverture de ce même cahier − et, semble-t-il, de la même encre très noire. Texte barré.
6. « A propos » rayé.
7. Entre parenthèses et rayé : « ou quand je renonce à voyager ».

ont été une leçon d'idéalisme (et c'est de cette façon que je rappellerai en une seule énumération germanophilie[1], homosexualité et pour l'amour je pourrai dire à la Leconte de Lisle ou Olympio Et toi Amour même.....

MR⁰ 14
[D'une absurdité sur l'art, la guerre, etc.]

(bas de page :)

Ceci est mis là faute de place :
Q.Q. part : aussi absurde de dire que l'art d'une époque de hâte doit être court. C'est comme les gens qui croyaient que la Guerre future serait forcément courte[2]. On disait aussi les chemins de fer et l'auto ont ramené la diligence vers les églises abandonnées. Éternel retour[3].

V⁰ 14
[Mort de Bloch?]

Il sera mieux que Bloch soit mort (Caillavet)[4] et je tiens toute sa destinée près * de moi[5] comme un banc de sable qu'on a vu se former en q.q. années, enfance (qu'on raconte maintenant, nos pauvres classes de Condorcet dans les journaux) dans *..., gloire qui fait rayer Bergotte, et que détrône les gens de la Revue f⁽ᵃⁱˢᵉ⁾ (lui sera plutôt peut-être un Quillard *) de sorte que Bergotte plutôt content de sa mort. Ainsi Bloch s'ajoute à la liste des personnes qui sont mortes, liste qui me fait faire je ne sais quelle réflexion.

---

1. Ou phobie? Mais il s'agit vraisemblablement de M. de Charlus.
2. Allusion à la guerre de 1914.
3. Voir la note de la marge page 15 où la même idée est exprimée.
4. Quand on voit la place importante occupée par Bloch dans la version 1910-1911, on ne peut douter que cette note lui soit très postérieure. Mais Bloch finalement ne mourra pas. Son rôle sera seulement moins important. Quant à la clef Caillavet qui nous est ici donnée, il ne faut pas oublier que les Caillavet étaient d'origine israélite. Mᵐᵉ de Caillavet ne s'en cachait pas dans sa correspondance avec Anatole France.
5. En marge jusqu'à « années ».

[Comme une robe ou comme une guerre]

(haut de la page :)

Capital quand le compare le livre : un livre doit être bâti je ne dis pas comme un monument mais comme une robe. On change de place etc on y fait au dernier moment des *regroupements de force* et avant il doit être *préparé comme une guerre.*

[Mme de Guermantes vieillie]

(en marge :)

Capital à propos de Mme de Guermantes. T^s ceux qui faisaient sa connaissance maintenant s'étonnaient que j'eusse pu l'aimer et en effet elle avait beau tenir les rênes de son visage en une forme maintenue, sa peau maintenant n'était plus qu'un nougat qui ne ressemblait en rien à de la chair et admettait des fragments de coquillages, de petites perles de verre, des fonds de papier jauni sur lesquels se recourbait * comme en une corne plus durable le bec du nez, et où restaient seuls clairs parce qu'ils étaient la Vivonne et que l'onde est plus impollue que la terre, ses yeux violets.

MR° 15
[Wagnérisme, antiwagnérisme, debussysme, etc.]

(en marge et barré en croix :)

Ajouter à tout cela : Puis à l'exclusivisme wagnérien avait succédé l'antiwagnérisme, divisé en deux armées prêtes à s'appuyer, d'une part le debussysme, le strawinskisme, d'autre part l'antigermanisme qui considérait Wagner comme une dangereuse pénétration pacifique de l'Allemagne, comme une invasion secrète d'avant-guerre. Hélas tout cela marquait (ou dire que cela marquait plus tard q^d je parle du Temps) le temps passé car de vingt en vingt ans toutes les logomachies se renouvellent et ce sont toujours les mêmes esprits qui y sont pris[1]. Les mêmes esprits y sont pris [,]

1. Renvoi en haut de page, avant la suite dans le reste de la marge. « assez » rayé.

hommes intelligents mais un peu bête t[t] de même que les esprits vraiment scrupuleux, plus difficiles sur les preuves, regardant en souriant s'engouer ainsi. Malheureusement les demi-esprits justement parce qu'ils ne sont que des $\frac{1}{2}$ esprits ont besoin de l'action pour se compléter et agissent plus que les autres, ayant des formules, sur le peuple. Presque tous les malheurs (et par l'Allemagne aussi Pangermanisme) sont venus d'eux. Il semble qu'une discipline sévère et de modestie (Port-Royalisme *, Cartésianisme) devrait en préserver. N'ayant pas de pensée dans les profondeurs, ils sont naturellement très sensibles aux événements et croient maintenant que la Guerre a changé la littérature et la philosophie[1]. Les créateurs qui se tiennent à la vérité artistique s'évitent l'aller et le retour et laissent disputer sur l'art social, la France monarchique, le nietchéisme *(sic),* l'art catholique, l'antisémitisme, l'antiwagnérisme, même sur la nécessité d'un art à longs développements ou à développements trop courts, bien que ce dernier (comme dans un régime à la Dubois[2] on peut cependant déconseiller l'alcool) ait le tort de prendre pour mesure la faculté d'ennui de l'auditeur, alors que c'est elle qui n'étant rien en soi, doit se proportionner à l'œuvre, et s'y proportionne en effet et se distendant pour les grandes œuvres se rétrécissant pour les petites, s'ennuie en somme plus − puisque on veut faire un critérium de l'ennui − à une œuvrette qu'au Crépuscule des Dieux.

$$V^o \; 15$$
[Bergotte et Paul Desjardins]

(au milieu de la page :)

« Penser pour Bergotte à prendre des mots et impressions de Paul Desjardins[3] (j'ai dû souligner un ou 2 endroits ou bien noter qq part les pages (probablement surtout sur

1. Retour à la marge.
2. Médecin, auteur d'un traité de médecine.
3. Paul Desjardins (1859-1940). Auteur de l'ouvrage *Le Devoir présent* (1892), fondateur de « l'Union pour l'Action Morale » (1892) et de « l'Union pour la Vérité » (1906).

Heidelberg) des choses que je ne peux pas comprendre que j'aie tant aimées.

[Bergotte et la neige ensoleillée des Tuileries]

(en marge de la note précédente :)

Capital

Si je parle de la neige pour Bergotte ne pas oublier l'impression de la neige ensoleillée aux Tuileries en allant au Concert Rouge : « cette neige à la fin[1] ensoleillée sur laquelle j'avais joué avec Gilberte. Mais un jour où j'avais cru longtemps[2] qu'elle ne viendrait pas, un jour dans les Champs Élysées de sorte que la vue de ce soleil sur la neige, le blanc décor qui signifiait son absence était resté planté malgré l'apparition du soleil, de sorte que celle de Gilberte avait eu beau se produire aussi, la vue de la neige ensoleillée mêlait dans mon souvenir l'angoisse de l'absence aux plaisirs de l'amour[3].

V° *15*
[Sensation et Intelligence]

(en tête, barré, avec la mention Capital *en marge et en titre :)*

Capital[4]

Q.Q. part. Ce que j'avais éprouvé pour Albertine les autres hommes l'éprouvent aussi. On éprouve mais on ne dit pas ce qu'on a éprouvé si on ne l'approche pas de l'intelligence comme il y a certains clichés qui ne montrent que du noir jusqu'à ce qu'on les ait mis à contre-jour (demander) contre une lampe. Alors seulement, quand on l'[5]a intellectualisé ce qu'on a senti, on distingue, et avec quelle peine, la figure de ce qu'on a senti.

---

1. Au-dessus : « à la fin ».
2. Mot au-dessus de la ligne.
3. Ce texte est très corrigé.
4. Souligné par Proust.
5. Proust ajoute ici un « l' ». Pour le maintenir il faudrait supprimer le premier « ce qu'on a senti ».

V^{os} *15, 16 et 17*
[L'impression vraie et les impressions superficielles]

(en fin de page, d'abord quatre lignes barrées par trois traits transversaux :)

Si nous regardons ce que nous avons dans l'esprit en effet, ou si nous écoutons nos paroles, au moment où nous avons la prétention d'exprimer notre impression et de définir la cause de notre plaisir.....

(ensuite et à la ligne après un blanc :)

et comme nous sommes bien obligés de matérialiser dans notre esprit sous une forme quelconque, d'expliquer par une cause, le plaisir que nous venons d'éprouver, nous espérons d'y faire figurer, non l'impression que nous n'avons même pas regardée, mais ce que nous croyons un équivalent intellectuel. Or le prétendu équivalent ou bien n'en rend nullement compte, comme quand en recevant d'une page de Flaubert des émotions particulières, nous nous écrions : « C'est admirable » ou bien n'a aucun rapport avec elle comme ces mots : « zut alors » que je criais en sautant de joie, sur le bord de la Vivonne quand un rayon de soleil faisait onduler un liquide d'émeraude autour des troncs des arbres; ou bien *(V° 16)* la dénature absolument comme quand surtout chez les Guermantes chez qui j'avais été flatté d'être reçu et où j'avais fait un bon dîner et avais reçu des marques d'amitié je me disais : quels êtres délicieux, vraiment intelligents, ou encore en est exactement le contraire, toutes les fois par exemple où cette impression lésant notre amour ou notre amour-propre, il en donne à notre intelligence un compte rendu mensonger, comme quand je me disais, alors que Me de Guermantes était désagréable pour moi : « Quelle créature inintéressante » ou quand Bloch froissé de la réflexion d'un passant disait avec dilettantisme : « je trouve cela ffantastèque [1]. » Déjà le

1. Ici Proust a rayé : « Déjà le moment vrai, la réalité, s'est enfuie. C'est le substitut conventionnel, disqualifié que nous avons mis à sa place et

moment réel, la parcelle de notre [impression] vraie est enfuie,
à peine aperçue sans que nous [en gardions rien]. Mais comme
toute impression des choses[1] pour une moitié se prolonge[2]
en nous — et plonge[3] hors de nous l'autre moitié qui reste
engainée dans l'objet, cette autre moitié comme nous ne
pouvons en avoir qu'une notion superficielle *(V° 17)* et
qu'elle ne nous propose aucune peine comme celle que nous
pouvons approfondir, c'est à celles-là que nous nous atta-
chons, simples points de repère identiques pour tous qui
fait la matière d'un langage commun à tous les hommes,
d'une entente générale pour la pratique, qui n'est qu'un
immense malentendu sur le fond. Prendre au recto : Même
dans l'art[4].....

MR° 16
[Le souvenir d'Albertine et celui de sa grand-mère]

Quand je dis dans ce cahier ou le précédent que je ne pense
plus que bien rarement à Albertine : son souvenir ne repa-
raissant qu'à certains jours et pour une soirée, souvent après
bien des mois, ou des années, comme ces pièces dont le titre
disparu depuis si longtemps m'étonnait quand autrefois
j'en voyais la reprise sur les affiches[5] théâtrales, renouvelé
par l'oubli. Peut'être mettre ici ma gd mère comparée au
Chariot * et au Verre du cahier bleu (V)[6] ou le laisser là-bas

c'est à lui que nous nous reportons. Si nous voulons nous reporter à notre
impression c'est à ce substitut intellectuel qui ne garde rien de sa particularité (« qualité » rayé) qui ne l'exprime en rien, conventionnel et disqualifié que nous nous reportons, nous attachant surtout pour le surplus
à ce prolongement extérieur. » En face de cette dernière phrase : « Rétabli. »

  1. Proust raye « est double ».
  2. D'abord « se plonge ».
  3. D'abord « prolongé », rayé ensuite.
  4. Au recto on retrouve ce « même ». Mais Proust met en marge « rétabli » et semble bien avoir gardé dans le manuscrit définitif le texte de ce
Recto 17.
  5. « colonnes » rayé.
  6. Dans le Cahier bleu, numéroté V (qui est le Cahier 52), au Verso 14,
en marge, Proust parle du souvenir de quelque chagrin fait à sa grand-
mère : « Alors, dit-il, ...comme ces rares chariots qui passent dehors

et dire : je me souvenais davantage de ma gd'mère, pour elle
le souvenir[1] devait s'allonger plus tardivement que pour
Albertine devant * ma vie car ombre de la tendresse le souvenir dure plus tard d'un amour qui a commencé plus tôt.

MV^o *16*
[Déceptions à propos de Bergotte]

Pour Bergotte dire ce livre que j'aimais tant, je n'y retrouve
plus rien de ce que j'aimais. La fameuse phrase sur la
Science[2], la fameuse phrase sur Venise n'était-ce vraiment
que cela, mais il n'y a rien que le nom de Venise. Je parcou-
rais ces pages avec le désespoir d'Olympio :

« Nos retraites d'amour en hallier sont changées
Et les petits enfants qui sautent le fossé »
« Que peu de temps suffit pour changer toute chose[3] ! »

Et s'il en était ainsi d'un livre, alors combien m'eussent paru
rapetissées si j'étais retourné les voir la Vivonne, le pont
que l'on passait à côté du pêcheur, la barrière[4] qu'on lève
pour entrer à Tansonville.

V^o *16*
[Il ne retrouve plus ce qu'il aimait en Bergotte]

(en haut de la page et ensuite sur la place laissée à droite :)

Ajouter à ce que je dis en marge pour Bergotte : je relisais
les phrases que j'avais le plus aimées; je n'y trouvais plus
rien, il eût fallu sans doute que je les revisse à la lumière de
la lampe à huile de ma chambre de Combray. Les livres sont
comme les femmes; quand on ne les aime plus on ne retrouve
pas leur beauté. Et peut'être pour être durable celle des

---

et ébranlent tout, mon cœur se mettait à trembler aussi fort qu'un verre
qui n'est pas d'aplomb... »
1. Suite dans le haut de la page.
2. ou Seine?
3. In *Les Contemplations* de Victor Hugo.
4. « porte » rayé.

livres doit-elle être plus complexe que ceux de Bergotte. Ils
ne durent qu'un temps et d'autant plus long que l'attention
a besoin de plus de peine pour en démêler les beautés [,]
s'en éprendre, ce qui retarde l'heure de s'en dégoûter. Heureux les livres pareils à des falaises où les siècles y battant
toujours trouvent encore à ronger.

MR° 17
[Un livre est un grand cimetière]

(un texte en marge, encadré et barré :)

Capitalissime Quand je dis qu'Albertine etc ont posé pour
moi d'autres aussi dont je *ne me souviens pas; un livre est un
grand cimetière où sur la plupart des tombes on ne peut plus lire les
noms effacés. Parfois c'est le nom au contraire que je me rappelle, et
la femme sans pouvoir me rappeler si quelque chose d'elle survit dans
ces pages. Cette fille au charmant regard, aux paroles si douces, est-
elle ici? Et dans quelle partie. Je ne sais plus.*

V° 17
[Pourquoi tant de place pour l'inversion]

(en marge puis au centre du Cahier, texte rayé :)

Capitalissime au p^t de vue composition du livre : Quand je
parlerai de l'irréalité de ce qui n'est pas l'esprit, je dirai :
l'étude de l'inversion ne m'en avait-elle pas présenté dans
la vie contemporaine une preuve et qui sans cela reste le
phénomène inexplicable qu'elle est pour beaucoup. (C'est
Capitalissime pour expliquer pourquoi tant de place donnée
à l'inversion et peut-être déjà dire en son temps un peu ce
genre d'intérêt.)

V° 17
[Autres preuves de l'idéalisme que l'inversion]

(en haut de la page et rayé :)

Dans les choses que j'ajoute ailleurs à l'inversion comme
preuve d'idéalisme citer aussi l'affaire Dreyfus où on croyait

que l'innocence ou la culpabilité était un papier qui avait le même sens pour tout le monde, la guerre où on ne pouvait croire que si Sarrail [1] n'avait les moyens de marcher en même temps que les Russes [2] on les lui aurait donnés sans avoir besoin que Roques [3] allât sur les lieux, la médecine (radiographie), mon article etc.

MV° 17
[Rien n'est plus précieux que certaines impressions]

(en marge et barré au début :)

Ajouter au petit sillon. Les autres idées celles que nous formons peuvent être justes, nous ne savons pas si elles sont vraies. Aussi rien n'est-il plus précieux, si chétive que paraisse le genre d'impression, la matière à laquelle elle se réfère que ces impressions qui nous aiguillonnent de la pointe de vérité que nous sentons à l'intérieur. Elles sont ce qu'il y a de plus précieux au monde puisque c'est d'elles seules que peut se dégager la seule chose dont la jouissance amène notre esprit à une plus grande perfection et à une pure joie, la vérité. Non pas la vérité qu'avec des mots presque pareils nous entendons appeler l'humble vérité, qui se constate et se note, qui pare le dehors des choses comme une branche humble et caractéristique qui y est plantée, mais une vérité qu'on n'aperçoit pas, qu'on pressent, qui ne se laisse pas voir et qu'on ne peut atteindre qu'à condition de la créer, en faisant renaître si complètement l'impression qui la contient qu'on fasse naître avec elles son cœur * le plus intérieur, la vérité. Et ceci sa réalité passe à notre seuil et nous laisse une note sur elle en caractères cryptographiques que nous ne nous donnons pas la peine de déchiffrer [4].

---

1. Sarrail a succédé à Ruffey au moment de la Marne; puis au début de 1915 il est en Orient. Voir R.T.P., III, p. 919.
2. « ou Roumains » (?)
3. Roques, ministre de la Guerre.
4. La partie barrée de ce texte est celle qu'on retrouve dans *la Recherche*.

V° 18
[Abroger ses plus chères illusions pour écrire]

(en tête et barré :)

Quand je dis (je ne sais trop où) qu'écrire est une grande tentation puisque c'est réaliser la vraie vie, rajeunir les impressions. Mais il y fallait aussi un grand courage. C'était abroger toutes ses plus chères illusions[1], cesser de croire à l'objectivité de ce qu'on élabore soi-même, c'était ne pas se bercer de ces mots : j'avais grand plaisir à l'embrasser.

[L'intelligence pure]

(au-dessous et barré :)

1 [2] (mettre après la vie bien que ce 1 d'en bas soit autre chose)
Comment en tout ceci prendrions-nous l'intelligence pure. Elle ne sait rien du réel.

(en marge, à côté de ce qui précède :)

Quelque part dans le chapitre : maintenant que j'avais senti cela, que j'avais guéri, je me serais difficilement contenté [d'] une vie comme celle de Swann.

V° 18
[Doutes sur Bergotte]

Pour[3] Bergotte je dirai dans un cahier[4] précédent, par exemple quand il vient me voir qᵈ ma gd mère est mourante.
Je l'admirais toujours, mais essayais de m'arracher à cette admiration tel un jeune homme[5] pieusement élevé mais

---

1. « croyances » rayé.
2. Ce 1 est de Proust. Voir R° 20.
3. En marge : « Ce morceau-ci je le refais mieux 2 versos plus loin au signe ⚓ » (voir V° 21 qui porte aussi sur Bergotte).
4. « volume » rayé.
5. Rayé : « comme un catholique qui croit *** ».

poussé par un instinct à chercher la vérité en dehors de ce qu'il désire, de ce qui lui plairait qui fût vrai, n'ose plus s'abandonner à des croyances qu'il trouve trop charmantes, trop humaines. Entre lui et la vie – et la mort – par conséquent entre la vie et celui qu'il lisait, lui aussi élevait des effigies belles et consolantes, le souvenir de toutes les glorieuses œuvres d'art dont son style était nourri. Et la pensée faisant ricochet en quelque sorte de l'une à l'autre ne pouvait[1] pas poursuivre sa route tout droit, aller jusqu'à la réalité même; elle[2] assemblait en une sorte de jeu de style et d'érudition qui enchantait, qui enchantait trop car la vérité n'était peut'être pas là[3].

$$P^4R^0\ 19$$
[Bergotte et le salon de Mme Swann]

Capitalissime, issime[5]
Ajouter pour Bergotte. A la valeur[6] intrinsèque de son œuvre n'adhérait pas seulement le souvenir des heures où je les avais lues, mais celui de sa personne même, cette personne qui m'avait jadis tant gênée quand il avait fallu concentrer en elle le charme[7] épars[8] de tant de livres et vers laquelle ils retournaient maintenant si je pensais à eux[9]. Lui pourtant alors ma joie de le voir et seulement comme si j'avais pu lui écrire c'était seulement de lui demander des éclaircissements sur ses livres, de lui demander son avis sur

---

1. En marge jusqu'à « là ». Proust raye : « le plaisir que me donnaient les livres de Bergotte, il me semblait maintenant trop factice et qui naissait toujours du rapprochement dans son style. Entre les choses dont il parlait, les choses éternelles, inhumaines ».
2. Rayé « faisait (ou faisaient) une espèce ».
3. Ici en marge : « Suite au verso suivant. » Mais on ne trouve pas cette suite au verso suivant du fait du compostage qui intègre une paperole au numéro 19. Il faut aller jusqu'au Verso 20.
4. Paperole marquée du numéro 19 (entre les Folios 18 et 20).
5. C'est Proust qui souligne.
6. « beauté » rayé.
7. « beauté » rayé.
8. « éparse » accordé avec « beauté » mais pas avec charme.
9. Sept lignes rayées. Leur contenu est repris ensuite.

telle chose dont il n'avait pas parlé. Et j'étais seulement déçu, comme je l'étais au lycée par la classe de philosophie, parce que attendant Bergotte, j'avais la conversation toute différente de Bergotte, encore une réalité qui ne s'accordait pas au souvenir de ces pages. Mais cette réalité là était elle-même devenue un souvenir. Ces conversations de Bergotte je ne pouvais plus les retirer des five o clock de Me Swann où je les avais entendues, elles me rappelaient plus que le passé même de Bergotte, le trouble que me donnait alors la vie de Swann, le charme des neigeuses après-midi d'hiver senti en allant chez Me Swann et d'autant plus vivement que je n'y allais pas pour le goûter, les lampes allumées tôt dans le salon plein de chrysanthèmes tandis que discourait l'écrivain dans une lumière d'or, entre les grandes fenêtres pleines de givre, dans la vapeur du thé, resté dans mon souvenir q.q. chose d'aussi mystérieux qu'un soir de Noël. Sans doute aimer Bergotte pour tout cela, c'était plus que ne faisait M. de Charlus quand il l'aimait * pour en faire une politesse à Santois ou à Me Molé[1]. C'était pourtant moins que l'aimer pour sa pensée. Mais en tous temps chez moi l'impression intime avait été quelque chose de plus fort que ce que je recevais des autres, fût-ce leur plus haute pensée, qui malgré tout ne descendait pas en moi au delà de mon intelligence. Cette impression intime j'y tenais comme l'ivrogne à son ivresse. Et quand on me proposait maintenant de me faire dîner avec Bergotte je refusais parce[2] qu'on ne pourrait pas me rendre en même temps les fins d'après-midi d'hiver chez Me Swann, qu'elles fussent si lointaines n'était d'ailleurs pas un malheur pour moi, car jamais elles n'avaient existé davantage pour moi comme les objets auxquels nous ne faisons aucune attention tant qu'ils sont dans notre chambre, mais que le regret de nous en être privés pour les donner à quelqu'un nous fait enfin posséder spirituellement à partir du

1. Dans le Cahier 59, un des derniers cahiers, on trouve au Folio 1, en marge : « Me Molé me soutient dans cette dernière matinée que ni Reinach à qui elle crie toujours bonjour Reinach ni Clémenceau n'ont été des dreyfusards. »

2. Ici la feuille se termine et la suite est sur un morceau collé, lequel est lui-même collé au Verso 18 du Cahier.

moment où nous renonçons à leur possession matérielle. Mais Bergotte pour moi, c'était tout cela, et sans ces heures chez Me Swann que j'avais senties soumises * comme celles chez moi au despotisme inéluctable de l'hiver, de la neige, des jours courts bien qu'on lui répondît tout autrement, par mille lampes mystérieuses, par un feu couleur de rose dans un vase de cristal, par les discours d'un romancier merveilleux, par la visite du Prince d'Agrigente, par d'extraordinaires goûters, Bergotte dépouillé de tout cela n'aurait plus été pour moi qu'un peu de ce miel qui est curieusement conservé au muséum parce qu'il y est entouré de toute la nidification des abeilles mortes, avec volets contre le soleil et tentes contre la pluie dans les branches d'un marronnier d'Inde.

PV° *19*
[Swann et la Sonate]

(en haut et barré :)

Capitalissime issime, issime de peut'être le plus de t^te l'œuvre : quand je parle du plaisir éternel de la cuiller, tasse de thé etc = art : *Était-ce cela ce bonheur proposé par la petite phrase de la Sonate à Swann qui s'était* trompé en l'assimilant au plaisir de l'amour et n'avait pas su où le trouver (dans l'art); ce bonheur que m'avait défini comme plus supraterrestre encore que n'avait fait la petite phrase de la Sonate, l'appel mystérieux, le cocorico du Sextuor [1] que Swann n'avait pu connaître car cet évangile là n'avait été divulgué qu'un peu plus tard et Swann était mort comme tant d'autres avant la révélation qui les eût le plus touchés (Bernard Lazare Af. Dreyfus etc.) Mais Swann ne serait pas devenu un musicien pour cela, la phrase du sextuor ne pouvait que symboliser un appel non créer en lui ces forces durables.

---

1. Nous croyons ne pas nous tromper en lisant « Sextuor » et non « Septuor ». De toute façon nous n'en sommes plus au Quatuor que nous avons donné au Recto 3.

PV° 19
[Mme Straus vieille amie de Gounod]

(au milieu et barré :)

Je colle ici faute de place Madame Straus vieille amie de Gounod pour la Princesse Soutzo, c'est capital mais n'a rien à voir avec ce papier[1].

[Une conversation difficile]

(plus bas et barré, d'une écriture qui n'est pas celle de Proust, un papier collé mais coupé :)

Bloch me présenta à une jeune femme qui avait beaucoup entendu parler de moi par la Duchesse de Guermantes et qui était une des femmes les plus élégantes du jour[2]. Elle était intelligente aussi et notre conversation était agréable mais était rendue difficile parce que ce n'était pas seulement le nom de la jeune femme avec qui je causais qui était nouveau pour moi mais celui d'un grand nombre de personnes dont elle me parla et qui formaient actuellement le fond de la société. Il est vrai que d'autre part, comme elle voulait m'entendre raconter des histoires, beaucoup de ceux que je lui citai ne lui dirent absolument rien ils étaient tous tombés dans l'oubli.

V° 20
[Bergotte « réhabilité »]

(en tête de la page :)

Et dans la soirée chez la P^cesse de Guermantes (Celle-ci alors je dirai une fois terminé le morceau sur la n^lle école qui n'ai-

1. Il y a une trace de colle entre cette note et la suivante, mais pas de note qui corresponde à Madame Straus ou à la Princesse Soutzo. Une paperole a-t-elle disparu?
2. Proust avait d'abord écrit : « Son nom m'était inconnu ce qui compli[quait]. Elle était intelligente, sa conversation me fut agréable mais était rendue difficile et non pas seulement. »

mait pas Bergotte et avant ce que je dis sur son style analogue à celui des maîtres qui pourra peut'être s'enchaîner comme conclusion avec (après) ce que je vais dire :

Moi aussi à ma manière, autrement plus sérieuse et profonde, j'avais douté de lui, j'avais été sévère pour lui, non seulement dans la mesure où j'avais des doutes, de la sévérité pour la partie de moi-même qui m'était la plus chère. Ma défiance de lui n'était que la défiance que nous avons de notre propre pensée, de ses résultats. Mais eux n'avaient pas ce droit. Et déjà de ce mouvement commençait à sortir une admirable école néo-catholique qui comptait deux grands poètes [1]. Quand je les lus, eux qui cherchaient [2] sincèrement, sans littérature, leur pensée la plus profonde, la réalité quelle qu'elle doit être, je vis que ce qu'ils faisaient c'était ce qu'avait fait et mieux qu'eux Bergotte. Ils ne l'avaient jamais lu. Mais il était touchant de voir que en dehors des ressemblances générales et profondes même sur des points latéraux et particuliers il y avait de surprenantes identités. Alors je fus plus indulgent pour l'admiration de ma jeunesse. Je compris que ces faiblesses qu'avait eues Bergotte [3] c'était une faiblesse qui est comme un cran d'arrêt où revient malgré lui le génie humain, qui tient à sa constitution et que la part de la beauté est légitime. Vivifié par tout cet effort si différent de lui qui l'avait mûri et qui aboutissait au même résultat que lui, il m'apparaissait comme légitimé. Et puis je commençais à être emporté, dans la vie où les choses qu'on a aimées, les livres qu'on a aimés sont à cause de [4].....

---

1. L'un d'eux est sûrement Francis Jammes.

2. *« chercher »* dans le texte. *« Je les voyais »* est rayé et Proust par mégarde laisse subsister « chercher » à l'infinitif.

3. Ici en marge : « Datur hora quieti photographie de Ruskin ». S'agit-il d'une photo de Ruskin même ou d'une photo d'un monument reproduite dans un livre de Ruskin ? J. Yoshida nous signale que cette expression latine se trouve dans *Modern Painters*, I.

4. Interruption.

MV° 20

[Sur la mort de la grand-Mère]

(barré :)

Ne pas oublier (ou omettre volontairement) parmi les choses qui me montrent que la réalité n'est que dans l'esprit, que ce n'est pas quand a eu lieu la mort de ma g^d mère, mais q^d elle a eu lieu en moi, que j'en ai souffert.

PR° 21

[Sur le fils Vaugoubert et son regard équivoque]

(demi-page collée ici au recto comme une paperole mais numérotée 21 avec le recto. Le papier est différent de celui du cahier et d'ailleurs il n'est pas réglé. Mais il est filigrané. « Papier des deux Mondes » au-dessus de deux morceaux de sphères où sont tracés méridiens et parallèles. Le texte est barré en croix :)

Capitalissime à mettre quelque part dans ce chapitre sur le fils de Vaugoubert.

Un jeune homme qui causait avec des dames se tourne comme s'il allait s'adresser à moi. Je crus qu'il me reconnaissait, et moi pas lui ou bien qu'il voulait me prier pour une de ces dames de fermer la porte (que)[1] service qu'on peut demander aux gens sans les connaître. Mais quand ensuite j'allai dire bonjour aux dames avec qui il était et avec lesquelles précisément j'étais lié, je vis qu'au contraire il ne me marquait aucune attention, causait avec elles et riait et même avec excès. Mais le son [de] sa voix me donna la signification du regard que j'avais pris pour [le tra]ducteur[2] d'une parole adressée à moi. Ce regard était simplement de ceux [qui] causaient aux gens qui ne connaissaient pas Monsieur de Charlus quand ils [le voyaient] pour la 1re fois un étonnement qui se dissipait ensuite quand pré-

---

1. Mot en trop.
2. Ou : « l'introducteur ». Notons que le bord de la paperole est très abîmé et par suite que quelques mots sont illisibles.

sentés à [lui, il] n'osait pas leur prêter la même attention qu'aux passants inconnus, qu'[ils] avaient un moment été. On me dit que ce jeune homme était le Cte de Vaugoubert, un des fils du diplomate[1]. On admirait extrêmement ses yeux où semblait s'inscrire en traits de feux la Croix du Sud. Il était fiancé à une jeune fille ravi[ssante] et très peinte qu'on le disait adorer et que de fait il épousait malgré la volonté de ses parents. Mais dans les astres de ses yeux j'avais lu l'avenir et pouvais prévoir dès lors que ce mariage n'était pas sans troubles.

PV° 21
[Tout pour le livre à faire]
(texte en gros caractères barré en croix :)

Q.Q. part sur le livre à faire. Aurais-je le courage de faire répondre aux amis qui viendraient me voir que j'avais, pour des choses essentielles au courant desquelles il fallait que je fusse mis sans retard, un rendez-vous capital avec moi-même. On est si paresseux qu'on aime mieux écouter que parler (et parler avec des gens c'est s'écouter soi-même puisqu'on laisse parler son esprit, sa mémoire, qu'on ne crée pas laborieusement ce qu'on va dire?) Et puis, bien qu'il y ait peu de rapport entre notre moi véritable et l'autre à cause de leur homonymie et de leur unicorporalité (prendre le mot usité pour Radica Duplica[2]) on est tenté de repousser comme égoïsme la plus haute abnégation et de croire qu'on est moins égoïste en rendant service à Bloch qu'en travaillant seul.

1. « célèbre » rayé.
2. Il faut sans doute lire : *radice duplici*. Il s'agit, semble-t-il, d'un terme d'alchimie. M. Miguet de l'Université de Haute-Alsace (Mulhouse) nous signale que dans le *Dictionnaire mytho-hermétique* de Dom Pernety on trouve à l'article *Racine* l'explication suivante : « *Racine* : Mercure des Sages pendant la putréfaction. Ils ont dit que leur matière ou plutôt leur mercure était composé de deux choses sorties d'une même *racine,* parce qu'en effet d'une et unique matière molle, et qui se trouve partout, comme dit le Cosmopolite, on tire deux choses, une eau et une terre, qui réunies ne font plus qu'une seule chose et ne se séparent jamais. Cette réunion n'en fait plus qu'une seule *racine,* qui est la semence et la vraie racine des métaux philosophiques. »

MR° 21
[C'est au sein de nous-même que nous connaissons]

T. * important à propos du prénom.
Les déceptions de l'amour, du voyage etc. auraient pourtant bien dû m'apprendre que ce n'était pas de cela qu'il s'agissait, que c'était de la chose intérieure et nullement de l'objet extérieur. On devrait penser que cette chose étonnante que nous sommes et qui vit et se développe a ceci de particulier que c'est au sein d'elle-même qu'elle connaît les choses [et qu']elle les enveloppe pour les connaître.

MV° 21
[Sur les impressions]

Ne pas oublier que quand les gens même peu artistes (Gaigneron) disent j'ai connu cela, ils se réfèrent non à ce qu'ils ont connu, mais à ce qui leur a donné une impression intérieure un peu vive. Aussi pour l'artiste que telle chose ait été vue par lui ou non ne justifie pas mais qu'elle ait provoqué une impression (mal dit)[1].

V° 21
[Après avoir douté de Bergotte,
il revient à lui et explique pourquoi]

Ceci est la meilleure de 2 versos avant[2]
Et moi aussi à mon heure[3] j'avais douté de Bergotte,

1. Nous plaçons ce texte avant le Verso 21 bien qu'il lui soit postérieur très vraisemblablement. Pour une raison de commodité car le Verso 21 se prolonge sur les Versos 22 et 23.
2. Ici un signe qui renvoie au même signe Verso 18. Voir page suivante.
3. Ici une croix qui renvoie en marge au texte suivant qui ne s'insère pas parfaitement dans sa forme : « je mets *. Et moi aussi à mon heure si je mets tout en un seul morceau chez la P^cesse de Guermantes. Si je les mets en son temps (par ex q^d ma g^d mère est malade je devrai changer l'expression, Et moi aussi à mon heure) ».

j'avais[1] tâché à me détacher de lui, comme d'une religion à laquelle on souhaiterait trop de pouvoir continuer toujours à croire, une religion trop charmante, trop humaine, pour que l'instinct qui nous pousse à chercher la vérité hors de nous, loin de nos désirs, ne nous crie pas qu'elle ne doit pas être vraie. Au moment où dans ses livres il parlait de la vie, de la mort, l'image [de] quelque glorieuse œuvre d'art évoquée par une allusion dans son style mettait entre nous et la réalité cette effigie protégeante, consolatrice, et notre pensée déviée de sa recherche amère * et drôle faisait ricochet, avec délices[2]. On était plus heureux mais comme dans une église parce qu'on [n']était pas seul en présence de la réalité.

Puis ceci est la meilleure forme de ce qui doit venir chez la P^{cesse} de Guermantes.

Au début moi aussi j'avais voulu croire en la pensée des meilleurs d'entre eux, justement parce qu'elle était dépourvue de ce que j'aimais et que j'avais toujours pensé que pour trouver la vérité il me faudrait abandonner tout ce que j'aimais. Je savais pour le moins que la vérité n'a pas l'air esthétique et lettrée, et *(V° 22)*[3] c'est parce que le plaisir que donnaient les livres de Bergotte faisait appel au souvenir des bibliothèques et des musées que je supposais * que la réalité ne savait * point que ce plaisir n'était pas vrai et que je m'étais détaché de Bergotte[4]. Mais quand un peu plus tard, ayant loyalement suivi les efforts des deux grands écrivains qui sortirent de cette école qui méprisait Bergotte, et qu'elle salua avec raison comme les maîtres * du temps présent, je les vis peu à peu, sans certes avoir jamais lu Bergotte, tenter de faire, en moins bien, tout ce qu'il avait fait, et non seulement dans

---

1. Rayé : « été sévère ».

2. Ici rayé : « mais c'était des délices littéraires et qui nous avaient empêché d'aller au bout de la route ».

3. La suite vient au Verso 22 en haut de la page. Ce texte est abondamment corrigé et Proust oublie de rayer certains mots.

4. Proust indique lui-même à travers un texte raturé les raccords nécessaires. En marge cette note : « Pour la file * genre Tentation des images sur mon Livre ajouter : je le suivrai comme un régime, je le prendrai comme un remède. »

le dessein général de leur œuvre, mais dans les détails particuliers, latéraux * où la ressemblance était confondante, je
ne pus m'empêcher de ressentir [un] inexprimable plaisir[1].
Sans doute c'était une marque d'affaiblissement. Car j'aurais dû être déçu de voir que l'effort d'une école différente,
toute contraire même n'aboutissait qu'à revenir au même
point, qu'à se complaire aux mêmes recherches. Mais j'étais
arrivé à l'époque de la vie où si la raison ne vous en refusait
pas la douceur, on voudrait pouvoir revenir aux impressions
de jeunesse et voilà que les symboles de mon vieux maître
paraissaient gonflés d'un sens nouveau puisque ces écrivains
contemporains pour qui certes je n'étais pas suspect d'idolâtrie disaient la même chose. Alors je me retournai avec attendrissement vers les livres de Bergotte, je l'admirais d'avoir
dit la même chose qu'eux, mieux qu'eux[2]. *(Vᵒ23)* Maintenant
que je comprenais que ce pᵗ de vue esthétique qui était le sien,
que cet effort pour rajeunir les mots, pour y enfermer les
images des anciens chefs-d'œuvre, était naturel à l'esprit
humain, qui dans ses plus nobles efforts y revenait (comme
les recherches des primitifs italiens ne me paraissent pas la
fantaisie d'une école mais en rapport avec le plan de la
création comme une espèce) et en le croyant permis, je n'avais
plus de scrupules à l'admirer, et dans mes heures de repos
je pourrais reprendre ces livres, sans plus [souffrir] des scrupules d'autrefois.

Maintenant que toutes ces particularités de son œuvre, ces
souvenirs de l'antiquité et des chefs-d'œuvre de l'architec-
ture chrétienne et des textes sacrés mêlant leur substance à
son style et y infusant de la beauté, son attention au sens
antique des mots, ses efforts pour la faire apparaître je [les][3]
retrouvais refleurissant d'elles-mêmes, et non importées de
son œuvre, dans une école différente et tᵗ opposée, je me rendais compte, comme pour certains traits de la peinture des
primitifs italiens[4] quand nous voyons que naturellement

1. « une sorte d'attendrissement » rayé.
2. Ici Proust écrit : « suivre au verso suivant ». C'est ce que nous faisons.
3. Le mot a été rayé partiellement.
4. Ici un renvoi en marge — le début et la fin sont répétés.

ils ont été produits à leur heure au-delà des mers de Chine, dans la peinture bouddhiste du * moyen âge [1][,] qu'ils n'étaient pas les fantaisies d'un artiste ou d'une école, mais des caractères correspondant à une loi naturelle, se retrouvant çà et là comme ceux d'une espèce végétale. Je fus ému comme un homme élevé dans la religion catholique s'en étant dépris par raison mais y étant toujours resté attaché qui apprendrait [2] sur ses vieux jours que la science et la métaphysique semblent maintenant la déclarer possible et qui remplirait d'un sens nouveau les croyances de sa jeunesse je disais : « Tu n'étais pas si déraisonnable de croire en elle. Cher Bergotte, ce qu'ils disent là, comme tu l'avais mieux dit. » Il était mort maintenant. Peu de temps auparavant une revue avait publié face à face, un portrait où il était à l'âge de cinq ans en petite jupe et en douillette *, et vieillard à longue barbe blanche avant sa mort.

$$MV^o \ 22$$
[Après la mort de Bergotte]

(en marge du Verso 22 un texte barré développe des idées qui sont reprises au Verso 23 :)

« un effort d'art tout différent presque contraire arrivant au même résultat. Comme quand nous rencontrons au-delà des mers de Chine dans les peintures sur laque des vieux bouddhistes du moyen âge le même art qui fleurissait en Italie avant la Renaissance, nous comprenons qu'il y a dans l'art des primitifs quelque chose de plus essentiel que la fantaisie d'une école de peintres, quelque chose qui correspond à une ligne du plan de la création comme une espèce végétale, de même en nourrissant de la réalité de toute cette littérature contemporaine pour laquelle j'étais bien sûr de ne pas avoir d'idolâtrie les symboles de mon cher Bergotte, je les trouvais plus nourrissants, et je me consolais * de m'en enchanter désormais *. Il était mort maintenant. Il y avait quelques jours que dans une revue j'avais vu reproduit face à face un

1. Retour au texte principal.
2. Renvoi en marge.

portrait de lui à l'âge de quatre ans en petite robe, et une photographie faite quelques jours avant sa mort, avec sa gde barbe blanche au milieu de ces vieilles statues de bois, de ces tableaux qu'il avait tant aimés [1]. Tout au cours d'une vie humaine change la plante humaine depuis l'oignon d'où elle sort jusqu'à l'arbre qu'elle devient immense et vouté * laissant pleurer ses longs feuillages.

Suivre au verso suivant

MV° 23
[Souvenir et impression réelle]

faute de place
je profite de ce blanc pour dire (et la fin sur le dos du papier collé en face [2]) qd je parlerai de l'impression vraie : « Cette impression, la vue d'une personne et surtout d'une personne aimée me la rendait chaque fois pendant q.q. temps et en même temps m'apprenait le degré d'écart qu'il y a entre le souvenir et l'impression réelle par l'espèce d'étonnement que celle-ci, visage et voix — me donnait (c'est une allusion à Albertine mais il vaut mieux ne pas préciser). Mais très vite le souvenir empiétait même sur la vue. Comme une taie il s'interposait entre nos yeux et les choses. Seul l'art pourrait être une vérité durable et conquise.

MR° 24
[Caractère exceptionnel de ma situation dans le milieu Guermantes]

(en marge avec suite en haut puis en bas de page et barré :)

Capitalissime
A propos des situations (probablement c'est bien plus loin mais c'est faute de place) ma situation dans le milieu Guermantes avait été quelque chose d'exceptionnel. Mais si je sortais de moi et du milieu qui m'entourait immédiatement, je voyais que ce phénomène n'était pas aussi isolé qu'il

1. Allusion possible à des photos de Ruskin mort en 1900.
2. Il n'y a pas, ou plus, de papier collé en face.

m'avait paru d'abord, et que du bassin petit-bourgeois où j'étais né, comme certaines pièces d'eau, assez nombreux en somme étaient les jets d'eau qui s'étaient élevés alors au dessus de la masse liquide qui les avaient alimentés. Sans doute les circonstances ayant toujours quelque chose de particulier et les caractères d'individuel, c'était d'une façon toute différente par des voies entièrement opposées que Legrandin pénétrait dans ce milieu, que la fille d'Odette y était apparentée, que Swann y était venu, que moi-même j'y étais. Pour moi qui avais vécu enfermé dans ma vie, celle de Legrandin et le chemin qu'il avait suivi me semblait n'avoir pas [1] plus de rapport que le chemin de Méséglise et le chemin de Guermantes, de même qu'une rivière dans sa vallée profonde ne voit pas une rivière divergente qui pourtant [2] n'a pas malgré les écarts de son cours pris naissance bien loin de là et se jette dans le même g[d] fleuve. Mais pour quelqu'un qui [3].....

V^o *24*
[Textes sur Bergotte]

Capitalissime

Pour Bergotte [4] quand je dis qu'il méprise avec raison les nouveaux venus, je pourrai ajouter. Il en avait * d'ailleurs – pour les meilleurs d'entre eux – une autre raison et qui n'était pas bonne. C'est que Bergotte si moderne par d'autres côtés était (peut'être mettre en son temps) le dernier représentant – le dernier pour le moment – car cette forme d'art peut renaître – d'un art intellectuel qui s'ingéniait à taire beaucoup de ce qu'il voulait dire, à laisser signifier beaucoup

---

1. Cette phrase est partiellement barrée d'une croix.
2. Ici trois petits cercles enlacés renvoient à trois autres petits cercles semblables au bas de la page.
3. Interruption. En face de ce morceau, mais au Verso 23 : « N.B. Ce qui est en marge en face (et n'a aucun rapport avec ci-dessous) devrait peut' être naître du fils Cambremer et du beau velours de ce changement de situation qui marque le temps écoulé pas peut'être à l'endroit du beau velours mais conspirant *. »
4. « Elstir » rayé.

par la composition, par la signification, par l'ironie. L'ironie faisait que sous tel petit fait se cachait [pour] le lecteur comprenant l'allusion toute une loi psychologique. Les nouveaux venus qui étaient des écrivains directs, de sensibilité, se seraient fait scrupule de ne pouvoir tout dire. A cause de cela leur art était moins aristocratique. Ils pouvaient trouver l'art d'Elstir moins profond et l'ingéniosité peu intéressante, mais aussi lui forcément les trouvait un peu naïfs, un peu lourds, ayant peu de dessous, peu intelligents comme par exemple une page de Gautier aurait pu sembler lourde et fade * à la fois à un Mérimée pour qui le trait est le résumé le signe de tout un état psychologique qu'il sous-entend, ou une pièce de Maeterlinck ridicule à un Meilhac qui avait l'habitude de sous-entendre dans les répliques des lois psychologiques qu'il n'exprimait pas. Mais le progrès en art est justement fait de l'abandon par les nouveaux de toute la rhétorique de ceux qui les ont précédés.

Encore à propos de Bergotte disant ce qu'ils me rappellent car si la plume de cet écrivain comme eût dit M. de Norpois avait perdu de son pouvoir poétique qu'elle avait eu longtemps, en revanche elle attirait aussitôt pour moi des souvenirs qui eux-mêmes en attiraient d'autres, de sorte que au bout de la plume qui avait cessé d'être magique, mais qui comme dans ces jeux de collège était devenue aimantée, se suspendait en équilibre instable comme une construction métallique tout un assemblage immense et fragile de souvenirs.

(voici une première note en marge :)

Peut'être mettre cela quand il vient voir ma g^d mère. Dire que je l'admire moins parce que œuvre d'art (Ruskin) puis d'ailleurs il différait des auteurs d'aujourd'hui en ce que * (ou bien chez Gilberte). Puis laisser qu'il leur était supérieur à cette dernière partie du volume.

(en marge et en face de la fin du second texte :)

Capital
Quand je nommerai les livres de Bergotte je dirai ces livres qu'illustrait encore l'ombre des pois de senteurs et des

capucines que le jardinier[1] dépourvu du sentiment de la nature faisait grimper avec trop de raideur[2] au mur treillagé de notre jardin de Combray.

MR⁰ 25
[Le tort des gens doués est de ne s'attacher qu'à l'objet du plaisir]

Mettre q.q. part capitalissime ce que je mets ici faute de place. Les plaisirs que l'amour, que la peinture, que la musique m'avaient donné ne sont pas des plaisirs absolument sans valeur. Mais la plupart des gens doués * s'attachent seulement à l'objet de ce plaisir. Après avoir bien adoré et étudié un musicien, ils passent à un autre. Or ce qu'il y a de plus intéressant dans notre plaisir ce n'est pas l'objet lui-même, mais l'organe à qui cet objet fait éprouver ce plaisir, et ce n'est que dans l'organe qu'on peut saisir la nature du plaisir, il faut s'étudier soi-même. Les gens qui après avoir étudié à fond Beethoven passent à Bach peuvent continuer indéfiniment ainsi, ils se remplissent perpétuellement sans s'assouvir. Quelques malheureux particulièrement bien doués mais cependant pas assez pour passer de la sensation esthétique à la connaissance de soi-même, ont cependant une espèce d'exaltation que la consommation des chefs-d'œuvre n'épuise pas, pas plus que la conversation ou l'amitié n'épuisent certains désirs infinis. Ce trop plein se traduit par la manière prétentieuse dont ils éprouvent le besoin pour se soulager de dire : « Mon cher j'ai entendu son quatuor. Ah! Mais j'ai été tout à fait épaté. Savez-vous que c'est bougrement beau; il y a des choses qui horripilent, qui sont détestables mais je m'en fous, [le] Monsieur qui a conçu et réalisé l'andante en ut est un grand Monsieur. [»] Et ces expressions ne suffisant pas encore à soulager la velléité, de la recherche de la vérité.....[3]

1. « de Combray » rayé.
2. « monter régulièrement aux treillages » rayé.
3. Fin prise sur une petite paperole qui est malheureusement coupée. Proust avait écrit d'abord puis rayé « de la vérité qui s'ignore ».

V⁰ 25
[Dire pour le souvenir (à Venise je crois)]

Ce vrai souvenir (pas dire vrai souvenir) c'est d'abord recréation du mouvement qui engendrait. La fausse mémoire se rappelle ceci puis cela, mais elle ne peut passer de l'un à l'autre. Combien de fois il arrive qu'on veut se rappeler, on se rappelle que telle personne dit telle chose, puis telle [autre] toute différente après, on voudrait passer de l'une à l'autre, recréer l'expression de physionomie mystérieuse qui les unit. On se redit les premières paroles, on cherche à amorcer * telle expression de physionomie mais impossible, ce souvenir est immobile, on a beau appuyer sur son cerveau, il ne [prend pas le] départ *, mais reste au cran d'arrêt comme une conscience qui ne fonctionne pas

Dire aussi :

Ainsi il existe un autre univers que celui que nous voyons et rencontrons, c'est celui que nous voyons en réalité mais que nous sommes détournés * sans cesse de regarder et qui est caché par l'autre. Il n'est pas fait de choses différentes. Il consiste dans la même matinée musicale, dans la même messe d'onze heures, dans la même tasse de thé mais dans l'impression même qu'elles nous ont faite et qu'on peut retrouver comme des archéologues en puisant * dans..... [1]

(en tête du texte précédent et en marge une note qui se rapporte au Verso 25 : Dire pour le souvenir :)

Dire que Dostoïevski « nous ne savons pas pourquoi » n'est pas lié *. Sᵗᵉ Beuve a montré d'autre part en quoi mon souvenir involontaire diffère de Dostoïevski, Hardy et Tolstoï il devait * plus tard se rappeler.

M V⁰ 25
[Sur la valeur de la forme]

Quand je parle de la forme à propos de Bloch justifié je mettrai en note.

---

1. Texte interrompu et d'ailleurs très difficile à lire sur la fin.

La forme d'art dont je parle ici n'est pas celle dont l'unanimité des critiques déclare que c'est par elle que les ouvrages durent. Proposition probablement bien inexacte. Il y a un petit poème en prose de Baudelaire appelé Portrait de Maîtresses qui est absolument une nouvelle de Balzac (du genre : Étude de femme, Nouvelle étude de Femme). La seule différence est que la forme en est admirable; pourtant combien on le relit moins que les nouvelles de Balzac. Il est du reste à remarquer que les auteurs qui ont le plus survécu du XIXe siècle sont Balzac et Stendhal le 1er qui quoi qu'on en dise [1] écrivait mal (au dire de Stendhal lui-même) et le second qui n'avait à proprement parler pas de style et sur son propre témoignage refaisait dix fois ses phrases en tâchant d'arriver à la sécheresse du Code civil. Il n'y a pourtant pas de doute que le Rouge et le Noir et la Chartreuse sont aujourd'hui plus vivants que les Misérables et Notre-Dame de Paris.

V° 26
[L'hostilité des jeunes gens pour Bergotte est mal fondée]

Dire quand je parle de l'hostilité des jeunes gens pour Bergotte. A vrai dire leurs maîtres, les écrivains originaux, n'étaient pas aussi sévères pour lui; mais ces jeunes gens n'ayant en réalité aucun sentiment de ce qui était bon ou mauvais, fonçaient aveuglément sur tout ce qui leur paraissait coupable de dilettantisme ou de perversité. Ils prétendaient à une telle union de l'art avec la vie et l'action, que non seulement ils voulaient sentir dans les œuvres d'art de la vie, ce qu'ils appelaient de l'accent, mais ils voulaient aussi que leur propre vie fût intéressée par leur jugement sur les œuvres d'art. Ils se déclaraient malheureux, humiliés, irrités, troublés dans leur ménage, dans leur sommeil, dans leur digestion, par des livres sans conviction comme ceux de Bergotte et dans leur prose intelligente et vive mais sans couleur où ils parlaient sans cesse des honteuses inepties, des dégradantes saletés qu' [2] avec la complicité des profiteurs et des lâches on

1. Suite dans le haut de la page.
2. Renvoi en marge.

sert au public, [1] passaient une chaleur toute physique, des haussements de voix ridicules, et des coups de poings. Ils parlaient, avec une indignation que Legrandin plus « averti » réchauffait, des « salons » où aucun n'était jamais allé. Ils s'imaginaient qu'on s'y extasiait sur la prose vieux jeu, sur la peinture de Carolus de Duran [2], sur la musique [3] de Gounod, alors qu'on n'y prisait que les œuvres qu'eux-mêmes admiraient de gds artistes comme Debussy, comme Maurice Denis. Comme je pouvais voir en ce moment, du dehors [4], [ils] n'y comprenaient d'ailleurs rien, et [ils] eussent aimé tout autant des artistes sans talent s'ils eussent porté la cocarde à la mode. En quoi ils ne différaient nullement des jeunes Revues qui sur la cocarde seulement niaient un gd artiste comme Bergotte et en acclamaient [5] un faux comme Legrandin. Dire avant : de sorte qu'il était stupide d'appeler audacieux comme on faisait ceux qui faisaient de la peinture et de la musique avancée. Ce qui eût été audacieux (mais il n'y a [6] pas lieu en ces choses d'être audacieux ou lettré[)], c'eût été de faire de l'art rétrograde.

[Mais c'est de l'art frivole
que celui qui ne descend pas au-dessous de l'apparence !]

(en bas de page :)

Or cet art-là tout en flétrissant l'art mondain est de l'art frivole par excellence. Car de même que seuls des gens fourbes, des gens n'ayant pas par eux-mêmes l'expérience intime de la franchise peuvent admirer quelqu'un qui va répétant : « Moi je suis franc, je ne sais pas flatter etc » alors que quelqu'un de vraiment délicat et franc se méfie, de même il n'y a que des lecteurs n'ayant aucune expérience intime de la profondeur, pour s'imaginer qu'il y en a dans ces métaphores

---

1. Retour au texte principal.
2. Peintre originaire de Lille. De son vrai nom Charles Duran.
3. Renvoi en marge.
4. Proust avait d'abord écrit : « Mais du dehors. »
5. Renvoi vers le haut de la page.
6. Renvoi en marge.

toutes faites, ces idées courantes, ces situations banales. Et malgré ces tendances idéalistes c'est un art matérialiste puisqu'il ne sait pas descendre au dessous de l'apparence, plus matérialiste même qu'un art qui prend pour [1] objet l'un de ces vrais [2] objets, chétif et tout matériel mais descend dans ses profondeurs.

MR⁰ 27 [3]
[Le général ne nous apparaît
que sous une humble forme particulière]

Capitalissime
Quand je dis (je le mets ici parce que j'ai un peu de blanc) que les êtres particuliers nous font connaître les vérités générales. Jadis quand j'aimais Gilberte [4], quand j'aimais Albertine je m'efforçais de communier avec ce que l'humanité appelle amour, comme avait du reste fait non seulement Swann avec Odette, mais même M. de Charlus avec Bobbey. Et maintenant par une démarche inverse je comprenais que les sentiments généraux qu'il faut que nous connaissions, ne peuvent nous apparaître que sous une humble forme particulière. A quoi bon nous dire [5] ce n'est qu'une Odette, qu'une Albertine, puisque l'Amour, la Jalousie, la Souffrance se manifestent à nous, il faut qu'ils fassent leur entrée dans notre vie derrière quelque petit corps féminin qui en lui-même n'a aucune importance. Sans doute de se dire qu'il n'en a aucune devrait sans doute nous empêcher d'en trop souffrir. Mais les médecins qui connaissent les raisons générales d'une affection morbide, quand ils en sont atteints n'en souffrent pas moins que leurs malades, s'ils en raisonnent mieux. La raison ne les calme pas car l'esprit s'abstrait de la douleur mais n'arrive pas à entraîner le corps avec lui.

1. Phrase où Proust a rayé « prend pour », sans doute à tort.
2. Au-dessus de la ligne. Après correction Proust néglige d'accorder.
3. C'est le Recto que Proust marque en tête du chiffre 707. On retrouve des chiffres analogues (jusqu'à 712) dans la dactylographie de *Swann*.
4. « Gilberte » ajouté au-dessus de la ligne.
5. « désoler » rayé.

V^o *27*

[Partir pour Florence : le désir créateur de réalité]

Important [1]

Quand j'ai envie de partir pour Florence, dans cette matinée chez la P^{cesse}, je dirai ceci :

Je me disais en hésitant : il serait bon d'aller à Florence tout d'un coup je vis [2] — ou plutôt cette vue me fut comme un hameçon [3] — le Giotto de Santa Croce éclairé par le soleil tandis que le Ponte Vecchio était couvert de fleurs et aussitôt je me dis : mais non, il ne faut pas hésiter, il faut partir, je m'en souviens de ce paradis [4] à côté duquel j'ai vécu par deux fois des heures d'extase; et je suis resté à son seuil. Ses images comme des bandelettes divines ont pendant des semaines fermé mes yeux sur les réalités qui m'avoisinaient * mais ce Paradis, ce monde extrêmement différent de tout ce que je connais, qui m'a donné le seul grand désir qui ait pu faire de ma vie pendant quelques jours une ivresse, je [5] n'y pénétrerais pas, je ne l'aurais pas connu, je mourrais sans avoir connu le Paradis, ce Paradis qui ne peut exister que pendant la vie. Partons! Mais au même moment je compris [6] que cette image où le soleil touchait le St Louis de Santa Croce, ce monument * dont la vue me décidait à partir, cette image c'était moi qui l'avais formée [7] et que je n'avais pas, en la [8] formant le pouvoir de décréter qu'elle existât par cela même en dehors de moi [9]. Je le voyais avec précision; mais je voyais aussi nettement [10] la marchande de café au lait de la station; et pourtant elle n'y était plus à ce même âge; il faut se rési-

---

1. Au crayon bleu.
2. Ces mots entre tirets sont en marge.
3. Rayé : « ou plutôt je fus pris comme par un hameçon par ».
4. « délicieux » rayé.
5. Après une correction Proust oublie de rayer « ne ».
6. La suite en bas de marge.
7. Renvoi au-dessus en marge.
8. Deux fois « la ».
9. Quelques lignes rayées. Mais l'idée est reprise ensuite.
10. Renvoi plus haut, toujours en marge.

gner à penser que ce que notre pensée vient de nous montrer, ce que notre désir exige comme un enfant gâté, la réalité nous le refuse. Et d'ailleurs me l'eût-elle montré qu'elle ne m'eût pas montré ce [1] qui me semblait le Paradis. Car je disais du soleil sur le Giotto parce que c'est cette image qui accompagnait mon désir de Florence. Mais la ridicule insuffisance de cette image eût dû depuis longtemps m'avertir que ce n'était pas cela qui causait mon extase, mais mon désir même de Florence dans lequel s'était transporté * le souvenir [2] de tant de lectures, la quintessence de tant de pensées qui en avait fait un désir original mais que la réalité ne pouvait me fournir. Alors ce Paradis, ce qui avait en ma vie excité le plus de désir n'existait pas. Je ne pouvais aller à lui; si [!] mais en le cherchant d'où il m'était venu, en moi-même. Etc.

R° 28 et MR° 28
[Bloch en Jacques du Rozier]

(un texte qui prend la moitié basse de la page, marge comprise, et qui se poursuit dans une petite partie en tête de la page (la valeur de trois lignes) puis en marge. Ce texte est barré en croix :)

A mettre quand je rencontre Bloch dans ce salon [3].

J'eus de la peine à reconnaître mon camarade Bloch lequel avait pris d'ailleurs maintenant non seulement le pseudonyme mais le nom de Jacques du Rozier sous lequel il eût fallu le flair de mon grand père pour reconnaître la « douce vallée de l'Hébron » et les « chaînes d'Israël » que mon ami semblait avoir définitivement rompues. Un chic anglais avait en effet complètement transformé sa figure et [4] passé au rabot tout ce qui se pouvait effacer. Ses cheveux collés à plat avec une raie au milieu, brillaient de cosmétique. Son nez restait fort et rouge mais semblait plutôt tuméfié par une sorte de rhume permanent qui pouvait expliquer l'accent

1. Renvoi dans le haut de la page sur toute la largeur.
2. Proust a mis le pluriel.
3. Comparer ce texte avec R.T.P., III, p. 952-953 où il est repris avec quelques modifications.
4. Rayé : « effacé tout ce qui se ».

nasal dont il disait paresseusement toutes choses[1]. Car il
avait trouvé comme une coiffure à son teint, une voix à sa
proéminence * de nez et où le[2] nasonnement d'autrefois
prenait un air de paresse, de dédain d'articuler qui allait
avec les ailes enflammées de son rostre (ces deux lignes s'in-
tercalent au bas et tout le morceau Weissmann peut se mettre
avec les photographies Cambremer Recouly etc mais dans ce
Cahier[)][3]. Mais surtout dès qu'il apparaissait la signification de sa physionomie était changée par un redoutable
monocle[4]. La part de machinisme[5] que ce monocle intro-
duisait dans la figure de Bloch le dispensait de tous les devoirs
difficiles auxquels une physionomie humaine est soumise,
devoirs d'être belle, d'exprimer l'esprit, la bienveillance,
l'effort. La seule présence de ce monocle dans la figure de
Bloch dispensait d'abord de se demander si elle était jolie ou
non comme devant ces objets anglais nouveaux dont un garçon vous dit dans un magasin que c'est le grand chic, après
quoi on[6] n'ose plus demander si cela vous plaît. D'autre
part il[7] s'installe derrière la glace de ce monocle dans une
position aussi hautaine, distante et confortable que si ç'avait
été la glace d'un 8 ressorts. Et pour assortir la figure aux
cheveux plats et au monocle ses traits n'exprimaient plus
jamais rien. Ici je peux mettre une conversation avec lui. Puis :
il perdit sans doute un peu dans ce moment de détente. Mais
ceux-ci étaient rares. En réalité on ne pouvait pas se l'imaginer en petit journaliste débraillé tant son armature l'avait
modifié. L'immobilité de son visage inspirait le respect. On
n'eût pas pensé à se demander si son nez était laid ou sa
peau rouge tant il était dernier cri. Et tout le monde s'écartait
avec crainte quand il entrait le soir rapidement dans les salles

1. Ici commence, en interligne et d'une encre très grasse, un passage
ajouté qui se poursuivra avec un renvoi formé de trois cercles, en haut et à
droite de la page.
2. Ici le renvoi en question.
3. Raymond Recouly, homme de lettres. Retour au bas de la page.
4. Rayé : « qui le précédait dans les salles de rédaction » puis : « précédait son entrée rapide comme le signal flamboyant d'un train ».
5. « traction mécanique » rayé.
6. Suite dans le haut de la page.
7. Rayé « était aussi distant des autres ».

de rédaction n'ayant l'air de rien voir, précédé [de] son monocle flambant comme les feux d'un train à toute vitesse [1].

V⁰ 28
[La mémoire volontaire
et l'intelligence ne gardent rien du passé]

Quand je dirai que l'intelligence ne peut faire de résurrection. Elle et sa mémoire volontaire ne gardent rien du passé. Ce qu'elle nous représente de ceux que nous avons aimés diffère tellement d'eux qu'on peut dire à la lettre [que] nous [ne] nous les rappelons pas, que nous les oublions. Elle assiste impuissante à la destruction de nos affections, de toutes les forces vives de notre sensibilité, de notre passé c'est-à-dire de notre moi. Elle et sa mémoire volontaire n'en gardent rien. On peut dire sans lapalissade (?) [2] que si nous oublions ceux que nous perdons c'est que nous ne nous les rappelons pas. L'intelligence nous montre à leur place des peintures qui n'ont rien d'eux et que nous ne pouvons pas aimer. Un manchon oublié dans une armoire nous en dit plus qu'elle avec tous ses discours et nous tire les larmes des yeux. Elle ne serait pas la Muse * de mon art. Elle ne fait pas de résurrection. Et pourtant je ne peux la bannir entièrement. Si.....

[La tristesse de sa mère au souvenir de la grand-mère]

(en marge de ce verso, en face de la deuxième moitié du précédent morceau :)

Et à un tout autre endroit (impuissance des poètes à jouir de la beauté, des tendres de la tendresse etc – ou bien pour ma mère) je dirai qu'elle était triste dans sa tendresse pour

1. Trois croix au milieu de la page avec ces mots : « Ces trois croix ne se réfèrent pas à ce qui est ci-dessous. Je ne sais ce qu'elles font là. » On les retrouve au début du Recto 29 qui fait suite au texte principal du Recto 28. Elles avaient peut-être pour objet de renvoyer à cette suite. En tête du texte (au milieu de la page) Proust écrit, à propos d'un trait accidentel un peu au-dessous : « Ce trait oblique ci-dessous est un coup de plume involontaire. » Il a donc été donné à un moment où le texte, qui a été utilisé dans le manuscrit définitif, n'était pas barré.
2. Le point d'interrogation est dans le texte.

ma grd mère de ne pas l'être assez, qu'elle pensait tant à elle qu'elle souffrait de l'oublier, comme si nos pensées de tendresse, nos souvenirs du mort ou de l'absent étaient en quelque sorte second en nous, comme l'appétit par exemple qui accompagne habituellement le besoin profond de se nourrir mais pourrait au besoin ne pas l'accompagner comme on [le] voit* dans certaines maladies. Comme s'il y avait en nous pour maître une inclination plus profonde qui peut ne pas s'accompagner de la douce perception de sa propre tendresse, être privé de mémoire et continuer à survivre, sans matière, à vide, sous la forme par exemple d'un regret d'oublier un être qu'on aime tant qu'on se tue parce qu'on sent qu'on l'oublie.

[Sur l'impersonnalité des idées]

Capital

Peut'être quand je parle de la tasse de thé ou ailleurs : La mort m'y était indifférente parce qu'une telle idée était éternelle; pas seulement pour cela mais peut'être aussi parce qu'elle était impersonnelle. Il y a une certaine dureté dans le sentiment de l'universalité. Dureté pour les autres pour soi-même. Je comprenais que Swann eût au fond négligé de connaître Vinteuil, que je fusse ingrat maintenant envers Bergotte et Elstir. Les idées qu'ils avaient mises à jour étaient indépendantes de la chrysalide d'où elles s'étaient échappées et en comprenant pleinement ces idées je faisais assez. C'est ainsi encore que je ne m'étais plus senti tenu à une gde fidélité personnelle envers les principes* de ma g^{d} mère quand j'avais senti que ses vertus, ses qualités particulières avaient* passé en moi et que je savais les exercer.

MR^o 29
[Le souvenir chez l'homme du monde et chez l'artiste]

A propos de ce qui est en face en haut [1] (Peut-être q^{d} je parle de la tasse de thé). Chez l'homme du monde le souvenir

---

1. C'est-à-dire le dernier fragment du Verso 28.

même poétique reste personnel [1], il ne cherche pas à en dégager la substance, il se dit j'aime les robes qu'on portait dans
ma jeunesse, j'aime la société qui existait comme au temps de
ma jeunesse, j'aime les petits pains viennois qu'on mangeait
dans mon beau temps. C'est M. de Charlus, il fréquente
des petits cercles choisis, garde les modes de son temps, est
fier de sentir les raisons désintéressées pourquoi il aime une
certaine musique et les petits pains viennois. Mais pour l'artiste le souvenir arrive vite à être plus impersonnel. Je ne
dirai même pas qu'il n'y a pas dans cette impersonnalité une
certaine dureté et alors suivre en face en haut ou bien cela
peut être ailleurs.

V° 29
[Style, vision et différence personnelle]

*(trois fragments, le premier non barré se rapportant au second
barré en croix. Le troisième en marge et barré en croix :)*

Pour le morceau ci-dessous je pourrais en mettre une partie devant le tableau d'Elstir [chez les] Guermantes (ou peut'
être pourra-t-il être là chez la P^cesse de Guermantes devant
moi (donné par la D^sse) et dire : « Pour le style de l'écrivain
— comme pour le tableau que etc.) »

Je dirai à propos du style (comme pour Elstir [2] la lanterne
magique qu'est son tableau) car le style pour l'écrivain,
comme la couleur pour le peintre, n'est pas une question de
technique mais une question de vision. C'est la révélation
que nous serions incapables de faire par des moyens directs
et conscients de la différence qualitative qu'il y a dans la façon
dont nous apparaît le monde. Le monde que chacun voit [3]
différent pour chaque personne resterait pour chaque personne un secret éternel [4] s'il n'y avait pas l'art. Par l'art seu-

1. Proust a écrit par étourderie : « personnelle ».
2. Entre les deux premières lignes : « Peut'être mettre cela pour le
tableau d'Elstir ».
3. Proust avait d'abord écrit : « que nous voyons ». Il surcharge
« voyons » pour en faire un « voit » assez informe.
4. Renvoi plus haut, sous le texte précédent qui a été rédigé ensuite.

lement nous pouvons sortir de nous [1], brusquement avoir la
révélation de ce que voient les autres de cet univers qui nous
est aussi caché que le monde qu'il y a dans la lune. Tout à
co[up] [2].....

MR⁰ 30
[Exemples pour montrer
que la réalité est purement spirituelle]

Quand je dirai que la réalité est purement spirituelle; la
bille d'agate de Gilberte, le nom, la personne de Gilberte,
n'étaient-ils pas devenus rien pour moi, quand dans ma
pensée l'idée de Gilberte avait dépéri. Et pendant la guerre,
n'avais-je pas vu les gens mêlés aux plus g^{ds} événements q^d
ils avaient à les décrire dire les choses les plus banales d'avant
la guerre, la gde aurore, le frisson des ailes de la victoire (ceci
détaillé — Alpes qui ne donnent pas de force, ni vierges aux
vieillards, dans le cahier Babouche je crois peut'être mieux à
mettre ici je ne sais trop).

V⁰ 30
[Pour atteindre la réalité]

Mettre q.q. part je ne sais pas où pour dire qu'il faut faire
de l'art sincère, que quand on se laisse aller à la nature (au
lieu de faire ce qui est à la mode) on se trouve finalement
faire la même chose que les autres en bien *, comme q^d on

---

1. Dans l'interligne après quelques mots rayés : « devant nos yeux
étonnés » et le texte se poursuit en marge : « un tableau que nous voyons
nous montre une couleur des choses qui nous est une révélation aussi
bien que si nous voyons un paysage qui est dans la lune, quelque
chose que nous ne verrons jamais. Et grâce à l'art au lieu de voir un seul
monde, le nôtre, nous le voyons se multiplier et nous avons à nous des
(" centaines de " *rayés*) mondes tous différents comme ceux qui volent
dans l'infini ».
Immédiatement au-dessous cette note : « Peut'être opposer cela à l'idée
de l'art qui nous montre ce que nous avons vu. Mais mieux pour Elstir et
dire ce que je disais pour Ver Meer nous avons la sensibilité des siècles
après. » Toute cette addition est barrée en croix.
2. Proust s'interrompt. Il donne en marge une nouvelle version (n. 1).

se laisse aller à la vie on a * avec soi comme auxiliaires les lois de la pesanteur, de la circulation du sang etc.

Ces vérités-là ne reconstituent plus le réel dans sa plénitude, jusqu'à l'hallucination. Elles se contentent de pratiquer sur lui des sections qui ne mettent à nu que des rapports généraux, laissant échapper ce particulier qui n'est que dans l'inconscient.

[1] Dire à un de ces endroits (à propos du petit sillon par exemple) toute impression causée à tout moment de notre vie signifie quelque chose qu'elle ne définit pas; c'est quelque chose qui peut se résoudre en une idée mais qui ne nous est donnée que d'une façon obscure par exemple *(MV⁰ 30)* s'il s'agit d'impression donnée par une personne *(V⁰ 30)* par un regard de notre interlocuteur, un son de sa voix, une certaine pensée [2] qu'il dit. Or nous ne cherchons pas à voir clair dans l'impression obscure et nous nous contentons de répéter la parole, (cela m'a été suggéré par « cela m'ennuirait de rencontrer * *Robert* [3] »). Un vrai livre serait celui où chaque inflexion de voix, regard, parole, rayon de soleil serait reprise, et ce qu'il y a d'obscur sous elle éclairci. De sorte qu'au lieu d'un mémento des notes sans signification qu'est la vie apparente, le livre serait constitué par la vraie réalité celle que les notes diraient pour nous si nous avions pour les lire une sensibilité plus profonde et un esprit plus clair. Alors ce livre serait un vrai tableau du réel. Et sans *(MV⁰ 30)* doute sera-t-il plus élégant s'il insiste moins. Mais il restera irréel. Car s'il donne l'inflexion juste, le mot juste, pour dire ce qu'ils signifient, le lecteur n'ira pas plus loin dans le livre * que dans la vie et la réalité profonde lui restera cachée (Ce passage serait plus [4] indiqué quand je dis qu'il faut faire des réflexions intellectuelles ou bien le mettre précédant : « Il s'agit bien de cela, il s'agit de casser la glace » qui en serait la conclusion [)].

1. Ce texte occupe la seconde moitié de la page avec renvois en marge. Son écriture est très particulière et très petite.
2. « parole » rayé ainsi que « un rayon de soleil ».
3. Souligné par Proust.
4. Renvoi plus haut, toujours en marge.

[L'intelligence seule ne peut rien trouver]

(en haut de marge d'une encre plus noire :)

Capital.

Q.Q. part dans ce Cahier[1]. Je ressentais devant tous les gens qui ne sont qu'intelligents une extrême fatigue. Non pas que je méprisasse l'intelligence qui seule peut nous conduire au vrai quand l'expérience juste de la sensibilité lui a montré où il est. Mais l'intelligence seule ne peut rien trouver car tous les chemins qui ne mènent à rien sont aussi bien ouverts pour elle que le seul qui mène au vrai. Elle n'est pas plus capable seule de découvrir ce dernier, qu'un homme qui cherchera toutes les combinaisons d'accords possibles ne fera tel morceau de Beethoven. Aussi pour quelqu'un qui sent en lui les réalités profondes[2], qui ne les perd jamais de vue, l'homme intelligent qui ne les verra jamais et qui court dans tous les sentiers avec vitesse en voyant le vrai partout où il n'est pas, vous donnera la sensation d'une agilité inutile et dangereuse.

MR° 31
[Formule pour *Le Bal de Têtes*]

(part du haut de la marge :)

Quand je compare le vieillissement à un bal costumé la *formule* excellente sera[3] : Pour le solitaire qui retourne dans le Monde les gens sont « en têtes » ils vous « intriguent ». On se dit est-ce que je les connais, on hésite entre plusieurs noms, en effet selon l'expression courante ils ont changé. Et c'est ainsi que toute fête mondaine où on va quand on a passé un long temps loin du monde est forcément, — matinées en têtes — bal plus ou moins masqué — une fête travestie.

1. Ici rayé : « l'intelligence déco... explore tous les chemins possi... ».
2. A partir de là le texte déborde sur toute la largeur de la page.
3. Proust raye d'abord : « Car toute (soi.....) fête mondaine où on va quand on a passé longtemps sans aller dans le monde devient une fête travestie. »

(tandis que d'autres notes en marge sont des renvois au texte du recto, on trouve en bas en marge un fragment barré :)

Capital

[La duchesse de Duras chez le prince de Guermantes]

La présence de la nv^elle Duchesse chez le Prince de Guermantes eût fort étonné à Combray où on disait en riant « La Duchesse de Duras » (de Tarente) comme si c'eût été un rôle que Me Verdurin eût tenu dans une comédie de salon. Mais le principe des castes voulant qu'elle mourût Verdurin, ce titre qu'on ne s'imaginait lui conférer aucune[1] puissance nouvelle faisait plutôt mauvais effet comme dans le faubourg St Germain qu'une jeune femme eût publié un livre. « Elle fait parler » eût-on dit sévèrement, le même mot qui veut dire qu'une femme a des amants servant pour signifier dans le faubourg qu'elle écrit, dans la bourgeoisie qu'elle se marie en dehors de son monde.

V^o 31 et MR^o 32
[Erreurs des générations successives sur les valeurs sociales]

(en marge et barré :)

Capital[2]

Faute de place.

Q^d je dirai que les gens ne savaient pas qui est Me de Forcheville et que je dirai que cette ignorance vient vite, j'ajouterai : donnant lieu par contraste à une petite science d'autant plus précieuse qu'elle est [peu] répandue, s'appliquant à la généalogie exacte des gens, à leurs vraies situations, à la raison d'amour, d'argent ou autre pourquoi ils se sont alliés ou mésalliés, comme par exemple mon g^d père pour

---

1. La suite est renvoyée au milieu du Verso 30 précédé de ces mots : « Suite d'en bas en face (capital). » Ici comme en bien d'autres lieux Proust a barré parce qu'il a utilisé, dans son manuscrit définitif, l'idée exprimée.

2. Souligné par Proust.

un monde moins brillant pouvait le dire avec exactitude et
le savourer avec gourmandise. Ces gourmets-là, ces amateurs-
là étaient déjà devenus peu nombreux qui savaient que
Gilberte n'était pas née Forcheville, ni Me de Cambremer
douairière [1] Méséglise, ni Me de Cambremer *(M 32)* jeune [2]
Valentinois. Peu nombreux, peut'être pas recrutés même
dans la plus haute aristocratie mais dans une moins haute
qui est plus friande de tout cela qu'elle n'approche pas de
très près. Mais se retrouvant avec plaisir, faisant la connaissance les uns des autres à Balbec ou ailleurs, y donnant un
dîner comme un dîner de bibliophiles ou d'amis des cathédrales où on cause généalogie et en rentrant l'œil allumé et
le nez fleuri, disant [3] à leur femme : « J'ai fait un dîner très
intéressant. Il y avait un M. de la Raspelière, des Raspelière
de la Manche, parents des Cambremer qui nous a tenus sous
le charme! Il m'a appris que cette M[e] de St Loup qui a marié
sa fille l'année dernière n'est pas du tout née Forcheville. C'est
tout un roman. » Je n'ose pas dire qu'ils ajoutaient : c'est
palpitant, puisque ce roman généalogique n'est intéressant [4]
que par celui que je viens d'écrire dans ces 3 volumes [5].

V[os] *31, 32, 33*
[Rôle de l'Intelligence — Les vérités qu'elle fournit]

*(au Recto 32, c'est-à-dire en face du Verso 31, il y a un renvoi
sous la forme d'un 1 qu'on retrouve ci-dessous après « ici » :)*

C'est peut'être ici [6] que se placerait le mieux.
En un mot on admettrait pour relier les intuitions de l'ins-

1. Le mot « de » est rayé.
2. Ici : « Suivre à la marge en face » — et à celle-ci en haut de page une
indication concordante : « Suite de la marge du verso en face. »
3. Suite en haut du Recto 32.
4. Mot placé en interligne.
5. Cette réflexion (tout à fait imprévue) semble bien nous autoriser à
situer ce texte à l'époque où Proust s'est résigné à un ouvrage en trois
volumes, c'est-à-dire en 1913.
6. En marge, en haut : « je ne manquerai pas de citer contre l'intelligence
que je n'avais pu prévoir que le départ d'Albertine, ni sa mort, me feraient
tant de peine ».

tinct on admettrait quoique moins profondes des vérités fournies par l'intelligence[1]. Je lui avais fait la part petite jusque-là. Je sentais trop que ce n'est pas dans sa zone de lumière que sont conservées ces impressions qui sont la matière de l'art. Elle ne connaît pas la réalité, elle et sa mémoire volontaire n'en possèdent rien[2]. Quand nous l'interrogeons sur notre passé, sur ceux que nous avons aimés *, c'est d'autre chose, d'autres êtres qu'elle nous parle, et elle nous fournit des morts que nous avons perdus un souvenir qui est le commencement de l'oubli puisqu'il ne contient rien d'eux et que la vue d'un vieux manchon oublié[3] dans une armoire nous en dira davantage et nous tirera des larmes des yeux. Dans ces moments d'inspiration où j'avais compris que la réalité pressentie, qui allait [être] retrouvée peut'être, risquait aussi d'être perdue pour jamais, ce n'était pas à l'intelligence que j'avais pu demander secours, c'était à quelque sensation aveugle, un jour au goût du thé, au bruit de la fourchette, au poisseux de la serviette que je m'étais attaché, c'est à un côté inutilisable *, à une sorte d'élan nouveau de l'instinct que j'avais demandé la résurrection, la recréation plutôt, de mon impression d'autrefois. Et comme je comprenais que dans la vie tout ce qui de loin * ressemblait à mes impressions fécondes, le plaisir de parcourir un indicateur des Chemins de fer, de feuilleter *(Vᵒ 32)* un livre d'enfance, de sentir un ancien parfum, de revoir un bal de jeunes filles[4], un même rayon de soleil, que tout cela tient dans ma vie une place plus grande que la lecture des livres de raisonnement les plus élevés, à me faire douter que je fusse capable de joies spirituelles.

Et pourtant si je ne pensais pas que l'intelligence dût avoir[5] le premier rôle dans l'art, je n'avais pas voulu l'en

1. Plus haut, au lieu de « les intuitions de l'instinct », Proust avait mis « les vérités intuitives », puis il a rayé.

2. En marge, même écriture : « Elle assiste impuissante, à la destruction de notre passé c'est-à-dire de notre moi, car elle ne peut pas faire de résurrection si nous l'interrogeons sur lui. »

3. « retrouvé » rayé.

4. Les cinq derniers mots au-dessus de la ligne.

5. Proust a rayé : « ne vient pas en premier », en oubliant d'ailleurs le mot « vient ».

bannir. Même son infériorité n'est-ce pas à elle qu'il nous faut demander de l'établir. Si elle ne mérite pas la couronne suprême, c'est elle seule qui la décerne. Et puis même en dehors dans ces vérités secondaires qui sont son lot je n'aurais pas voulu me passer d'elle. Elle et la sensibilité[1] sont deux facteurs si puissants de notre nature que tout acte nous semble incomplet où elles n'ont pas l'une et l'autre fourni un effort. Ce qu'elles nous disent sur une même chose diffère assez, pour que même si ce que la sensibilité nous a dit prime, elle ne dise pas tout[2]. Entre elles deux[3] c'est une émulation incessante, dans une avidité d'aller plus au fond des choses[4], comme si aucune des deux n'y suffisait dans un seul acte, comme si notre nature n'était pas capable à la fois[5] d'étreindre à la fois le particulier et remonter au général, courant sans cesse de la sensibilité qui étreint l'un à l'intelligence qui remonte à l'autre pour tâcher d'épuiser la réalité[6].

Quand l'instinct a recréé une chose, notre besoin de la posséder ne serait pas assouvi si notre intelligence ne la *(V° 33)* redisait en idées claires. Et quand c'est notre intelligence qui d'abord a éclairci une chose, il semble que nous n'y arriverions jamais, si nous ne faisions faire à notre instinct sa preuve en le forçant à la recréer. J'avais fait [cela] autrefois, je m'en souvenais.

Je me souvenais d'un [de] ces[7] exemples infiniment petits où on peut aussi bien étudier la vie que dans de très grands. J'avais fait une année des pastiches de grands écrivains. Jeu bien facile. Ce rythme des grands écrivains nous possède tant que longtemps après en avoir lu nous sommes encore en harmonie avec eux et que nous sommes ob[8].....

1. « instinct » rayé.
2. « quand l'instinct a recréé le particulier » rayé.
3. « et l'intelligence et » au-dessus de la ligne.
4. « d'exprimer tout l'être » rayé.
5. « ne pouvait que par l'une » rayé.
6. La fin de la phrase est à moitié rayée. Proust la reprend dans une addition en bas de marge que nous donnons ensuite.
7. Proust raye « petits » et oublie de rayer l'adverbe « tout ».
8. Proust s'arrête sur le commencement du mot, vraisemblablement « obsédés ». La suite que nous donnons après est différente de ce qui précède : écrite d'abord en gros caractères et sur un autre sujet (*Le Bal de*

$$MV^o \; 32$$
[Sensibilité et Intelligence]

(en bas de marge :)

L'élan original * qui est comme le battement [1], l'acte même de la vie, n'est pas intellectuel, l'intelligence ne peut nous l'identifier, il faut qu'en nous la sensibilité l'imite, nous le joue, le répète, se fasse élan et vie. Mais l'intelligence veut savoir. Elle sait que cet élan si particulier qu'il soit est comparable à d'autres [2], à quelque chose de général, peut être défini. Et cela la sensibilité ne pourrait le faire, car si l'intelligence n'est pas capable de la vie, la sensibilité ne connaît pas du général et elles vaquent * éternellement chacune à (« occupation unique » rayé) l'élaboration[, la] méditation d'une qualité unique des choses qu'elles voient * d'une façon absolue, sans apercevoir la qualité antagoniste qui pourrait ôter de la fermeté * à sa conception mais aucune des deux n'épuise la réalité [2] dans un seul acte et c'est entre les deux une émulation incessante de la (voir la fin de la phrase en bas, dans le texte [3]).

têtes) et en correspondance (cf. Crozier) avec ce qui se trouve dans la marge du Recto 34. Voir plus loin : [le déguisement de la vieillesse]. La note reprend après ce texte comme s'il était antérieur mais avec une rupture qui vient peut-être de ce qu'il s'agit de quelque chose qui a été recopié (?) ou d'un autre sujet.

1. Auparavant Proust a écrit et rayé : « C'est que pour moi identifier entièrement une chose. » Puis : « Entre elles deux c'est une émulation incessante, dans une avidité d'épuiser le sens. »

2. Renvoi plus haut.

3. Ce texte est le texte principal de ce Verso 32, texte qui commence au Verso 31 et porte sur l'intelligence. Il est postérieur au Recto 32 où Proust veut l'insérer. Mais pas de beaucoup peut-être. Aussi bien nous pourrions le mettre là où Proust nous invite (avec une hésitation, certes!) à le placer.

MV° 33
[Réjane vieillie]

(en marge et barré :)

Important
A propos d'une des figures des personnes présentes qui a
tellement changé (Réjane) je dirai [:] En voyant quelles éro-
sions s'étaient faites le long du nez, quelles énormes alluvions
au fond des joues, entourant toute la figure comme d'un
énorme masque de plâtre jusqu'aux extrémités duquel elle
ne pouvait plus arriver à irradier sa vie et son charme, et dont
par moments découragée de plaire, elle cherchait comme un
masque de théâtre à faire rire, ce si grand changement et le
temps qu'il avait fallu pour l'amener en M^e de... me donne
la terrible impression moins de sa vieillesse que de la mienne.
(il faudra mettre cela mêlé avec une des personnes d^t je dois
parler qui essaye de garder son sourire, son charme, dans une
autre figure).

MR° 34
[Crozier à la première de *Briséis*]

*(en tête et en marge et entre deux ronds en bleu, l'un en tête,
l'autre dans le bas. Le texte du bas est barré d'une croix mais
le rond bleu renvoie à celui du haut de la page. Ce qui donne :)*

Capital sur les gens costumés par la vieillesse (Crozier à la
première de Briséis [1]). Était-ce de la glace prise autour de ses
moustaches qui faisait à cet homme élégant cet air de vieux
croque-mitaine. Cette moustache blanche incommode à sa
bouche raidie était réussie lui donnait l'air d'un vieux Bis-
mark mais il eût mieux fait de l'enlever, c'était gênant à voir.

1. La première de *Briséis*, drame lyrique (poème d'Éphraïm Mikaël,
musique d'Emmanuel Chabrier), fut représenté le 8 mai 1899. Cette représentation se borna au Ier acte, la partition étant restée inachevée. Quant à
Crozier, c'est le chef du protocole de Félix Faure, Philippe Crozier. Dans
Le Bal du Pré Catelan, Albert Flament parle du visage blême de celui-ci
(p. 245, chap. sur 1898).

D'ailleurs il était si bien grimé que quand on m'eut dit que c'était lui pour le reconnaître, il me fallut faire un effort d'attention qui était un effort de mémoire, le reconstituer tel qu'il était autrefois, voir si les parties non grimées étaient les mêmes si avec le[1] déguisement cela pouv[ait] donner cela, en un mot défai[re] le déguisement :

(ici la suite au milieu de la page)

car une fête *vingt ans après est la plus réussie des fêtes travesties la seule où les personnes invitées*[2] *sous un masque qu'elles ne peuvent enlever* nous *intriguent* vrai[ment] *tandis qu'hélas et plus que nous ne voudrions nous les intriguons nous[-mêmes]*[3].

V⁰ 33
[Le déguisement de la vieillesse]

« Je remets la formule excellente d'en face (à mettre pour le déguisement de la vieillesse) de peur qu'elle ne soit pas lisible traversant *[4] sur Crozier : Car *une fête chez les mêmes gens vingt ans après est la plus réussie des fêtes travesties, la seule où les invités sous un masque qu'ils ne peuvent pas enlever nous intriguent vraiment, tandis qu'hélas et plus que nous ne voudrions nous les intriguons nous-mêmes*[5].

MR⁰ 34[6] *V⁰ˢ 33, 34, 35*
[La vérité littéraire et la chaîne des poètes]

(note qui commence dans le haut à droite du Folio 34 pour se continuer dans la marge, puis sur les Versos 33, 34, 35)

1. Suite au milieu de la page.
2. « personnes » rayé.
3. Ce qu'on vient de lire est le texte que Proust « remet » au Verso 33 « en face ». C'est Proust qui souligne.
4. Proust a peur que la phrase qu'il va reproduire ne soit pas lisible sur la marge du Recto 34 qui précède.
5. Souligné par Proust.
6. La page 34, nous le répétons, ayant été en majeure partie coupée (avec la page 35) pour constituer une paperole, qui ne sera pas utilisée par les éditeurs, page 17 du manuscrit définitif (N.A.F. 16 726).

J'avais banni tout ce qui dans ma vie m'avait paru fausse [1] création. Ces mensonges qui superposés à la réalité m'empêcheraient de la voir et en altéreraient aussi bien l'expression. J'avais donné congé [pendant les] heures de travail, à [ce] moi physique, qui s'il reste avec moi garderait *(V° 33)* en écrivant la sensation dans son visage et dans sa cravate et ne pourrait pas plus traduire des impressions profondes que devant la nature il ne saurait en éprouver. Toutes les idées, tous les mots qui viennent de lui, qu'on éprouve le besoin de prononcer [2] seul à haute voix en gesticulant dans les moments d'excitation, quand on vient de quitter une réunion agréable et qui répondait si peu au véritable sentiment éprouvé, toutes les idées que l'écrivain ne réalise pas entièrement sur sa page mais entre ses dents, le plaisir qu'il éprouve, insuffisamment expliqué par son style, se prolongeant en petites grimaces de la joue [3] – complémentaires indispensables du choix bizarre en apparence de presque toutes les épithètes de Ste Beuve, comme certains haussements voluptueux de l'épaule ou contractions du sourcil le sont dans telle diatribe de l'écrivain le plus « idéaliste » contre l'art contemporain. Pas plus [4] aucun des mensonges inévitables de l'action si élevée soit-elle, de l'amitié même prétendue intellectuelle, de tout ce qui par sa nature même ne peut réaliser l'esprit et qui au point de vue [de] l'esprit (en admettant même un ordre moral supérieur à l'ordre spirituel) est sans intérêt. Et en général tout mot écrit comme dit à un interlocuteur car les livres sont l'œuvre de la solitude et les enfants du silence. Et les enfants du silence ne doivent rien avoir de commun avec les enfants de la causerie [et] de l'humeur * et [5]

1. « mensonger » rayé.
2. « à dessein * », au-dessus.
3. « en haussements voluptueux de l'épaule » rayé. Voir le Recto 34.
4. Rayé : « n'en laisserais-je ».
5. Fin de la page. La page suivante 34 a été comme la page 35 découpée de telle sorte qu'il ne reste plus que les marges, le haut de la page 34 et le bas de la page 35. Notre texte ici se continuait au verso de la page 34 ; il n'en reste plus que le bout des phrases. Mais nous avons retrouvé les pages découpées dans le manuscrit 16 726, F° 17, c'est-à-dire le manuscrit définitif du *Temps retrouvé*, où Proust les a collées : preuve supplémentaire des liens existant entre les deux manuscrits. En rapprochant les textes nous

V⁰ 34

[pré]cédente après silence[1] ou plutôt après tout le morceau (géométrie dans l'espace et personnages par division si cela vient après silence comme fabrication des autres parties du roman) Et quand on a ainsi tiré son œuvre de soi-même, elle se trouve, à une différence près, être de même nature que les œuvres d'autres écrivains entre lesquels elle vient se classer. Mais cette œuvre qui devrait fleurir[2] insensiblement dans l'œuvre de celui qui précède et de celui qui suivra, c'est au fond de soi qu'on peut la trouver. On pourrait regarder pendant des siècles les deux autres[3] œuvres sans pouvoir trouver l'œuvre intermédiaire. Car toutes les âmes sont harmonieuses mais chacune est spontanée[4]. *(MV⁰ 34)* Et cette différence suffit à ce que, de même tournure d'esprit, de même temps, qu'un autre grand écrivain, ses * mêmes efforts pour dire des choses semblables produisent cependant des formes à peine dissemblables[5] et pourtant irréductibles aux autres, s'unissent à elles par cela même, en une diversité harmonieuse qui est la seule unité réelle tandis qu'en sont si loin nos observations sur le sens de choses dont nous négligeons pourtant la qualité différentielle en une discordante identité. *(V⁰ 34)* La culture qu'on sait baignée de duplicité ou l'in-

---

avons essayé de reconstituer les Versos 34 et 35 que l'on trouvera plus loin. Nous avons aussi retrouvé des textes sur les marges des Rectos 34 et 35. Nous les donnons ensuite.

1. Le haut de la page collée dans le manuscrit ayant été coupée (V⁰ 17) une ligne manque qui assurait le lien avec la fin du Verso 33. On lit seulement : « [pré]cédente après silence ». Proust prévoyait donc un raccord entre Verso 33 et Verso 34 qui n'a été découpé que plus tard.
2. « ressembler » rayé.
3. Proust avait d'abord écrit : « les œuvres voisines ».
4. Renvoi en marge jusqu'à « identité ».
5. Un renvoi vers le haut de la page en marge. Mais ce haut de page est partiellement coupé et nous le reconstituons ainsi : « pour que la souplesse et [la force de la] phrase de Flaubert et celle de Régnier tourmente * et déchiquète la phrase de France, pour que Jammes embaume et simplifie la phrase de Régnier ». Mais l'idée ici esquissée est reprise un peu plus loin au Verso 35.

culture sert peu dans un art où l'on ne peut rien apprendre que de soi-même et où quand [on] sait * tout ce que disent les autres, ainsi se trouve une nuance * de même image * que les autres ne connaissaient pas et où ils ne peuvent pas descendre avec nous pour nous aider. Mais en nous la nature a mis tout ce qu'il fallait pour que nous prenions juste notre [place et] gardions notre rang [1] *(MV° 34)* et avant que nous commencions notre chemin son cocher nous dépose à l'endroit où le précédent s'est arrêté et d'où nous devons partir, la bergère justement admirée par Bloch hantant un même épisode que l'auteur de François le Champi mais entre la façon dont il est traité dans son livre et dans cet autre qu'elle n'a pas lu la distance est juste celle que la sensibilité humaine a parcouru entre George *(V° 35)* Sand et elle, car Marguerite Audoux [2] a[vait] **** exactement comme une belle fleur **** [com]pter les fleurs voisines, dont aucune* pareille et même en fleurissant pour obéir à la même poussée intérieure, élargissant ses pétales avec Chateaubriand, les arrondissant et les affermissant avec France, les déchiquetant avec Henri de Régnier, les simplifiant avec Jammes, varie à l'infini dans une diversité harmonieuse qui est aussi près de l'unité que lui est opposée la discordante similitude de la perception courante, la guirlande infinie tressée par les poètes à la gloire de la Réalité. Par un seul poète semble-t-il qui dure depuis le commencement du monde [3] tant il semble avoir un même esprit et dont dans notre siècle Gérard de Nerval est seulement le nom de ses minutes vagabondes [4]..... mais si unique que même ses portraits physiques semblent sous le nom du portrait de Baudelaire, d'Hugo, d'Alfred de Vigny, de Baudelaire, n'être que des profils différents d'un même admirable visage [5]. Les œuvres elles-mêmes pourraient être rentoilées ensemble comme les morceaux épars d'un même [6] univers, peint seulement avec moins d'ampleur

---

1. Renvoi en marge jusqu'à « partir ».
2. Ici une déchirure. On discerne un « a » qui est peut-être « avait ».
3. « dans toutes ses pensées » rayé.
4. Ici une ligne trois quarts en blanc.
5. Ici on passe après des ratures au bas du Cahier (Verso 35).
6. Expression complétive répétée (« d'un même »).

et de force là où la colline de Jean le Rouge se relierait *
à la prairie fauchée à ses pieds par Levine [1].

M V° 35
[Ce ne sont pas les êtres qui existent mais les idées]

*(au bas de la marge une note barrée en croix répartie sur le
Manuscrit et le Cahier avec renvoi dans le haut de la marge :)*

Capital pour les poses. Quand je dis que je fais poser comme
un peintre et qu'il faut beaucoup d'individus ou de choses
pour une réalité littéraire afin d'avoir du volume (le dire)
car cela seul permet le général, j'ajouterai. Et puis c'est aussi
que ou c'est que si l'art est long et la vie courte, on peut dire
aussi que si l'inspiration est courte, les sentiments ne sont pas
beaucoup plus longs. Quand nous pouvons reprendre le travail le sentiment qui « posait » l'amour, la femme qui
« posait » la Femme sont loin, ne peuvent plus donner des
séances. On continue avec une autre ce qu'on avait commencé
avec la première. C'est un peu une trahison sentimentale
mais littérairement grâce à la similitude de nos sentiments
cela n'a pas gd inconvénient et cela donne quelque chose
de désintéressé, de plus général qui est aussi une leçon austère
que ce n'est pas aux êtres que nous devons nous attacher,
que ce ne sont pas les êtres qui existent et sont par conséquent susceptibles d'expression mais les idées [2].

M R° 35
[Comment la vie m'a permis de connaître la réalité]

Il s'agit qu'ayant peu à peu redéfait en sens inverse tout
ce qui nous éloignait de la vie, l'art se trouve être précisément,
intégralement, la vie. La nature même ne nous avait-elle pas
mis sur le chemin. En ne me permettant de connaître la réa-

---

1. Cf. Versos 37-38 ou Folio 37 où la même idée est développée. Et aussi
le Cahier 26.
2. On reconnaît des expressions qui seront reprises dans la version définitive. Cf. Pléiade, III, p. 908.

lité des heures de ma vie que longtemps après les avoir vécues, et enveloppée en toute autre chose qu'elle, les après-midi de Combray dans le bruit de cloche de l'horloge de mon voisin, les matinées de Rivebelle dans le bruit de notre calorifère, ne faisait-elle pas déjà de l'art, n'était-ce pas de l'art, qu'elle faisait encore quand au moment où je sortais pour aller pour la 1ere fois, il y a bien longtemps dans ce même hôtel Guermantes où je retournais aujourd'hui elle avait[1] à une sensation *(MV° 35)* semblable éprouvée alors, le bruit du tonnerre, (peut-être ce sera une autre soirée) tant de sensations du passé, odeur du lilas, charme des soirées* des paroles[2], assemblant des charmes qui avaient une affinité les uns pour les autres, faisant sa part à l'imagination, et faisant maintenir le passé déployé sur différents plans à la minute présente qui[3] durant une ..... prenait la consistance, les dimensions, la plénitude, la généralité, les attractions d'un beau roman[4] qu'on voudrait vivre.

MV° 36
[Art et réalité]

(texte barré commençant dans le haut de la page et rejeté vers la marge par une ligne qui ressemble à une demi-circonférence. C'est la grosse écriture de Proust, celle de la couverture de ce Cahier 57 :)

A propos de la littérature : nous vivons hors de la réalité; même nos sentiments les plus forts, comme avait été mon amour pour ma grand'mère, pour Albertine, au bout de quelques années nous ne les connaissons plus, ils ne sont plus pour nous qu'un mot incompris, puisque nous pouvons parler d'eux avec des gens du monde chez qui nous nous réjouissons de nous trouver alors que tout ce que nous aimions est mort. Mais s'il y avait un moyen d'apprendre à relire les mots oubliés, de les traduire en un langage perma-

---

1. Un « att » rayé qui était peut-être « attaché ».
2. Ou « frivoles ».
3. Au-dessus de la ligne : « devenait une sorte », et rayé : « le cadre* délicieux printanier* ».
4. « livre » rayé.

nent qui serait toujours compris [1] ; ne serait-ce pas une grande acquisition pour notre âme. Et si la loi de changement qui nous avait rendu ces mots inintelligibles, nous parvenions à l'expliquer, notre infirmité même ne deviendrait-elle pas le prétexte d'une force nouvelle [2] ? Bref l'art réagissant contre l'œuvre quotidienne de la mort que j'avais crue inéluctable le 1er soir [3] à Balbec, ne pourrait-il pas nous faire entrer [4] dans la réalité et dans la vie (ceci est un peu trop vague mais le début est très bien [)].

MV° 37
[Comment les valeurs mondaines changent]

Sur les personnes nouvelles (pas chic) que connaissait la Dsse de Guermantes — elle tutoiera une amie pas chic du Pce de Guermantes qu'autrefois elle ne voulait pas voir (mettre en son temps) dire : quand on a eu longtemps le salon le plus fermé de son temps, qu'on a imposé à tous l'idée de sa souveraine élégance, comme en fin de compte c'est toujours les idées — fussent les idées d'élégance — qui forment les choses matérielles — on est blasé là-dessus, on se laisse tenter par l'art, par la politique, par l'amour peut être. On invite des gens qui sont utiles à votre mari, à vos enfants. Pour tout cela les personnes nouvelles que connaissait la Dsse de Guermantes étaient comme l'oxydation d'un groupe [5] dans un bassin, la mousse sur un mur d'église — un produit du temps [6]. Mais vues du dehors par de nouvelles élégantes qui commençaient seulement leur carrière d'élégance, ces personnes pas chics (dire mieux) semblaient [7] simplement quelque chose de fâcheux, d'inélégant. Elles se plaignaient de ren-

---

1. Rayé : « ...si la loi du changement qui fait que nous avions cessé de... »
2. Il y a quelque chose d'analogue dans *Les Plaisirs et les Jours* (Regrets et Rêveries, X).
3. Renvoi dans le haut de la page.
4. « à jamais » rayé.
5. Ici Proust a rayé : « de plomb à Versailles ».
6 Proust avait d'abord écrit « Temps ».
7. Ici renvoi dans le haut de la page.

contrer chez leur tante Guermantes des gens qu'elles ne connaissaient pas, ou peu, quoique dans une moindre mesure que Me de Guermantes s'en était plaint autrefois pour Me de Villeparisis. Elles allaient comme dans la nature les oiseaux contre les insectes refaire un salon élégant dépouillé de ces éléments destructifs, exercer une active phagocytose. En vain Bloch mettait-il des cartes chez elles. Puis pour elles aussi la vie amènerait après les satisfactions mondaines d'autres désirs, et de plus jeunes auraient à éliminer sur elles * 1.....

MR° 38
[Legrandin évolue en mieux]

Capitalissime (je le mets ici faute de place, chercher où le mettre dans ce cahier q^d je parle de Legrandin). Pour son snobisme il était devenu bien moins aigu, Legrandin était mieux élevé, ne nous eût pas lâché comme à Combray pour une dame élégante. Tout le monde reconnaissait combien il était plus agréable, tandis que Bloch au contraire, n'ayant plus que des grands noms à la bouche était devenu insupportable². Il était d'ailleurs fort possible que dans un certain nombre d'années il devînt lui aussi agréable et simple. Car certains défauts, certaines qualités sont moins attachés à tel individu et à tel autre qu'à tel ou tel moment³ de l'existence considérée au point de vue social. Ils sont presque extérieurs aux individus, lesquels — ceux du moins qui suivent cette voie⁴ passent successivement⁵ sous eux comme sous des solstices différents, préexistants, inévitables, généraux. Les médecins qui cherchent à se rendre compte si tel médicament augmente ou diminue l'acidité de l'estomac, activent ou ralentissent ses sécrétions obtiennent des résultats différents non pas selon l'estomac à qui ils empruntent un peu de suc gastrique mais selon qu'ils le lui ajoutent un peu plus tôt ou un peu plus tard.

1. Interruption.
2. La suite est barrée d'une croix.
3. Rayé : « d'une évolution sociale ».
4. Les sept mots précédents sont situés au-dessus de la ligne.
5. « forcément » rayé, remplacé par successivement.

V° 38
[Programme pour ce dernier Cahier
Beauté des images et beauté des idées]

(au milieu de la page et sur toute sa largeur; texte barré en croix :)

Capitalissime à mettre quelque part dans ce dernier Cahier[1] quand je dirai que je comprends ce que c'est que d'avoir vieilli, ce que c'est que d'avoir aimé (je croyais ne pas aimer Albertine), l'utilité de la douleur (je croyais cela funeste et Albertine m'a été utile) ce que c'est qu'un grand écrivain (Bergotte). Ainsi si les noms avaient perdu pour moi de leur individualité les mots s'étaient vu * remplir de sens. Car la beauté des images est logée à leur arrière mais la beauté des idées à leur avant, de sorte que les premières cessent de nous émerveiller quand nous les avons atteintes, mais les secondes ne se laissent comprendre que quand nous les avons dépassées.

[Les êtres qui posent pour la souffrance et même le bonheur]

(dans le haut de la marge, en face du morceau qui est la suite du Verso 37 et qui avec le Verso 38 et « l'enclave » du Verso 36 s'intègre dans le Folio 37 :)

Capital Penser à dire : quand j'aimais Albertine je me rendais compte qu'elle ne m'aimait pas, et j'avais été obligé de me contenter qu'elle pût me servir à connaître ce que c'est que la souffrance, que l'amour, et même au commencement que le bonheur[2]. Et peut'être avais-je été sage en cela et avais-je obéi en cela à un instinct d'artiste. Peut'être les êtres que nous connaissons, les sentiments que grâce à eux nous éprouvons sont-ils pour le psychologue ce que sont pour le peintre des modèles. Ils posent pour nous. Ils posent pour la souffrance, pour la jalousie, pour le bonheur[3]. Et il faut

---

1. Cf. Verso 41.
2. Voilà le bonheur par l'amour, qui semble justifier la thèse de J.-H. Bornecque dans son livre *Un autre Proust* (Nizet).
3. Renvoi dans le haut de la page.

[en] profiter pendant qu'on a ses modèles. Ceux qui posent pour le bonheur n'ont généralement pas beaucoup de séances à nous donner.

[La princesse, pareille à ce qu'elle était]

(dans le bas de ce verso une note :)

Mais si la Princesse, en son profil admirable, ses yeux d'une dureté et d'une fixité involontaires[1] parce qu'elle ne m'avait pas encore bien * reconnu était si exactement pareille à ce que je l'avais vue pour la 1ere fois que l'image d'aujourd'hui traversant l'atmosphère pouvait venir s'appliquer exactement, le Prince lui s'il n'était pas costumé[2].....

PR° 39
[Le narrateur concerné par le Temps]

Faire extrême attention que par extraordinaire il y a là 3 étages de papiers, celui qui est collé en double volet est la fin de ce qui est au-dessus et n'a pas de rapport avec ce sur quoi il se rabat.

Ajouter[3] Capitalissime issisisime A vous un de nos plus vieux amis (alors que je restais toujours un des nouveaux 1° par essence et 2° parce que je ne me sentais pas vieillir ajouter : Au fond c'est une chance que vous ne vous soyez pas marié vous auriez pu avoir qui sait des fils tués à la guerre).

Capitalissimum[4]

Quand la Dsse de Guermantes : « Vous un de mes vieux amis[5]. C'est une chance que vous ne vous soyez pas marié etc.

1. Proust ajoute après coup fixité à dureté mais sans faire le raccord que nous opérons ici.
2. Interruption.
3. Deuxième note en tête se terminant en marge le long du texte – et en plus petit caractère que la précédente.
4. En très gros caractères. Même le texte commence en gros caractères (semblables à ceux du début du Cahier). Ceux-ci deviennent vite plus « normaux ».
5. La phrase qui suit est en tout petits caractères et au-dessus de la ligne. Sans doute ajoutée après la note marginale (cf. notre note 3).

Tandis que presque en même temps le jeune Duc de...
qui n'avait pas entendu Mᵉ de Guermantes et à qui quelqu'un
parlait de l'acteur Maubert répondit en me montrant avec
une nuance d'estime : « Monsieur, qui est un vieux parisien,
pourra peut'être nous renseigner. » Aussitôt un déchire-
ment plus immense s'opéra que celui au moment où tous les
gens m'avaient paru vieillis. Car à ces mots : « Un de mes
plus vieux amis, un vieux Parisien [1] » l'enchantement dans
lequel je vivais depuis mon enfance venait de se rompre :
moi aussi je venais comme tous les gens vieillis, d'entrer
dans le Temps. Quand j'étais petit dans mes promenades
sur le chemin de Guermantes, je croyais que mon Père arran-
gerait toujours tout, que si je n'avais pas de génie, c'était
comme quand dans mes bains de mer je n'avais pas encore
de boîte de coquillages, mais qu'on allait me la mettre dans
la main. Puis ma paresse même, mon état de santé, ma remise
du travail au lendemain, mon espoir de guérir le lendemain,
les métamorphoses que les journées dans lesquelles on n'est
pas le même faisaient en moi [,] tout cela m'avait fait vivre
au seuil du Temps, prêt à m'y élancer, mais persuadé que je
n'y étais pas encore. Deux ou trois fois quand ma grand'
mère m'avait parlé de mes goûts déjà fixés * j'avais eu [2] le
pressentiment que j'entrais dans le Temps et cela m'avait
fait si mal que j'avais repoussé avec horreur ces concessions
(le mettre en son temps, permission de prendre la profession
que je voulais) rançons de ce que je préférais mille fois garder mon intacte enfance. Pour tous mes souvenirs j'arrêtais
l'heure à eux. Pour Mᵉ de Guermantes il me semblait que
j'étais le jeune homme qui venait [3] de faire sa connaissance
et tout l'opposé de ce que j'avais envié et rencontré ses vieux
amis. De vieux parisiens, c'était des gens comme Swann,
mort aujourd'hui, qu'enfant j'avais connu célibataire dont
ma gʳᵈ mère disait [:] comme il a vieilli. Mais ces réalités-là
un vieil ami de Mᵉ de Guermantes, un vieux parisien, voilà
que comme le talent, comme bien d'autres entités tout d'un

---

1. Proust met ici une majuscule, alors que plus haut il avait employé une
minuscule. Voir la forme que prendra ce passage dans R.T.P., III, p. 927.
2. C'est ici que commence la paperole « collée en double volet ».
3. « venais » dans le texte.

coup je voyais que je les avais vécues sans les reconnaître, qu'elles étaient en moi. Je n'étais pas un enfant – que son père [1] protégera de tout, j'étais *** [2], j'avais vieilli, j'étais plus que cela peut être, je n'avais pas été préservé de connaître la réalité ; tandis que je la cherchais encore vainement avec l'imagination, je la trouvais soudain avec douleur, avec orgueil, constituée en moi comme une vraie maladie.

[Le général]

Pour la littérature q[d] je dis que rien du passé n'est perdu, que le littérateur ne doit pas se dire qu'il fait comme le peintre mais qu'en effet il fait comme lui [3]. Ajouter ceci (même si ce que j'ai déjà écrit ressemble ****) [4].

[5] Car comme le peintre a des carnets de rapides croquis, l'écrivain tandis qu'il omettait de remarquer tant de choses que les autres remarquent, dictait inconsciemment à son oreille à ses yeux de retenir à jamais l'accent avec lequel avait été dite une phrase et l'air de figure et le mouvement d'épaules qu'avait fait à un certain moment telle personne dont il ne sait peut'être rien d'autre, et il y a de cela bien des années, et cela parce que cet accent, cet air il les avait déjà entendus et vus, qu'il les sentait q.q. chose de général, donc de renouvelable, de durable et qu'il ne se souvenait que du général. [6] Car nous n'avons écouté les autres que quand si bêtes et perroquets qu'ils puissent être, comme Me Grunebaum-Ballin, ils n'étaient comme l'oiseau Prophète que les Porte Parole d'une Loi Psychologique. Et par de tels accents et par de tels airs, eussent-ils été entendus et vus jusque dans son enfance, la vie des autres était représentée en lui, et quand il écrivait venait composer d'un mou-

---

1. Un mot au-dessus de la ligne difficile à déchiffrer mais qui doit être « puissant » (« son père puissant »).
2. Quelques mots non déchiffrés. On peut lire : « moins que cela ».
3. Au-dessus et dans la marge : « Que le littérateur a dans sa tête un album de croquis et un traité anatomique... Rendre à cela plus de dignité.
4. Le reste est effacé.
5. Ce paragraphe est barré. Proust barrait les textes qu'il avait utilisés. Cf. R.T.P., III, p. 900.
6. La phrase qui suit au-dessus de la précédente entre les deux lignes.

vement d'épaules [1] commun à beaucoup [2], vrai comme s'il était noté sur le cahier d'un anatomiste mais ici pour exprimer une vérité psychologique et emmanchait sur ces épaules un cou, un mouvement du cou fait par un autre, chacun ayant posé un membre [(] Ce que Molière exprimait en disant : « Je prends le nez à l'un etc. Copier la citation).

PV⁰ 39
[Sur la vieillesse]

[3] Capital au sujet de la vieillesse
(En regardant un de ceux qui ont le moins changé.)

Ainsi en regardant (Jacques Bizet * [4]) * * * * curieux * sur ce jeune homme, sur mon camarade [5], il y a de ces signes qu'on attribue plutôt habituellement à un homme déjà vieux? Et tout d'un coup je me dis : Mais c'est qu'il l'est! Mais pourtant c'était bien lui mon camarade, ce jeune homme à peine différent. En le « reconnaissant » — comme quand on lit un livre on se sert du sens des mots qu'on a appris, j'avais eu pour lexique me permettant de comprendre qui il était, le souvenir du charmant jeune homme. Et par là même je l'avais rendu encore plus semblable à ce jeune homme. Mais alors les vieillards ce n'était pas ce que j'avais cru enfant, une espèce d'hommes spéciale dont je savais qu'ils avaient été jeunes sans trop me le figurer. Les vieillards, c'étaient les jeunes gens que j'avais connus restés tels quels, mais commençant à ne plus lire très facilement, à avoir besoin de lunettes, comme ils auraient eu dans leur adolescence après une maladie des yeux, ayant un certain boursouflement du teint, la vieillesse ce n'était presque pas une transformation, c'était

---

1. Ici l'auteur hésite entre deux mots (membre et épaule) qu'il raye avec une plume mal chargée d'encre.
2. Proust raye ici : « le membre réel de tel personnage ».
3. Nous passons ici au verso (recto?) de la paperole.
4. Mot un peu douteux : seul le B, et le *i* et le *t* sont certains. On discerne un *z*. Tout ce passage est mutilé. Mais la suite montre qu'il semble s'agir de Jacques Bizet.
5. Au-dessus de la ligne : « seulement plus aimé ». Le texte qui suit est barré jusqu'à : « semblable à un jeune homme ».

un jeune homme, resté jeune pour moi et pour lui aussi sans doute, qui pourrissait sur place à la longue comme un fruit qui n'a pas mûri. Autrefois j'avais appris les mots plaisirs de l'intelligence, talent, admiration, amour. Et un beau jour je m'étais rendu compte à [1] mon g^d étonnement que la vie c'était ce que j'aimais des choses que j'avais connues sans [2] me douter que c'était elle, l'amitié * c'était la séduction de Bergotte, que l'admiration c'était le malaise avide * avec lequel j'écoutais la Berma, que l'amour c'était cette déception chaque fois que je voyais Gilberte. Maintenant voici qu'à son tour je voyais que la vieillesse ne m'était pas inconnue non plus en sa réalité véritable, qu'elle aussi était réalisée en moi sans que je la reconnusse, qu'elle consistait à ce que plusieurs fois dix ans de suite je m'étais dit, je me mettrai demain au travail. A force de se dire : demain je commencerai ma vie, on arrive au terme de celle-ci. Ainsi après le talent, l'amour, l'admiration, les plaisirs de l'intelligence, j'avais fait aussi la connaissance de la vieillesse. Et ainsi tout fini[t] par être connu et un jour aussi d'une chose qui me semblerait — était aussi intérieure et impossible à séparer de moi et à faire rejoindre une notion extérieure qu'avaient été les plaisirs de l'intelligence, l'amour, la vieillesse etc, je me dirais la reconnaissant alors : c'est la mort. Car tout fini[t] par arriver et bien qu'on se croie toujours l'enfant préservé de tout par les fées, par ses parents, on finit par tout connaître. (il vaudra mieux mettre cela sur la mort, à la fin de ce morceau si je peux de là, passer par ✱ ✱ ✱ [3] : il fallait donc avant cela si j'avais le temps encore me mettre au travail, et alors parler des dangers extérieurs et intérieurs — attaque — comme je l'ai écrit ailleurs). Peut'être (avant [4] la mort, je crois, p^r la vieillesse) les gens qui n'ont pas beaucoup de connaissance de soi-même, qui jugent par le dehors sont beaucoup moins surpris de ces réalités [5]. Il est évident qu'un homme qui depuis

---

1. Un « que » semble en trop. Nous intégrons à partir d'ici des mots ajoutés au-dessus de la ligne.
2. « savoir » rayé, des mots presque illisibles.
3. Nous lisons : « passer pour compagne », ou « passer par un vague ».
4. Au-dessus de la ligne : « mettre ceci ».
5. A partir de là Proust a barré son texte en quelques traits désordonnés.

son enfance poursuit une même idée, avec un esprit identique
est beaucoup plus stupéfait d'avoir vieilli que quelqu'un qui
vit d'après les calendriers. Aussi fus-je stupéfait comme d'une
phrase fausse, absurde, cruelle pour elle-même et vulgaire
d'entendre Me de Guermantes, Me de Guermantes que j'avais
vue dans l'église de Combray au mariage de la fille du Dr Percepied, q^d j'étais le même? [1] qu'aujourd'hui, donc du même
âge qu'aujourd'hui me dire : « Dame vous pensez bien que
je n'ai plus 25 ans! ». Je fus choqué par ces mots comme
d'une vulgaire impropriété de termes. « C'est bon pour une
vieille femme pensais-je de dire cela; et tout à coup je me
dis : Mais une vieille femme elle l'est! [»] (Ceci avant la
mort, même sans doute avant les dernières réflexions sur la
vieillesse [2].)

MR° 40
[A propos des signes de l'inversion]

Je ne sais pour qui, ni si ce sera dans ce chapitre (je préfé-
rerais pour l'amant de Charlus dont je ferais aussi une sorte
d'Yturri cru seulement aimé mais aimant d'autres, parce que
les choses sont plus compliquées qu'on ne croit, la
complexité autant que la symétrie étant un élément de
beauté [)] :
[3] Q^{un} demande une explication à ce mâle jeune homme
(fils d'Hermant [4]). Alors dans le registre vocal [de] sa [5]
réponse longue et assez ardente, je perçus tout d'un coup
quelques notes révélatrices et je me dis : « Comment [?], lui
aussi! » Car il y a des sonorités pour l'inversion comme pour

1. Ce point d'interrogation est dans le texte. Entre cette ligne Proust a
écrit entre parenthèses d'une encre différente (très noire) « masser t^t cela
avec Me de Guermantes dans t^{te} cette matinée ».
2. Proust écrit encore : « Ajouter aux choses que j'ai connues : " être
un de mes plus vieux anciens amis ". Quelqu'un ainsi me dira " Monsieur qui est un vieux parisien ". » La fin est rayée, Proust ayant reporté
« l'idée » au recto de cette paperole (PR° 39).
3. Ici Proust va à la ligne, écrit « Ce jeune homme » et raye et écrit
« Q^{un} » que nous traduisons par Quelqu'un.
4. « Hermant » douteux.
5. Rayé « vive ».

la phtisie et qui à défaut même de constatations matérielles ne peuvent tromper, ni pour la 1ere le psychologue, ni pour la seconde le clinicien, et pourtant ni l'un ni l'autre ne pourraient peut'être dire pourquoi tel fausset ne signifie rien, tel autre est symptomatique, et de même tel creux dans la voix. Ainsi (et alors ce serait [1] mieux je mettrais ce que j'avais mis d'abord) ce jeune homme que je croyais aimé par un homme et s'y prêtant seulement par intérêt, aimait de la même façon et d'autres sans doute. De sorte que ce qui me semblait purement extérieur était intérieur aussi, que M. de Charlus en cherchant un pôle opposé, avait cependant rencontré un pôle identique, et que tandis qu'un courant allait de lui à Bobby un autre partait [2] de Bobby vers d'autres; tout cela dessinant quelque chose de plus compliqué que je n'avais cru d'abord comme il arrive souvent et comme il est aussi plus beau, car dans la nature, la complexité, quand la symétrie l'organise est, elle aussi, un élément de beauté.

V^o 40
[De rapports purement individuels
que les autres ne peuvent comprendre]

A l'endroit, je ne sais où, où je dis que je sentais que j'étais arrivé à ce moment de la vie qui vient chez les êtres [3] où toute la substance dont ils doivent vivre n'est qu'en eux-mêmes, je dirai : à ce moment les choses ne nous intéressent plus que dans la mesure où elles surexcitent en nous l'éjaculation de cette substance, rapports purement individuels que les autres ne peuvent comprendre; et où figure[nt] seulement comme qualités générales celles qui éveillent le souvenir ou le désir des pays et de la beauté, les indicateurs des chemins de fer, remplis de noms de pays où on pourrait aller, comme la conversation des maquerelles [4] remplies de noms de femmes

1. Ici on passe au haut de la marge.
2. Ici on passe dans la partie haute de la page (où il restait un blanc).
3. Un mot partiellement rayé qui pourrait être « artistes » ou « certains ».
4. Deux mots que Proust oublie de rayer avec les deux suivants (« ou de vieux marcheurs »).

qu'on pourrait posséder, ou à défaut comme la société des danseurs de cotillon, la fréquentation des bals et des plages.

MV° 40
[A propos de la mort d'un fils :
un esprit banal ne peut dégager la vérité]

(en marge, suite barrée en bas de page et fin dans le haut de page :)

Q.Q. part quand je parle de l'éclaircissement de nos impressions. La vérité est en nous, mais confuse, difficilement dégageable par l'intelligence. Ainsi par exemple un écrivain qui veut arriver à quelque chose de vrai se penche sur lui, essaye d'éclaircir sa pensée, travaille. Donc c'est qu'il croit que l'objet qu'il étudie, le monde, le vrai, est en lui. Nous le contenons tous comme tous les corps contiennent les principes 1ers de la chimie et obéissent aux lois les plus organiques de la physique. Mais le difficile est de les dégager. C'est parce que la vérité est en nous qu'un père qui vient de perdre son fils dans les conditions les plus tragiques. (Pierre Mille Temps à q.q. jours près du 18 mars 1915)[1] si son esprit est banal écrira sur cette chose[2] des choses fausses. En sorte que lui qui aura en apparence vécu cette chose : la mort d'un fils, n'en aura nullement dégagé la vérité. Et pour un esprit capable d'en dégager la vérité, il se rendra tout le temps compte que la vérité n'est pas dégagée, à aucun instant il ne sentira une vérité inconnue appelée à l'être en lui, comme cela arrive[3] quand on lit quelque chose de vrai. Au contraire il me semble que la cause efficiente de ces phrases : « Mon pauvre petit tu dors maintenant dans le cimetière etc., ton équipe etc. » ont leur cause efficiente non dans le fait mais dans une littérature antérieure (Renan préface de la vie de Jésus, Bourget, Capus etc. etc.) que l'auteur ne reconnaît pas, et qu'il croit parce qu'il prend une forme : « ne faisons pas de littérature » que ce n'est pas de la littérature alors que c'est au contraire une des formes les plus banales d'une lit-

---

1. Voir notre étude dans les *Cahiers Marcel Proust, Études proustiennes I.* Le passage est barré.
2. « vraie » rayé.
3. En haut de la page et toujours barré en croix.

térature récente que de rejeter très loin la littérature [1]. C'est pour cela que les événements transforment moins les pensées qu'on ne croit surtout les événements collectifs auxquels la pensée participe plutôt par imitation, par contagion de sentiments peu approfondis, peu personnels, comme affaire Dreyfus, démocratie, guerre, théâtre du peuple etc.

[Je mets de l'ordre en moi, non dans ma chambre]

(notes entrecroisées ou en surimpression et difficiles à distinguer en bas de page et serrées entre les autres fragments :)

Q.q. part : Pourquoi ne mettez vous pas d'ordre dans votre chambre? — Je passe le peu d'heures que j'ai à mettre de l'ordre dans mes idées. — Pourquoi ne mettez vous pas de jolies choses autour de vous? — J'en mets en moi parce que c'est en moi [2] que je regarde. — Vous êtes un égoïste. — Non! Car vous ne verrez pas de jolies choses dans ma chambre mais dans mes livres — Il ne faut pas venir me dire : il vous faudra me lire qd je serai mort [3].

MR° 41
[Fidélité en amour et mémoire]

Capital quand je parle [4] des impressions originales qui dévient si vite : n'avais-je pas vu dans les [5] années qui avaient

1. On lit au-dessus et entre les lignes ces mots rayés qui semblent être un commencement de développement : « Je reconnus le Ruskin que j'avais donné à la Princesse de »... Au Folio 40, une note en marge annonce : « avant je reposai le livre mettre le morceau sur Ruskin que je mets au verso suivant ». On trouvera ce Folio 40 dans *Matinée chez la Princesse de Guermantes* (version 1910-1911). Mais ce morceau sur Ruskin se réduit aux quelques mots que nous venons de transcrire.
2. Renvoi un peu plus haut.
3. Un dialogue semble-t-il, avec Céleste ou sa sœur Marie Gineste. On trouve d'ailleurs dans la *Recherche* (II, p. 846-850) une conversation avec Céleste et Marie Gineste, mais dont l'objet est de mettre en évidence le parler et le caractère de l'une et de l'autre. Pour rendre le texte intelligible nous avons restitué presque toute la ponctuation.
4. « d'Alb » rayé.
5. Proust met une croix pour un renvoi : « mélancolique d'un homme préoccupé de sa santé » que l'on peut intercaler dans le texte. Ce qui donne : « dans les mélancoliques années d'un homme préoccupé de sa santé ».

suivi ma première rencontre avec Albertine puis sa mort, que les questions mêmes de la fidélité[1] en amour ressortissent à celle des phénomènes de la mémoire !

[Comme les objets sur lesquels
on laisse la marque du prix]

Capitalissime[2] les œuvres où il y a des choses intellectuelles sont comme les objets après lesquels on laisse la marque du prix. Encore celle-ci ne fait-elle qu'en indiquer la valeur tandis que le raisonnement la diminue. On raisonne c'est-à-dire on vagabonde chaque fois qu'on n'a pas la force de s'astreindre à exprimer, à faire passer une impression par tous les états chimiques[3] qui la fixeront enfin en expression.

V° 41
[Les lois psychologiques ou subjectivisme
objectif et objectivisme subjectif]

(morceau rédigé en premier et barré en croix)

Quand je montre (dans ce dernier volume)[4] que la vérité de ces impressions oubliées et par conséquent la vraie vie c'est cela la littérature, il faudra dire que c'est cela la littérature d'une part. Mais que d'autre part c'est aussi ceci : les êtres les plus bêtes manifestent par leurs gestes, leurs propos, leurs sentiments involontairement exprimés des lois qu'ils ne perçoivent d'ailleurs pas, mais que l'artiste surprend en eux, de sorte qu'en les peignant il dévoile ces lois. Et ainsi il ne montre pas que la vérité qui était en lui mais la vérité qui était en eux. Le 1er c'est le subjectivisme objectif, le 2e l'objectivisme subjectif. Et à cause de ce genre d'observation l'écrivain que le vulgaire croit méchant ne l'est pas, car dans un ridicule il voit une belle généralité et en débarrasse celui qui

---

1. Proust raye « durée », « affection », « amour même », « fidélité », etc., puis il revient à « les questions mêmes de la fidélité ».
2. Le texte qui suit est barré; et d'ailleurs utilisé dans *A la Recherche du Temps perdu* (III, p. 882).
3. *In* R.T.P., III, p. 882, Proust écrira « successifs ».
4. Ce dernier volume est-il ce dernier Cahier ?

la lui a fait remarquer[1], et ne pense plus qu'il était ridicule. Malheureusement si de même q^d il souffre d'une passion il en sent aussi le caractère général, il ne peut s'affranchir de la souffrance personnelle, comme de la gaieté personnelle; il est plus malheureux que méchant.

V° *41 et MR°* *42*
[Sur la maladie et la mort]

(en tête de page : se poursuit sur la marge du Recto 42 — rayé sauf le dernier tiers :)

Faute de place : quand je parle de la maladie et de la mort (capital). D'une part la maladie m'avait rendu service comme un rude directeur qui m'avait fait renoncer le monde : « en vérité je vous le dis si le grain de froment ne meurt après qu'on l'a jeté en terre, il demeure seul, mais s'il meurt il portera beaucoup de fruits ». Seulement une des *(MR° 42)* conditions de mon œuvre était l'approfondissement d'impressions qu'il fallait d'abord recréer par la mémoire. Or elle était usée (mettre ce que j'ai fait dans ce cahier sur ma mort et aussi ce que je dis dans le cahier de brouillon gris (après la mort d'Albertine) sur l'affaiblissement de ma mémoire que j'ai écrit après la visite où je rencontre Mlle de Forcheville — et réservé).

MV° *41*
[La science et l'art]

Q^d je parle du roman :
De même que la Science n'est tout à fait constituée ni par le raisonnement du savant ni par l'observation de la nature, mais par une sorte de fécondation alternative[2] de l'une par l'autre, de même il me semblait que ce n'était ni l'observation de la vie, ni la méditation solitaire qui constituait l'œuvre d'art [mais] une collaboration des deux, manœuvre où l'idée, le « scénario » apporté par l'une des deux était tour à tour retouché, jeté au panier, ou conservé par l'autre. Le penseur

1. « éprouver » rayé.
2. « collaboration constante des deux » rayé.

comme un canotier[1] solitaire manœuvrait seul[2] sur le fleuve des jours, mais un brusque coude de la rive le forçait à changer de direction. Je comparais aussi les passions à des modèles dont ne peut se passer le peintre pour peindre, même si c'est une fille d'aubergiste qu'il fait poser pour la reine, ou à des cornues où des expériences sont en train pendant que le savant médite et raisonne et qui souvent avant qu'il ait fini le forcent à modifier son hypothèse et ses conclusions.

V^o 42
[Au souvenir involontaire reste toujours attaché
un peu des souvenirs ambiants]

(en marge :)

peut'être ce petit morceau pour la reviviscence du souvenir de Venise, ou pour une autre.

(en face :)

Mettre quelque part pour un souvenir reviviscent non encore reconnu (comme serait le goût du thé etc je l'ai éprouvé pour − votre raisonnement pèche par la base, de Guisbourg *). Il est quelque chose qui éblouit, qui glisse, qui est insaisissable, qu'on ne tient pas tout entier dans ce qu'on saisit à la différence des souvenirs volontaires qui sont dans la lumière crue et froide du jour. C'est que ces souvenirs involontaires nous ne les avons pas découpés juste à telles limites pour qu'ils soient complets, et se suffisant à eux-mêmes. Comme une plante arrachée qui traîne un peu de terre auprès d'elle, il reste après eux un peu des souvenirs ambiants, trop peu pour que nous puissions les reconnaître et à leur aide le situer, mais assez pour que nous voulions les tirer à nous tout autour sans cependant qu'ils nous offrent assez de prise. Nous ne les voyons pas mais comme sur les murs des salles dans Venise sur lesquelles on voit courir et trembler le jour[3] mouvant de l'invisible lagune

1. « maneuvrait » rayé une première fois.
2. Mot répété.
3. « reflet » rayé remplacé par « jour » ou « rayon ».

nous sentons fuir * et danser * le reflet d'une ambiance insaisissable et caressante.

MV° 42
[Le devoir le plus haut : celui de traduction]

*(dans le haut de la page, barré en croix dans le haut puis le long
de la marge :)*

Capital. Quand je parlerai contre les notations.
On comprendra que
Noter ne signifie rien si l'on veut bien songer que les réalités [1] ne nous apparaissent jamais que sous des apparences
particulières d'où il faudra les dégager. La grandeur ce sera
l'éloignement du bruit d'un aéroplane, la ligne du clocher
de St Hilaire, le passé ce sera la saveur d'une madeleine.
Noter ne signifie rien, ce qu'il faut c'est traduire. Il est probable que si une traduction complète de l'univers pouvait
être donnée *, nous serions devenus éternels et que tous les
problèmes qui se posent actuellement dans les nations
seraient résolus et c'est sans doute impossible. Mais du moins
le devoir de traduction est-il le plus haut de ceux qui peuvent
incomber aux hommes qui ont reçu le pouvoir d'être des
traducteurs. Aussi ne remplissent-ils pas un devoir plus haut
mais désertent-ils le devoir le plus haut pour un devoir
moins haut quand cédant sans se l'avouer aux conseils
de la paresse et de l'impuissance ils cessent d'être des traducteurs pour faire œuvre de citoyens, éclairer le peuple,
le maintenir en temps de guerre, lui parler le langage
qu'il peut entendre, comme des savants qui croiraient être
plus utiles à la jeunesse [s'] ils cessaient de faire des découvertes, pour écrire, en ce style enfantin détesté de l'enfance,
les mésaventures de Toto.

R° 43
[Changement dans le visage des gens]

*(Proust a laissé blanche la moitié inférieure de la page après une
phrase inachevée. Il l'utilise et d'ailleurs la barre après coup :)*

---

1. « choses » rayé.

Capital. Quand je parle du changement qui s'était fait dans les visages des gens. Le changement que je constatais parce que je le voyais après assez longtemps pour qu'il pût être considérable n'était du reste que le symbole d'un changement intérieur qui s'était effectué jour par jour. Peut'être[1] avaient-ils continué à fréquenter les mêmes gens, à s'occuper des mêmes choses. Mais jour par jour l'idée qu'ils se faisaient de ces gens et de ces choses ayant un peu dévié au bout de quelques années, sous les mêmes noms c'était d'autres choses qu'ils aimaient d'autres gens qu'ils fréquentaient comme pour moi avait changé Françoise qui m'inspirait de la crainte quand j'étais petit et à qui je ne redoutais pas d'en inspirer maintenant, Gilberte, Albertine, le nom de Guermantes. Et tous les gens qui étaient là il n'était pas étonnant qu'ils eussent un autre visage puisque tout ce qu'ils faisaient, sans qu'ils s'en aperçussent parce qu'insensiblement, avait changé, puisqu'ils étaient devenus d'autres personnes.

V° 43[2]
[Retrouver le sens poétique des lieux anciens et non déblatérer sur le moderne]

(au milieu de la page; écriture genre correspondance :)

Montrer quelque part que seuls les hôtels genre rue Lapérouse avec chrysanthèmes, les appartements Straus * [,] les cours derrière l'hôtel Montargis (Fontainebleau) les arbres de Versailles et de Chantilly, les chapeaux et robes de Laure Hayman[3] me semblent vrais (il faut que ce ne soit que pour ressaisir ce que cet amour m'aide à y trouver, le sens poétique et non pour me contenter de les préférer, de dire que le reste est affreux, déblatérer sur les hôtels modernes, les chapeaux à grandes fleurs, les modes Liberty[4] etc. Très important. [)]

1. Ici rayé : « les pers[onnes] choses les gens qu'ils connaissaient ».
2. Dans cette page (V° 43) on peut distinguer quatre types d'écriture différents. Quant à la page de droite ou recto, elle est d'une écriture rapide qui est celle de presque tout le manuscrit de 1911.
3. Les sept mots précédents en marge.
4. Nom d'une mode pratiquée par une maison de couture londonienne qui employait des étoffes souples et soyeuses généralement garnies de

[Remarques sur les personnages du *Bal de Têtes*]

(au-dessous, partiellement barré, écriture serrée :)

Capital q^d je parle des gens qui ont changé. Chez ceux qui avaient le moins changé je remarquais cependant à l'état permanent, attachée à eux-mêmes une de ces expressions fugitives qu'on prend pour une minute de pose, et dans lesquelles on essaie de tirer parti d'un avantage extérieur, ou plus souvent de pallier un défaut. M. de Cambremer qui était vulgaire, mais qui de profil les bras croisés s'il effaçait son nez, fronçait * son front, pouvait passer pour avoir un certain air romain, gardait même se promenant dans les salons cette pose oratoire. Cottard avait installé à perpétuité dans son regard la finesse que Me Verdurin lui avait si souvent signalée et que la douceur résultant de ses cheveux [1] et de sa barbe blanche rendait plus délicate encore [2].

(en haut et à gauche; écriture du type gros et large barré :)

Capitalissime Bloch dira : Quelle distinction! de Me de Duras ignorant que c'est Me Verdurin et ne trouvera pas la P^cesse de Guermantes si étrange (M^se de Noailles D^sse de Noailles selon Lauris *) ignorant que le P^ce est remarié.

[Mon esthétique et le rêve]

(en haut et barré :)

(faute de place je mets ici)
Quand je parle de mon [3] esthétique, je dirai : « je ne négligerai pas les influences occultes du rêve. Quand je vivais d'une façon un peu moins désintéressée, pour un amour, un

fleurs. Proust n'en est pas encore à Fortuny (Mariano Fortuny y Madrazo), à ses tissus et robes que nous trouverons dans *La Prisonnière*.
1. « blancs » rayé.
2. Ici Proust raye sa dernière phrase : « Bref ils avaient l'air d'être devenus d'inimitables "instantanés" d'eux-mêmes. »
3. « l » rayé. On comparera ce morceau avec celui que l'on trouve dans R.T.P., III, p. 911-912 et qui commence ainsi : « Si je m'étais toujours tant intéressé aux rêves... »

rêve venait rapprocher singulièrement de moi, lui faisant parcourir de grandes distances de temps perdu[1], ma gd'mère, Albertine que j'avais recommencé à aimer parce qu'elle m'avait raconté une version (d'ailleurs atténuée) de la blanchisseuse. Je pensai qu'ils viendraient quelquefois rapprocher ainsi de moi des vérités, des impressions que mon effort seul, ou même les rencontres de la nature ne me présenteraient pas, qu'ils réveilleraient en moi du désir, du regret de certaines choses inexistantes, ce qui est la condition pour travailler, pour s'abstraire de l'habitude, pour se détacher du concret. Je ne dédaignerais pas cette seconde Muse, cette Muse nocturne, qui suppléerait parfois à l'autre.

(en marge et en face du texte précédent et de la même écriture :)

En son temps il faudra qu'à partir de ce rêve je recommence en effet à l'aimer, que cela marque une « reprise ». Le rêve est indiqué avec de jolies comparaisons dans le cahier Vénusté[2].

PR° 44
[Les satisfactions et les peines ne peuvent être saisies dans leur essence qu'en nous-même]

C'est ici faute de place que je colle ceci. Ce morceau est capital[3]. Mais peut-être au lieu de figurer dans le dernier chapitre[4] il pourrait figurer par ex. q^d je commence à oublier Albertine[5], ou à Doncières, ou à Balbec. Mais dans ce cas la 1re phrase serait à changer. Même dans le dernier chapitre

1. Les trois derniers mots au-dessus de la ligne.
2. Il s'agit du Cahier 54. Sur la couverture verdâtre de ce cahier on lit : Venusté.
3. Mot souligné 5 fois.
4. *Matinée chez la Princesse de Guermantes.*
5. Ce serait alors dans le futur *Albertine disparue.* Cf Cahier 53, Verso 13 sur le même sujet et allusion au « dernier chapitre ». Avec Doncières ou Balbec, ce serait plutôt dans *A l'Ombre des Jeunes Filles en Fleurs* qui n'est pas encore publié (cet ouvrage sera imprimé en 1918 et publié en juin 1919) ou encore *Le Côté de Guermantes* ou *Sodome et Gomorrhe.* Au moment où Proust rédige cette paperole, c'est-à-dire vraisemblablement vers 1914-1915, tout est encore possible.

(où c'est t^t de même sans doute mieux) la 1re phrase peut-
être autre. Si cela débute ainsi cela peut venir q^d je trouve
inutile de retourner à Combray ou Venise, ou bien q^d je dis
que je n'aime plus du tout Albertine [1] : mais penser que non
seulement dans ce morceau mais partout il vaudra sans
doute (?) mieux effacer les références trop particulières (je
les souligne ici comme ex au crayon bleu [2]).

D'ailleurs je désirais d'autant plus chercher la réalité dans
une œuvre que je m'étais bien rendu compte qu'elle était
spirituelle. Quel rôle la vie jouait dans sa formation était
une autre question. Même qu'une réalité une fois dégagée
de la vie, purement spirituelle, pût par l'action, être réalisée
dans la vie, c'était une autre question encore et pour un stade
que je n'avais pas à atteindre cette 1ere fois. Cette 1ere fois
je m'étais rendu compte que les satisfactions et les peines
que nous causent les êtres * se passent en nous et ne peuvent
dans leur essence être saisies qu'en nous-mêmes c'est-à-dire
par l'art. Cette importance d'amour-propre que les uns
mettent ici, d'autres là et qui peut aller jusqu'à conduire à la
vengeance, au meurtre, à la vendetta, je l'avais vue diminuer
avec le souvenir, avec le p^t de vue différent que donnent
d'autres impressions, jusqu'à ne plus pouvoir comprendre
aujourd'hui le plaisir que j'aurais pu avoir un temps à Balbec
à être lié avec le faux roi d'Océanie, ou au Bois de Boulogne
à être vu au moment où je saluais Me Swann, par un certain
banquier mulâtre. Cet éclairage des choses qui selon le p^t de
vue où les relations de société nous placent, qui peut faire
varier l'importance des choses d'un million à zéro, et fait
que pour deux personnes également fines et vaniteuses et
même pour la même à 2 moments différents de sa vie sera
poursuivi avec une égale ardeur pour une à qui d'être du
Jockey [3] représenterait exactement rien, la médaille d'hon-

---

1. Après ces deux points, Proust a commencé à la ligne à « D'ailleurs »
son développement. Mais dans l'espace resté libre il insère sur trois lignes
serrées la phrase : « Mais penser etc... » que nous reproduisons avant.

2. Voici les mots soulignés au crayon bleu : « Un temps à Balbec, ou au
Bois de Boulogne, un certain banquier mulâtre, Gilberte, Gisèle, Mlle de
Silaria. »

3. Il n'est pas sûr que Proust ait mis une majuscule.

neur au Salon, et inversement d'être reçu au Jockey pour
une à qui la médaille d'honneur ne serait rien, selon les
milieux qu'ils fréquentent, les souvenirs, les images, les désirs
qu'elles éveillent, les images qu'à leur tour éveillent ces désirs.
Bien plus cet amour d'un être qui peut aller jusqu'à l'assassinat, jusqu'au suicide, je l'avais vu quand les impressions
que l'être * a causées s'affaiblissent, comme Albertine (il
faudrait renforcer tout cela de ce que j'ai dit d'analogue sur
l'amour sans doute dans ce dernier chapitre, peut'être ailleurs) [,] se détacher de cet être pouvoir se reporter, en apparence aussi inséparable de lui [,] sur un autre, comme cela
m'était arrivé pour Gilberte [,] avait failli m'arriver pour
Gisèle, pour Mlle de Silaria, pour tant d'autres, desquelles
aujourd'hui tout désir était détaché. D'ailleurs que le sentiment tient à nous et non à l'être n'en avais-je pas eu tout à
fait dans le jardin de Combray, n'en avais-je pas encore
maintenant la contre-épreuve, puisque ces sentiments et leurs
nuances les plus variées [1], des personnages inventés par un
romancier pouvaient nous les faire éprouver jusqu'à souhaiter la réussite et à vouloir la confusion d'êtres bons et d'êtres
mauvais que nous savons qui n'existent pas. Même que nous
savons qui ne pourraient pas exister, car quand dans *Les Mille
et Une Nuits* nous voyons chaque fois le Génie de la lampe
avec une docilité merveilleuse aller chercher les plus merveilleuses richesses nous sommes un peu gênés qu'Aladin ne le
remercie pas davantage, nous souhaitons qu'à la page suivante il ait quelques mots plus gentils pour ce bon génie et
nous souffrons qu'il gaspille en les donnant pour une seule
pièce d'or au juif voleur, les merveilleux plats d'argent que
le bon génie lui a apportés. (Peut'être mettre tout cela
avant [2]). Je voyais donc que je ferais fausse route en cherchant
la réalisation des sentiments dans la vie, qu'éprouver ne suffisait pas, qu'il fallait extraire de soi ce qu'on a senti et le poser
devant soi et tous * dans un livre, et non se contenter de le

1. Proust raye : (ces) « émotions des personnages inventés par un romancier » pour le reprendre après.
2. Ici nous fermons la parenthèse, supprimons une virgule, et mettons
un point et une majuscule.

dire en confuses paroles, c'est-à-dire de le laisser ignorer à celle ou ceux qui le provoquent. C'est peut'être après cela que je pourrai dire que d'ailleurs cette réalité spirituelle dont les plaisirs de la vie ne sont pas une réalisation suffisante peut cependant par l'action se réaliser dans la vie c'était une autre question etc.

PV° 44

[Ce que certains noms représentent maintenant pour lui]

(nous donnons d'abord un texte situé au début du Verso de la paperole 44 entièrement rayé à part quelques mots et à des moments successifs pour en rédiger ensuite un second état dans le haut de la page et prolongé sur le côté. Second état qui comporte des corrections n'est pas rayé :)

Q.q. part (l'idée suggérée par Mercier * de Lostende) Guermantes! Swann! St Loup-en-Bray! Noms que je réentendais par moments [1] syllabes dans lesquelles j'avais fait entrer des [2] désirs * chacun si particulier d'amours ou d'amitiés et qui [3] maintenant n'offraient pour [4] mes oreilles, pour mes yeux, avaient perdu tout charme [5] à force d'avoir comme [6] les villes qu'on connaît, subi [7] au cours d'années où j'avais perdu [8] jusqu'au souvenir de mon rêve — le contact décolorant de la réalité.

(et voici la nouvelle rédaction presque identique du haut de la page avec de nombreux mots rayés que nous ne croyons pas nécessaire de signaler :)

1. Proust a rayé successivement : « Noms », « dans les » (syllabes) « desquelles ».
2. Ici Proust raye successivement : « rêves », « images » « rêveries », et « les rêves ».
3. Ici « aujourd'hui je n'entendais même plus » semble avoir été rayé au bénéfice de ce qui suit et après la transformation de « qu' » en « qui ».
4. Ce « pour » se substitue dans les corrections à « plus à » rayé.
5. Remplace « couleurs ».
6. Proust a rayé « les vi » puis « Balbec ».
7. Rayé « trop longt », puis « le contact par ».
8. « oublié » rayé.

q.q. part capital et ceci bon :
Guermantes, Swann, St Loup-en-Bray
Noms que pour un instant je retrouvais après tant d'années
dans mon souvenir avec les mêmes soirées d'autrefois quand
j'avais fait entrer des désirs chacun si particuliers d'amour
et d'amitié dans ces syllabes qui depuis comme celles des
noms des villes où l'on est allé avaient perdu tout charme
pour avoir subi trop longtemps le décolorant contact de la
réalité [1].

PV° 44
[Une vocation]

Capitalissime q^d je dis que tout m'a servi le bruit du
pavage [2] de Venise, l'amour d'Albertine, le Monde etc [3].
Ainsi toute ma vie jusqu'ici (Venise, Amour d'Albertine, vie
mondaine etc) aurait pu et n'aurait pas pu être résumée sous

1. Dans le coin à droite du haut de page un béquet rayé avec une croix à
ajouter après : « Noms que je réentendais par moments ». Ce morceau :
« Syllabes réentendues comme dans un rêve pour un instant avec leur sonorité, leur sens ("signification", seul rayé) oubliés, syllabes dans lesquelles
j'avais fait entrer. »
2. Mot ajouté au-dessus.
3. Ici Proust barre en croix (pour reprendre la même idée ensuite) :
« Ainsi toute ma vie jusqu'ici aurait pu et n'aurait pas pu être résumée
sous ce titre : une Vocation. Elle ne l'aurait pas pu, puisque jamais je ne
m'étais senti appelé, puisque la littérature n'avait joué aucun rôle dans ma
vie; et elle l'aurait pu puisque cette vie je la portais avec moi, qu'elle avait
nourri ma pensée sans que je m'en rendisse compte et que quand les livres
qui se nourrissaient d'elle mangeraient ce qui en réalité avait d'abord
assuré ma propre maturation et ma propre ». (Et il ajoute dans un renvoi
en haut de page :) « nourriture comme ces aliments que nous mangeons
sans nous rendre compte dans certaines graines et qui contiennent * l'aliment de la graine elle-même ». (Renvoi à côté par un petit cercle :) « et ont
permis son développement. » Voir R.T.P., III, p. 899.)
En marge Proust place, le long de ce texte, un N.B. : « NB. C'est un peu
vague, il faudrait ou piocher l'idée chercher graines à albumen et sans
albumen dans la botanique de Bonnier ou abréger beaucoup et ne faire
qu'une allusion ». Il ajoute un certain temps après (car l'écriture est très
différente) : « Non Voir au-dessous forme plus intelligente : ». Et c'est le
texte qui va suivre où il reprend la phrase précédente en y ajoutant une
parenthèse.

ce titre : une Vocation. Elle ne l'aurait pas pu en ce sens que la littérature n'avait joué aucun rôle dans ma vie. Elle l'aurait pu en ce que cette vie, les souvenirs, les souffrances, les joies de cette vie formaient une réserve pareille à cet albumen qui est logé dans l'ovule [1] des plantes et dans lequel celui-ci puisera sa nourriture pour se transformer en graines en ce temps où on ignore encore que l'embryon d'une plante se développe, lequel est pourtant le lieu [2] de phénomènes chimiques et respiratoires secrets mais très actifs. Ainsi ma vie était-elle en rapport avec [3] ce que je produirais. Et ceux qui se nourriraient d'elle * ensuite ignoreraient comme ceux qui mangent les graines alimentaires et qui croient volontiers que les riches substances qu'elles contiennent ont été faites pour * leur nourriture, avaient nourri la graine d'abord et permis sa maturation [4].

MV⁰ 45
[Rendre à certains signes leur signification]

(en marge [5] :)

Introduire cette marge quand [6] j'explique ce que c'est que la littérature : je vivais dans un monde de signes auxquels l'habitude avait fait perdre leur signification. Je lisais à contre-sens le livre de ma propre vie puisque dans Guermantes je ne voyais plus les nymphéas (voir l'image) plus de souffrance (tâcher si possible de dire quelle souffrance) dans la mort d'Albertine, plus de montagnes bleues de la mer dans ce fruit sec qu'elle prenait * q.q. fois chez moi le soir les 1ᵉʳˢ temps, plus de prestige chez le lift, plus de désir d'église puisque

---

1. Proust a d'abord mis : « les fruits ».
2. D'abord « d'échanges respiratoires » rayé.
3. Proust rayera : « ma maturation ».
4. La fin de cette page est en très mauvais état.
5. Cette marge vient à la suite de la paperole 44. Est-ce dans cette paperole qui porte sur la spiritualité de l'œuvre que Proust voulait l'introduire ?
6. Proust qui a d'abord commencé par ce « quand », lui laisse une majuscule.

dès * Balbec je croyais avoir encore à moi le livre de ma vie comme quelqu'un qui aurait un livre mais à qui une congestion suivie d'aphasie verbale aurait ôté la faculté de lire les lettres. Je voulais rendre à ces signes leur signification.

V^{os} 45 et 46
[D'un certain comte grimé en père Saturne
et de Mme Verdurin écoutant *Parsifal*]

(barré en croix — fragment correspondant au Recto 46 :)

Le Comte de (celui qui était dans la loge avec Me de Cambremer autrefois et que j'aurai eu soin d'indiquer arthritique * et que j'ai revu vieux colonel à la 2e soirée de théâtre, la 1ere fois c'est Boni, la 2e fois Luynes, la 3e Béraudi)[1] avait toujours ses traits parfaitement réguliers, mais la rigidité physiologique de l'artérioscléreux exagérant la rectitude * de manière du dandy, cette tête qui semblait autrefois simplement agréable et gracieuse, prenait l'intensité d'expression d'une étude gorgonéenne de Michel-Ange ou de Mantegna et son immobilité même à force d'être intense prenait quelque chose de grimaçant[2]. A la place où fleurissait sur une surface admirablement plane le rectangle de sa barbe blonde, s'étendait le rectangle parfaitement semblable d'une barbe entièrement blanche. Assis à part sur un fauteuil comme il se serait réfugié sur un rocher[3], il faisait comme autrefois le geste de poser sa belle main sur son front mais elle avait l'air maintenant de comprimer des soucis séculaires qu'il avait l'air de méditer. Ce berger Pâris d'autrefois semblait s'être admirablement grimé en père Saturne. En face de lui divinité isolée aussi qui continuait à présider aux solennités musicales, sorte de Norne tragique évoquée *(V° 46)* dans un

1. Ici Proust raye : « avait mis à la place du rectangle de sa barbe blonde un rectangle égal aussi soigné, aussi fleuri de barbe de neige blanche ». Mais cela est repris plus loin.
2. Suit une phrase qui est rayée (sauf « l'inconvénient d'y » sans doute parce qu'il n'y avait plus d'encre au bout de la plume dont le trait va decrescendo) mais qui se retrouve plus loin.
3. Proust écrit d'abord comme sur un rocher, puis il raye et met un fauteuil à la place — oubliant de rayer « comme ». Et il complète en marge.

milieu mondain par [1] Wagner pour servir la gloire de qui elle s'était résignée à aller une fois chez des « ennuyeux », Madame Verdurin écoutait. Elle n'avait plus besoin de faire ses mines d'autrefois car celles-ci étaient devenues sa figure. Sous l'effet des innombrables névralgies que la musique du maître de Bayreuth lui avait fait éprouver son front avait pris des proportions énormes, comme chez ces personnes dont les rhumatismes finissent par déformer le corps; il se bombait en une ardeur douloureuse qui semblait la proclamation [2] d'une esthétique; sa coiffure habituelle rejetant [3] des deux côtés ses mèches blanches semblait [4] chercher à [le] rafraîchir [5]. Mais ses cheveux [6] qui semblaient si blancs (mettre en son temps) quand ils n'étaient que gris et non poudrés, maintenant qu'ils étaient entièrement blancs, l'étaient d'une teinte sale et lourde, presque grise et faisait paraître la figure plus rouge. Et un léger tremblement, reste disait-on d'une petite attaque, agitait imperceptiblement ses

1. Proust raye « le génie » en oubliant un « de » qui suit, comme il oublie de rayer un peu après le mot « était ».

2. « permanente » rayé.

3. Proust raye successivement : « rejetant », « divisant », « écartant ».

4. « les écarter pour » rayé.

5. Ici Proust raye douze lignes et les remplace par un texte qui commence en marge à la même hauteur, texte barré d'ailleurs parce qu'il l'a utilisé (Cf. *La Prisonnière*, III, p. 251). Proust a transporté ce texte, dans *La Prisonnière*, avec des traits un peu différents (qu'il est intéressant de comparer), vraisemblablement au moment où il a transporté le Quatuor de Vinteuil dans le même ouvrage. C'est Vinteuil qui a pris la place, avec ce Quatuor transformé en Septuor, que Wagner tient ici avec *Parsifal*. Nous adoptons le texte qui commence en marge et donnons ci-après le texte barré rejeté par l'auteur :

« On sentait rien qu'à [la] voir qu'elle connaissait le thème d'Amfortas (rayé : « de Kundry ») et qu'elle allait rentrer se mettre au lit; elle avait l'air de la Déesse de la Mélomanie et de la Migraine. Mais cette Déesse était déjà à son crépuscule. Ses cheveux (« si jolis » rayé) qui paraissaient d'un si joli bleu quand ils n'étaient que gris, depuis qu'ils étaient entièrement blancs étaient d'un gris sale qui la faisait paraître trop rouge. Un léger tremblement — reste disait-on d'une petite attaque — agitait imperceptiblement sa tête pendant qu'elle écoutait la musique malgré l'immobilité implacable qu'elle appelait et qui voulait dire : « Vous comprenez que je connais Parsifal! Si j'allais me mettre comme ces jeunes poulettes à exprimer tout ce que je sens nous n'en aurions pas fini. »

6. « si jolis quand » rayé.

épaules – pendant qu'elle écoutait la musique. Elle s'effor-
çait[1] – pourtant à ce moment-là à une immobilité implacable par protestation contre les jeunes poulettes * du faubourg St Germain qui croyaient devoir exécuter avec * leur
tête mille pas de menuet selon ce qu'on jouait. Mᵉ Verdurin,
elle, semblait dire : « Vous comprenez que je le connais un
peu Parsifal. S'il fallait que je me mette à exprimer ce que je
ressens[2] nous n'en aurions pas fini. » Aussi écoutait-elle dans
une immobilité farouche. On sentait qu'elle était artiste[3] et
vaillante, qu'elle connaissait le thème d'Amfortas et qu'elle se
mettrait au lit en rentrant. Malgré sa majesté solitaire et à
laquelle le désir de ne pas avoir l'air de faire des avances aux
ennuyeux qu'elle ne connaissait pas donnait quelque chose
de plus redoutable[4], c'est par ces mots familiers que
m'accueillit quand je m'inclinai devant elle : « Tiens c'est
gentil de reconnaître une vieille camarade. Votre patron est
là-bas qui serait content », celle qui avait l'air de la déesse à
la fois immémoriale et crépusculaire de la mélomanie et de
la migraine.

MRᵒ 47
[Je pensai tristement à ma grand-mère]

Q.Q. part quand je dis que je vais peut'être faire un livre.
Je pensai tristement à ma grand'mère qui avait si longtemps
désiré que je travaillasse et qui était morte en croyant que
je ne travaillerais jamais. Hélas je n'avais d'autre consolation
que de penser que l'anéantissement, si c'était le lot des
morts, ne l'empêchait pas seulement de jouir enfin de mes
progrès, mais aussi heureusement de plus souffrir de ma
vie qu'elle avait aussi marquée.

1. « affectait » rayé.
2. Ici Proust raye : « autrement que par la névralgie ».
3. Remplace « sensible » qui est rayé.
4. Nous supprimons un « je m'inclinais devant » qui ferait répétition.

R° 47 [1]
[Le corps enferme l'esprit]

Q. Q. part la vie humaine pensante dont il faut moins dire qu'elle est un perfectionnement inouï de la vie physique mais plutôt une imperfection encore aussi rudimentaire que le polypier, que le corps de la baleine, dans l'organisation de la vie spirituelle. Le corps enferme l'esprit dans une forteresse; bientôt la forteresse est assiégée de toutes parts et il faut à la fin que l'esprit se rende.

V° 47
[Sur les jeunes filles]

(dans le haut de la marge et barré en croix :)

N B Capital
A plusieurs endroits dans ce livre je dis que pour avoir des jeunes filles je suis obligé de ne pas chercher les mêmes qui sont devenues vieilles, car c'est la jeunesse que j'aime en elle. Il serait mieux je crois d'enlever cela partout et de le mettre seulement dans ce dernier chapitre et j'ajouterais aux morceaux que je retranscrirais ici cette idée importante qui pourrait les précéder ou les conclure : [2] J'aurais pu souvent soupçonner que ce qu'il y a d'unique dans une femme qu'on désire ne lui appartient pas. Mais le temps écoulé m'en donnait une preuve plus complète puisque après vingt ans, de moi-même [3] j'évitais de rechercher la laitière de la station montagneuse et même les amies d'Albertine, mais les jeunes filles qui avaient maintenant le même âge qu'elle avait alors. Déjà ***** [4] puisque ce que je désirais en elles n'y était plus et était en d'autres. Et de moi-

1. Fragment curieusement placé dans un petit espace blanc avec un trait au crayon bleu tracé après coup et qui délimite la partie gauche du texte que nous donnons ici. Grosse écriture, différente du reste.
2. Ici Proust raye quelques lignes qu'il reprend ensuite.
3. Suite dans le haut de la page.
4. Passage effacé.

même je demandai à Gilberte de me faire inviter à des bals, musée de jeunes filles où se retremperait mon goût de la beauté. Mêler probablement ici morceau où je lui demande une petite amie.

V^{os} *47 et 48*

[Les artistes et le public lors de l'exécution de *Parsifal*]

Le g^d hall de la Princesse avait un peu l'air d'une église et aux galeries du 1er étage (chercher le terme technique[1]), d'anciennes maîtresses de piano, artistes pauvres et protégées de la Princesse s'étaient réfugiées là où sont dans l'église les œuvres de miséricorde, les joues bariolées du rose de la vieillesse, les plus modestes et suppliantes penchaient dans une attitude humble et douloureuse que leur faisaient [prendre] les chants qu'elles attendaient, comme si la musique avait suscité autour d'elles toute une statuaire de bois, pathétique et polychromée. Chez la Ctesse[2] de Morienval aussi l'expression qu'elle avait habituellement, de finesse qui prétend démêler, qui est accessible à ce qui est délicat avait fini par engendrer des fossettes, puis une bouche placée, par caprice, comme un chapeau d'Arlequin, tout de travers, si bien qu'elle aussi avait l'air d'avoir eu une attaque. Et fixant sur les instrumentistes[3] comme un sourire amusé, elle semblait, d'un air fin et perspicace, chercher à démêler comment ils jouaient, et pour voir ça de plus près, elle avait pris son face à main et regardait leur jeu comme on regarde un plat, afin de voir comment c'est fait et de pouvoir le dire en rentrant à sa cuisinière. Quand je m'approchais de tous ces gens (mettre cette phrase peut-être pas t^t à f^t là) bien que je fusse tout près d'eux, ils me regardaient comme si j'étais très loin, me disant : « Ah! comme il y a longtemps », mais *(V*^o *48)* d'une voix faible comme s'ils me parlaient de

1. Le Triforium?
2. En marge : « Mettre la Ctesse de Morienval plus tôt tout de suite après Mme Verdurin, ou ». Cf. Versos 45 et 46.
3. « d'un air » (amusé) rayé. Le mot « air » est supprimé pour éviter une répétition avec « d'un air fin » placé un peu plus loin.

l'autre côté d'un grand fleuve qui mettait entre nous [1] de l'espace et élevait des brumes, que leur regard cherchait à percer et ce [2] fleuve, c'était le fleuve du Temps [3]. Pendant tout Parsifal une personne réservée, laissait palpiter dans ses yeux un sourire réprimé et hésitant, qui semblait l'annonce d'un bonjour qu'elle avait souhaité que je lui fis *(sic)*; et soit bonté, soit gêne, soit bêtise, je vis que pendant les plus sublimes moments de Parsifal elle ne pensait qu'à une chose [:] embarras de ne pouvoir me dire bonjour. Je cherchai vainement à quelle femme connue autrefois je devais appliquer ce visage mutin, confus et souriant. Je ne sus que plus tard que c'était à Me Cottard [4]. Cependant pendant toute la fin de l'acte un jeune homme peut-être le petit Chemisey [5] avait [fait] ses préparatifs pour se frayer un passage qu'il avait combiné d'avance comme un assiégé combine * une sortie. Il dérangea cinquante personnes, fit lever des dames, déchira des robes, et arrivé près de moi, me dit : « Comme ils ont bien joué n'est-ce pas [6] [?] » Ayant dit ces paroles son violent désir se trouva satisfait [7], il repartit et il eut tant de peine à regagner sa place que les musiciens durent attendre dix minutes avant de commencer l'acte à cause du bruit qu'il faisait. Des jeunes filles balançaient la tête d'un air mutin chaque fois que les rythmes devenaient très perceptibles. Cela m'amusait de les regarder [8]. Elles s'en aperçurent, arrêtèrent progressivement leur balancier et comme elles croyaient que je m'étais moqué d'elles, encore rouges de colère, me montrèrent en riant à une voisine [9]

---

1. Répétition que nous supprimons de ces deux mots.
2. Supprimé : « en effet c'était ».
3. A partir d'ici jusqu'à « du bruit qu'il faisait » le texte est barré en croix.
4. Rayé : « Un jeune homme traversa. »
5. Ces derniers mots ajoutés au-dessus de la ligne avec le renvoi suivant en marge : « Bloch serait mieux. Mais je crois que c'est impossible puisque je l'ai rencontré avant. »
6. « Risler surtout » rayé.
7. Nous remplaçons un « et » rayé par une virgule.
8. Proust oublie, en allant à la ligne, de rayer « lasser ». Il avait écrit : « Je ne pouvais me lasser » et rayé « Je ne pouvais me ».
9. « leurs voisins » rayé.

pour que ce fussent elles qui eussent l'air de se moquer de moi. Quant à M. de.....

MV° 47 et MR° 48

[Ce n'est que par l'art que je connaîtrai la réalité]

(dans le bas de la marge :)

Capital peut'être q^d je parle de l'âge que je comprends tout d'un coup que j'ai (mais alors il vaudrait mieux que ceci vienne avant la volonté de travailler...) je me dis qu'il est temps si je veux commencer à atteindre ce que j'ai senti q.q. fois dans la vie, dans la promenade avec Me de Villeparisis, dans mes désirs de voyage, dans ma promenade au bois avec Albertine, dans la vue de la laitière etc. Mais je me rendais compte que ces parcelles d'une vie réelle qui à ces moments-là m'avaient fait considérer la vie comme digne *(MR° 48)*[1] d'être vécue, ce n'était pas dans la jouissance de la vie elle-même que je les rencontrerais. Si la vie des jeunes midinettes que j'avais vu accoudées sur l'arc[2] de leurs bicyclettes me paraissait encore merveilleuse, c'est que j'étais passé loin d'elles sans pouvoir leur parler. Parler à la jeune fille du port de (promenade avec Me de Villeparisis) avec Albertine, avec Me de Guermantes, c'eût été simplement extirper d'une réalité médiocre ce que mon imagination y avait mis. Et c'était cela la réalité que je voulais connaître. Je sentais que ce n'était que par l'art que j'y arriverais (fondre ceci avec ce que je dis dans ce cahier de l'inutilité de retourner à Venise[3] et avec ce que j'y dis je suppose l'imperfection de l'expérience et des rapports de l'art avec la mémoire involontaire, avec l'originalité des impressions).

---

1. Ici « Suivre à la page du recto en face ». C'est le Recto 48.
2. Proust désigne ainsi le guidon qui ressemble, en effet, quelquefois, à un arc.
3. Ici, écrit dans les interlignes : « quand j'étais allé à Combray je n'avais rien retrouvé aussi bien que par la tasse de thé, Venise moins que la pierre inégale ».

PV° 48
[L'impression que nous fait l'objet
ne peut être rendue que par l'art]

Voir au dos * de ce papier q.q. chose de tout autre mais Capital.

Pour ajouter à ce qui est en marge[1].

Ou plutôt ce n'est peut'être pas parce que nous parlons des gens du monde que nous mentons. Je mentais autant en disant : « Ah! si vous aviez connu Albertine, elle était charmante, si gaie » car ce n'est pas pour cela que je l'aimais [,] que q^d je disais « Me de Guermantes est si intelligente » car ce n'est pas l'impression qu'elle me faisait. La vérité est peut'être plutôt que ce n'est pas l'objet qui entraîne au mensonge mais la conversation, car l'impression que nous a fait l'objet (Albertine ou Me de Guermantes) est q.q. chose qui ne peut être rendu directement, quelque chose d'ineffable qui ne peut être rendu que par des équivalents que la littérature trouve et qu'excluent les conversations. D'où encore nécessité de l'art pour parler même de ce qu'on a connu de plus simple[2].

PR° 48
[D'un Esprit plus vaste que les Individus
et de Caractères immortels]

Capital

A propos du père Bloch ou autres, dont la figure, le caractère, les crises de colère (au besoin chez moi imitant le despotisme de Papa et de Maman) se reproduisent (là où je parle du père de Nicolas). De sorte que si la communauté de mes idées avec Bergotte et aussi la simultanéité de certaines phrases, de certaines formes de langage, certaines années chez des personnes qui ne se connaissaient pas

---

1. Ce qui est en marge, c'est le texte qui commence dans la marge du Verso 47 et se continue dans celle du Recto 48.

2. Quelques mots en partie effacés qui viennent ensuite n'ont pu être déchiffrés.

m'avait montré qu'il y avait plus vaste que les Individus, un Esprit un, épars à travers l'espace, je me rendais compte aussi que les humeurs des hommes ne meurent pas avec leur corps *et renaissent pour en persécuter d'autres que leur corps ne connaîtra pas mais par* * *l'instrument de leurs descendants* [1]. En sorte que les deux Constatations m'avaient amené à me faire l'idée d'Existences plus vastes que celles des individus, d'un Esprit un, épars à travers l'espace, et de Caractères immortels se perpétuant dans la suite du Temps.

MV° 48
[Il n'y a d'extraordinaire que ce qui s'est passé en nous]

A mettre quand Bloch me demande comment était Swann et que je dis (c'est écrit) vous ne pouvez avoir une idée, au fond j'exagérais car ce que les gens disaient ne m'avait jamais intéressé, ce n'était jamais qu'après coup quand, resté seul, je me faisais homme social, que je me rappelais leurs propos en les admirant. Eux ne m'avaient intéressé que par rapport à moi par une petite impression qu'ils donnaient malgré eux et non par leur esprit, comme si mon rôle ici-bas (auquel je passais d'ailleurs mon temps à manquer) avait été de donner et non de recevoir. En réalité chaque fois que nous disons que quelqu'un du monde était extraordinaire, nous exagérons. Il n'y a d'extraordinaire que ce qui s'est passé en nous, parce que le mystère ne commence que dans la connaissance intérieure. Or ce sont les seules choses qu'au contraire nous ne racontions pas [2]. Il est vrai que nous ne pouvons les raconter — pour les autres — qu'à nous-même, dans le silence. (Peut-être pourrais-je rattacher ici ce que je dis ailleurs sur l'œuvre d'art : enfant de la solitude et du silence. Mais je crois que ce serait trop difficile.)

---

1. Ici au-dessus du point on lit : « céleste ».
2. Renvoi dans le haut de page.

[Quand je prends Mme de Saint Loup pour sa mère]

(texte en marge barré en croix :)

Capital Quand je prends M^e de St Loup (Gilberte) pour sa mère. Cette réplique du visage de sa mère, dont j'avais autrefois, le jour où Bergotte déjeunait chez les Swann, aperçu de profil l'ébauche délicate et saisissante dans le visage d'Albertine, le Temps l'avait enfin poussée jusqu'à la parfaite ressemblance, comme ces artistes qui gardent longtemps une œuvre et la complètent année par année.

MR° 49
[Verdurin à peine reconnaissable]

(textes barrés :)

Dans la scène de la vieillesse qui change tout le monde : *capital*. M. Verdurin s'approcha de moi. Je faillis lui demander ce qu'il avait, il était rendu à peine reconnaissable par d'énormes joues excessivement rouges qui lui fermaient à moitié la bouche et les yeux, si bien que je restais hébété devant lui craignant de manquer de cœur en ne m'apitoyant pas et de manquer de[1] tact en lui demandant ce qu'il avait. Me Verdurin s'approchant de moi me dit : « Hé bien cela vous fait plaisir de le voir. » Comme elle ne parlait de rien je n'osai pas parler le premier de *ce* que j'avais remarqué. Pour tâcher de lui faire fournir des explications la 1ere je lui dis : « Et il va bien? » » « Mais mon Dieu oui pas trop mal » dit-elle comme si elle ne s'*en* était [pas] aperçue. Alors je compris que cela c'était seulement qu'il avait vieilli, changé et que[2] sa figure c'était un des masques du Temps qu'il avait été obligé de revêtir[3].

1. Renvoi plus haut toujours en marge.
2. Renvoi dans le haut de page.
3. Ce texte, vu la similitude de l'écriture pourrait être de la même date que celui de la face intérieure de la couverture et de quelques autres passages. Comme Verdurin n'est pas mort, que sa femme n'est pas encore Mme de Duras et encore moins princesse de Guermantes, on peut penser comme date à fin 1914.

V^os 49 et 50
[Sur tous les changements qui se sont produits
depuis notre jeunesse]

Quand je veux montrer tous les changements qui se sont
produits la nièce de Jupien devenue Ctesse [1] la fille d'Odette
alliée aux Guermantes etc, ajouter ceci. Ces mêmes changements s'étaient produits dans d'autres ordres, collectifs
ceux-là, comme à un petit changement entre 2 aiguilles correspond dans une machine le déplacement d'énormes masses.
Tout ce qui semblait le plus incroyable à notre jeunesse était
arrivé non pas par la violation des lois auxquelles nous
avions cru mais par leur subordination à d'autres lois
auxquelles nous n'avions pas pensé. Le temps où il semblait
matériellement impossible que Picquart rentrât jamais dans
l'armée était si oublié que nous ne songions plus à nous
étonner qu'il eût été ministre de la guerre. Qui m'eût dit
à Combray qu'on pourrait causer de Paris à Balbec j'aurais
cru qu'il me disait un conte de fées. Le téléphone existait
partout. Ce n'était plus dans ces lointaines années de Combray
mais dans les années plus récentes de Balbec (mettre en son
temps, Évian *** [2] Archiduc) que le 1er Président nous avait
assuré que jamais les expériences auxquelles s'intéressait un
de ses amis ne réussiraient [3], que le problème de la navigation
aérienne était insoluble, et maintenant partout de lourdes
automobiles démarraient, couraient quelques pas sur l'herbe
et brusquement s'enlevaient, conduisant les dieux pareils à
celui qui avait effrayé mon cheval sur la route solitaire de
Doville (changer le nom) qui capricieusement montaient
aussi haut que les montagnes, regardaient d'en haut les
affaires des hommes, et y intervenaient comme les Dieux
guerriers de l'Olympe, jetant d'un nuage un coup d'œil qui
renseignait l'armée pour laquelle ils prenaient parti [4], ou

1. Proust ne nous dit pas de quoi. Il laisse un blanc.
2. On croit lire « loyé ».
3. Répétition de « jamais ».
4. Allusion qui semble indiquer que nous sommes en 1914-1918.

semant l'épouvante dans celle des ennemis, ou se battant
entre eux comme les Dieux adverses, en plein ciel, et revenant
faire fourbir leurs armes à des stations aéronautiques situées
sur quelque colline, de Buc ou de Friedrichshafen (voir si
c'est élevé et sans cela en prendre une autre) qui sont leur
Olympe et leur Walhall. Car il y avait aussi la guerre. Et
des ruptures imprévisibles aux lois qui mettaient une nécessité implacable, des « Ce n'est pas du jeu » grandioses,
dérangeant toutes les règles du jeu qui semblaient les plus
assurées, avaient bouleversé aussi la disposition des forces
collectives. De même que j'avais vu des personnes qui semblaient vouées *(Vº 50)* à jamais à rester humbles, s'élever, et
d'autres dont la richesse et la grandeur semblaient garanties
(mettre en son temps un exemple) ruinées et misérables, de
même après une querelle où les collectivités avaient joué le
rôle de personnes, mais de personnes immenses, au corps
grand quarante millions de fois comme un corps humain,
comme dans une dispute de géants et de Dieux, dans une querelle où chacun avait cru avoir raison, comme il m'arrivait
quand je me disputais avec Françoise ou avec maman, la
douce et modeste France semblant vouée malgré la supériorité de sa distinction, de son intelligence et de ses manières
à une situation médiocre était en train de prendre l'immense
situation qui semblait garantie à la toute-puissante Allemagne
et que celle-ci était en train de tomber[1]. De sorte que dans
le monde nouveau, une France ayant des membres nouveaux,
inouïs, allait être étendue devant nous[2], inouïe, renversant
les prévisions de ce qui semblait devoir toujours être, ressemblant à mes rêves et cependant puissamment char-
pentée de réalité, comme les aéroplanes dans le ciel.

1. Indication qui montre que nous sommes dans la seconde partie de la
guerre de 1914-1918.
2. Ici Proust met et raye « comme des aéroplanes dans le ciel puissante »,
mais ce n'est pas son style qui est toujours de terminer par l'expression qui
fait image.

MV⁰ 49 et R⁰ 50
[Le duc de Chatellerault comme Baignères]

(barré en croix :)

Parmi les changements pour l'un ou l'une. Quand je l'eus bien reconnu je me rendis bien compte que ce que j'avais devant moi ce n'était pas seulement le duc de Chatellerault, mais le duc de Chatellerault quand il avait vingt ans. Comme le dessèchement des fleurs de tilleul dans le sac de tisane de ma tante Léonie laissait reconnaissables toutes les parties de la fleur que j'avais vue sur l'arbre, c'était bien la figure d'un jeune homme de 18 ans que j'avais devant moi, d'un adolescent qui n'avait pas su dépasser cette période de sa vie. Des rides se formaient, les cheveux blanchissaient autour de la même figure qui proclamait toujours, soit que la maladie ou le vice l'eussent fait vivre dans une attente perpétuelle qui l'avait fait vivre hors du temps, l'enjouement délicat de la 18ᵉ année. Sous peu ce serait un vieillard, mais ce vieillard serait simplement un jeune homme de 18 ans qui se serait fané sans prendre d'âge et qui enfin effeuillerait au vent les loques méconnaissables d'une fleur flétrie mais qui n'aurait pas changé (Baignères, Berckheim).
¹ Ajouter encore à ce Baignères (qui à cause de cela devrait peut'être venir après ma réflexion qui suit tous ces visages sur le temps écoulé). Seul le visage de celui-là semblait dire trente années, mais ce n'est rien! Cela passe jour par jour, des jours où l'on est tout le temps pareil et quand ils sont passés *(R⁰ 50)²* on est resté le même. La vieillesse mais ce n'est qu'un grimage tout extérieur d'une jeunesse qui n'a pas mûri, pourquoi les défunts ³ redeviennent si vite jeunes aussitôt que le portrait est décrassé par la mort et apparaît reconnaissable comme s'il avait été nettoyé (Nattier).

1. Haut du Verso 49 avec prolongements sur le Recto 50.
2. Passage au Recto 50.
3. « morts » rayé.

MR° 50
[Mensonges de l'imagination]
Capitalissime

A mettre au moment où je parle du désir de retourner à
Venise. Je sentais d'autant plus la nécessité de l'art que sans
cela l'activité mensongère de l'imagination continuerait à
me leurrer des mêmes mensonges que j'avais percés à jour,
puisque de même que je désirais retourner à Balbec, de
même, déjà du vivant d'Albertine, et après sa mort j'avais
recommencé à désirer comme une chose importante dans la
vie, capable d'en équilibrer tout le néant même si la mort
devait arriver aussitôt, de pénétrer l'existence, des midinettes etc qui passaient inconnues devant moi comme jadis
les jeunes filles devant la mer.

V° 50
[L'art qui saisit les choses réelles et particulières]

Mettre quelque part dans cette fin : bien souvent j'avais
senti que les choses n'étaient pas seulement ce que ma pensée
les nommait, que dans la douceur que j'avais eue à avoir
près de moi Albertine, dans l'intérêt que je trouvais à tout ce
qui avait paru être sa vie dans les moments où je ne l'avais pas
connue, il y avait quelque chose de plus que je sentais et qui
était un peu trop loin de moi. Je me rendis compte que l'art
c'était ce qui rapprochait et permettait de saisir ces choses
réelles et particulières qui sont tt le temps à q.q. distance de
notre pensée qui la dominent sans cesse, nous font plaisir,
nous font souffrir, auxquelles nous pensons sans cesse mais
sans les penser véritablement.

[Le général]

Mettre q.q. part pour l'art
Quand après la mort d'Albertine j'avais tant essayé de me
rendre compte de ce que j'éprouvais, de dégager ce qu'il y
avait de général dans ma souffrance, peut-être anticipais-je

seulement sur l'éternité où peut'être ce qui subsiste de nous — pensée qui m'eût fait si mal alors quand je désirais tant revoir ses grosses joues — c'est seulement ce qui n'est pas particulier c'est ce qui[1] est derrière notre action et notre passion, toute la matière générale de notre âme que nos passions particulières délivrent et mettent en jeu mais qui ne sont pas particulières.

M V° 50
[L'impossible réalisé]

(se termine entre les deux fragments du Verso 50)

Mettre q.q. part pour l'Art.

[2] Si j'écrivais, j'arriverais en somme à ce que, dans mes promenades du côté de Guermantes j'avais cru impossible, à ce qu'en effet depuis, jour par jour, pendant des années, j'avais différé. Je pourrais mettre dans ma vie, ce que j'avais souhaité le plus dans mes promenades du côté de Guermantes, ce que j'avais alors jugé impossible et qu'en effet depuis jour par jour depuis tant d'années j'avais différé. De même que j'avais fini par vivre (au point que je ne m'en apercevais même plus) avec l'idée d'abord jugée par moi impossible à supporter, qu'Albertine aimait les femmes. Car nos pires craintes et nos plus grandes espérances ne sont pas au-dessus de nos forces elles peuvent se réaliser et nous finissons par vivre avec elles.

M R° 51
[Sur le vieillissement de Jacques Bizet
pris comme modèle pour Cambremer]

Capital[3]

Quand je parle de vieillissement Jacques Bizet, Suzette je dirai. Comme quelqu'un qui peut facilement se tromper de

---

1. Passage en marge, jusqu'à la fin.
2. Proust hésite. Il écrit notamment : « Si j'arrivais à écrire » et raye. Tout ce texte est barré en croix.
3. Texte barré en croix.

porte si une qu'il ne connaît pas a quelques traits de l'autre que par la pensée il complète de ce qu'il se rappelle être celle qu'il croit, ainsi persuadé que j'avais devant moi M. de Cambremer, Me de Cambremer, je leur parlais ne regardant en réalité d'eux que quelques traits que je faisais [1] rentrer par la pensée dans la synthèse de souvenirs que j'appelais leur personne. Tout d'un coup M. de Cambremer détourne la tête de profil [,] je vis une bouffissure des joues aux coins de la bouche qui n'existait pas chez lui, je détournai pudiquement la tête comme s'il avait eu un abcès [,] q.q. chose dont il était plus convenable qu'il m'avertît le 1er. Et je mettrai là J. Bizet qui continue à rire et ne s'aperçoit de rien. Puis il se mit tt à fait de profil [;] alors je vis déplié devant son visage, ce grand nez de sa mère qu'il n'avait pas autrefois ou qui sans doute était resté collé sur son visage comme une feuille [2].

PR° 51
[Mme Verdurin, M. de Guermantes et Bloch]

Voir une chose importante au dos sur Mille et 1 Nuits et Af. Dreyfus [3].

Si c'est possilble Me Verdurin pour témoigner du dédain s'en ira avant tout le monde et avant l'arrivée de Bloch ce qui me permettra de faire cette scène (Griolet, Sulsbach [4], Polignac)

Soit désir de témoigner une amabilité particulière à une roturière, soit que le dédain de Me Verdurin lui imposât vraiment, mais surtout parce que faire quelques pas, se déranger, sont chose agréable pour celui qui sait qu'on verra

---

1. « complétais » rayé.
2. Ici Proust écrit : « Suivre 4 Versos après. » Au Verso 54 on trouve effectivement sur le même sujet une note en marge et une autre en tête qui se poursuit dans la marge du Recto 55. Cette dernière fait référence à « 4 Versos avant » et à Jacques Bizet. On trouvera ces notes plus loin.
3. D'une écriture différente (droite) de celle qui suit (penchée). Au verso on trouve la note annoncée sur *Les Mille et Une Nuits*.
4. Proust aurait dû écrire : « Sulzbach ».

là qu'il accorde une distinction (et [1] comme son cousin Charlus, M. de Guermantes aimait fort à jouer le Roi ou le
Ministre, se rappelant que Louis XIV invitait Molière et que
le cardinal de Richelieu faisait se couvrir Desmarets et Gom-
baud) le Prince qui était à causer et à tenir cercle, au lieu de
dire adieu à Me Verdurin comme à une autre invitée, traversa
avec elle tout l'immense salon, lui disant : « Trop heureux
de passer quelques instants de plus avec vous », et attendit
avec elle à la porte qu'on fût allé chercher ses affaires. Bloch
arriva au moment où le Prince s'inclinant pour dire [un au
revoir] à Madame Verdurin que celle-ci reçut avec hauteur, et
ne douta pas que l'orgueilleuse dame ainsi reconduite ne fût
quelque Majesté ou au moins une Altesse Impériale ou
Royale, comme il y en avait toujours quelques-unes chez les
Guermantes. Aussi écarquilla-t-il ses yeux, pour bien y loger
cette vision d'histoire et d'art qu'il décrirait quelque jour
dans un livre. Il essaya de « penser » l'idée de royauté en
regardant Me Verdurin, et la fécondation de l'une par l'autre
fut des plus heureuses ; Me Verdurin en effet était belle, majes-
tueuse, son front dont les cheveux blancs étaient relevés à
racine droite semblait attendre la couronne. Il faut avouer
qu'elle a grand air se dit Bloch. Il admira que dans un pareil
moment le Prince daigna le reconnaître et adressa [2] à un si
humble invité un bonjour léger mais distinct. Bloch sentit
son cœur se gonfler d'une reconnaissance qu'il dissipa assez
vite en se disant que sans doute il s'était jusqu'ici trompé
sur sa propre importance qui était plus grande qu'il ne
croyait. Il chercherait le lendemain dans le compte rendu
du *Figaro* quelles [3] Souveraines ou Altesses étaient présentes
à la matinée de façon à pouvoir mettre exactement le nom
illustre qu'il fallait sur l'auguste invitée qui avait si grand air.
Ce fut sa majesté la Reine de Suède qu'il trouva ce qui ne

1. Ici rayé : « et chez le Prince de Guermantes ».
2. « lui » rayé. Mais Proust oublie le subjonctif.
3. Proust a mis d'abord puis rayé : « les noms de ». Mais il oublie de
faire les corrections que cette modification entraîne par la suite. Notons
que la page est déchirée dans l'angle gauche et que le texte, qui a dû être
écrit après cette déchirure, n'en a pas souffert. Auparavant il écrit « conte
rendu » pour « compte rendu ».

l'étonna pas comme il savait par son père que Me de Villeparisis la connaissait. Aussi put-il soutenir quelque temps
après, devant des gens qui n'étaient pas du même avis, que la
Reine de Suède était vraiment belle et avait l'air royal. Le
rôle de cette souveraine avait été en effet admirablement
joué par Me Verdurin « avec son autorité coutumière ».
    N.B. Ce qui est ci-dessus sur ce papier y est mis faute de
place. Mais je ne sais où cela se placera (mais dans ce chapitre [1]).

PV[o] 51
[C'est dans des choses différentes
qu'il faut savoir reconnaître les mêmes lois]

    [2] Quand je dis qu'on fait les Mille et Une Nuits de son temps
sans le savoir dire au lieu de « les Mille et Une Nuits », les
« Mille et une Nuits ou les Mémoires de St Simon ». Et
ajouter : on ne fait cela que si on n'a pas voulu le faire, ce
sont des buts qu'on n'atteint qu'en visant ailleurs [3]. Car la
nature se trouvant sans cesse par le jeu même du Temps en
face de nouvelles données, un même pouvoir créateur ne
peut avoir qu'un résultat différent. Une copie manquerait
justement de ce pouvoir créateur qui fait la beauté de ces
œuvres. Réciproquement c'est dans des choses différentes
qu'il faut savoir reconnaître les mêmes lois. Mais éternellement une superstition matérialiste fait que dans les œuvres
d'art on ferme à son époque le droit au changement (qu'ont
eu les autres [)] et la nouveauté choquante ne semble commencer qu'à Monet, qu'à Toulouse-Lautrec (Moreau) [4] qu'à
Debussy. Et dans l'ordre des faits [5] si on invoque aux yeux du

    1. Ici « *Le Bal de Têtes* ». Ce N.B. est de la même écriture droite du haut
de page. Voir la note 3, p. 408.
    2. C'est le morceau annoncé en tête du recto de cette paperole. Nous
restituons quelques guillemets qui ont été oubliés.
    3. Proust dit la même chose pour le bonheur dans une lettre à la Prin-
cesse Bibesco (voir *Au Bal avec M. P.*).
    4. Sans doute Proust met-il après coup Moreau entre parenthèses, car
Moreau est plus ancien que les autres peintres cités.
    5. « politique » rayé.

dreyfusard son propre dreyfusisme pour qu'il ne soit pas
H[te] Cour, anticongréganiste, antigermanique il répondra [1] [:]
« l'enseignement congréganiste est contre nature, fait des
monstres, l'affaire Dreyfus était entre français, la race allemande veut l'anéantissement de la France de t[t] temps etc. Ce
n'est pas la même chose ». Car personne ne comprend que
même quand c'est la même chose cela revêt un autre
aspect et que c'est parce que c'est la même chose que la réa-
lisa [on] [2] ne peut être la même.

V[o] 5 *1*
[Images de Mme de Guermantes]

Mettre dans cette partie quand je pense à Madame de Guermantes. Quand nous connaissons quelqu'un depuis une
période assez longue et surtout assez variée pour avoir
conservé dans notre esprit des traces différentes, l'image
qu'elle présente à nos sens dans le moment présent n'est
qu'une partie bien petite de l'image totale que nous nous
faisons d'elle et où l'emporte[nt] infiniment en étendue [3]
les souvenirs que nous avons d'elle, et surtout, de l'idée que
nous nous sommes faits d'elle, dans tel temps, puis dans tel
autre. Madame de Guermantes pouvait ne m'offrir en ce
moment que de faibles impressions [4]. Mais j'échappai aisément à leur médiocrité en regroupant ou surprenant *
nombre des images obtenues [5] du côté de Guermantes, de la
descendante de Geneviève de Brabant, de la soirée de gala
où jouait la Berma [6], des visites que je lui faisais l'été dans un

1. Rayé sauf le premier mot : « ce n'est pas la même chose ». Ici Proust
poursuit d'ailleurs dans le haut de la page. Nous mettons le premier guillemet oublié.
2. Curieuse abréviation pour « réalisation ».
3. « le nombre », mot rayé mais avec lequel reste accordé le verbe
« l'emporte ». Ce mot « nombre » est d'ailleurs rayé une seconde fois et
vraisemblablement parce que Proust l'emploie un peu plus bas.
4. Ici vient un « médiocre » supprimé d'un trait de plume à peine visible
devenu inutile par l'introduction au-dessus de la ligne de l'autre adjectif
« faible ».
5. Au lieu d'« obtenues » on peut lire aussi « atténuées ».
6. « de la Princesse de Parme » rayé.

salon frais où on ne voyait pas clair. Que mon imagination y eût une grande part c'était vrai. Mais cependant c'est Mᵉ de Guermantes qui les avait provoquées. Quelque part d'illusion qui y fût mêlée je n'étais pas insensé de m'en [être] enchanté puisque cette illusion tient à la nature de la réalité même et qu'à ce compte-là tout ce qui tombe sous nos sens en est frappé.

[A propos du Temps]

(en marge :)

Capital. (Cela pourrait être mis à la dernière page de ce cahier-ci quand¹ je parle du Temps qui semble si profond. L'est-il tant cependant? Ce qui nous semble si loin, n'est-il pas tout près; les siècles même, n'est-ce pas bien peu de chose. Et les paroles d'Euripide ne nous arrivent-elles pas, toutes pareilles aux nôtres, malgré la distance qui ne nous² paraît si grande que parce qu'il faut la compter dans une direction où ne s'exercent pas d'habitude nos mesures, en profondeur? Ne nous arrivent-elles pas toutes voisines comme ce bourdonnement de guêpe prochain que dans le ciel bleu pâle j'entendais³ un aéroplane faire à deux mille mètres?

PR⁰ 52⁴
[Le pianiste qui a l'air de courir après la sonate]

P.S. D'ailleurs il vaudrait mieux ne faire qu'une seule soirée aussi. Et alors si ce n'est pas à la fin du livre je pourrais

---

1. Ici Proust a éliminé un premier texte qu'il nous semble intéressant de reconstituer à travers les biffures : « Quand je parle du Temps qui même si loin qu'il soit n'est pas si profond : Les années que nous avons traversées nous semblent profondes mais c'est parce qu'elles doivent se compter en profondeur, peut-être seulement parce que les distances doivent être comptées dans une direction où d'habitude ne s'exercent pas nos mesures. »
2. Proust intervertit par inadvertance ces deux derniers mots.
3. « en Bretag » rayé.
4. Au-dessus du passage où Mᵐᵉ de Chemisey morigène le narrateur,

pour la matinée de la P^cesse entrer quand la musique est déjà finie[1].

Quand je parle du pianiste qui a l'air de courir après la sonate (ici ou à Balbec ou chez les Verdurin). Oui c'était comme si, dans un plan autre que celui du monde extérieur (il y en a beaucoup d'engendrés à tout moment sans que notre perception qui rapporte tout à l'étendue ait l'air de s'en apercevoir – par exemple q^d nous pensons) on eût tout d'un coup comme on fait sortir d'une cage un rat fabuleux, lâché la sonate. Les instrumentistes avaient l'air de courir après elle, le pianiste franchissait d'un bond les notes[2] écrites, accrochant au passage [celles] qui ne l'étaient[3] pas, suant, soufflant, faisant sentir la rapidité musculaire de son poignet, cherchait en vain à la rattraper ; et cet ensemble de sensations musculaires dont l'amalgame indique les « moyens du virtuose » et qui interposent entre l'œuvre et l'auditeur un si fâcheux écran n'étaient pas pour les auditeurs comme cela aurait dû être un signe de la médiocrité de l'exécutant mais de sa maîtrise. On se sentait frappé comme le piano lui-même et dans les moments de répit qu'on prenait pour la fin du morceau les applaudissements partaient d'eux[-mêmes][4] et quand on s'était aperçu en entendant les notes reprendre qu'ils étaient prématurés on les continuait un instant encore pour qu'ils eussent l'air d'avoir été motivés par un suffrage voulu décerné à l'interprète plutôt que par une erreur commise au sujet des subdivisions de la sonate[5].

lui reprochant de ne pas avoir assisté à *Parsifal* (voir *Matinée chez la Princesse de Guermantes,* R° 52 du Cahier 57).

1. Ce P.S. en tête de la paperole est évidemment surajouté.

2. « touch » rayé.

3. Le verbe « étaient » est au pluriel, ce qui nous a autorisé à ajouter le mot « celles » qui manque manifestement.

4. Ici le papier est déchiré. Le mot « mêmes » s'impose

5. Dans le Carnet 3 (B.N., N.A.F., 16 639) on trouve un texte que Proust se proposait d'insérer ici (le numéro IX étant, comme nous l'avons déjà dit, le premier numéro attribué par Proust au Cahier coté provisoirement 57 à la Nationale puis définitivement 16 697). Voici ce texte qui occupe le Verso 40, le Recto 41, et la moitié supérieure du Verso 41 :

« Capital devrait être mis dans le Cahier noir IX mais faute de place ici. Quand je parle de la pianiste Antoinette Belloc qui accroche les notes

PV° 52
[Métamorphose d'un personnage]

(texte barré :)

Capitalissime. A propos des différentes vieillesses Pinçay *, il faudrait que toutes fussent des personnages importants du livre[1].

De[2] cet homme long, mince, au regard terne, aux cheveux éternellement rougeâtres avait succédé par une sorte de métamorphose[3] un vieillard aux cheveux blancs, à la gravité consciente d'elle-même et s'inclinant à la bienveillance,[4] une corpulence nouvelle et puissante presque guerrière et qui avait dû nécessiter un véritable éclatement de la frêle chrysalide. Et comme il y avait malgré tout une certaine ressemblance entre le portrait que gardait mon souvenir et le [vieillard][5] puissant que j'avais devant moi, j'admirais l'originale force de renouvellement dans l'harmonie, du Temps comme celle d'un grand artiste qui sait[6], tout en respectant l'unité des lois de la vie, introduire de beaux contrastes inattendus dans ses personnages.

en riant il faudra dire : (C'est à ajouter car le morceau existe mais sans cet ajoutage capital – ou bien le mettre à soirée Verdurin Vinteuil, mais peut'être tout passer ensemble.) Elle faisait beaucoup de fautes et accrochait beaucoup de notes mais à ce moment avec la superbe de Phaeton ayant approché de trop près de la Terre avec le char du Soleil elle faisait en riant un mouvement de la tête compensateur, triomphal et dérivatif car il prétendait détourner vers le rythme (*au-dessus* « Gautier Vignal ») qu'elle sentait et marquait aussi éperdument l'attention du public laquelle avait le devoir autant que la sienne propre de ne pas s'arrêter à ces misérables cailloux du chemin qu'elle heurtait sans y prendre garde dans la joie de se laisser emporter vers les sphères; elle semblait dire comme jadis le président de la Chambre pour les séances : Le rythme continue. »

1. Le bout de la page manque, le P de Pinçay (ou Pençay) est mutilé, comme l'est ensuite le mot « important ».
2. Il semble que Proust ait écrit *De* ou *Ds*. Dans ce dernier cas ce serait une abréviation pour *Dans*.
3. Rayé : « qui avait dû nécessiter une sorte d'éclatement ».
4. Le mot « à » surchargé doit être supprimé.
5. Rétablissement d'un mot rayé sans avoir été remplacé.
6. Nous plaçons entre virgules le membre de phrase qui suit.

M^{r} [1] (mais ceci moins utile) n'avait pas vieilli : simplement une couverture de cheveux blancs avait remplacé celle des cheveux rouges, comme si on avait changé le tapis de dessus d'une table.

MR° 52
[Bergotte dévalorisé]

« Je dirai que je regardais du Bergotte et la P^{cesse} de Guermantes (ou Me de Chemisey) dira ∗∗∗∗ [2] : « Ah c'est bien usé Bergotte, c'est bien fini. Oui je ne dis pas que ce n'est pas gracieux, mais toutes ces gentillesses de style sont peu intéressantes. Du reste les jeunes s'en sont absolument détachés. Rien n'est plus vieux jeu que Bergotte. Et puis toujours le monde. Vous trouvez cela très intéressant le monde [?] C'est peut'être parce que j'y vis mais je trouve ça assommant. Oui je sais il y a des jolis coins. Mais je déteste la littérature où il y a des jolis coins, je préfère des incorrections cela m'est égal, mais je veux des œuvres d'un souffle plus large ». Tel était l'effet du prosélytisme de la jeunesse littéraire, effet d'autant plus facile à obtenir que pour répéter ces phrases et même comprendre ces idées il n'y avait nul besoin de sentir la valeur de ce qu'on lisait. « Il faudra que je vous fasse faire la connaissance de mon jeune neveu Villeparisis [3], il est tout ce qu'il y a de plus avancé, il subventionne toutes les jeunes revues, hé bien il m'a dit qu'on n'y fait aucun cas de Bergotte. »

V° 52
[D'un camarade de St Loup devenu colonel]

(texte barré en croix :)

Quand je parle des gens qui ont vieilli. (Peut'être à ajouter à ce que je dis de Luynes, peut'être pour mêler avec l'idée

---

1. On pourrait lire aussi M^{e}. Mais si l'on considère la couleur des cheveux, il semble bien que ce soit le même personnage que dans le paragraphe précédent.
2. Peut-être : « avec autorité ».
3. « de Montargis » rayé.

de bal masqué que cela présente sous une autre forme) Je
reconnus Mertian[1] * ([2] je l'aurai connu à Doncières camarade de St Loup) malgré ses cheveux blancs de vieillard. J'appris avec surprise qu'il était colonel en retraite. Car j'avais
gardé l'idée qu'il était un jeune homme et à vrai dire il l'était
resté pour moi. La vieillesse n'était ainsi qu'une espèce de
travestissement. J'avais presque envie de le féliciter comme
à un bal costumé. « Ah vous êtes très bien en colonel ». Mais
je crus qu'il s'était blessé en voyant combien il avait de peine
à marcher. [[3] Tout d'un coup je compris que c'était l'âge qui
en lui mettant des moustaches argentées, avait aussi attaché
à ses pieds des semelles de plomb.]

[Comparaison de cette fête avec un rêve]

Je pourrai peut'être comparer aussi[4], (et alors dans une
seule gde phrase : un bal costumé.....[5] un rêve) cette fête
à un rêve où les gens que l'on voit ne sont pas pareils à
ce qu'on se rappelait d'eux malgré quelques analogies.
Comme dans un rêve je demandais mais qui est-ce donc,
tout cela avait pour moi l'incertitude que présente l'univers
à ces gâteux qui ne reconnaissent pas bien, qui demandent
le nom des personnes, et chez qui l'incertitude du spectacle
se traduit par les vacillations du regard.

MV⁰ 52
[M. de Cambremer au seuil de la mort]

(en haut de page et en marge :)

Faute de place : Quand je parle du déguisement des gens
qui ont vieilli je dirai[6] que les grimaces, les costumes du

1. Ici un « ce » rayé.
2. Nous mettons entre parenthèses un renseignement en marge auquel
Proust renvoie par une croix.
3. Nous rétablissons entre crochets le passage rayé de la fin de ce morceau.
4. Proust place par erreur cette parenthèse avant « peut'être ».
5. L'interruption est de Proust. Au-dessous et comme rattaché par une
ligne courbe : « l'univers d'un gâteux ».
6. Proust écrit : « je tirai ».

temps étaient souvent les ordonnateurs d'une mort déjà annoncée. C'est ainsi que M. de Cambremer [1] avec une barbe argentée avait pris une ampleur, une dignité qui lui donnait l'air d'être un prêteur vénitien, d'être une sorte de doge et de magnifique. Pour arriver à ce merveilleux résultat il avait fallu que l'artério-sclérose suite d'une angine de poitrine refilât d'une autre couleur non seulement ses cheveux mais sa chair de vieillard [2] habituellement d'un rouge égrillard, maintenant d'une solennelle pâleur et allongeât toute sa chair en une sorte de substance souvent douloureuse toujours grave qui, pour peu de mois d'ailleurs car le terme était marqué et prochain gardait une grande majesté. (Mêler cela à une des vieillesses. Ochoa [3].) Ces fantômes en étaient en effet car l'heure de leur mort était connue (si je dis qu'ils ont l'air de poser dans la mort, voir..... [4]

MR° 53 et V° 52
[Méconnaissance de soi]

Capitalissime quand je dis que que sans le savoir j'avais été snob, égoïste etc. ajouter et par compensation si j'avais vécu des défauts sans les reconnaître, d'autres choses avaient été en moi que je n'avais pas reconnues parce qu'elles étaient individuelles et peut'être aussi parce que il est de leur essence que l'amour qu'elles nous donnent soit toujours trop mécontent de lui-même pour se connaître [5]. De même que je ne croyais pas aimer Gilberte, pour la même raison, parce que je ne pouvais pas y trouver la joie que j'y recherchais, je ne croyais pas [6] aimer les lettres. En somme pas un jour de ma jeunesse je n'avais pu dire : « je me sens le goût d'écrire,

1. « Cottard » rayé.
2. A partir d'ici le texte est barré en croix.
3. S'agit-il de Raphaël Ochoa signalé dans la thèse de Philip Kolb *La Correspondance de Marcel Proust* (1949)? Voir MR° 55. Ce Raphaël Ochoa pourrait être un descendant d'Eugenio de Ochoa, écrivain espagnol né en 1815, qui traduisit les romantiques français.
4. Rayé : « ce que ». Texte interrompu.
5. Notons ce cas typique de refoulement.
6. Renvoi au crayon rouge dans le haut de la page.

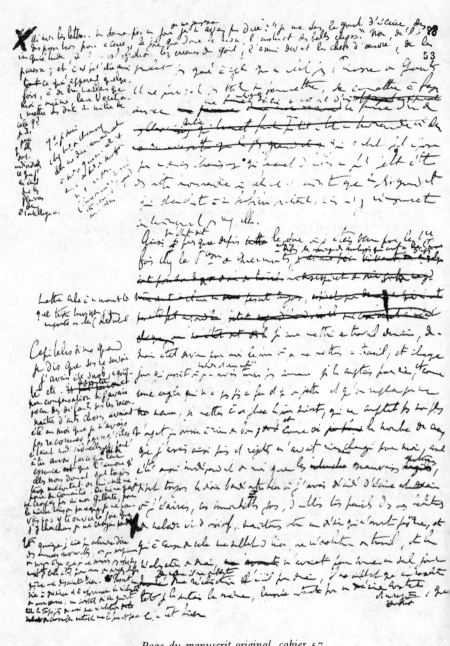

53

88

des dispositions pour écrire, la joie que donne le beau, l'instinct des belles choses ». Non, de l'inquiétude, de l'insatisfaction, les erreurs du goût, l'ennui devant les chefs-d'œuvre, de la paresse; et c'est peut'être ainsi [1] qu'apparaît quelquefois, à de bien meilleurs que moi-même, leur Vocation (mettre sans doute au milieu de cela quand je dis qu'elles sont individuelles ce que j'ai écrit sur les plaisirs de l'intelligence [)]. [2] Et quoique j'aie pu entendre dire des années nouvelles ou pu soupçonner de mon âge que je ne savais pas exactement [3] *(V⁰ 52)* (d'ailleurs l'eussé-je su, nous avons beau avoir toutes les mesures du temps, au fond de nous-même entrevoir comme les hommes ensevelis dans une mine [4] qui ne comptent pas [5] le temps comme on le compte au dehors, et qui n'apprend [6] qu'en revenant à la lumière qu'il est resté quinze jours enfoui, quand il croyait n'en être resté que trois ou quatre [7]), *(M 53)* cela était pour moi de simples chiffres qui ne me disaient rien. Passant ma vie à désirer et à ajourner la réalisation de mon œuvre, un constant désir gardait tout le temps près de moi ma résolution de travailler intacte me le faisait par [8].....

1. Ici un « ce » qui aurait dû être rayé, avec le « tout » qui précède.
2. Reprise au bas de la marge.
3. Une croix renvoie aux parenthèses du Verso 52.
4. « grotte » rayé.
5. « pas » au-dessous de « compter » que Proust oublie de corriger.
6. Proust passe, par inadvertance, du pluriel au singulier.
7. Retour au texte de la marge 53.
8. C'est au milieu de cette note marginale qu'on trouve ce petit texte : « Q^d je suis chez Me de Chemisey elle me dira avec admiration de Me de Guerm. elle est amie de Me de Montyon n'est-ce pas. (Puységur, Wagram, etc Clermont-Tonnerre Forceville.) » Ce qui est piquant c'est qu'une petite-nièce de Proust, fille de Suzy Mante-Proust, a épousé un Puységur. D'ailleurs Proust qui cherche ici un autre nom que celui de Montyon, cite des noms qui comme Puységur, Clermont-Tonnerre et Forceville ne pouvaient être utilisés par lui puisqu'ils étaient portés et appartenaient au surplus à des personnes amies ou connues de lui. Remarquons que ces notes se rattachent aux Rectos correspondants du *Bal de Têtes*. Le passage : « ma résolution de travailler intacte... etc. », par exemple, correspond à la dernière ligne du Recto 53.

V° 53
[Attitude caractéristique d'un jeune inverti,
petit-cousin de Mme de Cambremer]

Capital quand je ne reconnais bien personne.

Mon impression d'incertitude avait l'air d'être partagée et bien moins dissimulée par un garçon fort jeune pourtant et dont le visage attirait l'attention. On ne savait trop pourquoi, comme les gens qui vous trouvent q.q. chose de changé sans savoir si c'est parce que vous avez bonne mine ou parce vous avez coupé votre barbe [1], on n'aurait pas su dire si c'était parce qu'il était beaucoup plus beau qu'on n'est d'habitude (et il l'était) si c'était parce cette beauté avait quelque chose de marqué d'un ver et qui déplaisait, ou par son regard immense [qui] [2] avait l'air de contenir un immense chagrin, ou parce que le cerne noir de ses yeux semblait indiquer qu'il était malade. Pour laquelle des raisons que ce fût il attirait fort l'attention. Mais ce qui en fit bien plus pour moi le personnage de bal costumé que j'imaginais c'est que si on le regardait, il regardait mille fois plus les autres. A peine son regard vous avait-il touché qu'il ne se détachait plus de vous. Ce n'est pas possible, il me reconnaît pensais-je, puis il se mit à regarder d'un air inquiet un des fils de Me Cottard. On aurait dit qu'il n'était pas invité ou avait volé l'argenterie et avait peur d'être découvert. Je n'eus pas de peine à comprendre quelle sorte d'être c'était et que la race des Charlus n'était pas prêt [*sic*] de s'éteindre. « Permettez-moi de vous présenter mon petit cousin de Clévrigny [3] me dit Me de Cambremer » et le jeune homme m'adressa quelques paroles fort bien tournées avec un son de voix pointu qui ne trompait pas, tout en tendant avec sa main un mouchoir en dentelles. Il me parlait mais ne me regardait pas, ses yeux comme des phares tournants éclairaient tour à tour tel ou tel point de

1. Proust avait coupé la sienne en 1913.
2. Proust a rayé « parce qu'il ».
3. Ou « Chevrigny »? Au-dessus de la ligne ces mots : « Si je peux trouver mieux par ex. un petit Bloch? Non. » Proust hésite sur le choix de son personnage.

l'assemblée. Il parut fort ému chaque fois qu'ils rencontraient le fils Cottard. ⁻

V° 53 *(suite)*
[Changement de l'attitude d'un Duc
à l'égard d'un grand financier ayant fait fortune]

¹ Le Duc de X conduisait au buffet la femme du g^d financier aux chasses de qui il refusait obstinément d'aller et aux bals de qui, par sa défense, son neveu était le seul jeune homme de la société qui ne parût point. A cause de cela même il avait reçu dans la cote de la B^ne X un rang particulier et quand des spéculations ayant rendu leur fortune si colossale que leur fille était demandée par ² nombre d'altesses, les parents avaient refusé faisant faire des ouvertures à cet inaccessible neveu du duc, qui l'avait épousée. C'était presque comme le beau-père de sa fille que le duc lui donnait le bras et il allait maintenant à toutes ses chasses. Mais du moins même autrefois avait-elle chez elle tant des amis des Guermantes que là la transition n'était pas trop brusque et l'unité du tableau de la société Guermantes pas trop détruite. Je fus autrement étonné quand ³.....

M V° 53
[Quand on vieillit on est un autre]

(en haut de la marge et rayé ligne à ligne :)

Quand je parle des vieillards bons qui ont été des jeunes gens mauvais, je dirai : quand on vieillit on est un autre, j'ajouterai la vieillesse si elle altère la personnalité des êtres comme les hommes [qui] quand ils vieillissent semblent avoir une personnalité différente, [c'est] comme les arbres dont l'automne en variant les couleurs de leur feuillage semble changer l'essence ⁴.

1. Ce texte situé dans le bas de la page est précédé de quelques mots rayés sur le même sujet et sans intérêt.
2. « des fils de rois » rayé.
3. Interruption. Voir la fin du Recto 54 auquel ce verso peut se rattacher.
4. Ce texte est difficile à reconstituer du fait de ratures successives qui s'annulent. Le sens n'en est pas moins clair.

[Sur M. de Guermantes et Mme de Forcheville]

(en bas de la marge un texte souligné :)

Capitalissime faute de place je vais mettre dans le cahier Babouche[1] ce qui concerne M. de Guermantes et Me de Forcheville.

MR^o 54
[Bloch monte comme les valeurs en Bourse]

(cette note est interrompue par un béquet plus ancien, destiné au texte principal :)

Mêler cela à ce que je dis des raisons différentes de mon chic, de celui de Gilberte etc.

Q je parle de Bloch : lui aussi commençait à être à la mode, car (bien que l'avènement des gens obscurs nous échappe car une fois qu'ils sont arrivés et font pour vous partie du « monde » nous ne songeons pas d'où ils sont partis) il en est de la plupart des gens comme des valeurs de bourse. Il y en a bien peu, et même de la plus mauvaise qualité qui pour une raison particulière qui empêche de voir la loi générale n'ait son heure et ne soit entraîné dans un mouvement de hausse.

V^o 54
[Sur la toilette de Mme de Guermantes]

Quand je vois Me de Guermantes.
Elle portait une toilette sur laquelle chacun lui fit compliment et en effet elle s'habillait disait *-on mieux qu'autrefois. Mais comme les églises les robes n'étaient plus pour moi des êtres existant en eux-mêmes, comme avait été pour moi telle robe de velours rougeâtre qu'on m'avait dit depuis être fort laide mais qui restait dans mon souvenir quelque chose

---

1. Au Cahier Babouche, qui est cité aussi en MR^o 30, mais que nous n'avons pas identifié. On sait que Mme de Forcheville (Odette) deviendra l'amante du duc de Guermantes (R.T.P., III, p. 1015-1017).

d'aussi vivant, y ouvrait autant de flots de vie que l'abside de Combray. Et d'autre part Me de Guermantes n'était plus assez jeune pour que je prisse plaisir à goûter artistement sur elle, comme Elstir le faisait sur les femmes qu'il voyait passer, la délicatesse de son..... ¹ ou l'arrangement de son chapeau. Une seule chose me plut qui comme je le dis devant Me de Chemisey me fit mépriser par elle qui dit : « C'est justement ce que j'aime le moins » et elle avait raison au p^t de vue goût qui m'est indifférent. C'était une certaine surcharge de petits objets, et de dentelles, compliquant un peu le dessin des revers qui me donnait une impression de poésie parce que reste * de son goût, ou mauvais goût d'autrefois, c'était sur sa toilette d'aujourd'hui quelque chose de plus ancien que sa toilette d'aujourd'hui, quelque chose qui n'était pas dans ses toilettes d'autrefois, mais se dessinant en quelque sorte naturellement entre les deux, comme certains ornements qu'il y avait dans la peinture d'Elstir ou certains rythmes dans la prose de Bergotte ², une entité immanente à toute mode ³, mais à plusieurs des robes * qu'avait portées Mme de Guermantes, d'une robe générale, s'adressant en moi à un être plus général, la robe de Me de Guermantes.

MV⁰ 54 et MR⁰ 55
[Sur les traits des visages (les nez en particulier)
qui passent des parents aux enfants]

(note barrée en croix :)

Capital
Quand je parle des déguisements des visages que je ne reconnais plus je dirai : je ne retrouvais rien ⁴ du masque

1. Un blanc laissé par l'auteur.
2. Rayé : « l'entité de la robe de Me de Guermantes soit de sa couturière soit ».
3. En marge, après un « qu'il fût caractéristique de sa couturière » rayé : « ou spécial à elle ou caractéristique de sa couturière, ou mélange des deux qui ajoutait toujours à la mode tout en la suivant, ce genre particulier d'enjolivement presque littéraire (il faudra alors ajouter q.q. petites choses aux robes passées qui sont très mises ou que ce soit ici sur la P^{cesse} de Guermantes) ». Toute cette fin est à peu près indéchiffrable.
4. Renvoi vers le haut de page – lui-même barré en croix.

rieur[1] de Me de Ste Euverte, je le croyais anéanti, quand tout
d'un coup, je l'apercevais qui me regardait, rieur, sur les
traits * de sa fille où il avait maintenant élu domicile[2] comme
s'il existait pour chaque famille un seul masque[3], un seul
loup disponible et vivant, et qui vivant plus longtemps qu'un
individu, s'amusait à rester quinze ans sur le visage d'une
femme, puis en disparaissait et se retrouvait alors tout d'un
coup reconnaissable sur la figure de la fille qu'il déserterait
aussi (Suzy Lemaire)

(dans le haut de ce verso, une note complémentaire, non barrée :)

A propos de ce que je mets ici au verso en marge sur les
visages, mettre avant ceci capital. Le nez immense de sa mère
(ou de son père) qui depuis vingt-cinq ans était resté presque
invisible collé à son petit nez comme une feuille qui bour-
geonne à peine venait[4] enfin de se *(MR° 55)* déplier et oblique
et palpitant se gonflait comme un voile triangulaire à l'avant
de son visage

(ici un renvoi un peu au-dessous dans la marge 55 :)

tout ceci pourra se rattacher à ce verso avant et au passage
Jacques Bizet[5] je ne sais où dans ce cahier, de sorte que ce
pourra être M. de Cambremer qui a ces bouffissures et le nez
de sa mère. Et peut'être même ce pourra être lui (mais pour
ceci bien relire) qui 3 versos avant (Ochoa) a pris une dignité
de doge.
Mettre dans ce cas en son temps à Balbec le grand nez de

---

1. « visage » rayé. Un peu plus loin il semble que Proust a écrit et
rayé « vi » au moment de parler du visage des filles de Mme de Sainte-
Euverte. Mais il s'aperçoit qu'il y aura répétition et il met un autre mot
qui est peut-être « traits ».
2. Retour au point de départ.
3. « visage » rayé.
4. Suite dans le haut du Folio 55. Notons que notre précédente lecture
« Suzy Lemaire » semble ici validée, celle-ci ayant été dotée effectivement d'un très grand nez. Les caricatures de Sem en témoignent.
5. Rayé : « (Ce pourra être M. de Cambremer ***). » Le « passage
Jacques Bizet » se trouve MR° 51.

la vieille Cambremer et le plus g^d nez et le peu de dignité de Cambremer jusque-là très d'Yonville.

V° 55
[Mme Swann, la duchesse, et la princesse.
Chacune de leurs toilettes était un chef-d'œuvre.]

Mettre à un de ces endroits[1]

Me Swann[2], la Duchesse de Guermantes, la Princesse de Guermantes, comme elles m'avaient paru différentes des autres femmes, différentes entre elles au temps où comme un pianiste ou un peintre copiste plein de flamme et de talent, je mettais tant d'âme dans les mêmes traits de leur visage, je les repensais, je les conduisais, je les arquais * selon un même sentiment. Alors chacune était un chef-d'œuvre qui n'avait aucun rapport avec les autres et où tout se tenait. Les petits boutons des manches qui serraient un peu les poignets de Madame de Guermantes dans ses jaquettes du matin quand elle partait en promenade[3], ils étaient presque aussi chargés que ses yeux clairs, que son nez trop busqué, que ses cheveux blonds [de] cette âme particulière, de cette vie étrange, qui quand je la voyais par les matins de printemps ouvrir son ombrelle blanche bombée comme une voile, me semblait la lester comme un jeune navire des mystérieuses cargaisons d'un monde lointain.
Et plutôt dire maintenant tourner la page, verso [suivant][4].

1. Cette indication semble, malgré une ligne qui reste en blanc, se rapporter à ce qui suit.
2. Ce « Me Swann » semble rajouté, le « la » de « la Duchesse » comportant une majuscule.
3. Au-dessus de la ligne : « mettre en son temps l'ombrelle qu'elle avait mettre en son temps ». Il insiste en marge : « Mettre plutôt cela en son temps. »
4. On trouve, en effet, la suite de ce texte au verso suivant, c'est-à-dire ici au Verso 57, le chiffre 56 ayant été utilisé pour une longue paperole que nous donnerons dans l'intervalle.

MV° 55
[Description de la duchesse de Guermantes (?)]

Alors son corps, son nez busqué et long, sa taille cambrée me semblaient seulement la vive entaille, les hardis saillants de sa personnalité unique mordant par réaction sur l'atmosphère traversée et sur laquelle elle mordait, elle se gravait à l'eau-forte avec l'acidité d'une substance inconnue dont le dégagement chimique me prenait si fort à la gorge que j'étais obligé de me retenir pour ne pas crier. Comme tout le reste du monde s'opposait à elle dépourvu qu'il était de cette essence spécifique qui était la sienne et comme en revanche j'aurais été capable d'en extraire quelques choses * aussi bien que j'en subissais l'action, aussi bien que dans ses yeux clairs et ses cheveux blonds, dans les petits boutons qui serraient contre le poignet les manches de ses jaquettes matinales...

[Sur la mort. Le soleil qui tourne annonce la nuit]

Capitalissime
Sur ce que je mourrais bientôt : peut'être quand la personne m'est apparue autre [1]..... j'avais eu dans ma vie ce plaisir si grand comparable à celui que [il m'arrivait] [2] de goûter parfois dans le jardin de Combray assis toute une belle journée sans bouger sous le grand marronnier, d'avoir vu autour de son tronc tourner le soleil. Mais hélas quand on l'a vu aussi vous éclairer successivement toutes les faces on sait que la nuit va venir [3].

---

1. Mots effacés par la colle de la paperole.
2. Mots rayés mais nécessaires au sens.
3. On trouve alors, toujours en marge cette note : « Mettre plutôt cela en son temps », sans savoir si cela se rapporte à la suite en marge ou au texte situé en face, c'est-à-dire au Verso 55.

PR⁰ 56 [1]

[Le vieillissement chez la duchesse de Guermantes
et chez Mme Goupil]

*(une des plus longues paperoles de Proust : 1 mètre 60, insérée
dans le Cahier 57 entre les pages 55 et 57, numérotée 56 au composteur comme toutes les pages des cahiers, et collée au verso de la
page 55. Elle est écrite sur les deux faces — mais à moitié seulement
pour l'une d'elles. Elle est constituée de dix feuilles de papier assez
épais, papier à lettres filigrané* Papier des deux Mondes *au bas
d'une double sphère. Ces feuilles ont été découpées de telle sorte que
la double sphère n'est complète nulle part. Voici la première face
qui nous paraît la plus ancienne. Elle est tachée et rafistolée au
commencement et peu lisible à cause de cela :)*

Capitalissime ces 3 personnes *

Me de Rezké — Legendre, jeune Serpinacio, M^e de la ✳✳✳
[ne] serviront [2] pas nécessairement.

Ajouter aux personnes vieillies

La Duchesse de Guermantes, rose et blonde, avait comme [3]
un air de lassitude qui tenait à ce que [non seulement] cette
matinée, mais la vie elle-même durait depuis déjà bien longtemps. C'était avec une fatigue qui lui donnait un air de
dureté, de tristesse et presque de maladie qu'elle continuait
de garder, appliquée à son visage, sa pesante beauté. Cette
beauté d'ailleurs s'effritait par endroits et comme ces espèces
animales ou végétales qui ayant trop duré s'hybrident, et
ressemblent tellement à d'autres qu'on se demande s'il y a
vraiment une ligne de démarcation infranchissable entre
les espèces, de même M^e⁴ de Guermantes maintenant ressemblait tellement à [5] une célèbre Princesse que j'avais

---

1. Le sens de cette paperole nous a obligé à ne pas tenir compte du
compostage.
2. Ou : « suivront ». Les trois mots en marge et dans l'interligne.
3. Ici Proust a rayé « si la fête avait duré trop longtemps », qu'il
supprime pour éviter une répétition. Ensuite un mot illisible et « est
trop tard » qui ne se raccorde pas au reste.
4. M^e : Madame. Abréviation dont Proust se sert constamment.
5. Rayé : « la D^sse de Mouchy une belle ».

connue encore belle et déjà vieille, et qui n'avait aucun rapport avec la Duchesse de Guermantes, qu'en voyant combien le type de la Duchesse approchait de la limite où il deviendrait le type de cette autre femme on doutait que l'individualité fût quelque chose d'absolu et d'où l'être humain ne pouvait s'évader.

Je vis un jeune garçon trop grand, trop mince, très blond, très pâle, comme une jolie tige depuis peu sortie de sa graine, aux charmants traits, et un mot que Mᵉ Cottard vint lui dire me fit comprendre tout d'un coup que ce[1] jeune arbrisseau était la petite graine que j'avais vue un jour à peine entrouverte et tout en boules près du lit de Mᵉ Cottard (un autre nom serait peut'être[2] mieux) qui venait d'accoucher. Quand on ne revoit un être, un jeune être qu'après un certain intervalle, il est bien difficile de mettre l'humanité hors de l'histoire naturelle tant la croissance d'un jeune homme ressemble à celle d'une jeune plante.

J'aperçus une femme inconnue. Un mot que j'entendis me révéla que c'était Mᵉ Goupil, et d'ailleurs il y avait possibilité en faisant subir à ses traits une retouche inverse à celle qu'y avait apportée le temps de comprendre que c'était elle. C'était elle et elle avait dans sa mémoire des tableaux où elle me renvoyait car elle me regarda longuement. Et pourtant ce n'était pas elle. Car les formes nouvelles qu'avaient prises son nez, ses joues, n'étaient pas seulement d'autres dessins mais des caractères qui avaient une autre signification, comme si elle était offensée, aigrie, au pᵗ que je me demandai si son cerveau n'était pas un peu dérangé. J'aurais dû la saluer. Mais il y a des étendues de notre vie si détachées de nous que les êtres qui y reposent comme dans un fragment de continent détaché et emporté comme une île à la dérive, nous nous croyons excusés de manquer à tout devoir avec eux, dans l'impossibilité de faire son devoir avec tout le monde, comme ces gens généreux qui ayant donné d'énormes pourboires à presque tout le monde en quittant un hôtel, font semblant à cause de l'heure du train qui presse, de ne pas voir le gar-

---

1. Proust avait d'abord écrit : « cette jeune asperge ».
2. Proust écrit toujours « peut'être » avec une apostrophe.

çon du bar qui vient à la portière de l'omnibus. Je ne saluai pas M⁰ Goupil. Et elle quitta ¹ la matinée avant la fin. Si elle m'eût été indifférente je n'eusse formé dans la suite aucun vœu relativement à elle, mais elle ne me l'était pas, j'avais toujours eu beaucoup de sympathie pour elle. Aussi je formai deux vœux. Ce fut ou bien qu'elle perdît son mari qu'elle adorait afin que j'eusse l'occasion de lui écrire une lettre telle qu'elle penserait que je n'avais rien oublié du passé ou qu'elle mourût elle-même, afin que le peu d'existence qu'elle avait encore pour moi s'anéantît complètement et qu'elle ne pût² plus me juger injustement et me croire ingrat envers elle.

(il reste quelques lignes sur cette face de la paperole. Mais elles sont écrites dans le sens inverse et sont la suite de l'autre face de cette paperole que nous donnons maintenant :)

PV⁰ 56
[La société et « l'idée républicaine »,
l'affaire Dreyfus et la guerre de 14]

(ce texte reprend dans les Rectos 53 à 56)

Généralement, à quelque moment qu'on observe ce qu'on appelle le monde, il est divisé, comme un gâteau qu'on aurait coupé en deux parts, pas forcément égales mais qui semblent à jamais séparées³. Or la scission a eu en réalité pour cause une certaine idée, née d'un certain événement, autour de laquelle s'est organisé un double système de cristallisation. Mais cette idée perd peu à peu de sa force et tout d'un coup un autre événement surgit, une autre idée devient seule capitale, la ligne de scission n'est plus la même, des parties d'un des deux morceaux se sont entièrement recollées à l'autre, lequel a envoyé, selon cet ordre d'affinités nouvelles plus d'une de ses parties rejoindre le morceau adverse. Ainsi quand M⁰ ⁴ de Guermantes était encore la Pᶜᵉˢˢᵉ des Laumes,

1. Ici une restauration a brouillé quelques mots.
2. L'accent circonflexe manque. Mais Proust l'oublie neuf fois sur dix !
3. Proust a rayé : « pas forcément par la moitié ».
4. M⁰ : Madame. Nous le rappelons.

la société était encore divisée par l'idée républicaine. Les deux camps étaient les conservateurs et les républicains. A l'époque où je commençai à aller chez Me de Guermantes, on ne voyait plus traces de scission dans des parties du gâteau qui avaient été si nettement séparées. Miraculeusement ressoudés, conservateurs et républicains antidreyfusards formaient un bloc, conservateurs et républicains dreyfusards formaient un autre bloc. L'affaire Dreyfus était le nouvel événement [1] qui détruisait en un instant les deux combinaisons qu'on croyait éternelles et qui étaient instables, en avait fait deux autres, absolument différentes, chacune des deux nouvelles empruntant des éléments de la 1ere. Or la guerre avait été un 3e événement; il différait des autres (en se plaçant exclusivement au point de vue de ses conséquences mondaines) en ce que dans le précipité conservateur, ou dans le précipité antidreyfusard, le précipité adverse n'était pas loin. Me de Gallardon ne saluait plus le P^ce de..... [2] qui siégeait à la Chambre comme républicain avancé mais elle le rencontrait partout; Me de Marsantes ne saluait plus Lady [2]..... (et s'était en échange assimilé Me Swann parce que nationaliste) mais elle se trouvait nez à nez avec elle chez sa couturière. Dans la scission antiboche au contraire, les nobles autrichiens, les ambassadeurs germains si bien vus pour leur antisémitisme furent expulsés; l'autre moitié du gâteau n'était plus en France. C'est ce qui fut appelé l'union sacrée. D'autre part la guerre comme l'affaire Dreyfus fut un sujet passionné de conversations; moins que l'affaire Dreyfus parce que l'adversaire était plus loin, plus que l'affaire Dreyfus parce que l'on n'avait absolument plus de distractions qui nous détournassent d'y penser. Pendant l'affaire Dreyfus c'était chez les seuls militants que la vie de salon avait pris l'aspect de réunions politiques où l'on se retrouvait, soit chez les nationalistes, soit chez les révisionnistes, pour discuter les incidents du jour autour d'une table de thé à laquelle était attendu avec impatience quelque homme important du parti, venant annoncer qu'à la dernière heure Zurlinden ou Galliffet se décidaient

---

1. Proust met constamment un accent grave sur le deuxième *e* du mot.
2. C'est Proust qui laisse les noms en blanc.

à marcher. Beaucoup de salons préféraient se désintéresser, au moins au cours des heures de réunions mondaines, des événements du jour et ne pas adopter cette forme purement politique de la mondanité qui avait pour effet chez Me de Gallardon par exemple de donner une place éminente à tel radical antidreyfusard qu'elle n'eût jamais reçu avant « l'affaire » et d'en exclure telle duchesse ardemment révisionniste. Bien que dans un certain monde il fût convenu que tout le monde était antidreyfusard, cependant on savait, sinon * au dehors, où l'on croyait tout le faubourg St Germain aux genoux du général Mercier, qu'il y avait quelques exceptions, quelques « mal-pensants ». Et même beaucoup de maîtresses de maison qui savaient ne recevoir que des antidreyfusards, ayant dès le début entendu dire que l'Affaire était un sujet de division, un sujet de disputes, interdisaient, avec un petit sourire scandalisé, qu'on en parlât, moins par prudence puisqu'elles ne connaissaient pas de dissidents, que par habitude d'imitation et banalité d'esprit. Mais pendant la guerre toutes distractions mondaines avaient disparu, parler ensemble de la guerre était même la seule excuse qu'on pût trouver pour se réunir et comme les dissidents étaient hors des frontières, il n'y avait aucune crainte de froisser personne, bien que l'expression « mal-pensants » eût survécu à l'Affaire et fût appliquée, par eux-mêmes, aux gens qui trouvaient l'empereur d'Allemagne beaucoup plus intelligent que ne disaient les journaux français et qui haussaient les épaules quand on s'attendait à l'écrasement de l'ennemi. « Je suis très mal-pensante » disait la Duchesse de Guermantes.

Alors comme au temps de l'affaire Dreyfus les hommes informés, les hommes au pouvoir qui pouvaient vous téléphoner si non plus Galliffet, mais la Grèce « marchait » (quitte à être démentis le lendemain par l'événement) furent aussi les hommes les plus recherchés. Mais comme le point de vue n'était plus le même, tel dreyfusard de marque devenu antiboche était reçu en[1] **** dans tel salon jadis nationaliste qui le vouait à l'exécration[1] **** des ministres qui n'avaient connu jusque-là du faubourg St Germain que les

---

1. La feuille est tachée en plusieurs endroits et par suite illisible.

deux ou trois femmes qui désiraient être décorées ou voir leur mari ambassadeur (et nous avons vu que M. de Norpois n'osait pas les présenter même à Mᵉ de Villeparisis), furent recherchés par les duchesses à qui ils téléphonaient dès le matin le résultat de l'offensive ou l'attitude de la Bulgarie. Ainsi s'explique que la Dˢˢᵉ de Guermantes, si élégante, qui avait traversé l'Affaire Dreyfus sans se laisser présenter un seul nationaliste qui ne fût pas du monde, était affublée maintenant de M. Bontemps.

« Elle a dû faire un bien grand effort pour venir ici dis-je en montrant Gilberte. Elle doit tant regretter son mari. »

« Si vous voulez que je vous dise je crois qu'elle a été plus contente de sa mort c'est affreux à dire[1]. » D'ailleurs on prétend qu'elle doit épouser[2] le petit Montesquiou.

« Est-ce un parent des Montesquiou-Fezensac? demanda M. Bontemps. J'avais au sénat un collègue de ce nom. » Cette ignorance non seulement ne déplut pas davantage à la Duchesse que ses expressions rustiques quand nous causons avec un paysan, mais même lui semblait, sans qu'elle se l'[3]avouât, un signe d'intelligence. Nous ne croyons jamais grands les hommes avec qui nous avons toujours dîné en ville, qui sont de notre coterie. Une vive marque qu'ils sont d'ailleurs nous prédispose au contraire à leur faire crédit d'un certain talent. Et puis toute sa jeunesse, la duchesse formée à la mode, avait été choquée par tout ce qui s'écartait un peu du plus élégant savoir-vivre. Maintenant c'était tout le contraire; ayant atteint tout ce qu'elle désirait, fatiguée de sa royauté mondaine, elle était curieuse d'autre chose. Elle faisait l'éloge des hommes d'état radicaux et aimait à raconter qu'elle invitait à déjeuner des actrices. Seule[4] la façon singulière, maniérée, très Guermantes, dont elle disait des

1. Rayé ensuite : « Elle est enchantée d'être duchesse. »
2. Rayé : « est fiancée ». Et Proust oublie de rayer aussi « avec ».
3. Ici Proust écrit ou fait écrire : « Entre ceci et ce qu'il y a au-dessous est ce qu'il y a au dos, » nous obéissons à cette indication et nous revenons à l'autre côté de la paperole.
4. Nous revenons ici à l'autre face de la paperole conformément à une indication de même écriture (droite) : « Ceci se place au-dessous de l'envers du papier ci-dessous. » « Seule » sera répété sur l'autre face.

choses si anti-faubourg, aurait pu rappeler qu'elle avait été une « lionne » « coupant » dans les matinées, sur la plage de Trouville, les femmes ou les hommes qu'elle ne trouvait pas complètement « purs »[1].

Mais comme quand on répond à une phrase patoisante d'un paysan, laquelle est bien loin de vous donner une mauvaise idée de lui, on parle cependant selon les règles qu'on a apprises enfant et qu'instinctivement on applique, Me de Guermantes répondit au Ministre « C'est la même famille, ce sont les Montesquiou », « Mais pardon mon collègue ne s'appelait pas Montesquiou, mais Montesquiou-Fezensac ».

« Oui c'est la même chose, c'était Aimery le chef de la famille mon onk' *. Sa femme, la duchesse de F'zensac était la propre tante de Basin. »

Peut'être dire ici le mot de Me de Belmont « cochon », ou Me de Guermantes me dit « vous êtes un ami de vingt ans » ou réflexion de M. Bontemps et l'oubli d'Albertine[2]. Peut'être me parlera-t-il d'elle?

[3] Il faut que je présente mes hommages... Me de Forcheville dit **** « Vous la connaissez * **** vous plaît. Restez donc ici *. Elle est bête comme eun oie. »

[4] Peut'être tout ce morceau sur les salons pendant la guerre serait-il mieux pendant la guerre quand Cottard vient en major chez les Verdurin (ou chez les Guermantes) et je ne garderais que le dialogue Bontemps (qu'on saurait dès longtemps connaître la Duchesse?) pour ce dernier chapitre.

---

1. Un guillemet manque au mot « purs ». Plus loin Proust veut imiter la façon de parler de la duchesse (onk' pour oncle, F'zensac pour Fézensac et « eun » pour une).

2. Dans l'interligne on lit difficilement : « Ou sur tout ce que j'ai aimé réuni Gilberte Bontemps St Loup Guermantes. »

3. Paragraphe peu lisible.

4. Vient ici cette note d'une écriture très différente et sûrement postérieure.

MR° 57
[Les fils des vies s'entrecroisent
et les lois sont génératrices de grandes ressemblances]

Faute de place :
Capital

Quand je dis qu'après avoir vécu les fils s'entrecroisent, se redoublent, Guermantes 3 soirs * etc. Et ceci n'est pas que par rapport à nous. Les lois sont génératrices. Il y avait eu g^des ressemblances en ma manière de rechercher Gilberte et Albertine, d'aimer Albertine et ma mère, de faire des découvertes en St-Loup et en Albertine etc. C'est que j'étais le même et une fois que notre caractère a fait le moule de nos amours, de nos amitiés etc. tous s'y versent et la vie n'est plus qu'une série[1] d'autres formes de démonstration d'un théorème posé par l'âme. C'est pour une raison analogue que dans un roman vivant c'est-à-dire où chaque chemin mène dans mille autres, tant de gens se reconnaissent bien qu'ils n'y aient pas été peints. Pour appuyer que telle personne qui n'est pas Odette ou qui n'est pas M.[2] de Guermantes soient elles, ne pourront-elles trouver qu'en effet à la fin M. de Guermantes entretient Odette dans les mêmes circonstances où M. de Guermantes entretient cette dame, pendant que tel autre n'hésitera pas à se reconnaître en M. de Guermantes parce qu'en effet il a bien une race spéciale, un frère connu pour le même vice, un neveu de même physique et mort à la guerre. Les couleurs qui font les bons portraits sont celles qui servent pour tout le monde.

V^os 57 et 58
[Mme Swann, la duchesse de Guermantes,
leur original enchantement était dans ma pensée]

Suite du verso précédent[3].
Madame Swann! la Duchesse de Guermantes, la P^cesse de

---

1. « de vérifications » rayés.

2. Il y a un renvoi vers le haut de la marge. Mais le point qui suit et le sens général nous incitent à penser qu'il s'agit d'un M. et du masculin.

3. Indication de l'auteur. Ce verso est le Verso 55, le chiffre 56 ayant été attribué à la paperole qui précède.

Guermantes qui chacune d'une essence[1] pour moi, d'une vie
si particulière qu'elle circulait comme un souffle délicieux[2],
reconnaissable entre tous, dans ce qui même ne faisait que
dépendre d'elles, leurs robes, leur écriture, leur papier à
lettres, leur antichambre, et embaumait à jamais les endroits
où je savais qu'elles avaient passé, et qui maintenant me semblaient à peine * faciles à distinguer de tant d'autres femmes,
découpées selon un dessin [à] peine différent dans la
même matière. Je comprenais que là encore ce qui avait fait
la différence des choses, la réalité des actes, l'original enchantement des heures, c'était de la pensée. Et c'est parce que
maintenant comme un exécutant, un copiste médiocre qui ne
sait plus repenser les œuvres, croquer[3] selon un même sentiment chaque trait, je me peignais à moi-même froides et
indifférentes cette Me Swann, cette Duchesse de Guermantes,
cette Princesse de Guermantes qui jadis [quand] j'aimais *
en elle une entité préconçue, m'apparaissait chacune en sa
splendeur originale aussi différente dans les fresques générales qu'était alors pour moi le monde que dans celle du
Louvre, de Rome et du Palais des Doges, ...[4] et Venise *(V^o 58)*
Reine des Mers. Quelle déception. Ce n'était pas dans ces corps
mais dans ma pensée. Une déception; non une encourageante
indication[5]. Si ces trésors étaient dans la pensée, n'était-ce pas
sur elle qu'il fallait désormais m'appuyer; n'était-ce pas en
elle qu'il fallait chercher la vie de ces cités, de ces corps qui
défaillaient quand ma pensée ne les soutenait plus. Et pouvais-je m'attrister puisque je me rappelais maintenant que
quand j'avais revu ma grand'mère pour la 1ere fois en rentrant
de chez Montargis et déjà à Combray, dans le petit jardin le
soir, quand je voyais Swann, je m'étais rendu compte, je
m'étais dit ⁂[6] que voir * c'est penser; l'erreur était tou-

---

1. Il semble qu'« embaumé » soit rayé. Proust utilise ce mot un peu plus
loin.
2. L'auteur avait d'abord écrit : « qui chacune avaient été remplies ».
3. On peut lire aussi : « arquer ».
4. Points de suspension de l'auteur. On peut lire aussi au lieu de Louvre
Sienne.
5. Proust avait écrit puis rayé : « encouragement ».
6. Le membre de phrase est placé au-dessus de la ligne.

jours de ne pas me rendre compte que nous vivons, même notre vie avec les autres notre vie extérieure au dedans de nous.

MV° 57
[Moi aussi j'avais méconnu d'abord
la grande élégance de Swann]

(en marge avec trois renvois :)

Quand je m'étonne qu'on croie que Forcheville était plus chic que Swann : Il est vrai que cette g^de élégance de Swann qui me semblait une vérité d'évidence et que j'étais étonné qu'on méconnût, je l'avais longtemps ignorée, ayant d'abord cru avec mes parents à Combray que Swann ne voyait que des agents de change (directement) et ensuite qu'il n'allait[1] dans des salons Villeparisis que parce qu'il ne pouvait faire mieux, qu'il était un homme élégant mais à qui le vrai faubourg était fermé. Mais une fois[1] qu'on sait une chose il semble qu'on ne l'ait jamais ignorée et on est injuste pour[1] ceux qui en sont encore à cette phase de notre évolution. Les d'Hacqueville de Me de Sévigné (plutôt le faire dire par ma g^d mère, peut'être pas pour Swann, sinon le dire ici pour Swann [)].

MV° 58 et MR° 59
[Les tournants de la vie, la mort et le temps]

Q.Q. part quand je parle de l'assemblée des masques (vieillis) ou bien des tournants de la vie et peut'être grâce à ce morceau les masques pourraient mener aux tournants, mais peut'être pas, et si non, peut'être le morceau pourrait être coupé en 2, moitié aux masques, moitié aux tournants. Et quelques-uns étaient costumés en q.q. d'invisible que j'avais vu à la première soirée chez la P^cesse comme Swann, St Loup. Étaient-ils là, en ce cas c'était en costume que les yeux ne voient point, disant des paroles que les yeux n'entendent point. Comme la mort était venue autour de moi toujours de

1. Renvoi plus haut dans la marge.

la façon qu'on ne l'attendait pas, car si les causes sont natu-
relles, comme elles sont inconnues, l'effet frappe là où on ne
croyait pas, comme dans l'attaque mystérieusement prépa-
rée d'un ennemi qui cherche à vous dérouter. On attend ce
qui semble prévisible. Et par exemple je pouvais étant si
malade à Balbec (bien l'indiquer en son temps, regards des
gens) m'attendre à ma mort, et[1] toutes les personnes qui y
étaient s'attendre. Or c'est tous ceux qui la craignaient qui
brusquement de la façon à laquelle on ne pensait pas, à
droite, à gauche, étaient tombés, le 1ᵉʳ Président frappé par
un plaideur fou (le mettre en son temps), Sᵗ Loup à la guerre,
Albertine d'un accident de cheval. Et pour Albertine[2] après
avoir tant souffert de sa mort, maintenant cela ne faisait
qu'une « vue » de plus comme une image de lanterne
magique (comme pour Sᵗ Loup) après l'avoir vue sur la plage
entre les jeunes filles. Croyant ne jamais la connaître, puis
l'ayant eue tout à moi, puis sa mort étant comme une image
de plus une possession de plus de ma vie (tout ceci très mal
dit pourra faire articulations pour le morceau sur les tournants, sur l'indifférence à l'égard d'Albertine maintenant).
C'est d'ailleurs de la même manière que les causes avaient
agi socialement et politiquement. C'était encore une mesure
du temps. Sᵗ Simon qui écrit longtemps après l'époque où
se passe le début de ses mémoires dit souvent : « qui lui aurait
dit que son fils *(MRᵒ 59)*[3] qui lui aurait dit que son gendre
[».] Ainsi pouvais-je dire : Qui aurait dit à Albertine, à Sᵗ Loup
qu'ils mourraient avant moi, qui aurait dit à ma gd'mère
que les hommes voleraient[4], à Odette que sa fille épouserait
Sᵗ Loup, qui aurait dit[5] à M. de Norpois que Picquart serait
ministre de la guerre, que[6] la France s'agrandirait de l'Alsace-
Lorraine, que la puissance de l'Allemagne serait brisée. Et

---

1. Nous mettons une minuscule à « et », car Proust a marqué la virgule
qui précède avec beaucoup de vigueur.
2. Rayé : « comme pour Sᵗ Loup ».
3. Proust précise : « Suite de la marge au verso ». Il répète le membre
de phrase qui suit en tête de la marge 59.
4. Ici on lit un « à Norpois » qui ne se rattache à rien.
5. Proust écrit « que Dreyfus » et raye « Dreyfus » oubliant le « que ».
6. Ici un mot rayé qui semble être le début de « Constantinople ».

pourtant tous ces événements si insolites qu'ils paraissent par rapport au passé si différent, si naturels qu'il semble [*sic*] à nous qui les connaissons et parce qu'ils font à leur tour partie du passé [1], quelque rôle que la volonté humaine y ait joué (si St Loup était resté à l'état-major il n'eût peut'être pas été tué, si l'empereur Guillaume n'eût pas déclaré la guerre, la figure de l'Europe n'eût peut'être pas changé), ils ont été amenés par ces causes rationnelles et nécessaires [2] collaborant avec cette volonté.

V[o] 59 *et MV*[o] 59
[Il ne craint pas de vieillir
parce que le but de sa vie est devant lui]

Capital

Je repensais à ce que m'avait dit Me de Guermantes chez Me Verdurin de sa tristesse de vieillir et je pensais que quoique je me fusse aperçu du temps je n'étais pas triste de vieillir parce que je mettais le but de ma vie non derrière moi mais devant, ne me considérant pas comme une fleur qui se fane mais comme un fruit qui se forme et que les années qui viendraient ne m'éloigneraient pas de quelque chose que je tâcherais de trouver.

[Sur Bloch et sur Mme Verdurin]

Dire que à cette soirée Bloch connaît tout le monde. Quant à Me Verdurin elle a une énorme situation, la joie d'une classe de + [3] cherche à l'amuser comme la Duchesse de Bourgogne Me de Maintenon. Mais qui sait si tout cela ne se déferait.....

---

1. Ici un passage rayé que Proust reprendra pour terminer sa phrase. Voici ce passage rayé : « ont été amenés par des causes rationnelles * mêlées à la part du hasard qui naît de la ... »
2. « collectives » rayé, ou « collaborant ».
3. Abréviation de l'auteur : + = plus.

[Que la vie permet certaines rectifications]

[1] A un de ces endroits
En voyant les deux tableaux, tableaux déposés pourtant en moi-même[2], si différents que me présentaient les Guermantes autrefois et maintenant, Maria me disant à mon gré toutes les choses que je n'avais pas espéré jamais entendre d'elle (à la loge) et m'ayant présenté[3] comme une chose toute naturelle l'image de cette fille facile dont, quelques années avant, chacun et moi-même eût juré qu'elle était la plus éloignée[4], la vie m'apparaissait comme ce qui me permettait de rectifier le premier, comme une connaissance comme une conquête, comme un travail chimique finissant par faire apparaître les éléments dont une chose est faite.

(en marge au bas de la page comme le texte précédent (V⁰ 59) et d'une écriture identique, comme une variante de la fin de ce texte :)

(MV⁰ 59) Cela me faisait apparaître ces premiers tableaux, ces premiers personnages comme un décor, comme * alors la vérité pour tous et par conséquent sans secret caché, et dont moi maintenant je savais qu'ils cachaient[5] autre chose. De sorte que la vie m'apparaissait comme une sorte de connaissance qui ajoutait aux visions en apparence les plus immuables d'autrefois une beauté secrète et nouvelle.

1. Ce morceau d'une écriture très mauvaise est probablement plus ancien que les deux qui précèdent. La présence de Maria montre que nous sommes avant 1913.
2. Membre de phrase en apposition, placé sous la ligne.
3. Ici Proust fait une correction qu'il n'achève pas. Il laisse « présentant » au lieu de mettre « présenté ».
4. Une ligne un quart rayée et que voici : « la vie apparaissait comme le changement dans nous ou les autres, comme une connaissance, comme une conquête ».
5. Proust a rayé « étaient » et oublié de mettre « cachaient » au pluriel.

MV° 59
[A propos du jeune Cambremer] [1]

Mis ici faute de place
Le jeune homme si beau qui aura l'air irrésistiblement
tante pourra être le jeune veuf Cambremer. Les gens se
voyant regardés ne comprendront pas mais demanderont qui
c'est. « C'est un neveu par alliance des Guermantes, M. de
Cambremer. » « Comment M. de Cambremer ? Cela ne va
guère avec les Guermantes. » « Mais je crois que ces Cambremer sont des gens comme il faut. » « Oui, mais ce n'est plus
du tout la société des Guermantes. » « Je crois qu'il a épousé
une fille du Bon de Charlus. » « Tiens alors M. de Charlus
se sera marié 2 fois parce qu'il me semble que de sa première
femme qui était une P^{cesse} de Bourbon il n'avait pas eu d'enfants. » (Ceci déchaînera aussi les réflexions sur ce que les
gens ne connaissent plus rien tandis que mon gd'père
connaissait tous les tenants et « l'essence » de chacun.)

PR° 60
[Comment il juge maintenant la première partie
de sa vie : j'avais été un snob ridicule, etc.]

*(cette paperole est écrite sur papier à lettres filigrané à la Sphère
des deux Mondes. Elle est collée dans le haut du Verso 59 et elle
est paginée 60 :)*

Capitalissime
A mettre à un endroit quelconque soit de cette fin, soit
pas mal avant par exemple à Venise [2].
(N.B. *Au dos de ce papier* j'ajoute encore à ceci :)
Ce qui marquait comme à une autre partie d'une horloge
astronomique (mettre mot exact) le temps écoulé (Mais si
c'est à Venise je ne parle pas du temps écoulé et j'enlève

1. Comparer avec le fragment antérieur sur le jeune inverti.
2. « Cette fin », c'est *Le Temps retrouvé,* tel qu'il est développé sur les pages
de droite du Cahier. Quant à Venise, Proust en a placé le séjour dans les
Cahiers 47, 48 et 50, puis dans *La Fugitive* (III, p. 623). Il n'a pas placé ce
texte dans Venise. L'eût-il introduit dans *Le Temps retrouvé* s'il avait vécu
plus longtemps?

ce début de phrase qui reste si c'est le dernier chapitre) c'était que mon caractère depuis quelque temps était si entièrement différent de ce qu'il était autrefois, que cette seconde partie de ma vie était placée comme en face de l'autre, distincte comme un miroir qui réfléchissait tous mes défauts d'autrefois, aperçus maintenant pour la 1re fois. Je me rendais compte que j'avais été un snob ridicule qui n'avais pas osé saluer Bergotte devant Me de Guermantes. Certes je n'aurais plus été capable d'une pareille lâcheté mais ce n'est que d'aujourd'hui que je la trouvais coupable parce que ce n'est que d'aujourd'hui que j'en avais conscience. A ce moment-là la poésie du nom de Guermantes me cachait tout[1]. Et pourtant tout en me jugeant sévèrement pour la 1re fois, tout en me sentant meilleur, je me demandais si je valais mieux quand la poésie du nom de Guermantes pouvait me cacher à moi-même le mobile d'actions dont je m'abstiendrais maintenant parce que les jugeant du dehors avec un froid prosaïsme, ne pouvant plus les embellir, je voyais ce qu'elles avaient d'indélicat.

Pour la 1re fois je me rendais compte que du jour où j'avais cru qu'une jeune fille aimait les femmes, ne pensant qu'à calmer ma jalousie, j'avais aussitôt commis l'infamie de vouloir la donner pour belle-fille à ma mère, et l'avais possédée dans notre demeure. Ainsi si les romans de Balzac m'avaient longtemps paru absurdes, parce que peignant des êtres comme moi, il leur avait prêté des grossièretés de nature qui me révoltaient, j'aimais maintenant ces romans parce que je me rendais compte qu'il n'y avait pas une infamie de ces personnages dont je n'aurais à un moment été capable. De même pour Baudelaire. Autant j'avais aimé « le soleil rayonnant sur la mer » [autant] j'avais trouvé la plus absurde rhétorique dans des pièces comme « Si le viol, le poison, le poignard, l'incendie – citer tout entier » – Or maintenant je me rappelais, avec quelle passion j'avais souhaité la mort d'Albertine dans les moments où je croyais qu'elle ne

---

1. Au lieu de la phrase qui suit Proust avait d'abord écrit : « je me rendais compte que du jour où j'avais cru qu'une jeune fille aimait les femmes... » Il raye et reporte cette phrase au paragraphe suivant.

reviendrait pas j'avais tant pleuré cette mort. Sans doute cette mort je l'avais pleurée, mais parce qu'elle me causait un mal [1] que j'ignorais quand je la désirais l'appelais de mes vœux, peut'être aussi parce que n'ayant plus le choix entre sa vie loin de moi et sa mort, je pleurais la souffrance que me causait sa mort sans savoir que la souffrance de la savoir vivante et à d'autres eût été plus intolérable encore car morte, je la conservais t' [2] de même pour moi. Le temps écoulé se marquant encore à d'autres heures.

PV° 60
(voici la suite annoncée et qui occupe une partie du verso de la paperole :)

[A propos de son nouveau caractère]

Pour ajouter à ce qui est au dos sur mon nouveau caractère (en écrivant ceci je ne relis pas ce papier, de sorte qu'il peut y avoir des doubles emplois).

Le caractère de mes parents à qui j'avais été obligé de donner l'hospitalité en moi et qui s'était déjà manifesté quelquefois dans mes théories * pleines de bon sens à l'égard de Françoise et d'Albertine avait pris peu à peu l'empire sur le reste de mon caractère. Si autrefois dans l'agitation sentimentale de mes paroles il y avait chez moi un réaliste sensuel que je n'apercevais pas, en revanche maintenant peut'être restais-je un agité et un sentimental, en tout cas la froideur de mes propos, le calme imperturbable de mes mouvements commandaient en moi extérieurement mon caractère; les autres parlaient, j'écoutais; je pouvais souffrir, je trouvais comme ma g[d] mère mourante inutile de me plaindre et dans les séjours [3] je laissais tout le monde me bousculer et disais que cela ne faisait pas aller plus vite [4].....

1. « souffrance » rayé.
2. Abréviation de l'auteur.
3. Le mot coupé par le collage « séjours » est présenté ici à titre d'hypothèse. Le mot « déménagements » avait d'abord été écrit puis rayé.
4. Interruption.

PV° 60
[Persistance des nuances dans le snobisme]

Q.Q. part. Non seulement la guerre n'avait pas amené les g^ds changements qu'on croyait mais Me de Sixtours [1] quand on parlait de Me de Villeparisis disait laquelle : la Ctesse ou la B^ne? La B^ne [2] qui fait en ce moment son service d'honneur auprès de la reine d'Angleterre est ce qu'il y a de plus élégant, la Ctesse ce qu'il y a de plus déclassé. Pourtant Me de Sixtours quasi dame d'honneur de l'impératrice de Russie avait vu la fin de celle-ci. Mais il est probable que les nuances du snobisme n'eurent pas moins d'importance à la veille de l'échafaud. Elles ont repris après la Révolution existant dans une société républicaine. Quant * à des caractères aristocratiques comme Me de Guermantes, St Loup (qui du [3] reste s'harmonisa si bien à la guerre [qu']il y mourut), Charlus, la M^ise de Villeparisis, dussent-ils ne pas reparaître que leur intérêt n'en serait pas moins g^d, les Révolutions qui se sont succédé * depuis n'ayant pas diminué l'intérêt des dames de l'Ancien Régime ou des Pharaons d'Égypte

MR° 61
[Le Temps change les êtres, mais pas le souvenir
que nous en gardons]

(texte barré en croix — même le renvoi en haut de page :)

Capital
je ne sais où je redésire [4] la laitière de la montagne du chemin de fer et je me dis qu'elle est maintenant vieille pendant que je la désire tellement jeune. Alors j'ajouterai ceci

1. Proust a d'abord écrit puis rayé « Sep ». La fin de ce nom est difficile à déchiffrer. Mais le même nom revient plus loin et nous lisons plutôt Sixtours, graphie que nous adoptons avec des réserves, bien entendu.
2. « Ctesse. » rayé.
3. Mais Proust semble écrire « dut » !
4. Le « re » est détaché du mot.

pour finir : [1] car le temps change les êtres sans changer l'image que nous avons gardé d'eux et que nous ne pouvons plus atteindre en dehors, quelque violent désir qu'elle excite en nous. Et la tristesse naissait en moi de [2] cette opposition entre l'instabilité de la personne et la fixité du souvenir.

V° 61
[Prestige des Guermantes]

Mettre quelque part pour le nom de Guermantes [3] A l'époque où j'avais entendu dire que les Guermantes étaient de puissants seigneurs cette idée ne se rattachait pour moi à rien, je ne connaissais pas les autres ducs je ne savais rien, les Guermantes isolés sur un fond vague comme une cathédrale dans le brouillard semblaient quelque chose d'unique et qui venait du ciel. Il en était tout autrement [pour] [4] toutes les maisons ducales dont la vie mondaine m'avait donné une connaissance expérimentale et les lectures historiques une connaissance rationnelle [5], et auxquelles elles m'avaient fait rattacher les Guermantes. Mais leur nom gardait encore des traces de la couleur dont il avait été autrefois recouvert par mon imagination plus vive, et par moments quand je le lisais par une sorte de dédoublement je m'éloignais de ce qu'il était pour moi aujourd'hui, je le revoyais dans une espèce de rêve, je ne doutais pas qu'un jour je n'appris[se] pour quelles raisons mystérieuses ils étaient des seigneurs uniques en lesquels résidait cette vertu que au fond de mon passé j'entendais résonner dans leur nom et auxquels il eût [6] été dérisoire de comparer les Uzès ou les La Rochefoucauld voire les Orléans et les Bourbons. Comme une corde unique ayant peu de jeu

1. Proust écrit d'abord et raye : « et une tristesse naissant parce que je sentais... »
2. Renvoi en haut de page.
3. En marge : « très important ».
4. Mot rayé que nous rétablissons.
5. Ici Proust raye des noms qu'il reprendra en partie un peu plus loin : « les Noailles, les Uzès, les La Rochefoucauld, les Gramont ».
6. Un renvoi en marge.

et s'enroulant autour d'un treuil revient à intervalles étroits toucher à des hauteurs différentes, les points divers du treuil autour duquel elle manœuvre, il semble que la vie ait des rouages assez peu nombreux d'être toujours les mêmes pour que quiconque a [un] peu vécu, nous les ayons à diverses reprises retrouvé sur une petite hauteur[1] de durée, prenant contact avec nous d'une façon différente. Mais cette identité des acteurs de ma vie me plaisait aussi parce que j'y voyais j'y sentais agir la vie elle-même, j'en dégageais de la vie, dans divers usages et dessins qu'elle fait des fils qui composent sa trame ᵕᵖ [2].

M V⁰ 6 1
[Mᵐᵉ de Cambremer mélomane]

A propos de la musique qu'on entend dans ce cahier ajouter (capital) les personnes mélomanes non seulement se regardaient avec connivence à chaque air qu'elles aimaient mais avaient l'air de montrer l'air lui-même comme un délicieux enfant dont elles se signalaient silencieusement les grâces tandis qu'il s'ébattait divinement. Même pour montrer comme elle le connaissait bien Madame de Cambremer mettait son index debout devant sa bouche appuyé sur le bout de son nez comme prête à indiquer une mesure que le silence du lieu l'empêchait de battre ou peut-être d'indiquer par ce signe chut le silence qu'elle était obligée de garder.

V⁰ 62
[La princesse de Guermantes ;
les différentes significations de son immuable visage]

A mettre à un de ces endroits
Même cette seule figure que je n'avais pas vue très souvent de la Pᶜᵉˢˢᵉ de Guermantes, toujours semblable posant si

---

1. Ou « portion ». Cette image du treuil se trouve déjà au Recto 65. Elle est reprise dans le T.R. (Pléiade, III, p. 351). Mais là c'est le seau qui vient toucher la corde.
2. Ici un signe renvoie à la marge 64 (même signe) où Proust écrit : « C'est probablement ici que prend la suite de 2 pages avant au verso à ce signe, les images les plus anciennes ne viennent qu'après. »

bien avec son profil immuable, ses yeux fixes et durs, ses toilettes toujours du même genre, sur les images que j'en avais, combien de lacets de route avais-je fait, et combien les amitiés * de ma vie avaient changé pour que me retrouvant à diverses reprises devant le même visage immobile et les mêmes yeux durs, ils eussent signifié pour moi successivement — comme si cette image identique ne venait * là que pour exprimer les changements de ma vie, le 1er soir au théâtre une femme que je pensais ne connaître jamais, plus tard chez elle une femme chez qui je pensais[1] à peine croire qu'elle m'avait invité [,] aujourd'hui une amie qui aurait été heureuse d'inviter ma tante[2]. Aussi belle veuve * que au 1er soir devant sa loge mais liée à trop de choses connues pour avoir gardé son emploi * d'alors[3].

MR⁰ 62
[La duchesse douairière de Guermantes]

Quand je vois la Dsse dre de Guermantes dans cette matinée. Ses cheveux gris qu'elle portait maintenant relevés dévastaient en quelque sorte son visage, y faisaient plus grande [,] presque illimitée comme dans un paysage dénudé, la part des yeux, le ciel captif d'Ile-de-France où la lumière semblait comme à la fin de l'après-midi briller plus douce. Il semblait que dans la voix j'aurais dû trouver aussi plus de douceur dorée « de l'arrière-saison le rayon jaune et doux »[4]. Mais la fréquentation des artistes, l'affectation de naturel, de drôlerie, de dire des gros mots lui avait donné q.q.c. de presque canaille où l'engueulade du voyou semblait frisée par la lenteur de la province comme dans cet accent compo-

1. « croyais » rayé.
2. Cette lecture prouve que ce texte est ancien. Car, le mot *tante* nous renvoie au début du Cahier 58. Il n'est pas question de cette tante dans la version définitive.
3. Un mot en marge non déchiffré.
4. Vers de Baudelaire, *Les Fleurs du Mal*, poème LVI, Chant d'Automne II :

> « *Ah! Laissez-moi, mon front posé sur vos genoux,*
> *Goûter, en regrettant l'été blanc et torride,*
> *De l'arrière-saison le rayon jaune et doux.* »

site d'un chanteur aujourd'hui oublié Fragson où on ne pouvait faire la part de l'anglais et du montmartrois. Et ce n'est que dans les phrases où elle ne mettait pas d'intonation, dans les hésitations involontaires grassement dorées et traînantes que je reconnaissais la lumière attardée sur le porche d'or de l'église.

MR° 63 et MV° 62
[Transformations de quelques personnages :
Mme de Chemisey, Mme Swann, Swann, Montargis]

Me de Chemisey comme sœur de Legrandin mariée en Normandie et pour qui il avait peur de nous donner une recommandation[1], comme Madame Swann en satin rose chez mon oncle[2] *(V° 62)*, et Swann à Combray empêchant maman de monter pour me voir, dont je me doutais si peu qu'ils seraient un jour (sa femme et lui) pour moi les parents ineffables de celle que j'aimerais, pour redevenir lui un homme du monde quelconque, et elle la plus déplaisante et la plus vulgaire des femmes[3], Montargis hostile le premier jour puis venant à nous sur cette route pluvieuse, puis devenu le neveu de la femme que j'aimais, et si bon au régiment quand j'étais malheureux et m'ayant fait connaître l'artiste qui avait influé le plus sur moi.

MV° 62
[D'un Juif patriote et généreux]

Quand je parle de Bloch à cette matinée (ou bien alors mettre cela sans Bloch, et pas chez les Guermantes, dans ce

1. Ici il faut, semble-t-il, placer un bout de phrase reporté au-dessus : « Ou chez qui quand le président était si fier d'elle je ne me doutais pas que j'habiterais un jour. »
2. Ici une croix renvoie au bas du Verso 62 pour la suite.
3. Ici une autre note au-dessus au verso que nous plaçons à la suite. Ces trois notes, qui forment un tout, sont antérieures, semble-t-il, à 1913 et peut-être même contemporaines du Recto 63. Elles sont de la même écriture qu'une autre note située dans le bas de la marge du Recto 63 et se rapportant à la version du *Temps retrouvé* des pages de droite où nous l'avons laissée.

que je résume de la guerre). Il fut assez déconcerté d'y rencontrer l'ancien gros joueur de baccara[1] de Balbec qui
avait le type de St Paul dans les illustrations couleur locale
de l'Évangile. Cet homme obscurément richissime était vulgaire et laid mais plus généreux et plus patriote que bien des
français qui n'étaient pas juifs. Tous ses enfants avaient servi
pendant la guerre avec un grand courage. Et il avait comblé
de sommes si colossales les œuvres patriotiques de la Princesse de Guermantes que celle-ci le regardait comme une
sorte de providence et ne donnait pas une réception sans inviter toute la famille qui par discrétion s'abstenait. Mais lui
qui avait un culte pour la beauté et pour la bonté de la Princesse, était enfin venu cette fois-ci et sa présence eût stupéfait bien des juifs plus élevés que lui dans la hiérarchie d'Israël
et qui cependant étaient bien loin d'être arrivés au niveau
de pénétrer chez les Guermantes.

MR° 63[2]
[Le vieux chanteur et sa jeune femme]

(à partir du haut de page :)

Capital. Pendant la matinée : je me tus brusquement, c'était
le vieux chanteur que j'avais vu [au][3] buffet et sa jeune femme
qui venaient chanter leur duo[. Tout] le monde conti[nuait de]
parler, malgré tous leurs efforts pour chanter malgré cela
le mieux possible. Seulement le vieux chanteur eut un regard
involontaire et furtif d'adorable encouragement pour sa jeune
femme à la voix tremblante de qui il sentait qu'elle était
troublée par un pareil accueil. Cette matinée leur fit beaucoup de tort car la P[cesse] de Guermantes crut drôle de dire
qu'elle avait trouvé ses deux chanteurs détestables. Elle oublia
d'ajouter qu'elle ne les paya pas. Ils n'osèrent réclamer
qu'une fois et n'ayant rien reçu ne récidivèrent pas. C'est
pour rien que la jeune femme avait pour sa robe dépensé trois
cents francs, que son mari gagna en prenant une bronchite.

1. Proust écrit « baccarat ».
2. Cf. Paperole 12 sur le même sujet et les mêmes personnages.
3. Le manuscrit est endommagé en plusieurs endroits. Nous mettons
entre crochets ce qui a besoin d'être complété.

(en face sur le bord droit du Verso 62 sur une bande étroite quelques lignes dont le début a été mutilé par la colle de la paperole 62 :)

[✳✳✳ ici] je pourrai faire faire à propos de ce duo que je louerai les réflexions de Mᵉ de Cambremer, les plaisanteries de la Princesse qui seront dites et la Duchesse y répondra.

PR° 62
[Méconnaissance des mœurs de certains ;
de Saint Loup en particulier]

Voir au dos quelque chose qui n'a pas de rapport mais est capital.

Capital je ne sais trop où mais sans doute dans cette partie. Le temps avait passé et maintenant j'avais de certains êtres des notions qu'il me semblait avoir eu de tous temps mais qui différaient tellement de ce que j'avais cru pendant bien longtemps par exemple pour les mœurs réelles d'Albertine et de M. de Charlus. — [1] Car les êtres sont couverts, laissant à peine filtrer quelques rayons de la lumière véritable qu'ils portent en eux et ce n'est que très tard, parfois qu'à la fin de la vie [2] que comme les nuages que la lune [3] pénètre entièrement ils sont pour nous, sans plus rien de l'ombre, toute lumière. Ce qui peut être une grande déception par exemple dans le cas de ceux, faits de telle sorte que tout roman pour eux a pour condition nécessaire une prédestination physiologique et qui sur cette connaissance trop tardive auraient pu bâtir de tels romans qu'ils croyaient impossibles [4]. On me dit que M. de Charlus (ou peut'être même le petit Cambremer et alors remplacer avant la guerre par après la guerre) avait appris ce qu'était Sᵗ Loup seulement

1. Ce petit tiret est de l'auteur.
2. Proust oublie de rayer : « fin de notre vie » après avoir rayé « qu'à la ».
3. Proust raye « soleil couchant traverse » après avoir transformé « le » (soleil) en « la » (lune).
4. Proust avait d'abord écrit : « Grande déception pour ceux qui sur cette connaissance trop tardive auraient pu bâtir de tels romans qu'ils croyaient impossibles ».

au moment où il partait pour la guerre et s'était écrié [«]
Robert! Ah! jamais je n'aurais pu le croire! Ah! si j'avais su! »

PV° 62
[Un cas de vieillissement brusque]

(verso barré d'une croix :)

Je n'avais jamais trouvé aucune ressemblance entre M^e X
si charmante et sa mère que j'avais connue vieille et qui avait
l'air d'un petit turc tout tassé. Et en effet très longtemps
M^e X était restée charmante et droite, trop longtemps[1], car
comme une personne qui avant que la nuit n'arrive[2] a à ne pas
oublier de revêtir son déguisement de turc, elle s'était mise
en retard, et ainsi était-ce précipitamment, presque tout d'un
coup, qu'elle s'était tassée et avait reproduit très exactement
la vieillesse orientalisée de sa mère.

V° 63
[Hasards et rencontres]

*(à peu près au milieu de la page une note qui se poursuivra au-
dessus — et qui semble presque contemporaine, au vu de l'écriture,
du Recto 64 où se trouve traité un sujet analogue :)*

Peut'être même certaines circonstances contingentes ne
sont-elles que l'aspect que revêt pour nous la réalisation de
lois sociales plus générales. Le hasard de sympathies, d'amitiés m'avait semblait-il, par un chemin particulier fait quitter
mon milieu et pénétrer dans une société toute différente.
Mais dans cette société, je retrouvais la fille[3] du vieil ami
de mon gd'père qui à vrai dire y pénétrait par un grand détour,
les hasards d'un héritage, d'une adoption etc., tandis que j'y
[voyais[4]] aussi le neveu de notre ami Legrandin, lui par un
autre hasard semblait-il le mariage de la sœur de notre ami
avec un noble normand. Mais finalement partis du même

---

1. « tard » rayé.
2. « se mettre en turc » rayé.
3. Au-dessus on semble lire « petite ».
4. Ce mot a été rayé.

point ces hasards nous avaient portés au même point n'étant peut'être que l'aspect particulier que prendrait une chose * ici se propageant dans une mare, là sortant en revanche * des flots qui obéissent en réalité à la marée montante et doivent arriver au même point comme encore les accidents particuliers, refroidissement en sortant d'un théâtre, affaiblissement à la suite d'un chagrin etc. dans lequel le malade ne voit pas les progressions que prend une maladie cachée ou encore les [1] diverses circonstances contraires [2] ****, une affaire importante qui est survenue juste au moment où il allait cesser * et où il n'avait pas besoin d'être affaibli, un brusque malaise pour lequel il a eu besoin d'un calmant etc. etc. où le morphinomane croit voir les fatalités qui l'ont empêché de se débarrasser de sa morphine, alors qu'ils sont simplement les divers visages que cette impossibilité a pris et même qu'elle s'est fabriqués elle-même mais sous lesquels il ne la reconnaît pas.

MV° 63
[Les valeurs mondaines]

Q. Q. part dans cette soirée : je n'avais peut'être plus d'imagination mais comme je me rendais compte (ce n'est pas un avantage) de ce que St Simon trouve des situations différentes de famille etc. Pour un ignorant dans un compte rendu du *Figaro* Ctesse de Forcheville, D^sse de Guermantes, Bon de Charlus, M^ise de Cambremer, P^cesse de Guermantes tout cela avait l'air équivalent. Moi, je me rendais compte que la D^sse de Guermantes était une grande dame, le Bon de Charlus un grand seigneur, Me de Forcheville rien, Me de Cambremer pas gd'chose, la P^cesse de Guer. plus rien [3].

1. Ici on passe au texte qui est au-dessus.
2. Ici un passage peu intelligible que Proust rejette en le hachurant de petits traits obliques.
3. Pour cette dernière Proust en est sans doute au moment où Mme Verdurin est devenue princesse de Guermantes.

MV° 63 et MR° 64
[Les traits de famille ignorent l'individu,
de deux manières : parce que nous sommes enfermés
dans notre individu — parce qu'il y a des transformations
physiologiques à un certain âge]

(notes barrées en croix et se présentant en cinq morceaux différents :)

Capital quand je parle des traits de famille deux choses différentes
l'une
c'est à cause de notre vie enfermée dans l'individu que nous croyons que certaines particularités sont inhérentes à lui. En réalité elles ignorent l'individu, se jouent sur des surfaces beaucoup plus vastes, ne comptent pas par individu et ont un système de numération [1] *(MR° 64)* différent. De même que dès qu'on est en montagne on ne voit plus la pluie comme on la voyait d'une maison de village de la plaine, mais que — (comme le médecin qui sait [que] la petite hémorragie que le malade croit venir des profondeurs de son être tient à la rupture d'un petit vaisseau qu'il peut lier à son gré), on voit qu'elle tombe des nuages dont la forme et la grandeur n'est nullement modelée sur celle du village et qui ne sont pas dans les profondeurs du ciel de sorte qu'au-dessus d'eux il ne pleut pas, et que sur la plaine les zones interférantes de soleil d'ombre et de pluie, ici, coupent un village en deux, là, en réunissent deux, en un mot [2] obéissent à un système différent et plus large, de même chez Bloch, chez le petit Cambremer, chez le Duc de il y avait telle habitude de souffler en reprenant sa salive de temps en temps, une inversion sexuelle, une cécité précoce qui n'existait pas chez les parents mais chez de g^{ds} parents [3] qu'il n'avait pas connus et ainsi comme ces volontés de la nature plus larges que les volontés individuelles, épandues sur de plus larges surfaces comme

---

1. Proust écrit ici : « Suivre à la marge du recto en face. » Et dans le haut de ce recto, en marge : « Suite de la marge du recto en face. »
2. Renvoi dans le haut de la page.
3. Au-dessus un mot non déchiffré.

le soleil et l'ombre sur la mer, rejaillissaient comme une source ou un volcan (vérifier nuage) toutes les 2 ou 3 générations.

(en bas de marge 64 toujours rayé en croix :)

La seconde chose qui fera suite à ce que j'ai mis faute de place dans la marge du recto en face et en haut de celle-ci est : Oui à un certain âge dans cette famille comme en hiver, même s'il a fait beau et s'il y a eu du soleil, le jour s'arrange pour tomber vers 4 heures 1/2, vers 44 ans la santé changeait, le gros homme maigrissait, son père paysan malingre et cancéreux apparaissait en lui comme une apparition par transparence magique juste comme s'il avait voulu revenir[1] deux ans sur terre, puis il retournait sous terre y emmenant son fils qui ne faisait plus qu'un avec lui (Nicolas[2] et mêler cela au père Bloch? ou Cottard qui a besoin de revivre plusieurs jours quoique sa vie n'ait guère été intéressante quoique je n'eusse vu aucune nécessité à ce que le père B[3] vécût plusieurs fois mais la nature ne devait pas être de mon avis)[4].

PR° 63
[A propos d'une défaillance de la mémoire]

A propos d'un M[r] dont je ne me rappelle pas s'il a fini ou non par épouser M[e] X et qui il a épousé (tâcher que ce soit un personnage du livre et que le projet de mariage ait été ébauché en son temps) je dirai : *A l'âge où dans la mémoire tous les souvenirs* sont devenus homogènes, ceux des hommes qu'on a aperçus ayant à demi perdu leur corps, ceux des personnages dont on relit de temps en temps les aventures ayant fini par en prendre un, il est permis de commencer à avoir de grandes lacunes, même dans ce qu'on a le mieux su. Et j'étais bien excusable de ne pas me rappeler qui avait fini par épouser M. de X, moi qui de temps en temps quand je relisais le Lys dans la Vallée et la dernière lettre de Natalie

---

1. Ici un renvoi plus haut dans la même marge avec le signe L°.
2. Nicolas Cottin, son domestique, mort pendant la guerre.
3. Proust n'a pas mis de nom.
4. Proust n'a pas fermé la parenthèse ni mis de point final.

de Manerville, étais obligé d'atteindre dans ma bibliothèque
Une fille d'Ève pour me rappeler — bien que je l'eusse regardé
au moins autant de fois qu'on n'avait répondu à mes questions sur X — qui avait fini par épouser Félix Vandenesse.

PV° 63
[D'un certain regard du jeune prince des Laumes]

Le jeune duc de [Chatellerault][1] était là. Son air était
vraiment distingué et intelligent. Il était entre la P^cesse des
Laumes et la M^ise de..... et[2] ce n'était guère que quand il
marchait soutenu par deux béquilles qui le portaient sous les
aisselles que l'on s'apercevait de la glorieuse blessure qu'il
avait reçue à la guerre. Soudain je vis le jeune prince[3] dérou-
ler vers le fond de la salle un coup d'œil inquiet de cette
inquiétude que fait passer dans le regard aussi bien le regret
d'un plaisir auquel on ne peut pas se livrer et qu'on ne peut
même pas laisser apercevoir que la crainte d'un courant d'air
ou q.q. autre désagrément. C'était sur un jeune valet de pied
qui était entré un instant que portait le regard du jeune
homme. Deux ou trois fois le[4] regard frémit encore avec
un air de malaise comme si sa blessure l'avait fait souffrir.
Puis [il] se remit à causer et à rire avec ses deux voisines
comme s'il n'avait [fait atten]tion[5] qu'à elles. Mais je me
disais que si l'apparence seule des êtres est peinte devant
nous, en revanche leurs regards inscrivent devant eux, comme
les phylactères[6] que portent les saints personnages, leur

1. Mais Proust raye Chatellerault. Il écrit au-dessus : « non car il ne
serait plus jeune il faut q.qu'un d'autre ». Et il met au-dessous : « ce
pourrait être le P^ce des Laumes ». Et par la suite c'est partout le prince des
Laumes.
2. Ici un « l'on » que Proust a oublié de rayer avec quelques autres mots
effectivement rayés.
3. « duc » rayé, « jeter » rayé.
4. Un « il » non rayé en trop.
5. Le papier est déchiré. Nous reconstituons.
6. Le Robert donne deux sens pour ce mot. D'abord un sens ancien et
religieux : amulette, talisman et spécialement une petite boîte carrée ren-
fermant des versets bibliques inscrits sur parchemin ou vélin que portent
certains juifs pieux sur la tête ou sur le front. Un sens archéologique :

légende véritable et qui permet de les identifier. On m'avait dit sur le jeune prince des Laumes tout ce que chacun dit des autres et qui ne correspond à rien. Mais dans cette salle comme si elle avait été décorée par une mosaïque byzantine, une inscription véridique[1] celle-là avait été tracée d'un trait furtif mais attentif, profondément creusée, ineffaçable, par la courbe de ce regard inquiet et je voyais en le prince des Laumes l'héritier de M. de Charlus. (je pourrai rattacher cela à la voix; d'ailleurs je n'aurais pas eu besoin de ce regard, car un peu plus tard, je levai les yeux en entendant non loin de moi une voix aiguë et spéciale comme on regarde involontairement quand on entend dans un wagon la toux d'un phtisique [).]

MV° 64
[Mon caractère avait changé]

(en tête et en marge :)

Capital : Quand je pense au temps écoulé je dirai; mon caractère avait changé; ces réflexions même que j'avais faites devant le buffet de la Princesse de Guermantes prouvaient que, considérant maintenant la demeure où j'étais comme un lieu indifférent où poursuivre et mûrir ma pensée antérieure, je n'étais plus capable de ces mélanges * de choses qui s'opéraient en moi jadis, à Rivebelle, chez Elstir, chaque fois que j'allais dans un nouveau restaurant, dans une réunion mondaine, comme dans un * univers qui abolissait mon moi antérieur; de même que mon souci d'aller trouver Legrandin et de réparer mes impolitesses passées prouvait que je n'étais plus l'impulsif qui ne saluait pas mon g^doncle par peur que le salut ne fût pas suffisant. Toutes qualités nouvelles dont je regrettais d'ailleurs profondément l'apparition en moi, après la mort de mon père qui eût été si heureux et si étonné de me trouver homme de bon sens et

« Banderole à extrémités enroulées portant des légendes du sujet représenté, que les imagiers du Moyen Age ou de la Renaissance mettaient dans les marges des manuscrits ou auprès des personnages de l'image. »
1. Renvoi dans le haut de la paperole.

de conduite, et au moment de commencer une œuvre d'art [1],
pour quoi les qualités qui [2] ont pour envers la distinction,
le désordre, voire la grossièreté et l'inconséquence dans
les relations et dans la vie sont infiniment plus précieuses.

MR° 65
[Erreurs des ignorants sur le Monde]

Capitalissime, les ignorants non mondains disaient de
Me de Saint Loup ce n'est pas étonnant qu'elle ait beaucoup
de relations, car par Forcheville et par Swann sa mère en a eu
beaucoup (les Baignères, par alliance Gounod, selon Shra-
meck) et ajouter peut'être quoique très différent Forceville
Clermont-Tonnerre.

V° 65
[Les femmes dont j'avais rêvé enfant
et que je retrouve maintenant]

(au milieu de la page cette note de travail qui est la plus ancienne :)

A un certain endroit que je choisirai (peut'être fondre
cela avec ce que j'ai mis 5 pages plus loin [3] sur l'ancien nom [4]
de Guermantes se réveillant *)
Et de même [5] alors je me rappelais brusquement que
certaines femmes dont la renommée, l'image, s'étaient profi-
lées dans les rêves de mon adolescence, comme Me de Guermantes, certaines femmes si célèbres, que leur vie me paraissait déjà presque accomplie il y a tant d'années, c'étaient
elles que parfois sous le même nom ou quelquefois sous un
autre parce qu'elles étaient remariées ou avaient changé de
titre * – quelquefois ruinées, quelquefois ayant changé de
milieu, de situation, de caractère, de réputation – plus sou-

---

1. Proust raye : « ce qui exige ».
2. Ici rayé : « vont avec ».
3. Ou « plus haut »? Au Verso 51 par exemple.
4. Peut-être « son ».
5. Ici Proust renvoie par une croix à une note placée en tête : « Je veux
dire de même que le nom des Guermantes, si je mets cela à la suite des
5 pages plus loin. »

vent de figure — que comme si ç'avait été des personnes quelconques et sans réalité imaginative je saluais et conduisais
au buffet et qui me disaient : « tâchez de venir à l'Opéra
demain soir ».

*(en marge, 6 lignes avant la fin du texte précédent et pour le
compléter :)*

Certaines femmes que je trouvais tout naturel de rencontrer comme si elles avaient été des personnes quelconques
qui me disaient [:] comme il y a longtemps qu'on ne vous
a vu [!], que je conduisais au buffet, qui me disaient : venez
donc demain à l'Opéra, brusquement je me souvenais ce à
quoi je n'avais plus jamais pensé que c'était — parfois ayant
changé de nom parce qu'elles s'étaient remariées ou avaient
hérité d'un nouveau titre — parfois étant devenues de riches,
pauvres, de vertueuses, dévergondées, de dévergondées,
pieuses *, de belles, laides — que c'était les mêmes dont la
renommée, l'image ineffablement élégante s'était profilée
durant les rêves de mon adolescence, si célèbres alors que
leur destinée était déjà accomplie et qu'on était aussi stupéfait de se * dire : c'est encore elles à cette soirée * Guermantes,
que dans ces ouvrages où on retrouve 50 ans après leur rôle [1]
fini * certaines figures de l'histoire dont nous nous émerveil-
lons que nos grands-pères [2] aient encore pu les rencontrer ;
si bien que devant l'espèce de miracle qui consistait à prendre
vulgairement * en sandwich Mᵉ de Guermantes [3] avec des
femmes qui, quand j'étais enfant — il y avait tant d'années
étaient pour moi des créatures de légende, cette matinée me
donnait l'impression à la fois de réalité et d'impossibilité que
nous donnent certains rêves où dans un omnibus authentique dont nous sentons l'odeur et où nous sommes assis *
nous avons pour voisine Marie-Antoinette qui nous prie de
faire signe au conducteur.

1. « historique » rayé.
2. Ici renvoi, au moyen d'une petite croix, dans le haut de la marge.
3. Ce nom est placé au-dessus de la ligne.

V° 65
[Illusion et vérité sur le Monde]

(dans le haut de page :)

Capital : Quand je parle d'Albertine, Gilberte etc. dire :
moi qui avais tant tenu à leur possession, à leur assimilation
(et tant qu'on est dans cette illusion qui d'ailleurs reviendrait
pour d'autres on peut donner sa vie pour cela, se tuer) je
voyais qu'elles ne comptaient plus pour moi que pour les
vérités qu'elles m'avaient appris [1]. Chacune je la voyais devant
ma vie avec le symbole de ces vérités dans les mains comme
ces Sciences que le Moyen Age a représentées au portail de
St André des Champs et qui sont de charmantes jeunes
femmes mais qui tiennent entre les mains les instruments
qui permettent de découvrir les astres ou d'apprendre la
grammaire (chercher dans Mâle pour Laon ou ailleurs ou les
fresques de Sienne).

M R° 66
[L'auteur redoute un accident
qui interrompait son travail]

(dans le haut de page et barré :)

Quand je parle de l'accident de voiture (auto plutôt) que
je redoute maintenant ajouter capital. Mais que maintenant
que je me sentais porteur d'une œuvre rendait cet accident
plus redoutable, même (dans la mesure où cette œuvre me
semblait nécessaire et durable) absurde, en contradiction
avec mon désir, avec l'élan de ma pensée, mais nullement
moins possible pour cela, puisque les accidents matériels
étant produits par des causes matérielles peuvent parfaitement avoir lieu au moment où des pensées fort différentes
les rendent détestables, comme il arrive chaque jour dans les
incidents les plus simples de la vie où pendant qu'on désire
de tout son cœur de ne pas faire de bruit à un voisin une

1. « Apprises ».

carafe posée trop au bord tombe et le réveille, ou le soir ou l'on est à bout de force et où une [1] crise va vous prendre si on est encore 2 minutes avant de se coucher, une boule d'eau chaude heurtant quelque chose dans le lit se brise, l'inonde et il y a pour plus de deux heures à se coucher (mais mettre les 2 exemples en commençant la phrase. Mais comme un accident matériel est cause et de même que ne voulant pas faire de bruit, ainsi le fait que l'accident de voiture fût devenu plus redoutable ne le rendait pas moins possible. Et de repenser aux accidents antérieurs (attaque) [2].

MR° 66
[Sur le temps écoulé]

(dans le bas de la marge non barré :)

Capital. Quand je parle du Temps écoulé. C'était bien cette fuite du Temps qui m'avait paru si mortellement triste dans les romans que je lisais à Combray et qui m'avait désespéré quand [un] [3] soir que M. de Norpois avait dîné chez nous, un mot de mon père m'avait donné à croire qu'elle [4] viendrait aussi pour moi (dire mieux et pas fuite). Et elle était venue en effet mais pas comme dans les livres assez lentement pour que je n'en eusse pas souffert, en me laissant assez changer pour que je ne trouvasse pas triste d'avoir changé.

V° 66 et MV° 66
[A propos de Mme de Guermantes
vue dans l'église de Combray]

(dans le haut de page, puis dans la marge :)

Mettre après chez mon oncle dans mes relations avec Me de Guermantes, que cette Me de Guermantes vue dans l'église

1. Renvoi dans le haut de page.
2. La parenthèse n'a pas été fermée. Proust a rédigé ce texte en style télégraphique. Cf. Verso 73 et marge du Folio 74 dans *Matinée chez la Princesse de Guermantes* (Cahier 57).
3. Le mot a été rayé à tort.
4. La fuite du temps?

de Combray au mariage de Mlle Percepied et sous les yeux
brillants et la cravate (?) mauve de qui j'avais mis une idée
si différente de celle que j'avais attribuée [ensuite] à M^e de
Guermantes, qui était rattachée à des idées sur le côté de
Guermantes qui n'intervinrent plus jamais dans ma pensée,
qu'à distance elle me paraît quelque autre personne de la
même Maison, comme aurait pu être[1] quelque sœur ou
belle-sœur de celle que j'ai connue depuis, dont j'aurais
connu l'existence par quelque livre de mémoire ou quelque
conversation, à qui j'aurais fait de toute pièce une âme avec
mes idées de ce temps-là comme on fait pour un personnage
célèbre qu'on ne connaît pas, et dont sa vue – comme celle
d'un personnage dont on nous a beaucoup parlé et que nous
apercevons à quelque cérémonie qui nous servira à mettre
en face de notre rêve l'image de sa personne à qui nous
prêterons une âme imaginaire – n'était qu'un léger croquis
de noble châtelaine délicatement rehaussé des couleurs de
la vie et telle[2] que dans ce même jour d'une antique église
ensoleillée où le jour multicolore tombe des vitraux, aiment
à en placer pour rendre plus vivantes les vieilles architec-
tures, maints peintres qui ont représenté au XIXe siècle des nefs
gothiques.

MR° 67
[Le poète et les jeunes filles.
Comparaison avec les coursiers
qu'on ne nourrit que de roses]

(note barrée par des croix :)

Capitalissime quand je demande à Gilberte de connaître
des jeunes filles (à moins que je ne préfère le dire quand je
demande à Me de Guermantes de me faire inviter à des bals
mais non c'est mieux le second) car je sentais que de petites
amours auxquelles je ne croirais plus du reste ce serait bien,
plutôt que les conversations intellectuelles que les gens du
monde croient utiles aux lettrés, l'aliment choisi que je pou-

1. Ici un « une » qui appellerait après « quelconque » et non « quelque ».
2. « rehaussé » renvoie à « croquis » et « telle » à « châtelaine ».

vais à la rigueur me permettre et qui m'entretiendrait en état de composer mon œuvre si je n'avais pas le courage de la complète solitude (dire avant ces mots complète solitude pour ne pas mêler * à l'image. Il faut des jeunes filles en fleurs au poète comme à ces coursiers qu'on ne nourrissait que de roses (chercher le fait exact)[1].

V° 67 et R° 68
[Vieillissement et changement d'attitude
de M. d'Argencourt]

A mettre à un de ces endroits (sur le vieillissement). Je reconnus les deux jeunes ducs que j'avais rencontrés chez Me de Villeparisis. Mais je ne les reconnus, que comme on fait dans les rêves[2] ou dans les expositions, alors que le personnage évoqué ou peint[3] [ne présente qu']une vague ressemblance avec celui qu'on a vu dans la vie[4].
[5]Je saluai M. d'Argencourt resté le même, mais au moment où il s'approcha pour me serrer la main, lui, si léger, si rapide, ses pieds frappèrent lourdement le sol, tout son corps se déplaça difficilement comme s'il avait été incommodé

1. Finalement (R.T.P., Pléiade, III, p. 988) c'est à Gilberte que le narrateur demandera de lui faire connaître de « très jeunes filles ». Il reprend la comparaison des coursiers qu'on ne nourrit que de roses page 987. Voir plus haut Verso 47.
2. « cauchemars » rayé.
3. Entre lignes : « une vague ressemblance comme celui ». Il y a beaucoup de ratures dans ce texte. Et tout n'est pas bien rayé.
4. Proust a rayé presque entièrement le passage suivant : « Leur visage n'avait pas la fraîcheur que je me rappelais, leurs traits étaient plus durs, leur (expression plus grave contrastant avec le regard juvénile : *rayé*) regard dépourvu de l'expression qui m'avait charmé avait quelque chose de plus grave que je ne leur connaissais pas et comme ont quelquefois quand on dort les personnes dont on rêve et qui (n'ont pas leur physionomie habituelle : *rayé*) nous regardent autrement qu'ils ne font d'habitude. On aurait dit deux hommes mûrs qui leur eussent ressemblé ; les traits étaient plus durs, le front se marquait d'une petite ride, j'étais comme devant un portrait d'eux ou tout en les reconnaissant j'aurais pu dire que le peintre n'avait pas fait ressemblant. Il ne les avait pas flattés, il les avait vieillis. Et tout d'un coup je me demandai si en effet ils n'avaient pas vieilli et si ce songe où ils m'apparaissaient n'était pas simplement le songe de la vie. »
5. Proust raye « M. de Cambremer ».

d'une cuirasse et les pieds pris dans des jambarts [1] de fer. Ses traits étaient bien les mêmes, et pour lui le Temps n'était que le chevalier qui ralentissant sa démarche l'avait si lourdement armé. Il me serra la main en souriant avec tant d'amitié que je cherchai à me rappeler si autrefois il m'avait beaucoup connu. Je ne retrouvais pourtant qu'une visite chez Madame *(R° 68)* [2] de Villeparisis où il m'avait à peine vu. Mais autour de ces années-là flottait [tant [3]] d'ombre que ce que je me rappelais avait l'incertitude de ce qu'on a rêvé. Peut'être sans m'avoir vu davantage m'avait-il voué une sympathie profonde, n'avait-il cessé de parler de moi avec les uns et avec les autres, avait-il demandé à me rencontrer, s'était-il désolé qu'on lui eût répondu qu'on ne me voyait plus et marquait-il d'un caillou blanc cette journée où il m'avait serré la main. N'avait-il pas eu des relations avec mon père autrefois, mon père ne causait-il pas avec lui à la douche? Ou peut'être était-ce une manière de dire bonjour qu'il avait avec tous les gens qui le saluaient qu'il sût ou non qui ils étaient, étant connu d'un trop grand nombre pour n'être aimable qu'avec ceux qu'il reconnaissait [4].

V^{os} 68 et 69
[Amitié pour Montargis]

(A mettre pour Montargis *** [5], Billy.)

Et pourtant je pensais avec douceur qu'un jour peut'être [6] une des dernières scènes de notre vie nous mettant encore

---

1. On a l'impression que Proust a écrit : « jambardes ». Le synonyme est « jambières ».

2. Ici renvoi vers le haut du Recto 68 (« suite du verso en face »).

3. Nous substituons « tant » à « dans » qui nous paraît être un lapsus.

4. M. d'Argencourt dans la version définitive est présenté par le narrateur (Pléiade, III, p. 921) comme son « ennemi personnel ». Mais l'âge l'aura rendu « affable ». Il s'agit d'un de ces changements comme *Le Temps retrouvé* doit en donner de nombreux exemples; mais dont Proust n'aura pas fait profiter la version définitive.

5. Un nom propre. Peut-être Allard.

6. Proust raye ensuite : « nous nous retrouvions encore, à la fin de la vie, Montargis et moi, causant amicalement, comme autrefois ». De toute façon, la guerre de 1914 n'a pas encore eu lieu quand Proust écrit ce passage et Montargis-Saint-Loup dans cette première version ne mourait pas.

l'un à côté de l'autre Montargis et moi méconnaissables sous
notre perruque et notre costume de dernier acte, mais.....

(une ligne en blanc et Proust reprend :)

Et pourtant, comme si cette déperdition se compensait
d'une sorte d'acquisition, je pensais avec plaisir qu'un jour
peut'être dans bien des années nous nous retrouverions
encore Montargis et moi l'un à côté de l'autre, méconnaissables dans notre costume de vieillards du dernier acte mais
toujours dans la même pose de conjonction affectueuse, fruits
prêts à tomber, mais l'un près de l'autre, qui pèsent davantage, sont plus pleins et plus doux, et couverts d'une poudre
blanche. La même causerie sur deux chaises rapprochées
nous paraîtrait plus belle, par cette conscience et ce souvenir
de toutes les causeries pareilles au long des années, que les
premières ne possédaient pas. Et au sein de la familiarité
même chacun [1] ne parlerait à l'autre qu'avec une sorte d'estime et de respect. Car − on est successivement *(V° 69)* tant
d'hommes différents au cours d'une vie, qu'elle-même
revêt des aspects et relève de genres si différents − chacun
sentirait que l'autre n'est que le petit-fils ou l'arrière-petit-
fils de celui à qui il avait juré amitié à Querqueville, qui
malgré des changements de vie, de condition, de société en
tous genres avait tenu à ne jamais laisser protester la dette
héritée d'une amitié qui était aussi devenue quelque chose
de plus durable que la plupart des formes du souvenir, de
plus ancien, de plus permanent et qui en remontant à sa
source quand nous nous trouvions l'un près de l'autre, pouvait embrasser et confronter à sa permanence la succession
de leurs vicissitudes, et leurs contrastes éphémères.

MV° 68, MR° 69, MV° 69
[Plan pour démontrer l'irréalité du voyage, de l'amour,
de l'amitié et la vérité de l'art]

(en haut de page et en marge :)

Capitalissime et je le mets ici faute de place mais il faudra
le placer sans doute après que j'ai montré que l'irréalité du

---

1. Proust supprime plusieurs mots en oubliant de rayer « une sorte »,
qu'il répète plus loin.

voyage, l'impossibilité d'isoler autrement que par l'art ce qu'il y avait dans le nom de Balbec, dans les souvenirs de Combray (le dire) me poussent à l'art [1] (Probablement après le voyage et avant l'amour mettre ce que j'ai écrit q.q. part par-là sur le mystère des femmes dans les rues qui renaissait même du vivant d'Albertine). N'en était-il pas de même pour l'amour. De temps à autre n'avais-je pas senti même avant d'avoir t[t] à f[t] oublié Albertine [2] quand une femme qui ne me plaisait qu'à cause de son corps, me laissait toute une journée attendre, me faisait croire qu'elle avait des projets avec q.q. autre, n'étais-je pas repris du même amour que pour Albertine et ne sentais-je pas bien que la femme n'y était pour rien, que l'état était le même absolument indépendant de l'être qui le provoquait et qui eût pu être autre. Dès lors à quoi bon forger moi-même peu à peu la nécessité factice mais inéluctable d'un être, prédestination imaginaire mais dont on ne peut affranchir sa pensée, à quoi bon le forger avec des associations d'idées entre cet être et des *(M 69)* [3] souffrances antérieures à lui. Ne fallait-il pas plutôt s'attacher à ce qui était réel, à ces souffrances elles-mêmes et chercher à en dégager la vérité.

[4] Avant de dire cela et après le voyage je dirai : Bien loin de croire que je suis malheureux, comme l'ont cru les plus grands, de vivre sans amis, sans causerie, je me rendis compte que les forces d'exaltation qui se dépensent dans l'amitié sont une sorte de porte-à-faux qui vise une amitié particulière qui ne conduit à rien et se détourne d'une vérité vers laquelle elle a pour but de nous élever. Et ce n'était pas seulement les forces de l'esprit que je sentais d'un caractère général et non faites pour des relations particulières. L'objet auquel [elles] s'appliquent même q[d] il semble particulier ne l'est pas. Ainsi dans l'amour (Et alors vient ce que j'ai dit dans

---

1. Rayé : « il en était de même pour l'amour ».

2. Cette remarque laisse supposer que ce texte est parmi les plus récents de ce Cahier.

3. Ici Proust écrit « suivre à la marge en face ». Et dans le haut de cette marge : « Suite à la marge du verso. »

4. Barré en croix jusqu'à « amitiés particulières ».

la marge du recto)[1] [(] je pourrai mettre la conversation avant ou après le voyage, le mystère des vies etc). Et après ce que j'ai dit de l'amour, je dirai : comme dans ce parfum de la tasse de thé je m'étais senti appuyé, objectivement soutenu, par des *(MV⁰ 69)*[2] frères différents, par le parfum[3] du réséda (?)[4] de Chateaubriand, par les parfums de Baudelaire, de même dans cet état intérieur qu'était une véritable et permanente amoureuse, je sentais que plus maladif, plus engainé dans un caractère soupçonneux et jaloux, dans des tristesses d'enfant, dans une tendresse familiale il était pourtant parent de la Sylphide de Chateaubriand[5] et de celles de Gérard de Nerval. Peut'être je pourrai mettre cela avant la marge du verso sur l'amour et dire : de même que pour des parfums. Puis après le mot G. de Nerval : même avant d'avoir oublié Albertine et avant le verso. Peut'être au contraire[6] mieux de mettre Chateaubriand et Nerval pour finir[7].

MR⁰ 70
[Mme de Souvré vue dans un certain cadre]

(en marge un texte très raturé, barré en croix et qu'on retrouvera dans l'édition de la Pléiade, R.T.P., III, p. 974)

Peut'être la personne si on la détachait de ce cadre ne serait-elle pas grand'chose, comme ces monuments qui font bien où ils sont situés quoique sans beauté propre. Mais

---

1. Proust ne veut-il pas dire : la marge du verso, c'est-à-dire la première moitié de ce texte?
2. Ici en tête d'une étroite marge : « Suite de la page du recto précédent. » Répétition de « par des ».
3. « cri » rayé.
4. Ce point d'interrogation est de Proust. Hésitation justifiée puisque Chateaubriand parle de l'héliotrope.
5. Rappelons que *La Revue de Paris* publia en 1907 des articles de Léon Séché et d'Anatole le Braz sur les amours de Chateaubriand que Proust a sûrement lus. La même revue donne encore le 1er novembre 1910 un article d'André Beaunier, « Les costumes de M. de Chateaubriand ».
6. Renvoi un peu plus haut toujours en marge.
7. Voir R.T.P., III, p. 919.

comme pour penser à eux je retournais aux lieux où ils nous apparurent, comme en revoyant la veste de drap beige[1] de Me de Souvré, je la détachais sur l'azur étincelant de la mer, par cette belle après-midi et sentais la brise douce et saline entrer par la fenêtre, dans l'extinction de mes souvenirs je donnais « l'un dans l'autre » comme disent les marchands certain prix du « tout » que je n'eus peut'être pas donné de Mme de Souvré si ma mémoire moins avisée * avait consenti à la distraire du lot et à me l'offrir isolée.

MV° 70
[J'avais mal aimé Albertine]

Quand je dis combien je me suis trompé sur mon caractère et que j'avais mal aimé Albertine dire : je l'avais aimée oui, mais dans le sens où nous disons à la cuisinière je vous prév iens que j'aime le poulet, que j'aime le homard, c'est-à-dire tordez le cou à l'un faites cuire l'autre tout vivant pour que je puisse m'en délecter, je les aime bien. Et faire intervenir mes impressions de nature q^d j'allais faire visite l'après-midi au Cours-La-Reine etc comme une des parties[2] ignorées alors de cette nature de poète que je vais enfin exploiter et qui ne se traduisait alors que par des erreurs et des[3] questions stupides, le salon Argencourt avant le salon Guermantes etc[4].

V° 70
[Le nom de Guermantes]

(au milieu de la page, après deux lignes rayées : « Par moments à de rares intervalles comme les horloges d'églises flamandes qui sonnent certaines heures »)

Mais tout d'un coup le nom de Guermantes qui n'était

1. « gris » rayé.
2. Ici renvoi L° vers le haut.
3. Renvoi encore plus haut par le signe ◎.
4. Proust raye ensuite : « Peut'être même si ce n'est pas trop difficile ne pas trop mettre nature alors pour ne la révéler qu'ici mais trop compte. »

pour moi comme pour nous tous que la[1] désignation
correcte servant à des personnes qu'on rencontrait dans
les soirées, mots que j'épelais en les prononçant en laissant à peu près autant d'importance à chaque syllabe,
tout d'un coup comme un son de cloches s'échappait de
ce nom et c'était l'ancien nom de Guermantes; où je n'entendais guère que la dernière syllabe, le nom d'autrefois,
et * ce qu'il signifiait pour moi du côté de Guermantes, de la
duchesse qui rêvait sur sa tour, du vitrail, qui[2] parfois, à de
rares intervalles, comme de l'horloge d'une église lointaine
dont on n'entend sonner que certaines heures s'échappait
comme en un lambeau, consistant presque entièrement en
cette sonorité * antes[3] qui était la seule chose que j'en entendais autrefois (mettre en son temps[4]) écho de l'ancien nom de
Guermantes, le nom du côté de Guermantes, de la dame qui
habitait dans le château de Guermantes en Brabant, la dame
du vitrail et de la promenade qui me faisait tressaillir donnant
brusquement au nom de Guermantes actuel une signification
autre, un prix plus grand duquel j'avais cessé de m'aviser et
qui me parvient avec autant de douceur — mantes, mantes[5]
— que ces sons d'angélus qui nous arrivaient quand nous
venions de Guermantes et qui nous faisaient presser comme
s'ils venaient — pareils à ces sons d'angélus[6] qui nous faisaient presser le pas quand nous les entendions dans nos
promenades pour ne pas rentrer en retard, il me venait au-
dessus des champs de Combray, dans la douceur de l'air du
soir, du côté même de Guermantes. Au moment où j'entendais le lambeau d'angélus le Duc s'approcha de moi : Est-ce
que vous savez où est Me de Guermantes. Ah! ***, si ***
même devenant plus artiste, il pouvait y prêter attention et
remarquer qu'il était joli, il ne pourrait jamais savoir tout

1. « Appellation » rayé.
2. Renvoi en marge.
3. Voir à ce sujet Jean Milly : *La Phrase de Proust,* p. 73.
4. Cette indication, comme bien d'autres, montre que Proust est sou-
cieux des « préparations ». Il faut mettre cela plus haut pour que son
rappel ici soit compris.
5. On passe maintenant dans le haut de la page. C'est le troisième texte
qui dans cette page (Verso 70) est ainsi coupé en trois morceaux.
6. Il y a une répétition.

le flot de douceur qui pouvait par moment s'en détacher[1].

V^o 70
[Les cadrans que nous sommes ne sont pas tous réglés à la même heure]

(texte barré du bas de la page, puis deux renvois plus haut :)

Quand je dis que je ne laisserai pas venir des gens me voir
au moment où le devoir de faire mon œuvre prime celui
d'être poli ou même bon j'ajouterai : « Sans doute leur
labeur était fini, ils avaient besoin de moi comme un jour
j'avais eu besoin de St Loup moi comme le prophète Néhémie[2] et je m'étais déjà rendu compte q^d à Combray je reve-
nais plein d'amour pour mes parents fâchés que [les] divers[3]
cadrans que nous sommes ne sont pas tous réglés à la même
heure. L'un sonne celle du repos en même temps que l'autre
celle du travail et l'un celle du châtiment par le juge quand
chez le coupable celle du repentir et du changement[4] intérieur est déjà révolue depuis longtemps.

MR^o 71
[Swann tombé dans l'oubli]

(tout le long de la marge :)

Capitalissime.
M'entendant prononcer le nom de Swann le duc de Chatellerault me dit : « Ah! que c'est vieux ce dont vous par-
lez. » En effet dans les premières années où il allait dans le
monde on parlait encore d'un M. Swann dont il entendait
parler comme [quelqu'un] de très artiste (c'est-à-dire que
Me de Guermantes aimait fréquenter) et que à cause de certaines idées sur les raffinements artistes il s'était figuré un

---

1. Ce morceau, description d'un véritable souvenir involontaire, est à
comparer avec celui du Cahier 58 (p. 473).
2. Cf. Verso 9.
3. Renvoi plus haut.
4. Renvoi encore plus haut.

célèbre inverti. Puis depuis tant d'années il n'avait jamais plus entendu ce nom, puisque il n'était plus porté, que ce nom rencontré[1] par lui dans une conversation, avait rendu à ses oreilles ce nom bizarre, désuet, dépareillé, évoquant parfaitement une époque parce qu'il ne lui a pas comme d'autres survécu, un nom comme ceux qui incarnent une forme de comique ou de corruption[2] disparue, un nom comme celui de Gibert ou de Gil Perez. « Ah! Swan dit (l'homme inexact de chez Me de Verdurin) je vais vous dire exactement qui c'est. C'est un homme qui a une grosse affaire de porte-plumes, les porte-plumes Swan, Onoto. » « Cela n'a aucun rapport [»] dis-je, moi pour qui d'ailleurs, le nom de Swann n'avait pas cette singularité évocatrice qu'il avait pour le duc de Chatellerault et que d'autres noms avaient pour moi parce que le nom de Swann était trop constamment rapproché de moi par mes souvenirs pour avoir pris cet étrange et poétique éloignement. Rattacher peut'être ce morceau sur Swann et en tout cas capitalissime[3].

(Une paperole, dont la partie inférieure est coupée, se trouve en marge au bas du Cahier. Après « Me de Guermantes était » qui est rayé, on lit : « Tout ce qui flottait d'impertinent dans la Princesse des Laumes et qui était déjà si jolie. » Elle correspond au Recto 71 (bas de page).)

M V^o 71
[Gaffe de Bloch vis-à-vis de Gilberte]

Q. Q. part dans ce chapitre (ou ailleurs!) si je le mets dans ce chapitre je présenterai Bloch à Gilberte (où il la connaîtra). Et je lui dirai qu'elle est la fille de Swann, comme q^d je lui explique qui était l'un ou l'autre). Les avanies qu'il s'était souvent attirées, comme quand il avait demandé chez Me de Villeparisis si elle recevait le général de Boisdeffre et du Paty de Clam, auraient dû le guérir. Mais le souvenir d'avoir

---

1. «. rencontré par lui » n'est pas certain. On peut lire encore « touché », « heurté » ou « tombé ».
2. « vice » rayé.
3. Sur Swann : voir Pléiade, III, p. 965.

vu Tansonville quand il était venu nous voir à Combray, d'avoir eu des relations en chemin de fer avec Me Swann excitait si vivement l'intérêt qu'il porta à Odette, à Gilberte, à leurs divers avatars mondains qu'il demanda tout crûment à Gilberte de lui raconter comment sa mère avait épousé son père, pourquoi elle s'était remariée, pourquoi elle Gilberte avait épousé St Loup, si Swann avait plus ou moins de relations qu'elle avait maintenant, si Forcheville [1] avait plus ou moins de relations que Swann : « Vous comprenez je vous le demande à un point de vue purement Balzacien, pour tâcher de reconstituer un roman lui dit-il — et il s'aperçut seulement alors qu'elle lui avait tourné le dos et qu'il parlait dans le vide.

MR° 72
[Le temps perdu mesuré à la fois
par la mémoire et par la perte de celle-ci]

(dans la marge supérieure :)

N.B. Il vaudrait peut'être mieux mettre dans ce Cahier ce que j'ai dit, [2] sur la perte de ma mémoire [2] — soit sur la mémoire naturelle seulement (Blotin *) soit tout sur la mémoire, soit même aussi (mais non...) sur l'oubli d'Albertine — dans le cahier qui suit la mort d'Albertine [3] de sorte que je dirai que le temps perdu est mesuré à la fois *par la mémoire et par la perte de la mémoire.*

MR° 74 et V° 73
[Le risque de la mort]

(on trouve au Verso 73 une note en trois parties : une au centre de la page, la seconde dans le haut, et la troisième dans le bas à

1. Renvoi vers le haut de page.
2. Ici deux renvois que nous détachons pour faciliter l'intelligence du texte.
3. Au Cahier 54, Folio 60, il a écrit le mot MORS (en capitales). Le Cahier « qui suit la mort d'Albertine », le Cahier 55, contient outre deux textes pour le pastiche des Goncourt, deux fragments pour *Albertine disparue (La Fugitive)* aux Folios 45-67 et 83-87.

droite. Elles sont toutes barrées en croix comme Proust fait quand il a utilisé un texte. Et il l'a effectivement utilisé (cf. Pléiade, III, p. 1038-1039 presque textuellement). Dans le bas et à gauche de ce même verso se trouve collé le bout de papier mutilé dont nous donnons le contenu dans Matinée chez la Princesse de Guermantes *page 229. On y lit notamment après un* « [Ca]pitalissississimeissime »[1] *souligné :* « pour ajouter au verso ci-dessus [quan]d je dis danger extérieur..... » *La feuille étant coupée, on ne sait rien de plus.*

Signalons encore en marge du Recto 74 une note barrée (qui renvoie au texte que nous allons donner) et qu'il nous faut citer d'abord :

(MR° 74) « Capital
Pour mettre peut'être dans la série du verso en face[2] avant de parler du risque de mort : cela m'avait tant ennuyé de travailler que je n'avais pas écrit de choses inutiles. Peut'être n'en aurais-je pas écrit d'utiles non plus si j'avais continué à sortir. Mais la paresse m'avait gardé de la facilité peut'être à son tour la maladie allait me protéger contre la paresse. »
(V° 73) Capitalissime :
Pour mettre probablement au bas du recto en face quand je parle des dangers de mort qui me menacent du fiacre (je pourrai dire où je trouverais maintenant la mort moins indifférente qu'après le dîner de Rivebelle)[3]. Car le bonheur que j'éprouvais ne venait pas d'une tension purement subjective des nerfs qui retenant notre esprit nous isole du passé mais au contraire d'un élargissement de ma pensée qui actualisait le passé et me donnait une valeur d'éternité mais momentanément et que j'eusse voulu léguer à ceux que je pourrais faire passer ainsi par les mêmes états. C'était un plaisir encore mais non plus égoïste, ou du moins d'un égoïsme

1. Proust bat ici le record des superlatifs. Au-dessus on lit : « P.S. Il faudra que je soie [*sic*] sorti par exception le jour pour aller à cette matinée ce qui expliquera peut'être *la vivacité* de mes sensations et le retrouvage du Temps. Je pense au Rayon de Soleil sur le Balcon. »
2. C'est-à-dire le Verso 73 que nous donnons immédiatement après. Noter qu'il est déjà traité du risque de la mort au Verso 66.
3. Ici deux croix qui renvoient avec deux autres croix et le mot « Rivebelle » en tête du Verso 73.

(car tous les grands altruismes féconds dans la nature revêtent une forme égoïste et l'altruisme humain qui n'est pas égoïste est presque toujours stérile — c'est celui de l'écrivain qui au lieu de s'enfermer dans « sa tour d'ivoire » reçoit un visiteur, accepte une fonction publique etc.) d'un égoïsme utilisable pour les autres [1]..... et j'ajouterai : Danger extérieur, danger intérieur aussi. Si j'étais préservé de l'accident venu du dehors, [qui sait si] je ne serais pas empêché de profiter de cette grâce par un accident survenu au-dedans de moi avant que fussent écoulés les mois nécessaires pour écrire ce livre [2]. Quand tout à l'heure je reviendrais chez moi par les Champs-Élysées, qui me disait que je n'irais pas comme ma grand'mère y alla avec moi, un jour [3] devant être pour elle le dernier, dans cette ignorance qui est la nôtre aussi, d'une aiguille qui est arrêtée et qui ne sait pas, au point où le ressort déclenché de l'horlogerie va sonner l'heure. L'heure! mais [la] dernière heure. Peut'être ma crainte d'avoir déjà parcouru presque tout entier la minute qui la précède, quand déjà le coup se prépare, le coup dans mon cerveau, peut'être cette crainte était-elle comme une obscure connaissance de ce qui allait être, un reflet dans la conscience de l'état précaire du cerveau dont les artères vont céder, ce qui n'est pas plus impossible que cette acceptation de la mort qu'ont les blessés qui quoiqu'ils aient gardé leur lucidité, que le médecin et le désir de vivre les trompent, disent : « je vais mourir, je suis prêt » et écrivent à leur femme. Moi, c'est autre chose que j'avais à écrire mais plus long [4].

---

1. Proust semble avoir rayé ensuite « et dirigé vers... ».
2. Ici l'auteur supprime : « Quand ma grand'mère était sortie. »
3. « qu'elle ignorait être le dernier » supprimé.
4. A côté de ce texte, près de la marge du Recto 74 au milieu du Verso 73 on trouve cette note : « Revoir le cahier de toile encadrement corné * et voir si j'ai bien mis cela dans les jeunes filles au bord de la mer et voir s'il n'y a pas lieu de le remettre ici. » Cette note s'applique au Recto 74, où nous l'avons déjà fait figurer.

ANNEXE

(Cahier 58)

Nous plaçons ici en annexe un texte qui se trouve en tête du Cahier 58 et qui a trait au nom de Guermantes. On pourra le comparer sur le même sujet à la page 466, au Verso 70 du Cahier 57 qui lui est postérieur — et aussi à la note située au Verso 6 sous le même titre.

R° 1 *(page de garde) et* V° 2
[Le Nom de Guermantes]
(ce texte est placé à cheval sur le Folio 1 du Cahier 58)

Je regardais[1] ce nom de Guermantes. Tout à coup il reprit pour moi le son et la signification qu'il avait à Combray quand passant en rentrant déjeuner dans la rue St Hilaire, je voyais du dehors comme une laque obscure le vitrail de Fulbert[2] le mauvais [,] sire de Guermantes[3]. Les Guermantes

1. Où le regarde-t-il? Sans doute sur un des volumes de la bibliothèque où il se trouve.
2. Proust qui d'abord écrit « Gilbert » ou « Albert », puis a surchargé pour faire « Fulbert », commet une erreur. Il oublie un peu son Histoire d'Illiers dont l'auteur est l'abbé Marquis curé d'Illiers (l'abbé Perdreau de *Swann*). Fulbert un des plus célèbres évêques de Chartres, fondateur de l'école platonicienne de cette ville (au XIe siècle) ne saurait être gratifié de l'épithète de « le mauvais ». Il est par contre normal qu'il porte la mitre et la crosse comme il est dit dans le renvoi en bas de la marge. A Fulbert Proust substituera Gilbert, qui sans invraisemblance pourrait être qualifié de « mauvais ». En réalité, le personnage historique porte le nom de

me semblaient des êtres nés de la fécondation de cet air
aigre et vertueux [1] de Combray, de cette [2] sombre ville où
s'était passée mon enfance et d'un passé qu'on y apercevait
dans la petite rue, à hauteur du vitrail. Si j'avais pu deviner
leur nom, pénétrer leur âme, il me semblait que c'était
l'essence bizarre de ce passé que j'aurais touché, que j'aurais possédé l'humidité..... [3] Et ceux qui portaient ce nom me
semblaient d'une essence différente du reste de l'humanité,
sombres et vertueux comme la rue de l'Oiseau, antiques
comme le vitrail où Fulbert le Mauvais portait la mitre et la
crosse, race mystérieuse née de l'atmosphère aigre d'une rue
gothique. A bien peu de nos noms pour moi, à nul homme,
était attaché un charme si profond qu'il semblait impossible
de l'épuiser. Les caractères même qui l'écrivaient se dispo-
saient suivant une manière que j'avais de le lire et de le prononcer formant un dessin qui était aussi familier pour moi [4],
qui me semblait m'appartenir autant que le visage de ma
mère ou que sa signature, que les syllabes du mot s'y dissol-
vaient en quelque chose de spirituel, de connu et de doux,
presque comme le nom d'une ville, d'une rue, d'une maison

Geoffroy vicomte de Châteaudun. Il est entré en conflit avec l'évêque
Fulbert de Chartres, et même le roi René qui protégeait l'évêque. Dans
Du Côté de chez Swann il devient Gilbert le Mauvais. Il y est accusé par
l'abbé Perdreau d'avoir brûlé la primitive église de Combray, ne laissant
subsister que la crypte que le jeune Théodore fait visiter. Or, le fougueux
Geoffroy de Châteaudun incendia la cathédrale de Chartres en 1020. Fulbert construisit une cathédrale nouvelle (antérieure à l'actuelle), dont la
crypte a subsisté. Le parallélisme des deux histoires est remarquable, de
même que la transposition à laquelle Proust s'est livré.

3. En marge un texte en deux parties, lequel est sans doute destiné à
remplacer ce qui est rayé en face. Nous l'intégrons dans le texte principal.

1. Ici Jean Milly, dont on peut comparer le texte pages 85-86 dans *La
Phrase de Proust* (Larousse, 1976) avec le nôtre, pense à « venteux ». Ce n'est
pas invraisemblable púisque Proust écrit dans *Du Côté de chez Swann*
(Pléiade, I, p. 145) : « le vent qui était pour moi le genre particulier de
Combray » (voir aussi l'édition originale I, p. 210). Mais il faudrait alors
comme le fait Milly lire « venteux », ce qui est incorrect. Le même mot
se retrouve plus bas en marge, avec la même graphie apparente, qui donne
plutôt « vertueux ».

2. Renvoi dans le haut de la page.

3. Plus bas en marge.

4. Un renvoi en haut de la page (jusqu'à « signature »).

qu'on a habitée, comme un nom de famille, à cause de toute cette tendresse de ma mère et de ma grand'mère remplissant ma pensée au cours de ces promenades du côté de Guermantes, qui n'était plus qu'une seule promenade, qu'une seule journée, remplissant le nom du fond jusqu'au bord *(V° 2)* de son atmosphère limpide et tendre; charme mystérieux aussi à cause de tout ce que j'y avais occupé et plus peut' être à cause de cette âme d'alors qui imaginait, que je n'avais plus, et dont les imaginations retrouvées dans le mot me semblaient, tout en restant miennes, étranges et nouvelles dans leur ancienneté, donnant à mon idée de ma[1] personnalité une[2] extension inconnue et poétique si bien que, le nom continuant à me promettre des secrets que je savais[3] depuis longtemps n'exister qu'en moi-même, j'avais envie d'aller chez Me de Guermantes comme si cela devait me rapprocher du vitrail.....[4] le mauvais, comme si le vitrail de Charles[5] le mauvais, si je l'avais revu, lui-même dût me rapprocher de ces profondeurs de ma pensée où je l'apercevais, comme si j'avais pu identifier objectivement, à force de voyages, de lectures, de monographies familiales et d'archives seigneuriales en quoi consistaient les noms de Combray et de Guermantes, j'avais appris les substances qui entraient dans la composition de mon cœur. Puis à force de regarder le nom de Guermantes où les lettres se subordonnaient à la sonorité qu'elles énoncent (autre mot), les lettres révoltées reprirent leur indépendance le N et le T devinrent les égales des autres, le rythme auquel[6] elles obéissent, en se plaçant devant nos yeux, fut aboli et le nom composé de ses seules lettres m'apparut comme inconnu, sans passé, comme un nom que je lirais pour la 1re fois dans un dictionnaire de Volapuck.

1. Le « ma » est rayé.
2. Ce « une » semble rayé. Mais comment le supprimer?
3. Ici un « que » que Proust a oublié de rayer.
4. Le mot manque. Plus haut c'était Fulbert le mauvais. Mais ensuite il écrit *Charles* le mauvais. Voir note 2 de la page 473.
5. Nous lisons « Charles ». Proust ne paraît pas très fixé sur le nom qu'il devra retenir.
6. Proust a mis le féminin pluriel!

Index
des noms de personnes
(Cahier 57[1] — N.A.F. 16 697)

A

Agrigente (Prince d') : P^{2}R° 19.
Aimé : PV° 12.
Aimery : PV° 56 (cf. Montesquiou-Fezensac).
Aladin : PR° 44.
Albertine : V° 2, V° 3, R° 4 (note), V° 10, V° 15, MR° 16, MR° 17, V° 18, V° 23, MR° 27, V° 36, V° 38, MR° 41, V° 41 (mort d'A.), R° 43, V° 43, PR° 44, PV° 44, V° 45, MR° 48, PV° 48, MV° 48, MR° 50, V°50, MV° 50, PV° 56, MR° 57, MV° 58 et MF° 59, PR° 60, PV° 60, PR° 62, V° 65, MV° 68, MV° 69, V° 70, MR° 72.
Allemagne (Empéreur d') : PV° 56.
Amfortas : V° 46 (note).
Anglais (les) : V° 6.
Angleterre (Reine d') : PV° 60.
Annunzio (d') : V° 6.
Argencourt (M. d') : V° 67, MV° 70.
Arlequin : V° 47.
Art pour l'Art (école de l') : V° 7.
Audoux (Marguerite) : V° 35.

B

Bach : MR° 25.
Baignères : MV° 49, MR° 65.
Balzac : MV° 7, V° 25, PR° 60.
Barrès : MR° 9.
Baudelaire : V° 25, V° 35, V° 38, MR° 62, MV° 69, PR° 60.

1. Pour la note du Cahier 58 (sur les Guermantes) nous indiquons : Cah. 58.
2. Rappelons que P = Paperole.

Cambremer (fils) : V° 23, MV° 59, MR° 64.

Cambremer (fille ou jeune ou vieille) : V° 31, V° 53, MR° 55, PR° 62.

Capet : R° 4 (note).

Capus : V° 40.

Carolus Duran : V° 26.

Chabrier (Emmanuel) : MR° 34.

Chanteur (le vieux) et sa jeune femme : PR° 12, MR° 63.

Charles (le Mauvais) : Cah. 58, V° 2.

Charley : PV° 12.

Charlus (M. le baron de) : PR° 19, PR° 51, V° 53, MV° 59, PR° 62, PV° 63, V° 64.

Chateaubriand : V° 35, MV° 69.

Chatellerault (Duc de) : MR° 71.

Chemisey (Mme de) : MR° 52, V° 54, MR° 53, MV° 63 (sœur de Legrandin en Normandie).

Chemisey (le petit) : V° 48.

Chenavard : V° 7.

Chirade (Mme) : V° 10 (note).

Chopin : R° 4 (note).

Clemenceau : PR° 19.

Clermont-Tonnerre : MR° 53, MR° 65.

Clevrigny (ou Chevrigny) (petit-cousin de Mme de Cambremer) : V° 53.

Comte (le) : V° 45.

Cottard : V° 43, PV° 56, MR° 64, PR° 56.

Cottard (Mme) : V° 48, V° 53 (un de ses fils), PR° 56.

Crémière (la) : V° 10.

Crozier : V° 33.

D

David : V° 7.

Debussy : V° 26, PV° 51.

Delacroix : R° 4 (note).

Denis (Maurice) : V° 26.

Descartes (cartésianisme) : MR° 15.

Desjardins (Paul) : V° 4, V° 5, V° 15.

Dostoïevsky : V° 25.

Dreyfus : V° 5, V° 6, V° 17, PV° 19, V° 40, PR° 51, PV° 51, PV° 56.

Dubois (le médecin) : MR° 15.

Duquesne : V° 6.

Duras (Duchesse de) (cf. Mme Verdurin) : MR° 31, V° 43.

Index
des noms de lieux et d'ouvrages divers
(Cahier 57 — N.A.F. 16 697)

TABLE GÉNÉRALE DES MATIÈRES

Autres travaux d'Henri Bonnet

ALPHONSE DARLU, MAÎTRE DE PHILOSOPHIE DE MARCEL PROUST — suivi d'une ÉTUDE CRITIQUE DU CONTRE SAINTE-BEUVE *(Nizet, 1961)*.

DE MALHERBE À SARTRE *(Nizet, 1964)*.

LE TEMPS RETROUVÉ DANS LES CAHIERS (Cahiers Marcel Proust N° 6. *Gallimard, 1973)*.

MARCEL PROUST DE 1907 À 1914, avec une Bibliographie générale *(Nizet, 1976)*, 2 volumes, 2ᵉ éd.

LE PROGRÈS SPIRITUEL DANS LA RECHERCHE DE MARCEL PROUST *(Nizet 1979)* 2ᵉ éd. — Prix Marcel Proust 1979.

ROMAN ET POÉSIE, essai sur l'esthétique des genres *(Nizet, 1980)* 2ᵉ éd.

Compos
par l'I1
à Maye
Dépôt
Numéro

ISBN 2-0

31128

19 0064734 9